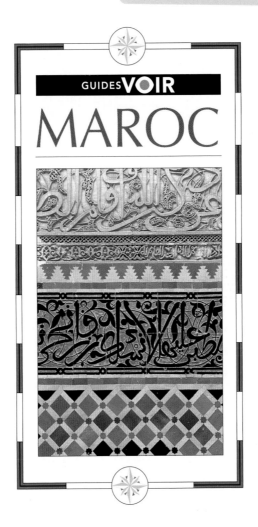

GUIDES **VOIR**

MAROC

TANGER
Tétouan
Al-Hoceima
Melilla
Larache
CÔTE
NORD-ATLANTIQUE
LE RIF ET LA CÔTE
MÉDITERRANÉENNE
RABAT
MEKNÈS
FÈS
Taza
ASABLANCA
ET VOLUBILIS
-Jadida
MOYEN ATLAS
HAUT ATLAS
Midelt
Figuig
Beni Mellal
ARRAKECH
Er-Rachidia
OUARZAZATE
ET LES OASIS DU SUD
Asni
Ouarzazate
Zagora

TANGER
Pages 128-141

**LE RIF ET LA CÔTE
MÉDITERRANÉENNE**
Pages 142-161

**MEKNÈS
ET VOLUBILIS**
Pages 184-205

MOYEN ATLAS
Pages 206-221

FÈS
Pages 162-183

0   200 km

HAUT ATLAS
Pages 244-259

**OUARZAZATE ET
LES OASIS DU SUD**
Pages 260-281

MAROC

⊏¬ hachette
TOURISME

hachette
TOURISME

Aussi soigneusement qu'il ait été établi, ce guide
n'est pas à l'abri des changements de dernière heure.
Faites-nous part de vos remarques par e-mail
à l'adresse suivante : **voir@hachette-livre.fr**

HACHETTE TOURISME
43, quai de Grenelle, 75905 Paris Cedex 15

DIRECTION
Nathalie Pujo

DIRECTION ÉDITORIALE
Cécile Petiau

RESPONSABLE DE COLLECTION
Catherine Laussucq

ÉDITION
Émilie Lézénès et Adam Stambul

MISE À JOUR
Ghislaine Ouvrard

CRÉATION GRAPHIQUE COUVERTURE
Laurent Muller

MISE EN PAGES (PAO)
Maogani

CE GUIDE VOIR A ÉTÉ ÉTABLI PAR
Rachida Alaoui, Jean Brignon, Nathalie Campodonico,
Fabien Cazenave, Gaëtan du Chatenet, Alain Chenal,
Emmanuelle Honorin, Maati Kabbal, Mohamed Métalsi,
Marie-Pascale Rauzier

IMPRIMÉ ET RELIÉ EN CHINE PAR
L. REX PRINTING CO LTD

Dépôt légal : janvier 2012
ISBN : 978-2-01-245213-8
ISSN : 1246-8134
Collection 32 – Édition 01
N° DE CODIFICATION : 24-5213-4

◁ **La kasbah d'Aït Benhaddou, à proximité de Ouarzazate**

Vallée du Dadès *(p. 272-273)*

SOMMAIRE

**Détail de la mosquée
de Tin Mal** *(p. 252)*

Enluminures d'un manuscrit

Olives de la vallée du Dadès

Pétales de roses destinés à la distillation

Plat de la région de Fès

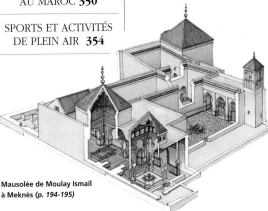

Mausolée de Moulay Ismaïl
à Meknès *(p. 194-195)*

COMMENT UTILISER CE GUIDE

Ce guide a pour but de vous aider à profiter au mieux de votre séjour au Maroc. L'introduction, *Présentation du Maroc*, situe le pays dans son contexte géographique, historique et culturel. Dans les treize chapitres du *Maroc région par région*, dont six sont consacrés aux grandes villes, plans, textes et illustrations présentent en détail les principaux sites et monuments. *Les bonnes adresses* proposent une sélection d'hôtels et de restaurants et des informations sur les activités de plein air. Les *Renseignements pratiques* vous donnent des conseils utiles allant des visites de mosquées aux transports.

GRANDES VILLES

Le Maroc a été découpé en treize chapitres, dont trois sont consacrés aux villes impériales du Maroc historique : Fès, Meknès et Marrakech, et trois aux grandes villes du pays, Rabat, la capitale, Casablanca et Tanger. Chaque ville, hormis Meknès, fait l'objet d'un chapitre entier. Dans chaque ville, les principaux sites font l'objet d'une rubrique séparée.

Une carte de situation situe la ville au Maroc.

Un onglet de couleur signale toutes les pages consacrées à la ville.

1 Introduction
Elle situe le contexte naturel et économique de la ville et décrit son évolution au cours des siècles, ainsi que ce qu'elle offre aujourd'hui au visiteur.

2 Plan général de la ville
Sur le plan général de la ville figurent les rues principales, les gares ferroviaires et routières, les parcs de stationnement, les offices de tourisme et les sites numérotés.

Les sites d'un coup d'œil dresse une liste des centres d'intérêt numérotés par catégorie : édifices religieux, musées, jardins ou quartiers historiques.

Une carte de situation situe le centre-ville dans l'agglomération.

3 Renseignements détaillés
Les sites et les monuments font l'objet d'un article. En tête de rubrique figurent des renseignements pratiques : adresses, numéros de téléphone et heures d'ouverture. La légende des symboles utilisés se trouve en fin d'ouvrage sur le rabat de la couverture.

Un repère de couleur correspond à chaque région.

1 Introduction
Une évocation de l'histoire et de la personnalité de chaque région.

La carte de situation montre l'emplacement et l'étendue de la région.

LE MAROC RÉGION PAR RÉGION

Le pays est divisé en treize chapitres, dont six sont consacrés aux grandes villes et sept aux principales régions du Maroc. La carte du début du guide montre ce découpage. Au début de chaque chapitre, les localités et les sites les plus intéressants, numérotés, apparaissent sur une carte régionale.

2 Carte régionale
Elle illustre la région et son réseau routier. Les sites sont numérotés et des renseignements pratiques indiquent l'accès à la région ainsi que ses moyens de transport.

Des encadrés approfondissent des sujets historiques et culturels propres à la région.

3 Renseignements détaillés
Les localités et les sites importants sont décrits individuellement dans l'ordre de la numérotation sur la carte régionale. Chaque notice comprend aussi des informations pratiques telles que références cartographiques, adresses, numéros de téléphone et heures d'ouverture.

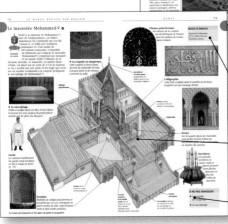

Les informations pratiques fournies en tête de rubrique comprennent la référence à la carte routière en fin de guide.

Le mode d'emploi fournit toutes les informations.

4 Principaux monuments
Deux pleines pages ou plus leur sont dédiées. Le plan en coupe des bâtiments historiques dévoile l'intérieur.

Des étoiles signalent les éléments à ne pas manquer.

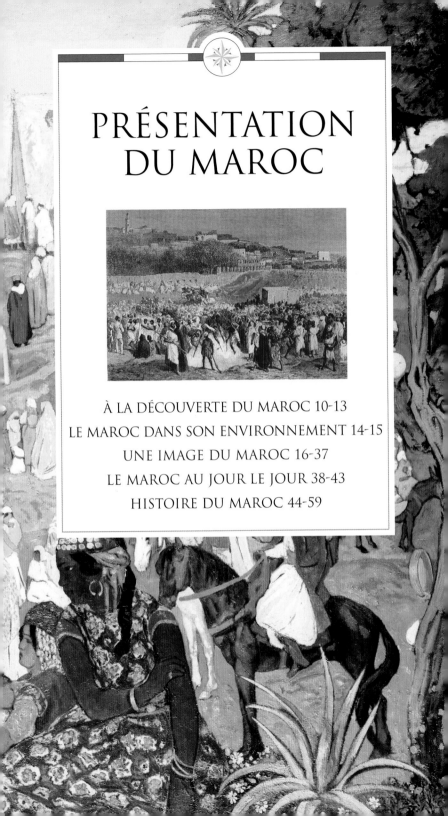

PRÉSENTATION DU MAROC

À LA DÉCOUVERTE DU MAROC

Vendeur d'eau

Le Maroc fascine par sa diversité géographique, son atmosphère pluriculturelle et son histoire. Dans ses villes aux populations berbères, arabes et africaines, kasbahs, mosquées et souks contrastent avec l'architecture moderne. La plupart des métropoles se situent près des côtes dans le Nord du pays. Du sud-ouest au nord-est, les massifs de l'Atlas forment une longue barrière séparant les centres urbains du désert. Plages, montagnes, lacs, forêts et déserts offrent un paysage varié. Ces pages vous donneront une vue d'ensemble pour vous aider dans votre visite.

L'imposante nécropole de Chellah édifiée au XIVe siècle, Rabat

RABAT

- **Kasbah des Oudaïa**
- **Mausolée Mohammed-V**
- **Impressionnante nécropole de Chellah**
- **Trésors du Musée archéologique**

Capitale politique et administrative, Rabat est la deuxième ville du Maroc, après Casablanca. Cette cité à l'ambiance cosmopolite et décontractée séduit par ses remparts, ses palais, ses mosquées et ses jardins. La **kasbah des Oudaïa** édifiée au XIIe siècle *(p. 68-69)* est le principal site touristique, suivi de la medina du XVIIe siècle et de ses souks pittoresques au sud. On visitera aussi le **mausolée Mohammed-V** *(p. 74-75)*, la **nécropole de Chellah** *(p. 80-81)* et le **Musée archéologique** *(p 78-79)* aux collections impressionnantes.

CÔTE NORD-ATLANTIQUE

- **Plages de sable et forêts**
- **Observation des oiseaux à Moulay Bousselham**
- **Ruines phéniciennes de Lixus**
- **Sites néolithiques et romains**

Le littoral entre Rabat et Tanger est semé de lagunes, de forêts et de plages, parmi les plus belles du pays. L'autoroute qui longe la côte offre des superbes points de vue sur l'océan. Dans cette région, vous pourrez admirer les chênes-lièges de la **forêt de la Mamora** *(p. 87)* et, en décembre et janvier, les oiseaux migrateurs dans la lagune de Merja Zerga, près de **Moulay Bousselham** *(p. 90)*.

Le Maroc a connu de multiples envahisseurs : les Phéniciens, les Romains, les Espagnols, les Portugais et les Hollandais. Les vestiges romains de **Thamusida** *(p. 87)*, la cité phénicienne de **Lixus** *(p. 90-91)* et la ville portugaise d'**Asilah** *(p. 91)* méritent le détour.

La côte nord-atlantique possède aussi de fascinantes structures, comme le cirque néolithique du **cromlech de M'Soura** *(p. 91)*.

CASABLANCA

- **Superbe héritage Art déco**
- **Deuxième plus grande mosquée au monde**
- **Ancienne medina**
- **Flânerie dans le quartier des Habous**

Développée par les Français à partir des années 1920, Casablanca est la capitale financière du Maroc et sa plus grande ville. Son architecture se caractérise par un mélange de façades Art déco et d'édifices de style mauresque. Les plus beaux exemples Art déco se situent vers la **place des Nations-Unies** et le **boulevard Mohammed-V** *(p. 98-99)*.

Face à l'océan, la vaste **mosquée Hassan-II** *(p. 102-103)* est la deuxième plus grande mosquée du monde après celle de la Mecque. Toujours entourée

L'immense mosquée Hassan-II, Casablanca

◁ *Fête marocaine*, tableau d'André Suréda (1872–1930)

Essaouira la blanche, sur la côte sud-atlantique

de remparts, l'**ancienne medina** *(p. 100)* donne une idée des origines modestes de la ville. Un marché pittoresque s'y tient chaque jour. Casablanca possède un port de pêche et un port moderne *(p. 100)* avec d'excellents restaurants de poisson.

Avec ses rues bordées de fleurs et ses souks, le **quartier des Habous** *(p. 106)* est l'occasion d'une agréable promenade.

CÔTE SUD-ATLANTIQUE

- **Passé portugais d'El-Jadida**
- **Surf à Oualidia**
- **Essaouira la superbe**
- **Imouzzer des Ida Outanane**

Ce littoral possède de belles plages désertes entrecoupées de villes fortifiées remontant à l'occupation portugaise. C'est une région en plein essor, où l'on prévoit la construction de nombreux hôtels et résidences.

El-Jadida *(p. 114-115)* est une petite ville avec un fort et une superbe citerne édifiée par les Portugais. À l'est, l'impressionnante **kasbah de Boulaouane** *(p. 112-113)*, datant du XVIIIe siècle, se dresse au cœur d'une région célèbre pour sa fauconnerie et ses vignobles.

Oualidia *(p. 115)* a bâti sa réputation sur la qualité de ses huîtres. C'est aussi une station balnéaire réputée pour le surf, à l'image de la jolie ville d'**Essaouira** *(p. 120-121)*. Si vous passez par là, ne manquez pas le dédale des ruelles de la medina, le port et les remparts.

Sur les contreforts du Haut Atlas, **Imouzzer des Ida Outanane** *(p. 126-127)* promet de belles excursions parmi les cascades, les beaux villages blancs et les arganiers.

Pause détente sur la terrasse d'un café, Tanger

TANGER

- **Héritage littéraire de Tanger et le Café de Paris**
- **Palais Dar el-Makhzen dans la kasbah**
- **Souks : le pittoresque fondouk Chejra**

Premier port reliant l'Europe et l'Afrique, Tanger est une ville cosmopolite à l'atmosphère animée, qui a vu passer de nombreux écrivains et peintres, de Samuel Pepys à William Burroughs, d'Eugène Delacroix à Henri Matisse. Tous ont contribué à son caractère libéral et bohémien. Côte à côte, la **place de France** et la **place de Faro** *(p. 139)* étaient le centre des intellectuels et artistes qui se retrouvaient, par exemple, au **Café de Paris**, pour boire un verre et profiter du spectacle du port et de la medina, située au nord-est de la ville. La **kasbah** *(p. 132)* se situe quant à elle au nord-est, de même que le palais-musée de Dar el-Makhzen et la mosquée de la Kasbah. Le **Grand Socco (place du 9-avril-1947)** *(p. 138)*, qui abrite le soir un marché de rue très animé, crée un pont entre la medina et la Ville Nouvelle.

Fondouk Chejra *(p. 138)* est un immense bazar oriental aux nombreux ateliers de tissages.

LE RIF ET LA CÔTE MÉDITERRANÉENNE

- **Villes et villages du Rif**
- **Présence espagnole à Ceuta et Melilla**
- **Chefchaouen, ville sainte**
- **Réserve d'oiseaux dans la vallée de la Moulouya**

Les jolies plages de Ceuta laissent la place aux falaises en direction de Melilla. Dans les terres, les **montagnes du Rif** *(p. 154-155)* se dressent d'ouest en est. Plusieurs villages se nichent dans les collines, les plus hauts sommets se situant à l'est.

Les territoires espagnols de **Ceuta** *(p. 147)* et **Melilla** *(p. 158-159)* donnent le ton de la région. Les villes les plus intéressantes sont **Tétouan** *(p. 148-149)*, occupée successivement par les Juifs, les Maures et les Espagnols, et la ville sainte de **Chefchaouen** *(p. 150-151)* avec ses ruelles escarpées bordées de maisons blanchies à la chaux.

Les amoureux de la nature passeront par la **basse vallée de la Moulouya** *(p. 159)* et sa réserve d'oiseaux.

Maisons blanc et bleu, typiques de Chefchaouen

Bab Mansour el-Aleuj à Meknès : l'une des plus belles portes du Maroc

FÈS

- **Patrimoine mondial**
- **Mosquées et medersas**
- **Ateliers et tanneries près de la place el-Saffarine**
- **Souks**

Classée au patrimoine mondial par l'Unesco, Fès est la plus ancienne ville du Maroc et sa capitale culturelle et religieuse. Forteresses, remparts et portes de la ville forment un tableau impressionnant, tout comme ses medersas (écoles religieuses), ses mosquées, ses palais, ses jardins, ses souks et ses ateliers.

La superbe **medersa Bou Inania** *(p. 172-173)*, édifiée au XIVe siècle, et celle d'**El-Attarine** *(p. 171)*, sont des hauts-lieux de l'architecture mauresque. Visitez aussi la **mosquée Karaouiyine** *(p. 176-177)*, le **quartier des Tanneurs** *(p. 175)*, les **souks** *(p. 137)*, et le **fondouk El-Nejjarine** *(p. 167)*, un ancien caravansérail.

Le **musée Dar el-Batha** *(p. 168-169)* est intéressant

Vue aérienne du pittoresque quartier des Tanneurs, Fès

pour son architecture de la fin du XIXe siècle, son jardin andalou et sa collection d'artisanat local.

MEKNÈS ET VOLUBILIS

- **Arc monumental de Bab Mansour el-Aleuj**
- **Splendide mausolée de Moulay Ismaïl**
- **Arts marocains au musée Dar Jamaï**
- **Ruines antiques de Volubilis**

C'est à Moulay Ismaïl que l'on doit l'architecture de **Meknès** *(p. 186-201)*, dont il fit sa capitale impériale au XVIIe siècle. La fabuleuse porte **Bab Mansour el-Aleuj** *(p. 189)* perce l'enceinte de la kasbah où se cachent les plus beaux édifices de la ville : le **mausolée de Moulay Ismaïl** *(p. 194-195)*, et le palais royal, **Dar el-Makhzen** *(p. 192-193)*. Outre le bazar de tapis berbères, les souks de la medina regorgent d'étoffes, de ferronneries, de cuir. On visitera aussi la **Grande Mosquée** *(p. 188)* et le **musée Dar Jamaï** *(p. 190-191)*, un musée des arts marocains avec un joli jardin andalou.

Fondée au IIIe siècle av. J.-C, **Volubilis** *(p. 202-205)* mérite le détour pour ses imposantes ruines romaines, dont l'arc de triomphe de Caracalla, la basilique et le capitole, mais aussi les vestiges de maisons romaines et des mosaïques.

MOYEN ATLAS

- **Montagnes, forêts et lacs**
- **Randonnées dans le parc national du jbel Tazzeka**
- **Spectaculaires cascades d'Ouzoud**

Enclavée dans le centre du pays, cette région compte plusieurs villes fortifiées, mais séduit surtout par sa diversité : montagnes, vallées, lacs et forêts luxuriantes forment, en effet, un paysage à l'état brut.

Taza *(p. 210)*, parmi les plus anciennes villes du Maroc, **Imouzzer du Kandar** *(p. 211)* et ses habitations troglodytes, **Ifrane** *(p. 212)* aux accents français, ou **Azrou**, la berbère *(p. 212)*, sont de bons points de départ pour visiter la région.

Le **parc national du jbel Tazzeka** *(p. 210)*, sur le versant est, offre des points de vue époustouflants. À l'extrême sud-ouest, les **cascades d'Ouzoud** *(p. 221)* méritent le détour pour les chutes, mais aussi pour les macaques qui ont établi leurs quartiers dans les figuiers alentours.

Musiciens sur la place Jemaa el-Fna, Marrakech

MARRAKECH

- **Animation de la Place Jemaa el-Fna**
- **Mosquée La Koutoubia**
- **Paisibles jardins de la ville**
- **Musées et palais**

La ville rouge qui a donné son nom au Maroc s'étend entre l'Atlas et le Sahara. L'effervescence de ses souks reflète l'âme marchande de celle qui n'était à l'origine qu'un poste de ravitaillement sur la route des épices.

En centre-ville, sur la **place Jemaa el-Fna** *(p. 234)*, vendeurs d'agrumes ou de cacahuètes, charmeurs de serpents, jongleurs, singes savants, tatoueurs au henné et autres diseurs de bonne aventure rivalisent pour attirer votre attention. La **mosquée La Koutoubia** *(p. 236-237)*, édifiée en 1147, domine l'ensemble.

Après l'agitation du centre, la **Menara**, la **Palmeraie** ou les jardins de l'**Agdal** ou de **Majorelle** *(p. 242-243)* offrent leurs écrins de verdure, tandis que le **palais de la Bahia** *(p. 234-235)* et le **musée Dar Si Saïd** *(p. 240-241)* donnent un aperçu fascinant de la culture, de l'architecture et de l'artisanat de cette ville impériale.

HAUT ATLAS

- **Randonnées dans le massif du Toubkal**
- **Villages berbères**
- **Ski et VTT dans les montagnes**

La plus haute chaîne d'Afrique du Nord s'étire d'est en ouest du **jbel Toubkal** *(p. 249)* – point culminant de l'Atlas à 4 167 m – et le jbel Ayachi, qui surplombe les gorges de Ziz. Ici, les routes sont rares et le terrain accidenté, chaque parcelle de terre est donc irriguée et exploitée pour les cultures ou le bétail.

Fief des berbères, cette région est l'occasion de connaître leur mode de vie. Les 28 villages de la lointaine **vallée des Aït Bouguemez** *(p. 254-257)* s'ornent de maisons en pisé, un mélange de paille et de boue séchée au soleil, aux côtés de *tighremts* fortifiées, plus grandes, souvent occupées par le chef du village.

Oukaïmeden *(p. 248)* est une petite station de ski, et une base agréable pour la randonnée et le VTT en été.

Randonnée dans les dunes de l'Erg Chebbi, près de Merzouga

OUARZAZATE ET LES OASIS DU SUD

- **Villages du passé et ksour**
- **Balade en dromadaire dans les dunes**
- **Studios de cinéma de Ouarzazate**
- **Kasbahs de Skoura**

Cette région est enserrée entre les montagnes du Haut Atlas au nord et le Sahara au sud. Les villages et les ksour (villes fortifiées) s'égrènent le long des routes principales qui suivent les vallées du Draa, de Dadès et de Tafilalt. Kasbahs croulantes, marchés et ateliers témoignent ici du passé marchand de ce territoire qui fut occupé par les Berbères, les Arabes et les Noirs africains.

Il vous faudra plusieurs jours, un guide et un véhicule tout terrain pour explorer la zone des gorges, y compris les impressionnantes **gorges du**

Todra *(p. 274)*, et plus de temps pour une excursion à dos de dromadaire dans les **dunes de l'erg Chebbi**, près de **Merzouga** *(p. 281)*, au Sahara.

La visite des studios de cinéma à **Ouarzazate** *(p. 264)* ou de la palmeraie et des superbes kasbahs de **Skoura** *(p. 272)* est plus reposante.

SUD ET SAHARA OCCIDENTAL

- **Loisirs sur la plage d'Agadir**
- **Dunes de sable à l'infini**
- **Parc national de Souss Massa et ses oiseaux**
- **Souk aux dromadaires de Guelmim**

Détruite par un séisme en 1960, la ville d'**Agadir** *(p. 286-287)* a été reconstruite pour être la première station balnéaire du pays. Elle offre une architecture moderne, de vastes hôtels, de nombreux loisirs et une grande baie.

C'est le point de départ pour les excursions dans les plaines du Souss à l'est, l'Anti-Atlas au sud-est, et le territoire disputé du Sahara occidental au sud. Les sites les plus prisés sont **Taroudannt** *(p. 288)*, avec ses superbes remparts et ses souks animés, **Tafraoute** *(p. 293)* dans la vallée d'Ameln, au paysage lunaire, le **parc national de Souss Massa** *(p. 292)*, pour l'observation des oiseaux, et **Guelmim** *(p. 294)*, pour son souk aux dromadaires et les mystérieux hommes bleus du désert.

La longue plage de sable d'Agadir, première station balnéaire du Maroc

Le Maroc dans son environnement

Pays africain par sa large façade saharienne, pays méditerranéen par son climat et son relief contrasté, par sa longue histoire commune avec l'Espagne andalouse et par sa volonté de s'accrocher à l'Union européenne, le Maroc est le « Maghreb el-Aqsa », le « pays du couchant extrême » pour le monde arabe et musulman auquel il appartient depuis le VIIe siècle, après avoir longtemps conservé son identité berbère. Sa population, forte de 33 750 000 habitants, dont près de 40 % a moins de 15 ans, très inégalement répartie sur les 710 850 km² qui constituent l'espace marocain, se concentre dans la région côtière atlantique, dans le Rif et le Haut Atlas.

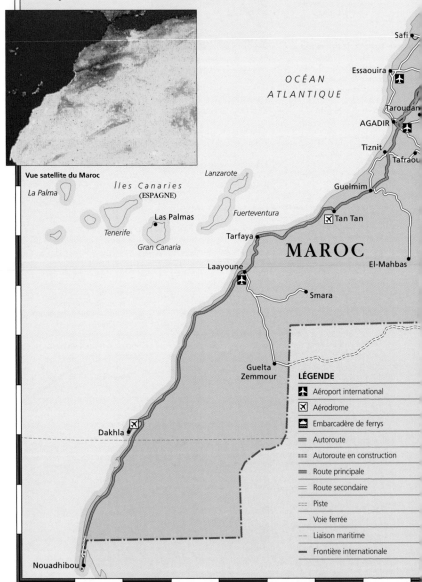

Vue satellite du Maroc

OCÉAN
ATLANTIQUE

Safi

Essaouira ✈

Taroudan

AGADIR ✈

Tiznit

Tafraou

Îles Canaries
(ESPAGNE)

La Palma

Lanzarote

Tenerife

Gran Canaria

Las Palmas

Fuerteventura

Guelmim

☒ Tan Tan

Tarfaya

MAROC

Laayoune ✈

El-Mahbas

Smara

Guelta
Zemmour

Dakhla ☒

Nouadhibou

LÉGENDE

✈	Aéroport international
☒	Aérodrome
⛴	Embarcadère de ferrys
▬	Autoroute
▤	Autoroute en construction
▬	Route principale
═	Route secondaire
▦	Piste
—	Voie ferrée
--	Liaison maritime
▬	Frontière internationale

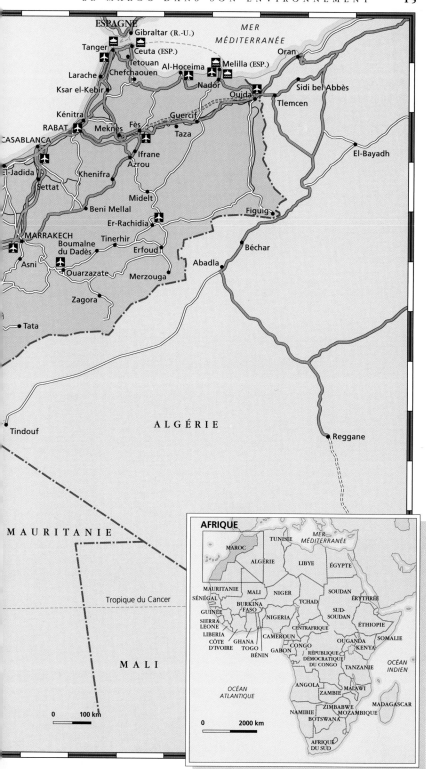

UNE IMAGE DU MAROC

*L*e *Maroc est un arbre dont les racines plongent en Afrique et qui respire par ses feuilles en Europe. Telle est la métaphore qu'utilisait souvent le roi Hassan II pour décrire un pays pétri de traditions mais aspirant toujours à plus de modernité. Cette double inclination fait la riche complexité de ce pays de l'extrême couchant, El-Maghreb el-Aqsa.*

Le Maroc occupe une place privilégiée au sein du monde musulman. Son histoire vieille de trois mille ans, sa culture et ses ethnies ancestrales, sa situation géographique remarquable, ouverte sur la façade atlantique, l'Afrique sub-saharienne, l'Europe et la Méditerranée, ont incontestablement contribué à assoir sa richesse culturelle. Après la mort de Hassan II (27 juillet 1999), l'arrivée au pouvoir de Mohammed VI et la brève alternance d'une

Jeune Marocaine à la fête des Roses, El-Kelaa M'Gouna

coalition de gauche ont suscité quelques espoirs dans la population. Depuis, les élections de 2002 et 2007 ont porté au pouvoir un gouvernement qui tente de répondre aux difficultés économiques, mais a restreint la liberté de la presse (suspension de trois titres). La société, quant à elle, souhaiterait l'aboutissement des réformes promises. Le Maroc est donc à un tournant de son histoire qu'il lui faudra négocier habilement.

Au Petit Poucet, un lieu historique très prisé des Casablancais

◁ **Femme d'Essaouira** *(p. 120- 125)*, vêtue du traditionnel haïk blanc

Membres d'une confrérie gnaoua

UNE SOCIÉTÉ EN DEVENIR

Depuis les années 1950 jusqu'à aujourd'hui, la société marocaine subit de profondes et rapides mutations : désagrégation des liens tribaux traditionnels au profit du modèle de la famille nucléaire à l'européenne, nette diminution de la polygamie, valorisation de l'argent, émergence de la notion d'individu, urbanisation croissante de la population, apparition d'une élite à la culture franco-arabe. La société marocaine, au profil jeune, offre un nouveau visage. Mais il reste au Maroc à résoudre les difficultés posées par la permanence

Vendeur d'eau à Marrakech

de ses contradictions sociales, politiques ou économiques. Depuis son indépendance, le Maroc tente de lutter contre trois fléaux majeurs : l'analphabétisme, le chômage et la pauvreté. L'état a augmenté son budget dans tous les secteurs de l'éducation. L'école est obligatoire, mais beaucoup d'enfants, en particulier les filles dans les régions rurales, ne vont pas en classe. Le taux d'alphabétisation est de 64 % pour les hommes et de 39 % pour les femmes, un chiffre qui tombe à 10 % pour ces dernières dans les régions rurales.

BERBÉRITÉ PAISIBLE

Le Maroc, à la fois berbère et arabe, peut se targuer d'avoir su maintenir un équilibre ethnique, culturel et linguistique. Bien que la langue berbère, le tamazight, ne figure pas dans les programmes scolaires, elle a droit de cité à la radio et à la télévision marocaines. Des mouvements associatifs très actifs investissent le terrain (journaux, concerts de musique, rencontres, débats) pour inciter à la pratique et au respect de la langue et de la culture berbères. Des projets pilotes tels que

Les studios de l'Atlas à Ouarzazate

Travaux agricoles traditionnels, vallée de l'Ourika

la construction de mosquées, de puits, de routes et d'écoles, ont été réalisés dans la région du Souss, dans le Sud marocain, grâce à l'argent envoyé par des Berbères du Sud vivant et travaillant à l'étranger.

STATUT CONTROVERSÉ DES FEMMES

Députés, ambassadrices, éditrices, chefs d'entreprises, conseillères du roi, championnes olympiques, écrivains, militantes actives dans les ONG ou bien encore journalistes, les femmes se sont fait leur place dans la société marocaine. En l'espace de 30 ans, leur statut et leur situation ont connu bien des modifications, notamment la constitution du 10 mars 1972, qui leur accorde le droit de vote et d'éligibilité. En 1994, 77 d'entre elles siègent à la Chambre des représentants. Les associations féministes, très militantes, ne sont pas pour autant pleinement satisfaites. Elles revendiquent l'abolition de la *moudawwana* – code de la famille daté de 1957 qui régule les faits et gestes des Marocains et maintient la femme dans un statut juridique de mineure. En 2004, après des années de

résistance de la part des instances religieuses, le roi décida de promulguer une nouvelle *moudawwana* qui améliore le statut des femmes et réduit, entre autres, la tutelle exercée sur les femmes. À l'heure actuelle, le souverain tente de ne pas heurter la fibre islamiste et reste très vigilant.

MUTATIONS POLITIQUES

Jusqu'à sa mort le 27 juillet 1999, le roi Hassan II a régné sans partage et sans états d'âme sur le Maroc. Les deux tentatives de coup d'État de 1971 et de 1972 n'ont eu pour effet que d'encourager le pouvoir à contrôler encore davantage les

Jeunes filles modernes à Casablanca

rouages de l'État. Driss Basri, le ministre de l'Intérieur, organisa et mit en œuvre les moyens de ce contrôle. Cependant, à la fin de son règne, le monarque avait commencé d'infléchir la tendance autoritaire du pouvoir en impliquant la gauche dans la gestion

Femmes berbères en costume traditionnel du Rif

La fête des Roses à El-Kelaa M'Gouna

des affaires. En février 1998, un gouvernement d'union nationale est constitué sous la houlette du chef socialiste Abderrahmane Youssoufi, mais après trois ans de gestion, le bilan est resté mitigé.

En 1999, Mohammed VI inaugure un nouveau style. Bousculant le protocole, il présente publiquement sa nouvelle épouse. Les actions de sa politique traduisent sa volonté d'écouter davantage son peuple et cherchent à contrer les islamistes et le prosélytisme évangélique. Le roi s'est, entre autres, illustré par le limogeage de Driss Basri, ministre de l'Intérieur, et a ordonné la mise en place de commissions royales pour suivre les dossiers sur le développement économique, le Sahara occidental, l'emploi, ainsi que l'éducation.

Lors des élections législatives de 2002, le Maroc comptait plus de

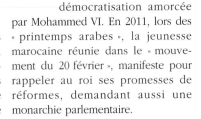

Berbère utilisant une caméra

20 partis, certains constitués uniquement pour l'occasion. Cette situation a contribué au succès du parti islamiste de la Justice et du développement (PJD), deuxième force politique du pays lors de élection de 2007, derrière le parti de l'Istiqlal, et principale force d'opposition au gouvernement. Les attentats de mai 2003 à Casablanca, qui firent 43 victimes, ont fragilisé le pays et remis en question la tentative de démocratisation amorcée par Mohammed VI. En 2011, lors des « printemps arabes », la jeunesse marocaine réunie dans le « mouvement du 20 février », manifeste pour rappeler au roi ses promesses de réformes, demandant aussi une monarchie parlementaire.

UNE ÉCONOMIE CONTRASTÉE

La situation géographique du Maroc, aux confluents de l'Afrique et de l'Europe, constitue un atout économique considérable, facteur d'échange et de compétitivité dans les secteurs touristique, agricole et textile. La pêche, l'hydroélectricité et le phosphate (dont elle détient la première réserve mondiale) sont les trois autres ressources du pays. L'économie marocaine bénéficie aussi du transfert

Écoliers de la vallée du Dadès

d'argent des travailleurs émigrés marocains. Deux milliards de dollars sont envoyés chaque année. L'arrivée de grands opérateurs sur le marché marocain a en outre complètement révolutionné les télécommunications et fait exploser la téléphonie mobile.

Toutefois, l'économie marocaine souffre de nombreux handicaps : une agriculture tributaire des précipitations, un système éducatif défaillant, un coût énergétique prohibitif et un faible indice de développement humain. On compte au moins cinq millions de pauvres. Chaque année, près de 460 000 victimes de l'exode rural grossissent les bidonvilles des grandes cités. Les réformes engagées par le gouvernement n'ont pas eu l'effet escompté, car elles dépendent d'une conjoncture d'ensemble. Le pays est par ailleurs encouragé par la Banque mondiale à libéraliser son économie, à privilégier les exportations et à dévaluer sa monnaie.

Toutefois, jouissant d'une bonne image auprès de l'Europe, le pays a consolidé ses relations avec cette dernière. En 2008, il obtient le « statut avancé » qui renforce ses liens avec

Vendeur dans les souks de Marrakech

l'Union européenne. Un accord sur la libéralisation des échanges de produits agricoles et de la pêche est signé en 2010. Le Maroc a plus que jamais besoin d'être modernisé, mais l'évolution vers une véritable démocratie se fait lentement. L'enjeu est important car la lenteur des réformes pousse de nombreux jeunes à émigrer. Sous Mohammed VI, le pays connaît une libéralisation économique, mais celle-ci permettra-t-elle de faire baisser la pauvreté et le chômage, de contenir les islamistes et d'éradiquer l'analphabétisme ?

La pittoresque place Jemaa el-Fna à Marrakech

Paysages et faune du Maroc

Une chaîne de montagnes culminant à plus de 4 000 m, 3 000 km de côtes de la Méditerranée à l'Atlantique : le pays offre des contrastes saisissants. Du maquis à la cédraie, en passant par la steppe désertique, la flore recense plus de 4 000 espèces capables de résister à des conditions extrêmes. La faune est surtout riche le long du littoral, paradis des oiseaux migrateurs, ainsi qu'en montagne, domaine des rapaces et des mouflons.

Faucon d'Éléonore

L'arganier est un arbre endémique du Sud-Ouest marocain

FORÊTS HUMIDES ET STEPPES D'ALTITUDE

Les forêts humides croissent dans le Rif, le Moyen Atlas et l'est du Haut Atlas, entre 1 400 et 2 500 m d'altitude, là où les pluies varient entre 650 et 2 000 mm par an. Cèdre de l'Atlas, sapin du Maroc, chêne vert, la flore y est diversifiée. Les steppes d'altitude, à la végétation basse et épineuse, s'étendent à plus de 2 700 m, sur le Haut Atlas et le Siroua.

L'aigle royal *vit surtout en montagne où il chasse les chacals, les outardes et les petits mammifères.*

Le gypaète barbu *fait son nid sur une paroi rocheuse. Il se nourrit de cadavres, mais parfois ses proies en les précipitant dans le vide d'un coup d'aile.*

STEPPES LITTORALES ET DÉSERTS

Les terres basses et arides s'étendent le long du littoral, depuis Safi au nord jusqu'à la Mauritanie au sud, là où les pluies oscillent entre 40 et 150 mm par an. Quelques arbustes, des acacias pour la plupart, dominent la végétation adaptée aux terres salines.

L'ibis chauve *ne vit plus qu'en Turquie et au Maroc, où le parc de Souss Massa abrite la plus grande colonie.*

L'écureuil de Berbérie, *friand de noix d'arganier, est l'hôte des steppes du Sud-Ouest marocain.*

Le grand cormoran *loge dans les falaises entre Agadir, au nord, et le banc d'Arguin, en Mauritanie.*

MAGOT OU MACAQUE DE BERBÈRIE

Seuls singes d'Afrique du Nord,
les trois quarts des magots vivent dans
les forêts de cèdres du Moyen Atlas jusqu'à
2 000 m d'altitude ; certains subsistent
dans le Rif, le Haut Atlas et sur le rocher
de Gibraltar. Les magots forment
des colonies de 10 à 30 macaques,
adultes et jeunes des deux sexes.
À la belle saison, ils se nourrissent
de chenilles, de glands, de champignons
et de bulbes d'asphodèle. En hiver,
ils mangent des herbes, des aiguilles de
cèdre, et, parfois, des écorces.

Le magot est le seul singe d'Afrique du Nord

MAQUIS ET STEPPES

Les steppes d'alfas et d'armoises occupent
tout le Sud-Est : hauts plateaux, versants sud
du Haut Atlas et, en partie, ceux de l'Anti-
Atlas. Les pluies varient de 100 à 300 mm
par an, et il neige rarement. Parmi les arbres,
citons le pistachier de l'Atlas, le genévrier
de Phénicie et le frêne dimorphe.

FORÊTS SÈCHES

Elles recouvrent la quasi-totalité des régions
de basse et moyenne altitudes, au nord
de l'Atlas. Les pluies oscillent entre 350
et 800 mm par an et l'enneigement est
parfois important. Parmi les arbres, citons :
le chêne vert, le chêne-liège, le kermès,
l'olivier, le thuya de Berbérie, les pins
d'Alep et du Maroc.

**La demoiselle
de Numidie**
*est une grue qui
niche l'été
sur les hauts
plateaux.*

L'outarde houbara *vit
dans les plaines semi-
désertiques du Sud.*

**La gazelle
dorca** *est l'hôte
des régions semi-
désertiques du
Sud et de l'Est.
Elle se nourrit de
graminées et de
pousses d'acacia.*

L'aigle botté *vit
dans les forêts
du Nord et
les montagnes de
l'Atlas. Il niche dans
les grands arbres.*

Le chacal doré
*se rencontre dans
toute l'Afrique du
Nord et le Sahara,
car il peut se
passer d'eau.*

L'architecture citadine

L'architecture marocaine urbaine a plus de mille ans. Ce sont les premiers souverains idrissides (VIIIe siècle) qui fondent Fès et édifient les mosquées Karaouiyine et des Andalous. Des Idrissides jusqu'au XXe siècle, la juxtaposition de multiples tendances architecturales a donné un patrimoine d'une grande richesse. À chacune des périodes correspondent des usages et des styles artistiques qui nous éclairent sur la vie matérielle et spirituelle des hommes de chaque époque.

La Karaouiyine *(p. 176-177)* est le premier monument idrisside

LES ALMORAVIDES (XIe-XIIe SIÈCLE)

Sous le règne des Almoravides, le Maroc, qui est alors le centre d'un empire ibéro-maghrébin, donne naissance au style hispano-mauresque. L'architecture emprunte à l'Andalousie l'arc en plein cintre outrepassé ou lobé, la calligraphie coufique souvent associée à l'ornement floral, la feuille d'acanthe et l'emploi du stucage.

Extérieur de la coupole datant du XIIe siècle

L'intérieur de la Koubba Ba'Adiyn *(p. 231) est fait d'entrecroisements d'arcs brisés et de rosaces rayonnantes.*

LES ALMOHADES (XIIe-XIIIe SIÈCLE)

Bâtisseurs du plus grand empire ibéro-maghrébin, les Almohades jettent les fondements d'un art que les dynasties postérieures ne feront qu'imiter. La Koutoubia de Marrakech, la mosquée Hassan II de Casablanca, les grandes portes monumentales reflètent le même esprit de rigueur et de sobriété.

Minaret de la Koutoubia

Le décor sculpté *du minaret de la Koutoubia* (p. 236-237) *est fait d'entrelacs encadrant des embrasures.*

LES MÉRINIDES (XIIIe-XVe SIÈCLE)

Les Mérinides empruntent les mêmes techniques de construction et poursuivent dans l'ensemble la production de formes architecturales identiques à la période précédente. Toutefois, ils restent les plus grands bâtisseurs des chefs-d'œuvre de l'architecture marocaine que sont les *medersas* (p. 172-173) et ont su ornementer les bâtiments avec un goût admirable.

La façade intérieure de la medersa Bou Inania *concentre toutes les techniques, tous les styles ornementaux et tous les matériaux.*

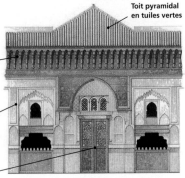

Toit pyramidal en tuiles vertes

Consoles en bois sculpté

Plâtre sculpté ou ciselé

Porte en bois à deux battants

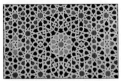

Les zelliges *en carreaux de faïences polychromes de la medersa Bou Inania se combinent selon des tracés géométriques complexes.*

LES SAADIENS (XVIᵉ-XVIIᵉ SIÈCLE)

Les souverains saadiens lèguent au Maroc deux chefs-d'œuvre : le palais El-Badi et leur propre mausolée. Ces monuments traduisent la continuité des traditions artistiques andalouses enracinées au Maroc.

Consoles en bois sculpté

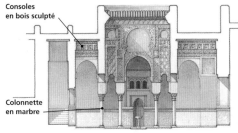

Colonnette en marbre

Le décor sur plâtre, *lacis de formes florales et géométriques, couvre toute la partie supérieure des murs du mausolée.*

Le mausolée royal, *situé à Marrakech, est un magnifique bâtiment achevé au XVIᵉ siècle par le sultan saadien Ahmed el-Mansour.*

LES ALAOUITES (XVIIᵉ SIÈCLE-ÉPOQUE CONTEMPORAINE)

Les deux grands bâtisseurs de la période alaouite sont Moulay Ismaïl avec sa ville royale, Meknès, et Sidi Mohammed ben Abdellah, le fondateur d'Essaouira *(p. 120-125).* Ces citées révèlent également des influences européennes.

Le mausolée de Moulay Ismaïl (p. 194-195) *ressemble par ses configurations aux tombeaux des Saadiens.*

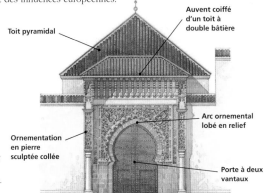

Toit pyramidal

Auvent coiffé d'un toit à double bâtière

Arc ornemental lobé en relief

Ornementation en pierre sculptée collée

Porte à deux vantaux

Le mausolée Mohammed-V (p. 74-75) *prolonge la tradition arabo-andalouse.*

ÉPOQUE MODERNE

Au XXᵉ siècle se développent des villes modernes contrastant avec le style traditionnel des medinas *(p. 26-27).* Au début du protectorat, Lyautey dote les nouveaux quartiers de bâtiments de style néomauresque. Le Maroc devient le champ d'expérience de styles divers, notamment Art déco ou arabo-andalou.

La loggia de la poste de Casablanca *(1918-1920) est ornée de zelliges, l'intérieur est Art déco* (p. 101).

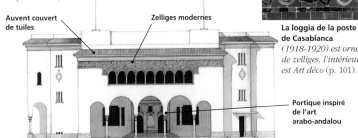

Auvent couvert de tuiles

Zelliges modernes

Portique inspiré de l'art arabo-andalou

Medinas

Le minaret domine la medina

Au Maroc, la medina (« ville » en arabe) présente presque toujours la même structure : une configuration urbaine dense, enfermée dans des remparts flanqués de tours de guet. Enchevêtrement de ruelles étroites et sinueuses et d'une abondance d'impasses, son plan forme un véritable labyrinthe au milieu duquel on distingue des mosquées, quelques grands axes qui relient les portes de l'enceinte et quelques voies médianes, toujours coudées ou barrées par des maisons ou des murs en saillie.

Des centaines de ruelles *serpentent dans la medina ; parfois elles ne dépassent pas 50 cm de largeur.*

La porte monumentale, *porte fortifiée bâtie au milieu de deux tours crénelées en forte saillie, permet d'entrer dans la medina. Bab el-Chorfa à Fès en est un splendide exemple.*

Terrasse

STRUCTURE D'UNE MEDINA

En dépit d'un apparent désordre, le plan de la medina obéit à une cohérence interne immuable. La mosquée est toujours située au cœur de la cité. Ségrégation religieuse, séparation ethnique, distinction entre lieux de travail et lieux de vie, localisation des activités en fonction de leur caractère polluant ou non… Autant d'impératifs qui doivent être respectés dans chaque medina au Maroc.

Voie médiane barrée par une maison

Tour de guet

Les souks extérieurs, *comme le souk de la vannerie à Marrakech, sont organisés par corps de métiers : on y trouve tous les produits courants. C'est également le lieu de rencontre des citadins et des ruraux.*

QUARTIERS

Le quartier de la medina ou *hawma* a une autonomie très relative. C'est plutôt un espace communautaire rassemblant plusieurs impasses et ruelles, dans

lesquelles les habitants trouvent de quoi assurer, en partie, leur vie matérielle et spirituelle. On y trouve un four, un hammam, une école coranique, une épicerie. Toujours située dans une ruelle secondaire, l'épicerie fournit les produits indispensables à la vie quotidienne : légumes, fruits, huile, charbon, sucre, épices et autres aliments de base. Il n'existe pas de commerce de luxe dans le quartier.

Une épicerie dans un quartier de Fès

La Grande Mosquée se dresse toujours au centre de la cité

Le patio ou riad, *ici à Essaouira, est le cœur de l'édifice ; toutes les pièces sont disposées autour d'une cour souvent agrémentée d'un jardin.*

D'épaisses murailles défensives protègent toutes les medinas.

Le souk des produits précieux est situé à côté de la mosquée.

Les différents métiers, *comme ici les tanneurs de Fès, se rassemblent dans des lieux appelés souk, kissaria et fondouk. Ils s'installent du centre vers la périphérie selon leur rareté ou leur degré de pollution.*

Les ateliers des souks, *ici le souk des teinturiers à Marrakech, sont souvent exigus : l'artisan a tout juste la place pour produire et vendre sa marchandise.*

Artisanat marocain

Détail de tapis de Chichaoua

Le talent déployé par les artisans pour donner une forme plaisante aux objets utilitaires n'a jamais cessé d'enchanter le quotidien du Marocain. C'est vers l'artisan qu'on se tourne pour donner esprit et beauté au matériau les plus humbles comme le cuir, le bois, l'argile, le cuivre ou la laine. L'importance donnée au décor est souvent si grande que celui-ci finit par se substituer à l'objet lui-même. Mais quel Marocain pourrait renoncer à ces jeux infinis d'arabesques, d'entrelacs, de fleurs mystérieuses et d'inscriptions indéchiffrables ?

Bouteille à parfum

TRAVAIL DU CUIR

L'industrie du cuir a toujours occupé une place importante au Maroc, en particulier dans les villes de Fès, Meknès, Rabat, Salé et Marrakech.

C'est à Marrakech et à Fès que les maroquiniers et les tanneurs, établis dans des quartiers étendus et pittoresques, ont acquis la plus grande réputation. La peau de l'animal, mouton ou chèvre, est d'abord nettoyée, ensuite teinte en rouge, en jaune ou en orangé, et parfois même rehaussée de dorures au fer. À la suite des tanneurs, les maroquiniers façonnent le cuir pour en faire des objets usuels ou décoratifs : poufs, sacs, babouches, garniture de bureau, etc.

Reliure de coran en cuir de mouton, à entrelacs géométriques

Reliure de coran en cuir de mouton à décor de petits fers

TRAVAIL DU BOIS

Le travail traditionnel du bois relève principalement des villes d'Essaouira, Fès, Meknès, Salé, Marrakech et Tétouan. Les forêts de l'Atlas et du Rif ont fourni de nombreuses essences. Le cèdre et le noyer sont les bois les plus employés par les ébénistes, qui excellent dans la fabrication de portes cloutées ou sculptées, ainsi que dans l'agencement des plafonds en bois peints. Le citronnier et l'ébène sont utilisés dans la marqueterie et le placage, tandis que le bois de thuya offre un élégant mobilier caractérisé par sa surface polie et sa couleur naturelle.

Boîte à pain en bois peint polychrome, Meknès (début du XIXe siècle)

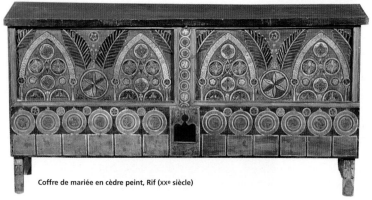

Coffre de mariée en cèdre peint, Rif (XXe siècle)

TAPIS

Le tapis fait partie intégrante du mobilier marocain.
On distingue deux sortes de tapis *(p.348)*. Le tapis
citadin est noué généralement à Rabat et à Médiouna.
Il est reconnaissable à ses couleurs vives et à un shéma
décoratif particulier : champ rectangulaire sur fond rouge
cerné de bordures et contre-bordures, décoré de motifs
géométriques. La symétrie est spécifique aux tapis de

Rabat. Le tapis de village est
tissé et noué dans le Moyen
et le Haut Atlas, à Marrakech
ou à Haouz. Son décor est plus
créatif : thèmes animaliers,
végétaux ou architecturaux,
fruits de l'inventivité des
tisserandes berbères.
Réalisé en suivant des
techniques différentes selon
les régions, il est désigné
par son lieu de fabrication
(Moyen Atlas, Haut Atlas,
Haouz, Marrakech).

**Femme sahraoui
sur son métier à tisser**

Tapis de Rabat aux points noués

POTERIE

La poterie fait partie intégrante du décor
quotidien. Cruches, plats, bols sont
présents dans la cuisine et le salon
marocain. La ville de Fès demeure
un des centres de
production les plus
importants. Célèbre
pour sa faïence bleue ou
polychrome sur fond blanc,

**Plat en faïence émaillée,
Fès (XIXe siècle)**

elle diffère de la poterie
de Safi, plus récente, aux
couleurs chatoyantes.

La forme, la couleur, la glaçure et le choix
des motifs des différents objets suivent la tradition
de ces manufactures. Cet artisanat reste
également très vivant à Meknès et à Salé.

**Jarre à huile
en faïence**

**Pot à miel en céramique
polychrome à décor floral**

TRAVAIL DU CUIVRE

Le cuivre, qu'il soit rouge ou jaune,
est coupé, martelé, repoussé,
incrusté et ciselé.
Le dinandier marocain assure
une production d'objets divers,
des plus modestes (ustensiles
domestiques) aux plus
prestigieux (portes incrustées
et plaquées, plateaux
ou chandeliers). Dans cet art
se révèlent la virtuosité et
le goût du détail de l'artisan,
fidèle à une tradition millénaire.

**Porte martelée en cuivre à décor
ornemental et géométrique**

**Pichet en cuivre à décor
floral, Meknès (XIXe siècle)**

L'islam au Maroc

La religion officielle du Maroc est l'islam orthodoxe sunnite basé sur le coran et la sunna (faits et gestes du prophète Mahomet). C'est ce même islam, introduit au Maroc dès le VIIe siècle, qui sert aujourd'hui encore de canon juridique et confessionnel. Il est aussi le ciment de la vie quotidienne de chaque Marocain, tenu de respecter les cinq piliers de l'islam : la *chahada* (profession de foi), la *salat* (prière), la *zakat* (aumône rituelle), le ramadan (jeûne) et le *hajj* (pèlerinage à la Mecque). Chef temporel, le roi est également un chef spirituel. Dès son accession au trône en 1999, Mohammed VI a tenu à réaffirmer cette double prérogative.

Mohammed VI, *ici en prière.*
Depuis mille ans, le souverain marocain porte le titre de « commandeur des croyants ».

Ablutions
L'islam insiste sur la propreté et l'hygiène corporelle. Avant la prière, les fidèles pratiquent des ablutions codifiées. Pour les faciliter, les cours des mosquées comportent toujours fontaines et lavabos, et, à proximité, des hammams.

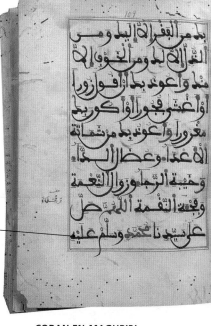

Le style *maghribi*, propre à l'Afrique du Nord, est dérivé de la calligraphie primitive, le *coufi*.

Les carreaux de céramique
à motifs religieux, le stuc et le bois sculptés constituent les trois éléments essentiels de la décoration des mosquées, des medersas, mais aussi des demeures traditionnelles.

CORAN EN *MAGHRIBI*

Le Coran, livre saint révélé par Allah au prophète Mahomet, est au cœur de la religion musulmane. Il est l'objet d'une grande vénération. La calligraphie, art majeur pour les musulmans, très codifié, privilégie la parfaite lisibilité, l'harmonie et les décors polychromes.

Plat aux trois mihrabs
La calligraphie et les symboles religieux constituent un des éléments essentiels des arts décoratifs traditionnels.

Sortie de mosquée

GRANDE PRIÈRE DU VENDREDI

Les cinq prières quotidiennes font partie des cinq obligations ou « piliers » de l'islam. Le vendredi, jour consacré à Dieu, la prière de la mi-journée revêt un caractère particulier, car il est recommandé aux fidèles de se rendre à la mosquée. C'est l'occasion de conforter le sentiment d'appartenance à la communauté, et aussi d'écouter la *khotba*, le prêche.

Chapelet de prière
Le chapelet musulman composé de 33 ou de 99 grains séparés par des « témoins », permet d'invoquer les 99 noms ou attributs connus d'Allah.

Les chapitres, ou sourates, du Coran sont séparés par des enluminures.

La prière quotidienne *consiste en une série de récitations et de prosternations. Les fidèles s'alignent, sur une base strictement égalitaire, en direction de La Mecque, appelée qibla, matérialisée dans le mur de la mosquée par une niche, le mihrab. Un imam, placé devant eux, guide la prière.*

Pâtisseries du ramadan

FÊTES DE L'ISLAM

Le calendrier musulman est fondé sur l'année lunaire, un peu plus courte que l'année solaire. Le neuvième mois, appelé « ramadan », est consacré au jeûne. L'Aïd el-Fitr marque la rupture du jeûne à la fin du ramadan. Lors de l'Aïd el-Adha, un mouton est sacrifié en mémoire du sacrifice d'Abraham. Le Mouled commémore la naissance du prophète Mahomet.

Mouton de l'Aïd el-Adha

Les Berbères

Poterie en terre cuite

Les deux tiers des Marocains sont d'origine berbère, par leur culture et leur langue. Considérés comme les descendants de populations d'origines diverses – orientales, sahariennes et européennes –, arrivées par étapes consécutives, les Berbères ne constituent pas une ethnie homogène.

Ils résistèrent successivement à l'invasion des civilisations du Bassin méditerranéen, à celle des Arabes, puis plus tard à celle des Français et des Espagnols, en se réfugiant dans les régions montagneuses. Ils ont conservé de nombreux dialectes ainsi que des traditions culturelles. Les Berbères sont réputés pour être de bons commerçants et pour la force de leurs liens familiaux et tribaux.

La fouta *est une étoffe rectangulaire à rayures rouge et blanc, portée par les femmes du Rif avec un chapeau de paille conique.*

Les petites filles berbères *s'habillent de couleurs vives et portent dès leur plus jeune âge le foulard noué sur la tête, comme leur mère.*

Voiles multicolores dont s'enveloppent les femmes de la région de Tiznit.

La peau foncée est typique des femmes berbères originaires d'Afrique noire.

Les dentelles de henné *que s'appliquent les femmes sont une protection contre le surnaturel ; elles sont supposées écarter les génies, purifier et embellir. Les jours de fête, les femmes se parent les mains et les pieds.*

Le grand souk du moussem d'Imilchil *est un rassemblement commercial et social. Il permet aux populations berbères de l'Atlas et de tous les environs de s'approvisionner pour l'année.*

La hendira, *cape rayée, tissée sur des métiers rudimentaires, permet aux femmes berbères de se distinguer entre elles.*

La djellaba, *longue robe à manches longues et à capuchon, est portée par les hommes de l'Atlas par dessus une chemise à larges manches. Le turban traditionnel fait également partie de leurs habitudes vestimentaires.*

Femme berbère parée pour la fête

TRIBUS BERBÈRES

Bien que les structures tribales berbères soient complexes, trois groupes de peuplement se détachent de l'histoire. Les Sanhaja, pasteurs nomades, originaires du Sud, peuplent le Haut Atlas central et oriental, le Moyen Atlas et le Rif. Ils parlent les dialectes du groupe tamazight. Les Masmouda, agriculteurs sédentaires, vivent davantage dans le Haut Atlas occidental et l'Anti-Atlas et parlent le dialecte chleuh. Au XIIe siècle, une tribu masmoudienne fonda l'empire almohade. Les Zénètes, venus de l'Est, pasteurs et chasseurs, occupent le Maroc oriental et parlent le dialecte du groupe znatiya. Ils sont à l'origine de la dynastie des Mérinides au XIIIe siècle.

La *situle,* *pichet en cuivre typique, est utilisée par les femmes de la région d'Igherm (Anti-Atlas) pour aller puiser l'eau.*

MOUSSEMS RELIGIEUX

Pour les femmes berbères, les *moussems* (fêtes religieuses) sont l'occasion de se déplacer parfois loin de leur maison, de se rassembler entre elles, de chanter et danser, et surtout de sortir de leur quotidien.

Ce collier d'ambre et d'argent *de la région de Taliouine (Anti- Atlas) est une parure traditionnelle des jours de fête.*

Le mulet *est la richesse et la fierté de son propriétaire. Il transporte de lourdes charges – fourrage, sacs de grains, bidons d'eau – arrimées à son bât.*

Le cheval

Détail de manuscrit ancien

Les premiers équidés peuplant le sol marocain il y a deux millénaires furent croisés avec des chevaux mongols lors des invasions des Phéniciens, des Carthaginois et des Romains. Au VIIᵉ siècle, la conquête arabe introduisit au Maroc le cheval arabe, qui joua un rôle essentiel dans l'implantation rapide de l'islam. Jadis compagnon de lutte, le cheval est aujourd'hui considéré, dans les campagnes, comme un signe de richesse. Il est exhibé dans toutes les fêtes comme lors des fantasias et utilisé dans la vie quotidienne.

Les babouches hautes en cuir brodé *et le pantalon blanc bouffant et court sont portés par le cavalier de fantasia.*

Les mokahlas, longs fusils de parade, ont les crosses ciselées, incrustées de nacre et d'ivoire.

Les harnachements, *toujours somptueux, sont l'œuvre d'artisans réputés. Les enrênements sévères permettent au cavalier d'arrêter sa monture sur quelques mètres. Des œillères protègent les yeux du sable et de la fumée.*

HARAS

Les haras nationaux, implantés à Meknès, El-Jadida, Marrakech, Oujda et Bouznika, doivent développer l'élevage et produire des chevaux pour la course, les sports équestres et les fantasias. Le cheptel marocain s'élève actuellement à 180 000 chevaux, 550 000 mulets et un million d'ânes. Pour encourager l'élevage, les étalons sont mis gratuitement à la disposition des éleveurs pour la saillie de leurs juments. On enregistre en moyenne 15 000 juments saillies et 5 000 naissances par an.

Les pur-sang anglais *courent, notamment, sur les champs de course entre septembre et mai.*

Le barbe, *cheval d'origine des premiers Berbères avant l'arrivée des Arabes, est massif, robuste et endurant.*

La selle de fantasia, *richement travaillée, est composée d'un arçon de bois revêtu d'une peau de chèvre. Recouverte d'une housse de soie brodée, elle repose sur plusieurs tapis agrémentés de pompons. Le pommeau élevé ainsi que le haut troussequin tiennent le cavalier bien en place.*

Les larges étriers *en tôle ou en cuivre sont relevés très court et attachés à la selle par des étrivières.*

JEU DU BAROUD

Le jeu du baroud, ou fantasia, obéit à des règles précises. Lancés à vive allure au galop sur un terrain de 200 m de long, les cavaliers font tournoyer leur fusil et, sur un signe du chef, les déchargent en une même détonation.

Le mulet, *robuste compagnon, est plus utilisé que le cheval. Son propriétaire est calé sur un bât fait d'épaisses couvertures.*

Les chevaux de fantasia, âgés de 4 ans minimum, sont des mâles non castrés de race barbe ou arabe

Au *moussem* de Sidi Abdallah Amghar *à El-Jadida, les chevaux sont baignés dès l'aube dans l'océan, avant d'affronter les charges de fantasia sous la chaleur torride du mois d'août.*

L'arabe barbe, *agile et rustique, est le fruit des premiers croisements entre arabes et barbes au VIIᵉ siècle. C'est un cheval de selle particulièrement adapté à la fantasia.*

Le pur-sang arabe *a été introduit au Maroc au VIIᵉ siècle. La noblesse de son allure et ses qualités d'endurance en font un des chevaux les plus appréciés au monde.*

Costumes et bijoux

Les vêtements traditionnels indiquent une région d'origine, un statut social.

Les femmes berbères se drapent dans des pièces de tissu rectangulaire, retenues par des fibules et une ceinture, tandis que les hommes portent une djellaba et un burnous pour se protéger du froid.

Fibule

En ville, l'élégant caftan, long et boutonné devant, est devenu vêtement d'apparat chez les femmes, de plus en plus souvent vêtues à l'occidentale. Les bijoux ont longtemps été l'œuvre des artisans juifs. Ornement, signe social et patrimoine, les bijoux berbères sont tous en argent, mêlés parfois de corail et d'ambre : lourds colliers, fins bracelets ou fibules… Martelé, ciselé, ajouré, incrusté de pierres précieuses, l'or est l'apanage des bijoux citadins.

Les femmes zemmour *(Moyen Atlas) portent en guise de ceinture une longue corde tressée et torsadée, ornée de pompons.*

Col sans capuchon

Dans les oasis présahariennes, *les femmes couvrent leur tête d'un grand châle en coton blanc ou noir. Les jours de fête, elles se parent de tous leurs bijoux.*

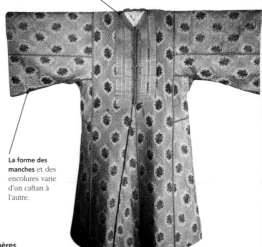

La forme des manches et des encolures varie d'un caftan à l'autre.

Les femmes berbères *se coiffent, les jours de fête, de couvre-chefs plus sophistiqués, indiquant souvent par leur forme, leur statut de femme mariée ou de jeune fille.*

Caftan de Fès *(XVIIIᵉ-XIXᵉ siècle) en soie brochée et fil d'or.*

Ce diadème en or de Fès *est fait de plaquettes ajourées reliées entre elles, rehaussées de pierres précieuses et articulées par des charnières.*

Dans le Haut Atlas, *les capes portées par les femmes signalent leur appartenance à telle ou telle tribu. Les femmes Aït Haddiddou sont reconnaissables à leur hendira, mante tissée de laine et rayée de bleu, de blanc, de noir et de rouge.*

Les cherbils, *babouches en velours brodées d'or, à bout pointu et au galbe parfait, sont un élément indispensable du costume de fête féminin.*

Dans les grandes occasions, **la ceinture** *qui orne un vêtement féminin peut être en or ou en argent. Le plus souvent fondu, puis coulé dans un moule, l'argent peut aussi être aplati, découpé, puis ciselé*

Dans les campagnes, *les hommes âgés portent encore une ample djellaba à capuchon pointu en lainage tissé main, de couleur unie ou souligné de longues rayures à motifs géométriques.*

Passements brodés d'or

Ces musiciens et danseurs *de la région du Rif ont revêtu le costume de fête. Leur tête est coiffée du chèche traditionnel, le rezza, orangé et blanc.*

CAFTANS

Longue tunique sans col, à manches larges, descendant jusqu'aux chevilles, le caftan féminin est toujours réalisé dans des matières nobles : la soie, le satin, le velours ou le brocart. Il est souvent recouvert de la *mansourya*, en soie légère et transparente, en harmonie avec le caftan. L'ensemble est serré à la taille par une large ceinture brodée d'or et de soie.

Caftan de Salé *du XIXᵉ siècle en coton, soie et velours*

Une centaine de petits boutons en fils de soie ou d'or ferment le caftan de haut en bas.

Assise dans la *mida*, *cette jeune mariée porte le somptueux voile traditionnel de Fès, recouvrant le caftan.*

Utilisée sur les étoffes, *caftans, ceintures, ou djellabas, la broderie fait partie du vêtement féminin. Dessins géométriques, motifs floraux, animaux… les motifs, les couleurs et les matières employées sont particuliers à chaque ville.*

Mêlés à l'argent, *le corail, l'ambre et les coquillages s'assemblent pour former de magnifiques colliers, parures des femmes berbères.*

LE MAROC AU JOUR LE JOUR

Fêtes musulmanes, fêtes agricoles et *moussems* émaillent les saisons marocaines. Les dates des fêtes religieuses varient chaque année en fonction du calendrier lunaire. Au début de l'été et à l'automne, chaque région aime à célébrer ses ressources locales, à la fin des récoltes, par des fêtes hautes en couleur. Plus de 600 *moussems* se tiennent

Fillette parée, lors de la fête du Trône à Rabat

chaque année à travers tout le Maroc, à la fois pèlerinages au tombeau d'un saint, grands souks régionaux et lieux de divertissement, où la danse se mêle aux chants et où éclate parfois une fantasia. Le mois du ramadan est l'un des principaux événements religieux, où à l'inactivité du jour, pendant lequel on jeûne, succèdent de joyeuses festivités nocturnes.

PRINTEMPS

Si le pays ne manque pas de pluie, le printemps est une saison extraordinaire où, en quelques jours, les terres ocre asséchées se couvrent de tapis de fleurs multicolores et les flancs montagneux d'orge vert tendre, tandis que les hauts sommets sont encore couverts de neige.
Cette saison s'apparente à l'été dans le Sud saharien, et l'on peut déjà se baigner en Méditerranée et au sud de la côte atlantique.

MARS

Festival du Théâtre amateur, Casablanca.
Fête du Coton, Beni Mellal *(après la récolte)*.
Rallye du Maroc « Classic » *(10 j.)*. Cette compétition internationale d'anciens modèles de voitures (qui vont de 1939 à 1997) traverse une partie du Maroc.
***Moussem* de Moulay Aissa ben Driss**, Aït-Attab (région de Beni Mellal). Pèlerinage au tombeau du saint.

AVRIL

Fête des Cierges, Salé. Chaque année, lors de l'Achoura, dix jours après le Nouvel An musulman, les bateliers viennent déposer des lustres chargés de cierges au marabout de Sidi Abdallah ben Hassoun.
Marathon des sables *(8 j.)*. Course à pied de 200 km dans le Sud saharien.
***Moussem* des Regraga** *(40 j.)*. Pèlerinage qui comporte 44 étapes, dans les provinces d'Essaouira et de Safi, en l'honneur des Regraga, descendants de sept saints berbères.

Fête des Roses à El-Kelaa M'Gouna, près de Ouarzazate

MAI

Fête des Roses *(après la cueillette des roses)*, El-Kelaa M'Gouna (près de Ouarzazate). La fête, célébrée dans la capitale de la rose, donne lieu à de nombreuses manifestations folkloriques.
Festival des musiques sacrées du monde *(1 sem.)*, Fès. Nombreux concerts tous les jours. Musiques sacrées juives, chrétiennes, soufis, gospels, chants sénégalais, etc.
Trophée Aïcha des gazelles *(1 sem.)*. Ce rallye automobile international exclusivement féminin sillonne les pistes du désert marocain.
Raid Harley Davidson *(15 j.)*. Rallye des motos légendaires à travers le Maroc via l'Espagne.
Fête de l'Artisanat, Ouarzazate.

La fête des Cierges à Salé se déroule lors de l'Achoura

Fête des Cerises à Sefrou au pied du Moyen Atlas

Moussem **de Moulay Abdallah ben Brahim,** Ouezzane. Pèlerinage en l'honneur du saint qui fit de la ville un centre religieux en 1727.

Moussem **de Sidi Mohammed Ma al-Aïnin,** Tan Tan. La fête, commerciale et religieuse, célèbre le fondateur de la ville de Smara, grand héros de la Résistance française. On peut y voir la fameuse danse de la *guedra,* typique de la région de Guelmim.

Jazz aux Oudaïa *(4 j.),* Rabat, festival de jazz. Le festival porte le nom d'une fameuse tribu, descendant d'une tribu arabe, chargée par Moulay Ismaïl de surveiller la ville.

ÉTÉ

Seules les côtes, tempérées par les vents marins et les montagnes de l'Atlas, échappent à la chaleur et aux températures élevées. Dans le reste du pays, l'été n'est pas la meilleure saison pour profiter des paysages et des villes. Dans le Sud saharien, le ciel est gris de chaleur, et ailleurs, les medinas sont étouffantes. En revanche, plusieurs fêtes célèbrent le début de l'été.

JUIN

Festival national des Arts populaires de Marrakech *(10 j.).* Ce festival folklorique se déroule dans le palais El-Badi : danseurs et musiciens du Maroc et d'ailleurs font revivre les traditions marocaines.

Festival des Gnaoua *(4 j.),* Essaouira. Plusieurs concerts de world music, groupes de jazz américains et européens, musique traditionnelle marocaine.

Fête des Cerises *(2 j., après la cueillette des cerises),* Sefrou. Des troupes folkloriques animent cette fête qui célèbre les cerises réputées de Sefrou.

Fête des Figues *(après la récolte),* Bouhouda, près de Taounate.

Moussem **de Sidi el-Ghazi** *(dern. mer., juin),* Guelmim. Rassemblement de Sahraouis autour d'une grande foire aux dromadaires, accompagnée d'une fantasia.

Festival sahraoui, Agadir. Courses de dromadaires, danse et musique.

Moussem, Moulay Bousselham. Fête religieuse, musique et festivités.

JUILLET

Moussem **de Moulay Abdesselam ben Mchich,** Tétouan. Ce pèlerinage au tombeau du saint est suivi par des milliers de personnes, notamment les tribus des environs.

Fête du Trône *(30 juil.).* L'anniversaire de l'arrivée au pouvoir de Mohammed VI donne lieu à de grandes festivités à travers tout le pays.

Festival de Musique, Tanger.

Moussem **Sidi Mohammed Laghdal,** Tan Tan. Pèlerinage religieux.

AOÛT

Fête du Miel *(15-20 août),* Imouzzer des Ida Outanane (nord d'Agadir). Célébration de la fin des récoltes, folklore, exposition des variétés de miel, l'une des principales ressources de la région.

Moussem **de Moulay Abdallah Amghar** *(1 sem.),* El-Jadida. Grand pèlerinage réputé pour ses fantasias et ses divertissements.

Moussem **culturel international,** Asilah *(2 sem.).* Concours de poésies, de musique et expositions de peinture, accompagnés de rencontres avec les artistes, spectacles et scènes de rue.

Festival des musiques populaires, El-Hoceima.

Moussem **de Setti Fatma.** Pèlerinage et souk dans la vallée de l'Ourika, au sud-est de Marrakech.

Festival gnaoua à Essaouira

Moussem **de Dar Zhiroun,** Rabat. Fête religieuse.

Moussem **de Sidi Ahmed ou Moussa,** est de Tiznit. Fête religieuse en l'honneur du saint Sidi Moussa et Festival des acrobates.

Fête des Pommes, Immouzer du Kandar (38 km au sud de Fès). Fête agricole.

Moussem **de Sidi Daoud,** Ouarzazate. Pèlerinage religieux.

Moussem **de Sidi Lahcen ben Ahmed,** Sefrou. Fête en l'honneur du saint patron de la ville qui vécut au XVIIIe siècle.

Moussem **de Sidi Yahya ben Younes,** Oujda. Fête religieuse en l'honneur du saint le plus important de la ville. Ce saint que prient musulmans, juifs et chrétiens serait saint Jean-Baptiste.

Festival d'Agadir : course de dromadaires

Moussem de Moulay Idriss II à Fès

AUTOMNE

Septembre et octobre sont des mois très agréables pour randonner dans l'Atlas, visiter les villes impériales ou se rendre dans le désert, où la chaleur est supportable. Parfois, en novembre, de fortes pluies peuvent faire déborder les oueds et rendre les pistes impraticables.

SEPTEMBRE

Festival de la fantasia *(déb. sept., 4 j.)*, Meknès. Des milliers de cavaliers se réunissent pour de superbes spectacles équestres. C'est aussi l'occasion de danses traditionnelles.

Moussem **des Fiancés** *(fin sept.)*, Imilchil. Réunion des tribus Aït Haddidou où s'échangent des promesses de mariage. Troupes folkloriques et danses.
Moussem **de Moulay Idriss Zerhoun**. Pèlerinage au tombeau de Moulay Idriss, fondateur de la première dynastie, accompagné de grandes festivités.
Moussem **de Moulay Idriss II**, *(1 sem.)*, Fès. Processions des corporations artisanales et des confréries vers le mausolée du fondateur de la ville.
Moussem **de Sidi Alla el-Hadj**, Chaouen. Fête religieuse sur les collines autour de la ville.
Festival de Volubilis *(1 sem.)*, Meknès. Rassemblement de musiciens et danseurs du Maroc, du monde arabe, et aussi d'Europe et d'Amérique.
Moussem **de Sidi Ahmed ben Mansour**, Moulay Bouselham. Fête religieuse.
Moussem **de Dar Zhira**, Tanger. Fête religieuse.
Festival de jazz, Tanger.

OCTOBRE

Fête des Dattes *(3 j. à la fin de la cueillette dans les* palmeraies du Tafilalt*)*, Erfoud. De nombreuses tribus du Tafilalt se réunissent tandis que les souks proposent plusieurs variétés de dattes. Des groupes folkloriques défilent dan les rues d'Erfoud.
Fête des Pommes *(après la récolte)*, Midelt.
Fête du Cheval *(1 sem.)*, Tissa. Différentes races de chevaux concourent et de nombreuses fantasias ont lieu.

Fête des Dattes à Erfoud, à la fin de la cueillette

NOVEMBRE

Moussem **Sidi Ahmed ben Nasser**, Tamegroute. Fête religieuse en hommage au grand saint.
Festival international de musique, Ouarzazate.

Fantasia à Tissa lors du festival équestre

Amandiers en fleurs de la région de Tafraoute

HIVER

À cette saison, les régions sahariennes sont superbes. Les journées sont ensoleillées, le ciel est très bleu, mais les nuits sont froides. Sur les côtes, la température reste douce. En revanche, les vallées du Haut Atlas sont parfois très enneigées et donc inaccessibles. En février, les amandiers de la vallée de Tafraoute se couvrent de fleurs. Peu de fêtes se déroulent en hiver.

DÉCEMBRE

Fête des Oliviers, Rhafsaï *(nord de Fès)*. Fête agricole.

JANVIER

24 Heures des kartings, Marrakech.

FÉVRIER

Fête des Amandiers, Tafraoute *(sud d'Agadir)*. Fête agricole qui célèbre l'éphémère mais superbe floraison des amandiers roses ou blancs.

JOURS FÉRIÉS

Jour de l'An (1er janv.)
Anniversaire de la publication du manifeste de l'Indépendance (11 janv.)
Fête du Travail (1er mai)
Fête du Trône (30 juil.)
Jour d'allégeance (14 août)
Anniversaire de la Révolution (20 août)
Anniversaire du roi Mohammed VI et **fête de la Jeunesse** (21 août)
Anniversaire de la Marche verte (6 nov.)
Fête de l'Indépendance, retour d'exil du roi Mohammed V (18 nov.)

FÊTES RELIGIEUSES

Les dates des fêtes musulmanes sont établies par le calendrier lunaire de l'hégire (début de l'ère musulmane en 622). L'année musulmane dure 10 à 11 jours de moins que l'année du calendrier grégorien. Aussi les fêtes religieuses reculent-elles chaque année de 11 jours par rapport au calendrier occidental. En fonction de l'apparition de la lune, les autorités religieuses décident au dernier moment de la date exacte de la fête.

1er Muharram : Nouvel An hégirien.

Achoura : l'aumône traditionnelle, *zakat*, est faite aux pauvres ; distribution de cadeaux aux enfants.

Mouloud (aïd al-wawlid) : anniversaire de la naissance du prophète. De nombreux *moussems* se tiennent en même temps que le Mouloud, et leurs dates varient donc chaque année. Parmi les plus importants, citons le *moussem* de Moulay Brahim, près de Marrakech, celui de Moulay Abdesslam ben Mchich, dans le Nord, le *moussem* de Sidi Mohammed ben Aïssa, celui de Sidi Ali ben Hamdouch, la fête des Cierges à Salé ou le *moussem* de Moulay Abdelkader Jilali.

Ramadan : la communauté des croyants respecte le jeûne durant un mois.

Aïd es-Seghir : fête de rupture du jeûne à la fin des 30 jours du ramadan.

Aïd el-Kebir (68 jours après l'Aïd es-Seghir) : cette fête commémore le jour où, sur ordre divin, Abraham s'apprêtait à sacrifier son fils Isaac, lorsque Allah disposa d'un bélier à la place de l'enfant. Chaque foyer sacrifie ce jour-là un mouton et partage la viande en famille.

Souk des moutons dans le Haut Atlas pour l'Aïd el-Kebir

Les climats du Maroc

Ouvert sur l'Atlantique et la Méditerranée, soudé au continent africain par le Sahara, coupé par la longue diagonale montagneuse des Haut et Moyen Atlas, recevant les vents humides du nord-ouest mais aussi les vents chauds et secs du sud-est tel que le chergui, le Maroc connaît une grande variété de climats. En été, le royaume subit les conditions de la zone aride chaude. En hiver, très doux excepté en montagne, il relève du domaine tempéré océanique. Si le problème de l'eau commande toute la vie du pays, l'agriculture, qui occupe toujours près de 40 % de la population active, dépend encore plus des incertitudes et irrégularités très fortes du climat.

AGADIR

°C	avr.	juil.	oct.	janv.
Moyenne des températures journalières maximales	22	25,5	25,5	20
	18,5		16	
	12,5			8,5
Ensoleillement journalier moyen	9,5 h	8,5 h	8 h	7,5 h
Moyenne mensuelle des précipitations	23 mm	0 mm	24 mm	36 mm

- Moyenne des températures journalières maximales
- Moyenne des températures journalières minimales
- Ensoleillement journalier moyen
- Moyenne mensuelle des précipitations

Essaouira
Agad
Tiznit
Tafraout
Guelmim
Tan Tan

Paysage de l'Anti-Atlas

Laayoune

ZONES CLIMATIQUES

- Domaine montagnard humide : le Rif est la région la plus arrosée ; les pluies diminuent du nord vers le sud.

- Domaine atlantique : hivers doux et étés modérés ; la durée de la saison sèche augmente vers le sud.

- Domaine oriental : précipitations très faibles, arrêtées par l'écran montagneux ; étés chauds et secs.

- Domaines présaharien et saharien : pluies de plus en plus faibles et irrégulières ; les contrastes thermiques s'intensifient : hiver relativement frais, été très brûlant.

- Vents humides du nord-ouest.

- Vents chauds et secs du sud-ouest.

0   200 km

Nouadhibou

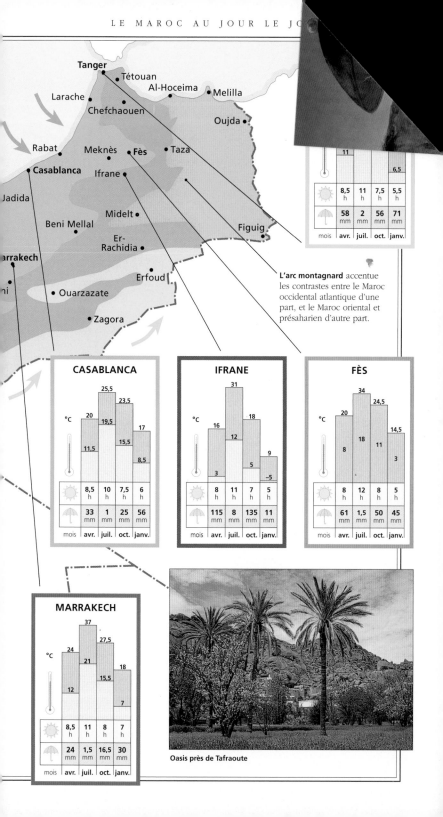

Tanger
Tétouan
Al-Hoceima
Larache
Melilla
Chefchaouen
Oujda
Rabat
Meknès • Fès • Taza
Casablanca
Ifrane •
Jadida
Midelt •
Beni Mellal
Er-
Rachidia •
Figuig
arrakech
Erfoud
ni
• Ouarzazate
• Zagora

	11		
			6,5
☀	8,5 h	11 h	7,5 h	5,5 h
☂	58 mm	2 mm	56 mm	71 mm
mois	avr.	juil.	oct.	janv.

L'arc montagnard accentue
les contrastes entre le Maroc
occidental atlantique d'une
part, et le Maroc oriental et
présaharien d'autre part.

CASABLANCA

°C
25,5
23,5
20
19,5
17
15,5
11,5
8,5

☀	8,5 h	10 h	7,5 h	6 h
☂	33 mm	1 mm	25 mm	56 mm
mois	avr.	juil.	oct.	janv.

IFRANE

°C
31
18
16
12
3
5
9
-5

☀	8 h	11 h	7 h	5 h
☂	115 mm	8 mm	135 mm	11 mm
mois	avr.	juil.	oct.	janv.

FÈS

°C
34
24,5
20
18
14,5
11
8
3

☀	8 h	12 h	8 h	5 h
☂	61 mm	1,5 mm	50 mm	45 mm
mois	avr.	juil.	oct.	janv.

MARRAKECH

°C
37
27,5
24
21
18
15,5
12
7

☀	8,5 h	11 h	8 h	7 h
☂	24 mm	1,5 mm	16,5 mm	30 mm
mois	avr.	juil.	oct.	janv.

Oasis près de Tafraoute

Aug. Delacroix. 1845.

HISTOIRE DU MAROC

*L*e Maroc est un royaume très ancien. S'il a connu l'influence de Carthage et de Rome, ses racines sont aussi berbères, arabes et africaines. Depuis l'arrivée de l'islam, au VIIe siècle, il a été le centre d'un pouvoir indépendant, parfois d'un empire. Seul pays arabe à n'avoir pas subi la domination ottomane, il se modernise autour de la dynastie alaouite à l'issue de la période coloniale.

Le Maroc sert depuis 40 000 ans de pont entre l'Orient, l'Afrique et l'Europe : vestiges archéologiques et gravures rupestres attestent de l'ancienneté de son peuplement. On sait pourtant peu de choses des Berbères, peut-être venus de l'est, qui vivaient dans l'intérieur du pays à l'aube de l'histoire. Navigateurs audacieux, les Phéniciens viennent d'Orient fonder sur ses côtes des comptoirs commerciaux, Russaddir (Melilla) et Lixus (Larache), introduisant l'usage du fer et la culture de la vigne. Au Ve siècle av. J.-C., le célèbre amiral carthaginois Hannon explore sa côte atlantique. Carthage influence les tribus berbères, qui, en se fédérant, forment le royaume de Maurétanie. Ayant détruit la grande cité africaine en 146 av. J.-C., Rome étend son contrôle vers l'ouest sur la moitié nord du Maroc actuel. L'empereur Auguste fait de Tingis (Tanger) une cité romaine, et le royaume de Maurétanie est confié en 25 av. J.-C. à Juba II, roi de Numidie (l'actuel Constantinois),

Juba II, souverain berbère romanisé et érudit

souverain berbère romanisé et érudit, marié à Cléopâtre Séléné, fille d'Antoine et de la grande Cléopâtre d'Égypte. Leur fils et successeur, Ptolémée, est assassiné en 40 sur ordre de l'empereur Caligula, son propre neveu. L'empereur Claude annexe le riche royaume, divisé en deux provinces, Maurétanie césarienne (Ouest algérien) et tingitane (Maroc). Rome y fonde peu de villes, mais développe et embellit les cités existantes : Tanger, Volubilis, Lixus, Banasa, Sala, Thamusida. La frontière sud (le limes) rejoint la mer au niveau de Rabat. Au IIIe siècle, le christianisme se répand – quatre évêchés sont institués – et la domination romaine subit un profond recul. Les Vandales, dont le roi Genséric (428-477) conquiert l'Afrique du Nord, puis les Byzantins, ne se maintiennent durablement que dans quelques places de la côte méditerranéenne. Agitations religieuses et révoltes locales mettent progressivement fin à la civilisation antique.

CHRONOLOGIE

	vers 1000 av. J.-C. Arrivée des Phéniciens	vers 800 av. J.-C. Fondation de Carthage	46 av. J.-C. La Numidie devient province romaine	430-533 Conquête vandale	VIe s. Domination byzantine

8000 av. J.-C.		4000 av. J.-C.		0	
8000-7000 av. J.-C. Les ancêtres des Berbères viennent d'Orient. Ils domestiquent le cheval et utilisent le fer		**vers 400 av. J.-C.** Les tribus berbères se fédèrent en royaume de Maurétanie		**201 av. J.-C.** Fin de la 2e guerre punique. Rome détruit Carthage en 146 av. J.-C.	*Combat d'un maure et d'un chrétien*

◁ *Le sultan Moulay Abderrahman sortant de Meknès*, par Delacroix

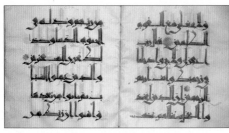

Coran coufique *maghribi* propre à l'Afrique du Nord

L'ARRIVÉE DE L'ISLAM, ET LA DYNASTIE IDRISSIDE (789-926)

C'est avec l'arrivée de l'islam, 50 ans après la mort du prophète Mahommed, que se constitue progressivement le royaume, qui prendra, plus tard, le nom d'une des capitales impériales, Marrakech. Moussa ibn Nosaïr, à partir de 705, est le vrai conquérant du Maroc (de Tanger à la vallée du Draa), qu'il rallie officiellement au calife omeyyade de Damas. L'islam s'implante, non sans résistance, dans la population berbère christianisée ou judaïsée. Moussa lève très vite des contingents sur place, et les lance à l'assaut de l'Europe.

En réaction contre les gouverneurs arabes, tout le Maghreb berbère s'enflamme pour un mouvement religieux dissident de l'islam, à caractère égalitaire, le kharedjisme. Troubles et affrontements avec les troupes envoyées directement d'Orient durent plus de 30 ans, de 739 à 772. Des petits royaumes se forment et l'Ouest du Maghreb échappe en pratique au pouvoir des califes.

En 786, lorsque le calife écrase les partisans des descendants directs du Prophète, l'un d'eux, Idriss ibn Abdallah, échappe au massacre et parvient au Maroc auréolé de son prestige religieux. La tribu berbère des Aouraba, établie à Volubilis, le prend pour chef en 789. Idriss Ier se taille un petit royaume et entreprend la construction d'une cité nouvelle, Fès, avant de mourir peu après, sans doute empoisonné par un envoyé du calife. Son fils posthume, Idriss II, lui succède (793-828) et fait de Fès la capitale des Idrissides, considérés comme la dynastie fondatrice et la première des sept dynasties nationales du Maroc. Fès devient rapidement une cité populeuse et un prestigieux centre religieux. À la mort d'Idriss II, le royaume est morcelé entre ses deux fils, puis leurs descendants. Ils ne peuvent empêcher les menées concurrentes des deux puissances rivales du califat abbasside : les chi'ites de Tunisie et d'Égypte, et les sunnites du califat omeyyade de Cordoue. Ces deux dynasties se disputent un siècle durant Fès et l'allégeance des tribus berbères.

LES ALMORAVIDES (1061-1147)

Le sursaut vient du sud. Un puissant empire va naître dans une tribu de nomades berbères sanhadja aux visages voilés, établie dans l'actuelle Mauritanie et convertie à l'islam au IXe siècle. De retour d'un pèlerinage à La Mecque, Yahia ibn Ibrahim invite un religieux, Abdallah ibn Yassin, à venir enseigner son peuple. Un camp fortifié (*ribat* en arabe) est bâti à l'embouchure du

Fontaine du IXe siècle de la mosquée Karaouiyine, à Fès

Bassin d'ablutions d'une mosquée almoravide
disparue : la koubba Baadyine

Il fonde Marrakech (1062), qui sera la seconde capitale historique du pays, conquiert tout le pays jusqu'à Tanger et impose son pouvoir vers l'est jusqu'à Alger (1082).

En Andalousie, la fin du califat omeyyade de Cordoue en 1031 conduit à un morcellement de petites principautés musulmanes. Le roi de Castille et Léon, Alphonse VI, mène la reconquête et s'empare de Tolède en 1085. Répondant à l'appel à l'aide des émirs, Youssef ibn Tachfin franchit le détroit, met les troupes d'Alphonse VI en déroute en 1086 près de Badajoz et étend son empire jusqu'à Barcelone. Au sud, l'influence des Almoravides court jusqu'aux rives du Sénégal et du Niger (1076). Sur le plan religieux, c'est l'unification autour de l'orthodoxie sunnite et du rite malékite. Lorsque Youssef ibn Tachfin meurt, son fils Ali, de mère andalouse chrétienne, lui succède (1107-1143). Son règne verra le raffinement de la culture andalouse baigner peu à peu le pays, mais l'empire s'affaiblir. Plus andalous que marocains, les derniers Almoravides fuient en Espagne la nouvelle révolte venue du sud, celle des Almohades.

fleuve Sénégal. Les « gens du ribat » (al-Mourabitoun, francisé en Almoravides), guerriers puritains, partisans du rite malékite, remontent aux confins de l'Atlas, prennent Sijilmassa. Le réel fondateur de l'empire est Youssef ibn Tachfin (1061-1107), le « Commandeur des Croyants ».

Linteau de mosquée en bois sculpté du XIᵉ siècle à Marrakech, la seconde capitale historique du Maroc

929 Abd er Rahman III Nasir établit un califat indépendant à Cordoue

1061-1107 Youssef ibn Tachfin fonde Marrakech et l'empire almoravide

1086 Alphonse VI est battu à Badajoz (Espagne) : la reconquête est provisoirement stoppée

960   1030   1100

1010 Des Berbères ravagent Madina et Zahra

Zelliges du palais du Glaoui à Marrakech

1107-1143 Ali ben Youssef développe l'influence andalouse au Maroc

Maroc et Al-Andalus

Près de huit siècles durant, de la traversée du détroit par Tarik ibn Ziyad et ses compagnons berbères en 711, à la chute du royaume nasride de Grenade en 1492, la péninsule Ibérique vit en partie à l'heure musulmane.

Le philosophe Maïmonide

Appelés en arabe Al-Andalus (le pays des Vandales), les territoires, qui forment aujourd'hui le Sud de l'Espagne et du Portugal, connaissent avec le Maroc et l'Orient des migrations et d'intenses échanges économiques et humains, donnant naissance à la plus brillante civilisation du haut Moyen Âge.

Le goût des jardins fait partie d'un art de vivre caractéristique de la civilisation d'Al-Andalus

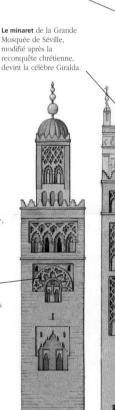

La Giralda, clocher de la cathédrale

Le minaret de la Grande Mosquée de Séville, modifié après la reconquête chrétienne, devint la célèbre Giralda.

Irrigation

Avec les califes omeyyades et leurs successeurs berbères, l'irrigation connaît en Andalousie un développement spectaculaire. L'introduction de la noria – mécanisme permettant de puiser de l'eau –, ici figurée dans un manuscrit du XIIIᵉ siècle, a été décisive. Ainsi l'organisation du partage de l'eau en Espagne date-t-elle de l'époque musulmane.

Le minaret de la Koutoubia, élevé à Marrakech à partir de 1162, sert de modèle à ceux que les Almohades vont faire construire en Andalousie.

V. 1184   **1184**

Averroès

Né à Cordoue en 1126 et mort à Marrakech en 1198, Ibn Rochd (p. 231), protégé des souverains almohades, est l'un des plus grands penseurs de l'islam.

JUDAÏSME MAROCAIN

Évoquée dès l'Antiquité, la présence d'une communauté juive est attestée à l'époque romaine par des inscriptions hébraïques. Elle vit de l'agriculture, de l'élevage et du négoce. Elle s'accroît grâce à la judaïsation de tribus berbères et par l'immigration de juifs fuyant l'Orient ou l'Espagne. Un groupe s'établit à Fès dès sa fondation. Lettrés et rabbins voyagent dans tout le pays. Le rigorisme des Almoravides et des Almohades entraîne des départs, mais la prospérité revient avec les Mérinides et les Wattassides, qui accueillent des dizaines de milliers de juifs expulsés d'Espagne après 1492. Les sultans alaouites protègent la communauté. Aujourd'hui réduite en nombre, elle n'en compte pas moins, depuis l'indépendance, quelques personnalités influentes.

Lampe de Hanouccah en bronze du XIXe siècle

MINARETS

Après le califat de Cordoue, Almoravides et Almohades gouvernent directement Al-Andalus, où s'épanouit leur art monumental. L'héritage architectural d'Al-Andalus, et surtout l'architecture religieuse, témoigne jusqu'à ce jour de la culture andalouse. La comparaison particulièrement frappante des minarets des trois mosquées construites par les souverains almohades à Marrakech, Rabat et Séville démontre la profonde unité du style almohade.

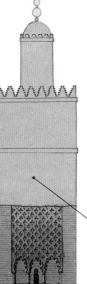

Restitution de la partie inachevée de la tour Hassan

V. 1195

La tour Hassan de Rabat, aux dimensions colossales et trop ambitieuses, est restée inachevée.

Bataille d'Higueruela
Cette fresque du XVe siècle évoque l'un des épisodes de la reconquête, un affrontement de plusieurs siècles entre princes mulsulmans et chrétiens pour la domination de l'Espagne.

Adieu du roi Boabdil
Peinte par l'orientaliste A. Dehodencq (1822-1882), cette scène célèbre de l'histoire espagnole, pleine de nostalgie et sans doute légendaire, évoque la chute du dernier royaume arabe d'Andalousie, le royaume nasride de Grenade, en 1492. L'Andalousie va devenir un mythe entretenu dans la mémoire des communautés musulmanes réfugiées dans les principales cités du Maghreb. Architecture, mode de vie, cuisine, musique, vocabulaire, les villes marocaines conservent jusqu'à ce jour la culture andalouse.

LES ALMOHADES ET L'APOGÉE DE L'EMPIRE MUSULMAN D'OCCIDENT

Après une vie d'étude et de voyages dans le monde musulman, un lettré berbère, Ibn Toumart, s'installe en 1125 à Tin Mal, une étroite vallée du Haut Atlas : puritain, intransigeant, imprégné de doctrine unitaire, il se

présente comme le mahdi (l'envoyé de Dieu) et prêche contre les Almoravides la réforme des mœurs. À sa mort, son successeur Abd el-Moumen prend le titre de Commandeur des Croyants et s'empare des cités de l'empire almoravide, jusqu'à Fès et Marrakech, en 1146-1147. Arrivé à

Mihrab de la mosquée de Tin Mal *(p.252-253)*, berceau des Almohades

la tête du plus grand empire qui ait existé dans l'Occident musulman, il le centralise et le rénove sur les plans militaire, administratif et économique, ordonne le cadastre et l'impôt, crée une flotte et des universités, et s'appuie sur les grandes familles arabes. La vie intellectuelle est brillante, avec

des noms comme Ibn Tufaïl et surtout Ibn Rochd (Averroès, *p. 231*). Réel fondateur de la dynastie des Almohades (« ceux qui affirment l'unicité de Dieu »), il se proclame calife en 1162. Avec son petit-fils Abou Youssef Yacoub el-Mansour (1184-1199), c'est l'apogée de la dynastie.

Les décennies suivantes sont celles du déclin almohade. Les princes espagnols chrétiens, coalisés, infligent à Mohamed el-Nasser la lourde défaite de Las Navas de Tolosa. Les musulmans perdent l'Espagne (Cordoue en 1236, Séville en 1248) ; seul subsistera jusqu'en 1492 le petit royaume nasride de Grenade. L'autorité des derniers sultans almohades, limitée au Maghreb, est contestée par des dissidents ; les Hafsides d'origine almohade (1228-1574) établissent leur propre lignée en Tunisie et en Algérie orientale, les Berbères abdelwadides à Tlemcen en 1236.

Au sud, les Almohades perdent le contrôle du Sahara. Au cœur même du royaume, leurs alliés berbères, les Mérinides, défient leur autorité. Le cycle décrit par le grand

Coffre mérinide en bois sculpté

historien maghrébin Ibn Khaldoun *(p. 181)*, qui voit au fil des siècles des nomades austères arracher le pouvoir à des citadins corrompus, avant d'être eux-mêmes contestés, fonctionne une fois encore. Reste que le siècle almohade, d'une splendeur sans égale, a marqué le Maroc de traits durables : un islam à la fois mystique et formaliste, un *makhzen* (pouvoir central) pour contrôler les particularismes tribaux, une civilisation urbaine hispano-mauresque toujours visible.

Panneau de céramique *(azulejos)* figurant la bataille de Las Navas de Tolosa (1212), lourde défaite almohade

CHRONOLOGIE

	1130-1163 Abd el-Moumen, premier calife almohade, conquiert le Maghreb jusqu'à Tripoli	1212 Alphonse VIII de Castille bat Mohammed el-Nasser à Las Navas de Tolosa		1244-1286 Abou Yahia puis Abou Youssef Yacoub imposent la dynastie mérinide	
1120		**1180**		**1240**	**1300**
	1125 Le mahdi Ibn Toumart s'installe à Tin Mal	1195 Abou Yacoub Youssef el-Mansour bat les Castillans à Alarcos	1212-1269 Déclin de la dynastie almohade		

Étendard pris aux musulmans lors de la bataille de Las Navas de Tolosa

LES MÉRINIDES,
UNE GRANDE CIVILISATION URBAINE

Avec les Mérinides, guerriers malheureux mais bâtisseurs inspirés, le Maroc se réduit progressivement au territoire actuel, où s'épanouit une brillante civilisation urbaine. Ces nomades berbères zénètes conduits par Abou Yahia s'emparent des principales cités et plaines fertiles du Maroc, mais ne prennent Marrakech qu'en 1269, mettant définitivement fin à la dynastie almohade. Abou Yacoub Youssef refait de Fès la capitale, qui va connaître une nouvelle expansion.

Malgré quelques victoires éphémères (Ecija en 1275), les souverains mérinides s'usent en vain à reconquérir le terrain perdu dans la péninsule Ibérique. Ce sont les Portugais qui, en 1415, avec l'infant Dom Enrique le Navigateur, franchissent le détroit et s'emparent de Ceuta. Abou el-Hassan (dynastie des Mérinides) parvient tout de même pendant un temps à rétablir l'ordre et l'unité dans le Maghreb.

Ce dernier et son successeur Abou Inan restent de grands souverains. Ils embellissent les principales villes du royaume. Mais les crises de succession minent peu à peu leur autorité,

IBN BATTUTA

À la fois science et littérature, la géographie est un genre très pratiqué par les Arabes dès les origines. Né à Tanger, Ibn Battuta (v. 1300-v. 1370) porte la *rihla*, récit de voyage encyclopédique, à son sommet. Dicté au soir d'une vie aventureuse, ce livre retrace ses voyages sur près de trente ans. Il étudie à Damas, visite les villes saintes d'Arabie, devient ministre aux Maldives, commerce en Inde et en Chine, sillonne l'Indonésie et le Golfe, revient au Maghreb et part explorer les royaumes d'Afrique noire. Rédigés peu après ceux de Marco Polo, ses souvenirs sont une source d'informations exceptionnelle.

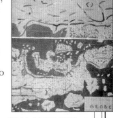

Al-Idrissi (1099-1166) est le premier cartographe à avoir établi un rapport entre la géographie, l'économie et les cultures

et les Wattassides, une autre lignée berbère zénète, règnent ensuite directement jusqu'en 1549.

Avec le XVe siècle débute le lent effacement de la puissance marocaine : la dynamique s'inverse en faveur des Européens.

Tapisserie représentant la prise de Ceuta par les Portugais en 1415

Azulejo montrant la conquête de Ceuta

1331-1349 Apogée mérinide avec Abou el-Hassan

1415 L'infant portugais Dom Enrique le Navigateur s'empare de Ceuta

1360 **1420** **1480**

1349-1358 Règne d'Abou Inan, grand souverain bâtisseur

1420 Les Mérinides passent sous la tutelle des Wattassides

1465 Les Wattassides évincent définitivement les Mérinides

1497-1508 Après la prise de Grenade, les Espagnols s'installent dans le Nord du Maroc

LES DEUX DYNASTIES CHÉRIFIENNES

Depuis Idriss Ier, les chorfa (pluriel de chérif), notables descendant du prophète Mahomet, jouent un rôle important dans la vie sociale marocaine. Issues du Sud comme les précédentes, les deux dernières dynasties, saadienne et alaouite, qui gouvernent le Maroc du XVIe siècle à nos jours, sont dites chérifiennes, car elles ont pour origine des chorfa.

Le dinar d'or évoque la prospérité saadienne

LA PROSPÉRITÉ SAADIENNE (1525-1659)

Au début du XVIe siècle, la pression des armées chrétiennes sur le sol marocain reveille un profond sentiment religieux. À partir de 1509, les partisans de la résistance contre les Européens trouvent leur chef dans El-Kaïm, chérif de la tribu arabe des Beni Saad, dans la vallée du Draa. Menant de front reconquête des enclaves portugaises et conquête du pouvoir, il s'empare du Souss, puis de Marrakech (1525), qui sera la capitale de sa dynastie, et de Fès (1548), évinçant les derniers sultans wattassides. Après la prise d'Agadir en 1541, les Portugais ne gardent plus que Mazagan (El-Jadida), Tanger et Ceuta. Le « rêve marocain » du Portugal est brisé en 1578 à Ksar el-Kebir, lors de la bataille des Trois Rois, qui voit périr deux sultans rivaux et le jeune roi du Portugal Dom Sebastiao. Son oncle Philippe II d'Espagne en profite pour annexer son royaume.

Au XVIe siècle, les Saadiens s'inscrivent dans les relations internationales.

Le jeune roi disparu, Dom Sebastiao, devenu un mythe au Portugal

Dès 1577, la France nomme un consul. Mohammed al-Cheikh s'appuie sur Madrid, plus intéressée désormais par l'Amérique que par le Maghreb, pour résister à la pression des Turcs établis à Alger. Les Ottomans le font assassiner en 1557, mais renoncent à conquérir le Maroc. Les Saadiens commercent avec l'Europe, signent des traités avec l'Angleterre et les Pays-Bas. Avec les Morisques, derniers musulmans d'Espagne, ils recueillent l'ultime héritage d'Al-Andalus.

La prospérité saadienne culmine avec Ahmed el-Mansour qui, grâce à ses conquêtes, parvient à contrôler le commerce saharien et développe le *makhzen* (administration centrale). L'or du Mali et les esclaves affluent à Marrakech. Des liens politiques et religieux avec l'Afrique occidentale, la présence des cultures populaires africaines, le métissage marquent le Maroc jusqu'à nos jours. Comme celles qui l'ont précédée, la dynastie saadienne s'affaiblit sous l'influence des ambitions et querelles de succession. Dans le lointain Tafilalt, d'austères chorfa descendants d'Ali se révoltent contre la décadence saadienne et prennent le contrôle de la région (1631-1664).

LA RELÈVE ALAOUITE : GRANDEUR ET MONTÉE DES PÉRILS EXTÉRIEURS

Septième et dernière lignée royale du pays, les Alaouites comptent quelques grands souverains aux longs règnes, qui vont s'efforcer de stabiliser le pays et de s'opposer à la

CHRONOLOGIE

	1525 Les Saadiens prennent Marrakech, qui devient leur capitale	1578-1603 Règne d'Ahmed al-Mansour « le Doré »	1631-1636 Moulay Chérif se dresse au Tafilalt contre le décadence saadienne	1664-1672 Règne de Moulay Rachid, véritable fondateur de la dynastie alaouite
1500	**1570**		**1640**	

1509 Les Saadiens commencent la résistance contre les Européens

Porte des tombeaux saadiens

1578 Bataille des Trois Rois

1636-1664 Règne de Moulay Mohammed

1672-1727 Apogée des Alaouites avec Moulay Ismaïl

Moulay Ismaïl

pénétration des impérialismes. Véritable fondateur de la dynastie, Moulay Rachid (1664-1672) impose en moins de dix ans son autorité à tout le pays. Le long et fastueux règne de son frère cadet, Moulay Ismaïl (1672-1727), est la dernière apogée du royaume. Le sultan transfère sa capitale de Fès à Meknès, qu'il couvre de monuments, impose l'autorité du *makhzen* dans les zones reculées, reprend Mehdya, Tanger et Larache aux Européens, et entretient des relations avec les cours d'Europe.

Après une période d'instabilité, son petit-fils Sidi Mohammed ben Abdallah remet de l'ordre dans le pays, obtient le départ des Portugais de Mazagan, fonde Mogador (Essaouira) pour favoriser le commerce avec l'Europe. Sous Moulay Yazid et Moulay Slimane, épidémies, révoltes et isolement diplomatique mènent le pays au repli sur lui-même. Un autre grand

Traité de commerce de 1767. Mohammed II signe des traités avec la France, le Danemark, la Suède, l'Angleterre, Venise, l'Espagne, et les jeunes États-Unis

souverain, Moulay Abd er-Rahman, tente d'en moderniser l'organisation, mais il se heurte à l'expansion coloniale européenne. Venu au secours des résistants algériens dirigés par l'émir Abd el-Kader, il est battu par les Français à Isly (1844).

Sous Moulay Abd er-Rahman et ses successeurs, Mohammed IV et Hassan Ier, la France, l'Espagne et la Grande-Bretagne s'octroient des privilèges commerciaux et consulaires. Ces traités inégaux retirent au sultan le contrôle des douanes et du commerce, et ruinent l'artisanat local. En 1860, l'Espagne s'empare de Tétouan. Souverain énergique, Hassan Ier essaie de jouer des rivalités européennes, mais la conférence de Madrid affirme en 1880 le droit de toutes les puissances à intervenir au Maroc. À sa mort, le pays est en ordre, le prestige de la dynastie intact, mais le Maroc est affaibli.

La victoire de l'armée française à Isly, en 1844, évoquée par le peintre français Horace Vernet

Sultan Moulay Hafidh

Le Grand Siècle de Moulay Ismaïl

Moulay Ismaïl, métis saharien d'une prodigieuse
vitalité, impose sa forte autorité au Maroc pendant
un long et brillant règne de 55 ans (1672-1727),
contemporain de celui de Louis XIV. Il installe sa
capitale à Meknès et se dote d'une armée
puissante, recrute plusieurs dizaines de milliers
d'hommes pour former la Garde Noire, et
modernise l'artillerie. Il peut ainsi réduire les tribus
insoumises et pacifier pour un temps tout le pays,
mais aussi reprendre aux Européens plusieurs
places fortes, dont Tanger et Larache. Il échange
des ambassades avec la cour de France.

La capitale de Moulay Ismaïl en 1693

Sultan Moulay Ismaïl
*Il fut le deuxième souverain
de la dynastie alaouite.*

Ambassadeur du Maroc à Paris (1682)
*En conflit avec l'Espagne, Moulay Ismaïl
recherche l'alliance de la France pour
en finir avec les places fortes espagnoles
au Maroc. Envoyé en France, son
ambassadeur, Hadj Tenim, conclut en 1682
un traité d'amitié franco-marocain.
Le Maroc devient pour les pays européens
un partenaire commercial de poids.*

Suite de Moulay Ismaïl

Esclaves noirs
*Moulay Ismaïl renforce puissamment l'armée,
composée de trois contingents : unités
fournies par les tribus, rénégats chrétiens et
abid, corps d'esclaves et de mercenaires noirs
totalement dévoué à la personne du sultan.
Ce dernier est à l'origine de la célèbre Garde
Noire qui existe toujours.*

Anne Marie de Bourbon
Afin de renforcer ses liens avec l'Europe, Moulay Ismaïl fait demander à Louis XIV la main de cette princesse, cousine du roi de France. L'union ne fut pas conclue.

Chevalier de Saint-Olon

AUDIENCE DONNÉE PAR MOULAY ISMAÏL

Comme l'évoque cette peinture du château de Versailles de M. P. Denis (1663-1742), Louis XIV, le Roi-Soleil, envoie en 1689 un ambassadeur à Meknès, le chevalier François Pidou de Saint-Olon, où ce dernier est fastueusement reçu. Pendant vingt ans, Louis XIV et Moulay Ismaïl échangèrent des ambassades mais les relations échouèrent, la France ne voulant pas entrer en conflit avec l'Espagne.

HÉRITAGE ARCHITECTURAL DE MOULAY ISMAÏL

Il réside pour l'essentiel dans la ville de Meknès. D'une grosse bourgade vivant à l'ombre de la prestigieuse cité de Fès, le sultan va faire la quatrième cité impériale du Maroc, que certains auteurs ont appelé « le Versailles marocain », ceinte d'une puissante muraille double. Il y a fait construire, à côté de la medina, une kasbah, vaste complexe architectural entouré de sa propre enceinte, siège du pouvoir et de l'administration, comprenant plusieurs palais, des mosquées, des casernes et des haras, des citernes et des bassins : c'est la ville impériale proprement dite.

Les constructions gigantesques *de Moulay Ismaïl, tels que Dar el-Ma ci-contre (p. 193), ont nécessité une armée d'ouvriers réquisitionnés parmi les tribus des environs, les prisonniers chrétiens et les esclaves. On rapporte que le cruel sultan surveillait lui-même les travaux et punissait de mort les plus lents.*

Bab el-Berdaïne, *La « porte des Fabricants de bâts » (p. 188) doit son nom au marché aux bâts qui se tenait à proximité. Meknès est au XVIIe siècle entourée des trois remparts, percés de portes élégantes.*

Le splendide mausolée du sultan *(p. 194-195), édifié au XVIIe siècle, fut complétement restauré par Mohammed V en 1959. Les horloges qui ornent la chambre funéraire seraient un présent de Louis XIV.*

Le maréchal Lyautey, ici en 1925 avec Moulay Youssef,
marque le protectorat de sa forte personnalité

PLUS D'UN DEMI-SIÈCLE DE DOMINATION EUROPÉENNE

Face à Moulay Abdelaziz, souverain faible, la France, déjà installée en Algérie et en Tunisie, s'emploie à avoir les mains libres au Maroc, en échange de la reconnaissance des ambitions de Londres sur l'Égypte et de Rome sur la Libye. Après une réforme fiscale contestée, Moulay Abdelaziz s'endette lourdement auprès des banques françaises. L'administration militaire française de l'Algérie repousse peu à peu à son profit la frontière avec le Maroc, ce qui sera à l'origine de conflits durables. Lorsque l'empereur d'Allemagne Guillaume II débarque spectaculairement à Tanger en mars 1905 et réclame sa part, la « question marocaine » prend une dimension nouvelle. Négocié par toutes les Puissances, l'Acte d'Algésiras (1906) ouvre de force le Maroc au commerce mondial, et désigne la France et l'Espagne comme mandataires.

Divers incidents servent de prétexte aux troupes françaises pour occuper Oujda et Casablanca en 1907. Abdelaziz est déposé par son frère Moulay Hafidh, qui tente de résister, mais doit aussi s'incliner. De multiples révoltes conduisent la France à imposer son protectorat par le Traité de Fès. Moulay Hafidh est remplacé par son demi-frère Moulay Youssef.

Ce que l'on appelle à l'époque la « pacification » dure jusqu'en 1934 : il faut à l'armée française 22 ans pour contrôler l'ensemble du pays. Dans le Rif, la guérilla dure jusqu'en 1926. Abdelkrim Khattabi, brillant stratège et organisateur, bat les Espagnols à Anoual en 1921, proclame une république en 1922, et résiste longuement aux troupes des deux puissances coloniales, commandées respectivement par Franco et Pétain, avant de finir sa vie en exil au Caire en 1963.

La personnalité hors du commun de Lyautey, nommé premier résident général en 1912, joue un rôle décisif. Il installe la capitale à Rabat, promeut le développement économique du Maroc, mais refuse énergiquement la politique d'assimilation, qui tend ailleurs à modeler les colonies sur la métropole. Les structures traditionnelles du pays sont respectées. Des urbanistes sauvegardent les cités impériales.

À la mort de Moulay Youssef en 1927, son troisième fils, un jeune prince de 18 ans, Sidi Mohammed ben Youssef, lui succède et prend le nom de Mohammed V. Il sera le restaurateur de l'indépendance du Maroc.

**Abdelkrim Khattabi, chef héroïque
d'une éphémère « république du Rif »**

CHRONOLOGIE

1912 Traité de protectorat

Le sultan Moulay Youssef

1921-1926 La guerre du Rif

1930 La France impose le *dahir* berbère

1910 | **1920** | **1930**

1911 Les troupes françaises entrent dans Fès

1912-1927 Règne de Moulay Youssef, qui a déposé son demi-frère

Le maréchal Pétain reçu par le maréchal Lyautey à Rabat en 1925

1927 Début du règne du sultan Mohammed ben Youssef, futur Mohammed V

LA LUTTE
POUR L'ISTIQLAL

Le Maroc est divisé en deux zones : française sur la majeure partie du pays, et espagnole au nord et au sud ; Tanger devient zone franche internationale. Le bilan du protectorat français est contrasté. Le pays connaît une réelle modernisation des infrastructures, les ressources minières sont exploitées, les meilleures terres agricoles colonisées. Casablanca, capitale économique du pays, double de population tous les dix ans, devenant un grand port d'Afrique. Mais les treize successeurs de Lyautey pratiquent de plus en plus l'administration directe, réduisant le *makhzen* au rôle de figurant. La France impose en 1930 un *dahir* berbère, qui divise le pays. Dans ces années-là, l'idéologie coloniale triomphe.

L'immeuble Moretti-Milone à Casablanca date du protectorat

La Seconde Guerre mondiale légitime l'aspiration des peuples à la liberté. En novembre 1942, les Alliés débarquent au Maroc et le président Roosevelt apporte son soutien au sultan. Celui-ci sort peu à peu de sa réserve et s'entoure de jeunes nationalistes, qui créent le parti de l'Istiqlal (l'Indépendance). Le manifeste pour l'Indépendance appelle le souverain à prendre la tête de la revendication nationale. Il s'y rallie solennellement lors d'un discours prononcé à Tanger en 1947. L'épreuve de force avec Paris dure près de dix ans. Les autorités françaises appuient en 1951 la rébellion du puissant pacha de Marrakech, El-Glaoui. Le sultan recule mais refuse d'abdiquer ; la France finit par le déposer de force le 20 août 1953 et le remplace par un vieillard, Ben Arafa. La famille royale est exilée à Madagascar. Dans tout le Maroc, la lutte pour l'indépendance se radicalise. Le contexte international n'est pourtant plus favorable aux puissances coloniales. L'ONU s'est emparée de la question du Maroc. Le sultan détrôné négocie avec la France et rentre triomphalement d'exil sous le nom de roi Mohammed V, le prince héritier Hassan à ses côtés. La France renonce au protectorat le 2 mars 1956, et l'Espagne fait de même le 8 avril. En 1958, Tanger et l'enclave espagnole de Tarfaya sur la côte atlantique sont rattachés au royaume. Dès lors, l'indépendance est acquise, mais l'intégrité territoriale est encore à conquérir.

Mohammed V et son fils (futur roi Hassan II) à leur retour d'exil en 1955

La kasbah d'El-Glaoui à Télouèt

1951 La France appuie la rébellion du pacha de Marrakech, El-Glaoui

1955 La famille royale rentre d'exil

1940

1950

1934 Allal el-Fassi crée le Comité d'action marocain

1943 À la conférence d'Anfa, le sultan rencontre Roosevelt

1944 Publication du manifeste pour l'Indépendance

1953 La France dépose le sultan Mohammed V, exilé à Madagascar

1958 Restitution au Maroc de Tanger et de l'enclave espagnole de Tarfaya

Le futur Hassan II, en 1957, entre Allal el-Fassi, fondateur de l'Istiqlal (à sa droite) et Medhi Ben Barka (à sa gauche)

LES MUTATIONS DU MAROC CONTEMPORAIN

Si, dans le monde arabe, les rois sont remplacés par des républiques autoritaires (Irak, Égypte, Yémen, Tunisie), l'attitude patriotique de Mohammed V unit le pays autour d'une monarchie, facteur d'unité et d'équilibre. Pieux et ouvert, le roi encourage la promotion des femmes, la scolarisation, la réforme agraire. Le Maroc fait aussi des choix différents de ceux des pays voisins, et décisifs pour son avenir :

pluralisme politique (très contrôlé) et relatif libéralisme économique. L'aile progressiste du mouvement national se sépare de l'Istiqlal pour fonder en 1958, avec Abderrahim Bouabid et Mehdi Ben Barka, un parti de gauche, l'Union nationale des forces populaires, future UNFP.

Le roi doit aussi gérer l'impatience des nationalistes, qui souhaitent poursuivre la lutte armée jusqu'à la libération complète du territoire et s'engager davantage au côté des Algériens encore en guerre.

Mohammed V, jeune encore, meurt brutalement des suites d'une intervention chirurgicale le 26 février 1961. Son fils aîné, Moulay Hassan, associé au pouvoir depuis des années, lui succède. Hassan II, politique virtuose, accompagnera durant son règne de 38 ans, souvent agité et au bilan mitigé, les mutations du pays. Au plan international, il arrime le Maroc au camp occidental, malgré des relations parfois très orageuses avec Paris, parle même de candidature à l'Union européenne, mène dans le monde musulman une politique originale, présidant le comité El-Qods

LA QUESTION NATIONALE

La question nationale marque durablement la vie politique du Maroc contemporain. Le conflit principal concerne le Sahara occidental (266 000 km²), dont l'Espagne se retire en 1975. Hassan II lance en novembre une « Marche verte » pour récupérer le territoire doté de richesses minières, dont le Front Polisario, mouvement armé très soutenu par l'Algérie, réclame l'indépendance. Le conflit ouvert dure jusqu'à ce que les parties acceptent en 1988 le plan des Nations unies prévoyant la consultation de la population sahraouie. Depuis 1991, le référendum est régulièrement repoussé, faute d'accord des parties sur l'établissement des listes d'électeurs.

La « Marche verte » replace la question nationale au cœur de la vie politique

CHRONOLOGIE

1956 Abrogation du traité de protectorat	**1963** Début de la guerre des Sables avec l'Algérie	**1965** Enlèvement de Mehdi Ben Barka à Paris	**1975** Début de la « Marche verte »	**1981** (juin) Émeutes à Casablanca
1950	**1960**	**1970**		**1980**

Hassan II

1961 Mort de Mohammed V, Hassan II est intronisé le 3 mars	**1962** La première constitution est adoptée par référendum	**1971** Tentative de coup d'État à Skhirat **1972** Seconde tentative de coup d'État	**Années 1970** Le Maroc devient une destination prisée du mouvement hippie **1985** Jean-Paul II à Casablanca

Cérémonial de la fête du Trône à Marrakech sous Hassan II

(Jérusalem) et favorisant le rapprochement entre Israël et les Palestiniens. Une méfiance fondamentale marque, en revanche, les relations avec le voisin et « frère » algérien, devenu indépendant en 1962 : la délimitation de la frontière commune conduit en 1963 à une « guerre des Sables ». Alger est le principal soutien du Front Polisario, et la frontière est à plusieurs reprises fermées durablement.

En politique intérieure, secondé par de fortes personnalités tels que le général Oufkir, Dlimi puis Driss Basri, Hassan II alterne avancées et répression. La constitution, promulguée en 1962, suivie des élections législatives de 1963, ne parvient pas à rassembler. Une deuxième constitution est édictée en 1970. Les deux coups d'État organisés par des proches du roi échouent grâce à son sang-froid. Des secousses sociales liées à la pauvreté jalonnent les années de normalisation de la vie publique, qui s'accélère après 1990, et aboutit à l'adoption d'une nouvelle constitution, en 1996. Les temps sont mûrs pour l'ouverture.

Après l'élection législative encore imparfaite de 1997, Hassan II impose une alternance politique. Abderrahmane Youssoufi, opposant politique qui a connu la prison et l'exil, forme un gouvernement de large coalition autour de l'Union socialiste des forces populaires. Il s'attache avec prudence à des réformes en profondeur pour moderniser le pays. Le 23 juillet 1999, le roi meurt subitement au retour d'une visite en France. Son fils aîné, Mohammed VI, né en 1963, monte sur le trône le 30 juillet. Il jouit d'une immense popularité, car il incarne le changement. Il aborde les problèmes liés aux droits de l'homme, autorise le retour des derniers exilés, porte une attention soutenue aux provinces du Nord négligées par son père et se sépare du ministre de l'Intérieur, Driss Basri. Mais les problèmes de fond du pays – sous-développement, analphabétisme, pauvreté, inégalités sociales – restent entiers. Après les attentats de 2003, le roi met fin à « l'ère du laxisme » et ralentit les réformes amorcées. Depuis 2011, avec le « Mouvement du 20 février », le roi doit faire face à un nouveau défi et assurer les réformes espérées.

Depuis son accession au trône, en 1999, Mohammed VI est perçu comme un monarque proche du peuple.

Hassan II au 1er sommet maghrébin

1994 (fév.) Émeutes islamistes sur le campus de Fès

2003 Naissance du prince Moulay Hassan

2004 Le parlement approuve un accord de libre échange avec les États-Unis

1990		2000	2010	2020

1988 Premier sommet maghrébin à Alger

1991 (6 sept.) Cessez-le-feu avec le Polisario
1998 Youssoufi forme un gouvernement d'alternance

1999 Mort du roi Hassan II. Intronisation de son fils Mohammed VI

La jeunesse attend beaucoup de Mohammed VI

2007 Naissance de la princesse Lalla Khadija

LE MAROC
RÉGION
PAR RÉGION

Le Maroc d'un coup d'œil

De la Méditerranée au Haut Atlas, au-delà duquel
il se prolonge dans les immenses étendues
sahariennes, le Maroc s'ouvre sur l'Atlantique
dans un vaste hémicycle où se concentrent grandes
villes et principales activités, de Tanger à Agadir
et de Fès à Rabat. Relief, climat et histoire ont
multiplié les facettes d'un pays qui offre la variété
de ses plages, mais aussi la beauté de ses hautes
vallées montagneuses. Aux riches terroirs agricoles
s'opposent les grands espaces de l'Atlas et du désert
d'où surgissent, ici ou là, amandiers, pêchers, oasis
et palmeraies. Dans les medinas secrètes, dans le
labyrinthe des souks ou au pied des minarets
almohades et mérinides s'activent marchands et
artisans, gardiens d'admirables traditions artistiques.

Casablanca, *ville célèbre
pour son architecture
Art déco, abrite aussi la
somptueuse mosquée
Hassan-II* (p. 102-103).

**CÔTE
SUD-ATLANTIQUE**

Essaouira,
*ville blanche qui
semble sortir des
eaux* (p. 120-125),
*est aussi le
paradis des
surfeurs.*

**SUD ET SAHARA
OCCIDENTAL**

Agadir : *on s'y rend pour profiter
du soleil et des plages. Une jolie
medina a été construite
au sud de la ville* (p. 286-287).

Le Sud *est une région
très variée : désert,
oasis, montagnes
et côtes. L'architecture
et les couleurs des maisons
de Tafraoute, dans
l'Anti-Atlas, sont très
particulières* (p. 293).

◁ **Paysage de la vallée du Draa**

TANGER

CÔTE
NORD-ATLANTIQUE

LE RIF ET LA CÔTE
MÉDITERRANÉENNE

RABAT MEKNÈS
ET VOLUBILIS
FÈS

SABLANCA MOYEN
ATLAS

HAUT
ATLAS

ARRAKECH

OUARZAZATE
ET LES OASIS DU SUD

La région du Rif, de
Chefchaouen à Oujda, est à
découvrir : Berbères à la fouta
rayée, plages de toute beauté,
vallées recouvertes au
printemps d'amandiers en
fleurs, comme ici, font
la richesse de cette partie
du pays (p. 142-161).

**Les splendides paysages
du Haut Atlas**, ici près de
l'oued Goum, se prêtent à la
randonnée pour découvrir
les tribus berbères (p. 259).

Volubilis, cité romaine, est située
à quelques kilomètres de la cité
impériale de Meknès (p. 202-205).

Rabat, célèbre pour la
belle kasbah des Oudaïa
et pour le mausolée
Mohammed-V dont on
voit ici le mihrab (niche
indiquant la direction
de la Mecque) et le
minbar (chaire à
prêcher) (p. 74-75).

Fès, cité impériale, abrite
des sites splendides, dont
la mosquée Karaouiyine
aux complexes zelliges.

Marrakech et
ses remparts ocre
sont dominés
par l'Atlas
souvent enneigé
(p. 227).

0   200 km

RABAT

Faisant face à l'océan Atlantique, Rabat, pleine de charme avec ses minarets et ses coupoles, ses terrasses ininterrompues, ses avenues rectilignes et ses espaces verts, reste plus agréable que d'autres grandes cités marocaines. Aujourd'hui, la ville est en pleine mutation. Séparée de son ancienne rivale Salé par l'oued Bou Regreg, elle est la capitale politique, administrative, universitaire et financière du Maroc, et la seconde métropole du pays après Casablanca.

Les fouilles de la nécropole mérinide de Chellah *(p. 80-81)* ont mis au jour des vestiges d'habitations romaines et préromaines. Plus tard, c'est Abd el-Moumin, premier souverain de la dynastie almohade, qui décide vers 1150 d'établir un camp permanent et ordonne alors d'édifier en face de Salé, sur l'emplacement de l'ancien *ribat*, une petite résidence impériale.

Le calife Yacoub el-Mansour, quant à lui, souhaite édifier une splendide cité qui reçoit l'appellation de Ribat el-Fath, « le camp de la Victoire », pour célébrer son triomphe, en 1195, sur Alphonse VIII de Castille, à Alarcos. À la mort du calife en 1199, le prodigieux chantier s'arrête : les remparts et leurs portes sont déjà érigés, mais la mosquée Hassan et son minaret demeurent quant à eux inachevés *(p. 49)*. La défaite des Almohades à Las Navas de Tolosa ébranle la puissance almohade et entraîne le déclin de la ville.

En 1610, le roi d'Espagne Philippe III chasse de son royaume les derniers maures, qui se réfugient dans plusieurs villes du Maghreb. Rabat reçoit notamment une importante colonie d'émigrés andalous, essentiellement originaires de la ville d'Hornachos.

Rabat devient alors la capitale d'une petite république maritime relativement autonome. L'argent des réfugiés andalous équipe une flotte qui attaque les vaisseaux européens. La « république du Bou Regreg » est annexée au royaume chérifien en 1666, mais la piraterie ne prend fin qu'au milieu du XIXe siècle.

En 1912, le maréchal français Lyautey *(p. 56)* fait de Rabat la capitale administrative du Maroc. Avec 1,5 million d'habitants, cette grande cité est aujourd'hui le plus important centre universitaire du pays.

Le majestueux mausolée Mohammed-V

◁ **Porte des ambassadeurs, palais royal de Rabat**

À la découverte de Rabat

Rabat présente quatre pôles d'intérêt distincts. Au nord, la pittoresque kasbah des Oudaïa est ceinte en partie par les remparts datant de l'époque almohade.
La medina, où se trouvent les souks, est délimitée à l'ouest par les remparts almohades et au sud par la muraille des Andalous (XVIIe siècle) qui longe le boulevard Hassan-II.
L'avenue Mohammed-V est l'axe central nord-sud animé de la ville nouvelle, où s'élèvent les immeubles datant du protectorat. Au nord-est se trouvent la tour Hassan et le mausolée Mohammed-V. Au sud, la nécropole mérinide de Chellah abrite également les vestiges romains de Sala.

La mosquée Slimane et la medina de Rabat

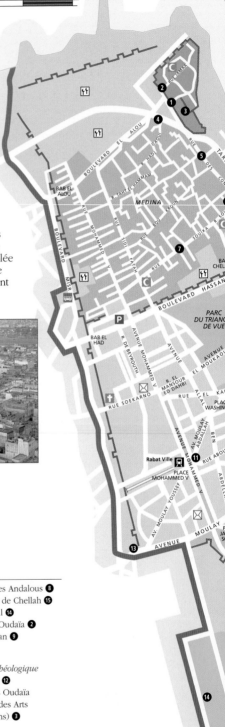

RABAT D'UN COUP D'ŒIL

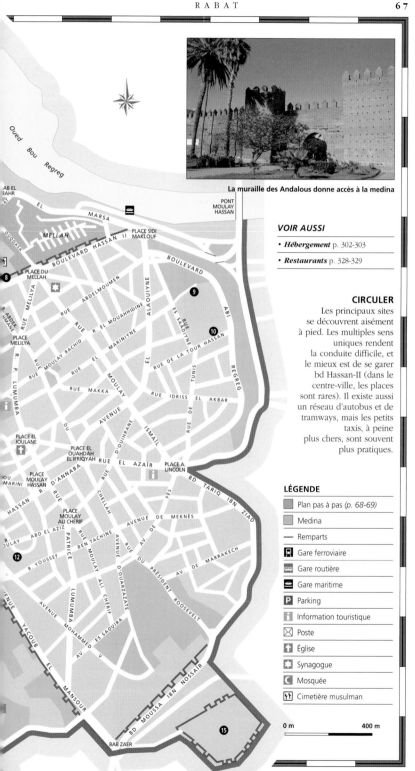

La muraille des Andalous donne accès à la medina

VOIR AUSSI

- **Hébergement** p. 302-303
- **Restaurants** p. 328-329

CIRCULER

Les principaux sites se découvrent aisément à pied. Les multiples sens uniques rendent la conduite difficile, et le mieux est de se garer bd Hassan-II (dans le centre-ville, les places sont rares). Il existe aussi un réseau d'autobus et de tramways, mais les petits taxis, à peine plus chers, sont souvent plus pratiques.

LÉGENDE

	Plan pas à pas *(p. 68-69)*
	Medina
—	Remparts
🚆	Gare ferroviaire
🚌	Gare routière
⛴	Gare maritime
P	Parking
i	Information touristique
⊠	Poste
✝	Église
✡	Synagogue
☪	Mosquée
⚰	Cimetière musulman

0 m   400 m

Kasbah des Oudaïa pas à pas

Porte des Oudaïa

La kasbah ou « forteresse » doit son nom à la tribu des Oudaïa, originaire d'Arabie qui, après un passé belliqueux, fut installée à Rabat par Moulay Ismaïl pour protéger la ville de la menace de tribus rebelles. Une partie de l'enceinte, bâtie au sommet d'une falaise, et la majestueuse porte des Oudaïa qui la perce datent de l'époque almohade. Sur la rue Jamaa, artère principale de ce quartier très pittoresque, s'élève la plus ancienne mosquée de Rabat, Jamaa el-Atiqa, fondée au XIIe siècle.

★ Porte des Oudaïa
Archétype de l'architecture militaire almohade, cette porte monumentale en chicane fut élevée par Yacoub el-Mansour au XIIe siècle ❷

Remparts
Yacoub el-Mansour fait édifier les remparts ouest en 1195, après sa victoire sur Alphonse III ❶

Cimetière El-Alou

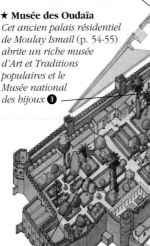

★ Musée des Oudaïa
Cet ancien palais résidentiel de Moulay Ismaïl (p. 54-55) abrite un riche musée d'Art et Traditions populaires et le Musée national des bijoux ❸

RUE BAZZO

★ Jardin andalou
Cet agréable jardin, dessiné au début du XXe siècle selon la tradition arabo-andalouse, possède une noria traditionnelle.

Café maure
C'est le lieu de détente et de réflexion des Rabatis. De là, on peut admirer paisiblement la medina de Salé, le Bou Regreg et l'océan, et rejoindre par une porte le jardin andalou.

Pour les hôtels et les restaurants de la ville, voir p. 302-303 et p. 328-329

Ruelle de la kasbah
Si on trouve quelques vestiges du XIIe siècle, les maisons de la kasbah, peintes à la chaux en bleu et blanc, datent de l'époque des premiers souverains alaouites.

MODE D'EMPLOI

Au nord de la ville. Accès par la place du Souk-el-Ghezel et la porte des Oudaïa ou par la place de l'Ancien-Sémaphore.
Jardin andalou ◻ *accessible depuis le Café maure.*
La kasbah se visite à pied au gré des ruelles enchevêtrées.

Fontaine

Muraille almohade

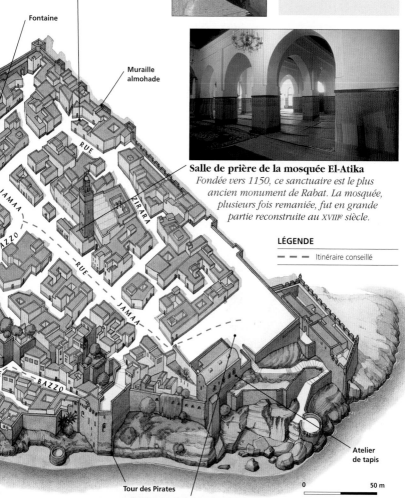

Salle de prière de la mosquée El-Atika
Fondée vers 1150, ce sanctuaire est le plus ancien monument de Rabat. La mosquée, plusieurs fois remaniée, fut en grande partie reconstruite au XVIIIe siècle.

LÉGENDE

– – – Itinéraire conseillé

RUE JAMAA

BAZZO

RUE ZIRARA

RUE JAMAA

BAZZO

Atelier de tapis

Tour des Pirates

0   50 m

Plate-forme de l'ancien sémaphore des Oudaïa
Construit au XVIIIe siècle par le sultan Sidi Mohammed ben Abdallah, ce fortin défendait l'estuaire du Bou Regreg. L'entrepôt du XVIIIe siècle abrite une coopérative de tapis.

À NE PAS MANQUER

★ Jardin andalou

★ Musée des Oudaïa

★ Porte des Oudaïa

**Les remparts du jardin andalou
datent de Moulay Rachid**

Remparts ❶

*Au nord de la ville. Accès par la place
du Souk-el-Ghezel et la place de
l'Ancien-Sémaphore.*

Érigés en grande partie sur
ordre du sultan almohade
Yacoub el Mansour à la fin
du XIIᵉ siècle, les remparts
qui enserrent Rabat s'étendent
sur plus de 5 km. Restaurés
et remaniés aux XVIIᵉ et
XVIIIᵉ siècles par
les Morisques et
les Alaouites,
ils sont
admirablement
conservés,
tant côté mer
que côté terre.
La muraille des
Andalous, long
rempart rectiligne
qui limite la
médina au sud,
fut dressée par
les Hornacheros,
les musulmans
chassés d'Espagne au
XVIIᵉ siècle. Redoutant
les dangers venant autant
de la mer que de la terre,
ils consolidèrent aussi
la courtine de la kasbah des
Oudaïa en plusieurs endroits
et bâtirent la tour des Pirates,
dont l'escalier intérieur
communique avec le fleuve.
Ils percèrent également
les vieilles tours almohades
d'embrasures pour les canons
et creusèrent un système
complexe de souterrains
reliant la kasbah à l'extérieur.
Les remparts ceignant le
jardin andalou ont été édifiés

par Moulay Rachid, fondateur
de la dynastie alaouite.

La muraille, construite en
moellons dégrossis couverts
d'un enduit ocre assez épais,
est flanquée d'imposantes
tours barlongues et de
bastions, plus nombreux
du côté de l'océan et du
fleuve. Haute de 8 à 10 m, et
d'une épaisseur de 2,50 m en
moyenne, elle fut dotée d'un
chemin de ronde qui subsiste
en plusieurs endroits, et qui
est bordé d'un parapet peu
élevé. Cette construction
militaire solide, qui constituait
une défense avancée, fut
longtemps le repaire protégé
des pirates slaouis et résista
pratiquement à tous les
assauts des Européens.

Porte des Oudaïa ❷

*Kasbah des Oudaïa. La porte donne
accès à la kasbah en venant de la
place du Souk-el-Ghezel.*

Surplombant la falaise de
Bou Regreg et dominant la
medina de Rabat, cette porte
monumentale en pierre
de taille ocre rouge est
considérée comme
un des plus bels
exemples d'art
almohade.
Mais cette entrée
principale
de la kasbah,
construite
par Yacoub
el-Mansour en
1195, possède
une architecture
et une esthétique
spécifiques, qui
en font moins
un ouvrage militaire que
décoratif. Flanquée de deux
tours, elle s'ouvre par un arc
outrepassé. Ses façades
intérieure et extérieure sont
ornées d'un somptueux
décor sculpté en relief dans
la pierre, qui ne commence
qu'à partir de l'arc d'ouverture
et s'étale en plusieurs plans
étagés jusqu'à la base
du parapet des remparts.
Au-dessus de l'arc, deux
bandeaux couverts d'un
entrelacs losangé sont
entourés d'un décor floral.
Les deux faces de la porte
sont coiffées d'un bandeau

**Conque stylisée,
porte des Oudaïa**

calligraphique. La porte de
l'ancien palais des Oudaïa,
comme toutes les portes des
palais musulmans, fut aussi
une pièce de garde et un
tribunal. La porte sert
également aujourd'hui
de salle d'exposition.

Musée
des Oudaïa ❸

*Kasbah des Oudaïa. Accès par une
porte dans le mur de l'enceinte
sud-ouest.* **Tél.** *0537 73 15 37.*
⬜ *mer.-lun. 9h30-18h30.*
⚫ *mar., j.f.*

Ce fut Moulay Ismaïl qui dota
la kasbah d'un petit palais au
XVIIᵉ siècle, où les premiers
sultans alaouites résidaient
lors de leur séjour à Rabat.
Ce fait est attesté par une
inscription qui figure sur des
linteaux en bois du patio
central sur lesquels on peut
lire : « Félicité permanente
et victoire éclatante à Notre
Seigneur Smaïl, commandeur
des croyants ». Le palais a été
totalement restauré et
légèrement modifié en 1917
sous le protectorat. Il a subi
depuis plusieurs phases de
restauration et de rénovation.

Le palais actuel comprend
un édifice principal organisé
autour d'une cour à portiques
et bordée sur ses quatre côtés
de pièces rectangulaires,
dallées de marbre et
enjolivées de plafonds à
caissons géométriques. Les
dépendances comprennent
un autre bâtiment, un
oratoire, un hammam et une
tour. Un beau jardin andalou
lui confère le statut de

**Le musée des Oudaïa, installé
dans un palais du XVIIᵉ siècle**

résidence princière. Depuis 1915, le bâtiment accueille le musée des Oudaïa.

On peut y admirer des tapis, des pièces de dinanderie, des astrolabes des XIVe et XVIIe siècles, des céramiques et des instruments de musique. Une salle est une reconstitution d'un intérieur marocain traditionnel, avec des sofas recouverts de magnifiques étoffes de soie brodées d'or, réalisées à Fès. Une pièce est consacrée aux costumes provenant des contrées situées entre le Rif et le Sahara.

Une section contient des poteries anciennes, une belle collection de bois sculpté et des pièces funéraires.

Le lieu abrite aussi le Musée national du bijoux, riche de parures berbères et citadines.

Échoppe du quartier du Souk-el-Ghezel

Place Souk-el-Ghezel et rue Hadj-Daoui ❹

On peut débuter la visite de la medina de Rabat par cette place, le « marché de la laine », qui doit son nom au marché qui s'y tenait autrefois. C'est ici que les prisonniers chrétiens étaient jadis proposés à d'éventuels acquéreurs. Tous les jeudis matin s'y déroule une vente à la criée de beaux tapis de la ville.

La rue Hadj-Daoui, juste au sud-ouest de la place Souk-el-Ghezel, pénètre dans la zone résidentielle de la medina. On y découvre des ruelles plus calmes et des maisons construites par les morisques qui ont laissé des traces indéniables dans l'architecture de Rabat. Certaines particularités de construction en témoignent, tels les arcs en plein cintre ou en anse de panier, et des motifs

ornementaux, comme le pilastre fait de moulures empilées décorant la partie supérieure des portes.

Les petites maisons simples, construites généralement en pierres enduites et blanchies à la chaux, ne sont pas sans élégance. La plupart des demeures cossues dissimulées dans ce quartier ont une structure analogue à celles des autres medinas marocaines. Bâties autour d'un patio, elles affichent un raffinement discret.

En poursuivant la rue Hadj-Daoui vers l'ouest, on découvre Dar el-Mrini, belle demeure bourgeoise de 1920, transformée en centre de rencontres et d'exposition.

Rue des Consuls ❺

À l'est de la medina.

La rue des Consuls commence place Souk-el-Ghezel, au nord, et rejoint la muraille des Andalous au sud. Jusqu'au protectorat, les légations étrangères étaient dans l'obligation de s'y établir. Tout au long de cette voie joliment recouverte de roseaux et

La rue du Souk-es-Sebbat abrite les échoppes des maroquiniers

de verrières se juxtaposent de nombreuses échoppes d'artisans et commerçants, formant le quartier le plus vivant de la medina. Aux nos 109 et 137 sont installés deux anciens fondouks dans lesquels des artisans travaillent le cuir et le bois.

À gauche, rue El-Marsa, se trouve l'Ensemble artisanal. Un entrepôt maritime du XVIIIe siècle rénové s'élève un peu plus loin.

Le mellah de Rabat, l'ancien quartier juif, est situé dans la rue Ouqqasa.

La rue des Consuls, une des artères les plus animées de la medina

Patio de la mosquée du mausolée Mohammed-V ▷

Mausolée Mohammed-V ➓

Encensoir en cuivre

Dédié à la mémoire de Mohammed V, père de l'indépendance, cet édifice majestueux fut commandé par son fils Hassan II, et édifié par l'architecte vietnamien Vo Toan assisté de 400 artisans marocains. L'ensemble de bâtiments qui compose le mausolée Mohammed-V comprend une mosquée et un musée dédié à l'histoire de la dynastie alaouite. Le mausolée, en marbre blanc d'Italie, est placé sur un socle de 3,5 m de hauteur, et on y accède par une porte en fer forgé qui ouvre sur un escalier conduisant à la coupole protégeant le sarcophage de Mohammed V.

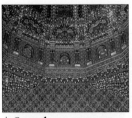

★ Coupole en *muqarnas*
Cette coupole à douze pans, décorée de stalactites en bois d'acajou peint et de vitraux, couronne la salle.

Zelliges polychromes

★ Sarcophage
Taillé et sculpté dans un bloc d'onyx blanc, il est posé sur une surface de granit poli et orienté vers la qibla (La Mecque).

Garde
Le costume traditionnel du garde royal est blanc en été et rouge en hiver.

Caveau où se trouve le corps de Mohammed V

Fontaine
Embellie de zelliges polychromes et encadrée par un arc outrepassé en pierre tendre de Salé, cette fontaine imite le style arabo-andalou.

Pour les hôtels et les restaurants de la ville, voir p. 302-303 et p. 328-329

Vitraux polychromes
*Les vitraux de la coupole
ont été fabriqués en France,
dans les ateliers de l'usine
Saint-Gobain.*

Les *jamours*
en cuivre jaune
symbolisent un
édifice sacré ou un
sanctuaire religieux.

Calligraphie
Cette frise sculptée dans le marbre en écriture
maghribi *est une louange divine.*

Portes menant
au balcon d'où l'on
admire le sarcophage

Esplanade

Portes
*Sur les quatre faces du mausolée,
trois portes servent d'étais au
monument grâce à des colonnettes
en marbre de Carrare.*

Torchères
*Ces grandes
torchères en
cuivre ciselé et
ajouré dressent
leurs flèches
élancées
en bas des
volées de
marches.*

'autres
embres
e la famille
oyale (le roi
lassan II et son
rère, Moulay
bdallah) sont
nhumés dans le mausolée.

**Entrée
principale**

Ces escaliers mènent
au niveau de la salle
du sarcophage et
de la salle de prières.

À NE PAS MANQUER

★ Coupole en
muqarnas

★ Sarcophage

Fontaine mérinide dans le quartier de la Grande Mosquée

Rue Souïka ❼

Dans la medina.

Prolongeant vers le sud-ouest la rue du Souk-Sebbat, la rue Souïka (« petit souk ») est l'artère principale et la plus animée de la medina. Bordée d'échoppes diverses vendant alimentation, chaussures, vêtements, radios et cassettes, de restaurants, de marchands d'épices, une foule dense s'y presse à certains moments de la journée. Au croisement avec la rue de Bab-Chellah s'élève la Grande Mosquée, probablement construite entre le XIIIe et le XVIe siècles et modifiée et restaurée plusieurs fois à l'époque alaouite. On remarque surtout son minaret de 33,15 m de haut, surélevé en 1939, édifié en moellon, orné de pierres de taille et agrémenté d'ouvertures aux arcs polylobés ou festonnés. En face de la mosquée, on distingue une fontaine au fronton d'arcs entrecroisés, bâtie sous le règne du sultan mérinide Abou Farès Abdelaziz (XIVe siècle). Plus au sud-ouest de la rue, à l'angle de la rue Sidi-Fatah, la mosquée Moulay-Sliman, ou Jamaa el-Souika, est une

mosquée-cathédrale due au sultan du même nom, qui la fit construire vers 1812 à l'emplacement d'un sanctuaire plus ancien.

Muraille des Andalous ❽

De Bab el-Had à la place Sidi-Makhlouf.

Au XVIIe siècle, les réfugiés Andalous (ou Morisques) trouvèrent la medina sans défense et construisirent une muraille qui prit le nom de ses bâtisseurs. Haute de 5 m environ, la muraille des Andalous s'étend en ligne droite sur plus de 1 400 m en partant, à l'ouest, de Bab el-Had (la « porte du Dimanche ») jusqu'au *borj* (« fortin ») Sidi-Makhlouf à l'est. Elle est longée par le boulevard Hassan-II. À l'époque du protectorat, une centaine de mètres de cette muraille comprenant la porte Bab el-Tben fut détruite afin de faciliter l'accès à un marché. La muraille est flanquée de tours massives, séparées d'intervalles de 35 m en moyenne, et couronnée d'un chemin de ronde protégé par un parapet dans lequel les Andalous percèrent de nombreuses meurtrières en briques. Ils bâtirent à l'est de leur muraille le bastion Sidi-Makhlouf. De forme irrégulière, ce fortin est composé d'une plate-forme reposant sur une assise pleine et à laquelle a été juxtaposée une large tour. Ils aménagèrent aussi des embrasures à canon sur deux portes almohades,

Bab el-Alou et Bab el-Had. Cette dernière était autrefois la principale porte d'entrée de la medina. Datant de l'époque almohade, elle fut reconstruite par Moulay Sliman en 1814. Du côté du boulevard Misr, une des deux tours pentagonales s'appuie sur la muraille almohade datant probablement de 1197. Bab el-Had renferme une série de pièces rectangulaires intermédiaires entre les antichambres d'entrée et de sortie. De petites pièces y sont aménagées pour recevoir des soldats chargés de la garde des magasins et des logements.

Mosquée Moulay-Slima...

Rue Souk- el-Sebbat ❻

Dans la medina.

Cette artère qui commence à partir de la Grande Mosquée et se termine à Bab el-Bhar (« la porte de la Mer ») croise la rue des Consuls. Couverte d'un treillis de roseaux, cette voie très animée est le domaine des maroquiniers, des bijoutiers, des négociants de tissus et de produits de toutes sortes.

Tour Hassan ❾

Rue de la Tour-Hassan. 🔘 *au public.*

En venant du pont de Salé, la tour Hassan se dresse majestueusement depuis plus de huit siècles sur la colline dominant le Bou Regreg. Ce monument, l'un des plus prestigieux de Rabat, est aujourd'hui considéré comme l'emblème de la cité.

C'est le minaret inachevé de la mosquée Hassan, construite par Yacoub el-Mansour vers 1196. L'édification de cette mosquée aux dimensions colossales, sans rapport avec la population de Rabat à cette époque, laisse penser que le souverain almohade projetait de faire de Rabat sa nouvelle capitale d'empire.

Bab el-Had, la « porte du Dimanche » (XVIIe siècle)

Pour les hôtels et les restaurants de la ville, voir p. 302-303 et p. 328-329

Vestiges de la salle de prière, devant la tour Hassan

D'autres historiens pensent qu'en édifiant ce sanctuaire, les Almohades souhaitaient surpasser la magnificence de la Grande Mosquée de Cordoue, qui avait été la capitale du royaume islamique en Occident *(p. 48-49).* Mais après la mort de Yakoub el-Mansour en 1199, la mosquée inachevée fut laissée à l'abandon, et seul le minaret résista au tremblement de terre de 1755.

La mosquée Hassan constituait un immense rectangle de 183 m sur 139 (la mosquée de Cordoue atteignit 175 m sur 128). C'était donc le plus grand édifice religieux de l'Occident musulman, et seule la mosquée de Samarra (Irak) présente une taille supérieure. La grande cour s'étendait au pied du minaret et l'immense salle de prière hypostyle était divisée en 21 travées séparées par des rangées de colonnes massives surmontées de chapiteaux. Les vestiges de ces imposants piliers en pierre ont subsisté et donnent une impression d'infini et de grandeur.

Le minaret, tour carrée d'environ 16 m de côté et 44 m de hauteur, qui devait dépasser la hauteur de la Koutoubia *(p. 236-237)* et de la Giralda de Séville, ne fut pas terminé. D'après les canons almohades, il aurait dû mesurer 80 m, en incluant le lanternon ; inachevé, il paraît massif. Chacune de ses quatre faces s'orne au-dessus du socle d'arcs aveugles polylobés. Sur le dernier niveau du minaret, une arcature aveugle, dont les arcs se prolongent et se croisent, forme un motif sebka que l'on retrouve sur la Giralda de Séville *(p. 48-49).*

À l'intérieur, une rampe ascendante, large de 2 m, permet d'accéder aux six étages à coupoles superposées.

Après l'indépendance, c'est de la tour Hassan que Mohammed V dirigea la première prière du vendredi.

Mausolée Mohammed-V ⑩

Voir p. 74-75.

Ville moderne ⑪

Pendant les 44 ans du protectorat, Lyautey et les architectes Prost et Écochard bâtissent une ville moderne dans la partie non construite de l'immense enceinte almohade. La dotant de larges boulevards et d'espaces verts, ils en ont fait une ville relativement agréable. L'avenue principale, Mohammed-V, part de la medina pour aboutir à la mosquée El-Souna, ou Grande Mosquée, construite par Sidi Mohammed au XVIIIe siècle. Elle est bordée d'élégants immeubles d'influence hispano-maghrébine édifiés par les autorités du protectorat, comme la Banque du Maroc, la poste, le parlement ou la gare. Le bâtiment de la Banque du Maroc abrite le **musée de la Monnaie**.

La rue Abou-Inan mène à la **cathédrale Saint-Pierre**, toute blanche, construite dans les années 1930.

🏛 **Musée de la Monnaie**
Banque du Maroc, rue du Caire
Tél. *0537 26 90 96.*
⬚ *tél. pour connaître les horaires.*

⛪ **Cathédrale Saint-Pierre**
Place du Golan. ***Tél.*** *0537 72 23 01.*
⬚ *t.l.j. 9h-12h, 14h30-17h.*

La cathédrale Saint-Pierre, dans la partie moderne de Rabat

Musée archéologique ⓬

Cet édifice, construit pendant le protectorat, en 1930, accueillait initialement les Services des antiquités. Les premières collections préhistoriques et préislamiques, constituées des pièces découvertes par les archéologues à Volubilis, Banasa et Thamusida, furent présentées pour la première fois entre 1930 et 1932. L'arrivée en 1957 de nouvelles pièces de Volubilis dota le musée de la plus riche collection du pays, lui donnant ainsi le statut de musée national. Depuis 1986, le musée a été réorganisé afin de présenter thématiquement les collections qui vont de la préhistoire du Maroc jusqu'aux récentes fouilles archéologiques.

Pichet romain (Ier-IIe siècle)
à filtre et bec verseur

acheuléenne sur les sites de Sidi Abderrahmane et de Daya el-Hamra ; les civilisations moustérienne et atérienne (v. 50 000 à 40 000 ans av. J.-C.). Celle-ci, spécifique de l'Afrique du Nord, est illustrée, entre autres, par les seuls restes humains découverts à Dar al-Soltane et el-Harhoura.

Maison à l'Éphèbe, Volubilis (p. 204-205)

EXPOSITIONS TEMPORAIRES

Dédié aux expositions temporaires, le hall d'entrée présente un panorama des recherches archéologiques au Maroc et un commentaire didactique récapitulant les différentes méthodes de fouilles employées. Une carte indiquant les principaux sites retrace l'historique des fouilles et permet de mieux situer les diverses implantations de civilisations préhistoriques et pré-islamiques au Maroc. Dans la salle face à l'entrée, on peut voir sur le sol la reconstitution d'une mosaïque de Volubilis. Au centre se trouve une statue de **Ptolémée**, roi de Maurétanie (25 à 40 apr. J.-C.), fils de

Juba II et de Cléopâtre Séléné, qui mourut assassiné sur ordre de Caligula.

CIVILISATIONS PRÉHISTORIQUES

Le rez-de-chaussée accueille également une collection lapidaire de la préhistoire : autels et stèles portant des inscriptions, caissons funéraires, flèches, outils, poteries, pierres polies, haches, épées, fragments de tombes, moulages et peintures rupestres. Le musée permet de partir à la découverte des civilisations les plus anciennes : la Pebble-culture connue à Arbaoua, Douar-Doum et Casablanca ; la civilisation

Relief romain en os et ivoire

SITE DE SALA-CHELLAH ET ARCHÉOLOGIE ISLAMIQUE

La galerie du premier étage tente de retracer l'histoire du site antique à travers une collection d'outils et d'ustensiles de la vie quotidienne (poteries, lampes à huile). Parfait exemple d'une ville maurétanienne et romaine active et florissante jusqu'au IVe siècle apr. J.-C.,

Tête de jeune Berbère

le site deviendra sous les Mérinides, au XIIIe siècle, une nécropole royale.

Dans les vitrines, une table d'autel paléochrétien ornée du chrisme (monogramme du Christ), un encensoir byzantin et une statuette en ivoire figurant le Bon Pasteur, témoignent de la présence du christianisme au Maroc entre le IIIe et le VIIIe siècle.

La section d'archéologie islamique expose une collection de monnaies frappées dès le début de l'islamisation et du matériel provenant des principaux sites récemment fouillés.

Pour les hôtels et les restaurants de la ville, voir p. 302-303 et p. 328-329

Les visiteurs peuvent ainsi découvrir des poteries de Sijilmassa, des céramiques, notamment un plat de Belyounech (région de Ceuta) datant du XIVe siècle. La section expose également des fragments de plâtre sculpté et des moules à pain de sucre de Chichaoua.

CIVILISATIONS PRÉISLAMIQUES

À l'extérieur et à l'écart, la salle des Bronzes constitue le fleuron de la visite. Les pièces provenant des fouilles de Volubilis, Banasa, Thamusida, Sala et Mogador sont présentées par thème, illustrant de façon didactique les aspects importants qui caractérisent le Maroc préromain (civilisation maurétanienne) et romain (Maurétanie Tingitane). Divers objets témoignent des relations commerciales qu'entretenait le Maroc avec le monde méditerranéen, dont Carthage ; la vie publique et privée est évoquée au travers d'objets du quotidien, tels des robinets utilisés dans les thermes, des fragments de canalisation en terre cuite, des ustensiles de cuisine (vaisselle, verres, couteaux) ; enfin, une partie consacrée à

Masque d'Océan
(Ier siècle av. J.-C.)

l'armée romaine expose des diplômes militaires (Banasa), des certificats de bonne conduite gravés sur des plaques de bronze, des décorations, etc.

Outre la collection de sculptures en marbre blanc, représentés entre autres par la *Tête du jeune Berbère* (Volubilis, époque augustéenne), la *Sphinge* provenant d'un trône votif, et le *Papposilène endormi* (Volubis), sont exposés des statuettes de divinités romaines (Vénus, Bacchus, Mars) et orientales (Isis, Anubis). Mais on retiendra du musée sa collection de bronzes antiques provenant principalement de Volubilis, témoins de la richesse des villes romaines du Maroc. Le buste de *Caton d'Utique*, œuvre d'importation du Ier siècle retrouvée dans la maison dite « à la mosaïque de Vénus », est très bien conservé. L'*Éphèbe couronné de lierre* est sans conteste la pièce majeure de la collection. Représenté debout, nu, portant une couronne de lierre aux fines vrilles, la position de ce jeune éphèbe laisse à penser qu'il tenait à l'origine un flambeau de la main gauche ; ce type de représentation dit « lampadophore » et le classicisme des formes sont

MODE D'EMPLOI

23, rue el-Brihi (derrière la Grande Mosquée, face à l'hôtel Chellah). **Tél**. 0537 70 19 19.
☐ mer.-lun. 9h-17h (dern. entr. 45 min av. ferm.).
☐ jeu., j.f. ♿

caractéristiques du Ier siècle. Le *Chien de Volubilis,* trouvé sur le site en 1916 dans le quartier de l'arc de triomphe, est une œuvre d'importation datée du règne d'Hadrien (début du IIe siècle). La position de l'animal, associé à un personnage, sans doute Diane, laisse à supposer qu'il ornait une fontaine des thermes. L'*Éphèbe versant à boire*, découvert lui aussi à Volubilis en 1929, rappelle dans son aspect général le *Satyre verseur* de Praxitèle, conservé au musée de Dresde en Allemagne. Le buste de Juba II datant de 25 av. J.-C., a, quant à lui, probablement été importé d'Égypte.

Stèle votive romaine en grès (Ier-IIe siècle), Volubilis

MUSÉE ARCHÉOLOGIQUE

Le musée ne comporte que quatre salles. Vous pouvez commencer la visite par chacune d'entre-elles, dans l'ordre de votre choix.

galerie

LÉGENDE

☐ Salle 1 : expositions temporaires

☐ Salle 2 : civilisations préhistoriques

☐ Salle 3 : Sala-Chellah et archéologie islamique

☐ Salle 4 : civilisations préislamiques

Bab el-Rouah ⑬

Place An-Nasr. **Galerie** ⬜ *t.l.j. lors des expositions.*

Bab el-Rouah, la « porte des Vents », est une majestueuse et robuste porte almohade, datant de la même période que la porte des Oudaïa *(p. 68)*. La porte d'accès est décorée de deux arcs outrepassés polylobés, sculptés dans la pierre et entourés d'un bandeau calligraphique en écriture coufique. L'intérieur renferme quatre pièces aux élégantes coupoles qui accueillent aujourd'hui des expositions.

Bab el-Rouah, superbe porte almohade, aux arcs festonnés dans la pierre

Palais royal ⑭

Au nord-ouest de la ville. ⬤ *au public. On peut admirer le complexe palatial de l'extérieur. Le méchouar et les jardins sont accessibles.*

Le complexe du Dar el-Makhzen s'étend sur un vaste domaine entouré de sa propre enceinte où vivent près de 2 000 personnes. Construit à l'emplacement d'un palais du XVIIIe siècle, le palais actuel date de 1864, mais fut constamment agrandi depuis et comprend même aujourd'hui un champ de courses de chevaux. Il abrite le gouvernement marocain, la Cour suprême, les bureaux du Premier ministre, le ministère des Habous (responsable des fondations religieuses), une Grande Mosquée et la mosquée El-Fas. Le *mechouar*, partie accessible au public, accueille les grandes manifestations, comme la *bayaa*, lors de laquelle les hauts fonctionnaires de l'État

Le palais royal de Rabat abrite 2 000 personnes

font allégeance au roi. Traditionnellement, les souverains résident dans le harem, mais Mohammed VI a choisi de résider dans sa villa. Le palais comprend à l'extérieur des espaces privés, un immense jardin très ordonné et agrémenté de différentes espèces d'arbres et de vastes parterres de fleurs remarquables.

Nécropole de Chellah ⑮

Au sud-est de la ville. *Accès par Bab Zaer, le mieux est de s'y rendre en taxi.* ⬜ *t.l.j. 8h30-18h.* 🖼

Le site de Chellah se visite en passant par la porte des Zaer (nom d'une tribu locale), seule ouverture du rempart sud de Yacoub el-Mansour. La nécropole est à quelques centaines de mètres.

Palais royal, détail de la porte des Ambassadeurs

L'entrée de la nécropole proprement dite est marquée par une imposante porte almohade, flanquée de deux tours, qui s'ouvre par une baie en arc outrepassé. L'ogive de la porte est surmontée d'un bandeau en calligraphie coufique qui porte le nom de son bâtisseur, Abou el-Hassan, et la date de 1339. Un café est installé à gauche dans un ancien corps de garde. Après avoir franchi la porte, une allée en escalier mène jusqu'à une terrasse d'où s'offrent de magnifiques vues sur la vallée du Bou Regreg, la nécropole mérinide et les vestiges de la ville romaine de Sala Colonia au sein d'une végétation luxuriante.

Ce fut le premier calife mérinide, Abou Yacoub Youssef, qui choisit cet emplacement pour construire une mosquée et enterrer sa femme Oum el-Izz en 1284. Mort en 1286 à Algésiras, son corps fut ramené dans la nécropole. Ses deux successeurs, Abou Yacoub, mort en 1307, et Abou Thabit, décédé en 1308, y furent également enterrés. Ce fut le sultan Abou Saïd (1310-1331) et son fils Abou el-Hassan (1331-1351) qui achevèrent d'édifier le complexe funéraire, embelli plus tard par Abou Inan. Abou el-Hassan bâtit les remparts, probablement en relevant l'ancienne enceinte romaine ; ces remparts ont la couleur ocre caractéristique de la terre et de la pierre de Rabat. En 1500, Léon l'Africain dénombra 30 tombes mérinides.

Nid de cigognes sur le minaret de l'ancienne zaouïa

En pénétrant dans l'enceinte de la nécropole, on trouve la mosquée en ruine d'Abou Youssef et ses dépendances. À droite derrière le mihrab se trouve la koubba d'Abou Youssef.

En face de celle-ci, le mausolée d'Abou el-Hassan, le Sultan noir, dernier souverain mérinide a avoir été enseveli ici en 1351, longe le mur d'enceinte. Sa stèle funéraire est toujours en place. On y trouve aussi la koubba de son épouse chrétienne convertie à l'islam, Chams el-Doha (nom que l'on peut transcrire par « la lumière de l'aube »), morte en 1349. C'était la mère du souverain Abou Inan *(p.51)*, un des plus illustres souverains mérinides, bâtisseur notamment de la medersa Bou Inania de Fès *(p. 172-173)*.

L'enceinte de la nécropole comprenait également une zaouïa, institution religieuse utilisée à la fois comme mosquée, centre d'enseignement et hôtellerie pour pèlerins et étudiants, dont on distingue encore quelques cellules. Construite par Abou el-Hassan, elle possède la disposition et l'ornementation des medersas de Fès, et certains historiens estiment qu'elle a même été plus luxueuse. Abou el-Hassan revêtit la partie supérieure du minaret d'une décoration faite d'une dentelle de zelliges blancs, noirs, verts et bleus, encore visibles aujourd'hui.

La nécropole de Chellah fut délaissée à la fin de la dynastie mérinide et essuya au cours ses siècles suivants plusieurs saccages. Elle fut en grande partie détruite par le tremblement de terre de 1755. La nature envahit la pierre et des colonies de cigognes installèrent leurs nids sur les arbres et les minarets, conférant au site une atmosphère surnaturelle, particulièrement au coucher du soleil. D'ailleurs, d'innombrables croyances et légendes y sont associées, comme en témoignent les nombreux marabouts de saints qui sont disséminés dans le jardin. Les anguilles sacrées de la fontaine (un ancien bassin d'ablutions de la mosquée) sont ainsi réputées porter chance aux femmes stériles qui les nourissent d'œufs, symboles de fertilité, vendus sur place par des jeunes garçons.

Aux environs : les fouilles du site de Chellah ont permis de mettre au jour des édifices importants de **Sala**, cité prospère dans l'Antiquité, qui déclina jusqu'à devenir,

À l'intérieur de la mosquée, on distingue l'ancien mihrab

au Xe siècle, un vaste champ de ruines. On distingue encore aujourd'hui le *decumanus maximus,* la voie principale qui parcourait les cités romaines d'est en ouest et conduisait au port construit au Ier siècle av. J.-C., aujourd'hui ensablé. Du forum, un chemin à droite mène à la nécropole mérinide.

Les remparts de la nécropole de Chellah furent élevés par Abou el-Hassan au XIVe siècle

CÔTE NORD-ATLANTIQUE

*L*a côte nord-atlantique marocaine offre ses longues plages de sable fin, ses lagunes, lieux d'hivernage des oiseaux migrateurs, et ses forêts recherchées par les amateurs de chasse. Mais son parcours invite aussi à un raccourci de l'histoire du pays, de l'époque phénicienne et romaine à celle des corsaires, des Portugais et des Espagnols, et à celle, plus proche, de la colonisation et du développement agricole, portuaire, commercial et touristique.

Moins fréquentée que le Maroc intérieur ou les villes impériales, la côte qui s'étend de Rabat à Tanger n'en présente pas moins un très grand intérêt. Si elle ne connaît pas l'essor spectaculaire touchant la côte de Rabat à Casablanca et le Sud, la région témoigne d'un Maroc moderne, très actif et ouvert sur l'extérieur. Sur une distance de 250 km, l'océan est tout près : routes et autoroutes s'en rapprochent au point de longer parfaitement la côte et les plages ou de le laisser apparaître à l'embouchure d'un fleuve ou au détour d'une dune côtière. La route suit à peu près le tracé d'une grande voie romaine qui reliait Sala Colonia (aujourd'hui Chellah, à Rabat) à Banasa, Lixus et Tanger : c'est le cœur de l'une des régions le plus anciennement urbanisées du Maroc.

Sur la côte, l'océan a marqué l'histoire des villes occupées dès l'époque phénicienne et l'époque romaine, attirant les pirates, les envahisseurs et les occupants successifs, qui laisseront leurs traces : Andalous, Espagnols ou Français. C'est l'océan, enfin, qui donne à la région sa douceur et son humidité ; jusqu'à Larache, d'immenses serres font mûrir fraises, bananes et tomates. C'est encore l'océan qui entraîne l'activité portuaire et industrielle de Kenitra jusqu'à Tanger, où a été construit un port, atlantique cette fois, pour recueillir les chargements des cargos en route vers l'Europe.

Les remparts d'Asilah

◁ Les ruines du site antique de Thamusida

À la découverte de la côte nord-atlantique

À qui voudra flâner sur la côte atlantique, de Salé à Tanger, la nature offre la mer, la forêt, les lagunes, la chasse et la pêche, en bordure de plages qu'on imagine sans fin. Le littoral abrite des sites antiques : Thamusida, dans un méandre de l'oued Sebou ; Banasa, en retrait de la côte, dans la riche plaine du Rharb ; et Lixus sur son promontoire face à Larache, à l'embouchure du Loukkos. De Salé jusqu'à Tanger, de petites cités témoignent d'une riche histoire par leurs enceintes ou leurs monuments : Mehdya, dont la kasbah domine les derniers méandres de l'oued Sebou ; Moulay Bousselham, jouissant de sa lagune et de sa mer, protégée par le tombeau du « saint » qui attire de nombreux pèlerins ; Asilah aux ruelles discrètes, sur lesquelles donnent quelques ouvertures protégées par des moucharabiehs mystérieux ; Larache, au charme tout andalou ; et enfin, Tanger face au détroit de Gibraltar, à l'Espagne et à l'Europe.

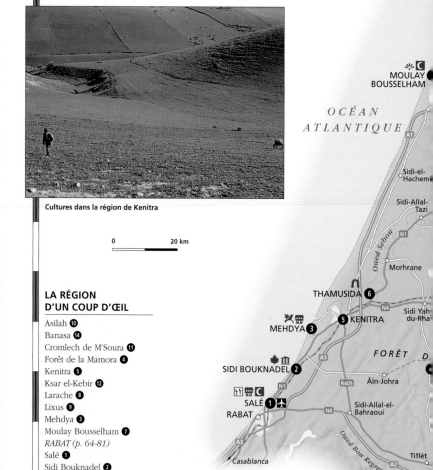

Cultures dans la région de Kenitra

0   20 km

LA RÉGION D'UN COUP D'ŒIL

MOULAY BOUSSELHAM

OCÉAN ATLANTIQUE

Sidi-el-Hachemi

Sidi-Allal-Tazi

Morhrane

THAMUSIDA ⑥

MEHDYA ③   ⑤ KENITRA

Sidi Yah du-Rha

FORÊT   D

SIDI BOUKNADEL ②   Aïn-Johra

SALÉ ①

RABAT

Sidi-Allal-el-Bahraoui

Casablanca

Tiflèt

Oiseaux migrateurs sur la lagune de Moulay Bousselham

VOIR AUSSI

• *Hébergement* p. 303-304

• *Restaurants* p. 329

CIRCULER

Une autoroute (payante) rejoint directement Rabat à Tanger. Même s'il s'agit d'une autoroute, soyez vigilant : des animaux ou des personnes peuvent traverser à l'improviste. La route N1 passe plus à l'intérieur et atteint la côte à Asilah. Un réseau d'autobus au départ de Rabat ou de Tanger dessert la plupart des localités.

LÉGENDE

▬▬	Autoroute
▬▬	Route principale
▭▭	Route secondaire
---	Piste
∿∿∿	Voie ferrée

Portes colorées de la medina d'Asilah

Les jardins exotiques de Sidi Bouknadel

Salé ❶

Carte routière C2. À l'est de Rabat, rive droite de l'oued Bou Regreg. 🏘 710 000. 🚉 Rabat-Salé (10 km sur la route de Meknès). 🚍 🚍 route de Casablanca. 🛈 Rabat, 0537 66 06 63. 🎉 Fête et procession des Cierges (nuit de la veille de la fête du Mouloud). 🚪 jeu.

Fondée aux environs du XIe siècle, Salé (l'antique Sala, *voir p. 81*) est fortifiée et embellie à la fin du XIIIe siècle sous les Mérinides, qui construisent une medersa, une mosquée, une école de médecine et surtout un imposant aqueduc, encore visible sur la route de Kenitra. Port très fréquenté au Moyen Âge par tous les commerçants du Nord de la Méditerranée, Salé accueille en 1609 des réfugiés andalous et lutte avec Rabat (p. 64-81), voisine et rivale avec qui elle partage l'activité corsaire. La cité déclina au XVIIIe siècle, avant de retrouver au XXe siècle une activité artisanale importante.

À l'entrée de la ville, quand on vient de Rabat, se dresse la « porte de la Mer », Bab el-Mrisa (XIIIe siècle). Entrée de l'arsenal maritime bâti par le sultan mérinide Yacoub el-Mansour, elle laissait passer un canal reliant l'oued Bou Regreg au port. À l'intérieur de la ville, près de la rue Bab-el-Khebbaz, artère centrale de la medina, se développe la *kissaria* et les souks avec leurs nombreux marchands et artisans. Non loin des souks se dressent la Grande Mosquée et la medersa. Un auvent de bois sculpté surmonte sa porte qu'ouvre une baie en arc outrepassé. Construite sous le Mérinide Abou el-Hassan, la medersa, de taille modeste, est remarquable par sa cour centrale entourée d'une galerie à colonnes couverte de zelliges, en plâtre et en bois sculptés, et par son mihrab, au plafond de bois finement décoré.

Le cimetière marin, au nord-est de la ville, est parsemé des marabouts de pieux personnages, comme celui de Sidi ben Achir. Au XVIe siècle, on lui prêtait le pouvoir d'apaiser les flots pour faciliter l'entrée des navires dans le port. Le marabout de Sidi Abdallah ben Hassoun (patron de la ville, des bateliers et des voyageurs) possède une curieuse coupole qui borde la Grande Mosquée. Plus loin vers le nord en suivant la côte, le marabout de Sidi Moussa domine la mer et est en septembre le centre d'un pèlerinage fréquenté.

Sidi Bouknadel ❷

Carte routière C2. 10 km au nord de Salé par la N1 en dir. de Kenitra. 🏘 6 900. 🚍 Rabat. 🚪 dim.

À l'entrée de Sidi Bouknadel, les **jardins exotiques**, créés en 1951 par l'ingénieur horticole Marcel François, sont la propriété de l'État. On y découvre, sur près de 4 ha, environ 1 500 plantes provenant des Antilles, d'Amérique du Sud et d'Asie.

Commode au musée Dar Belghazi

🌸 **Jardins exotiques**
⏰ t.l.j. 9h-18h30. 📷

Aux environs :
à 2 km au nord, le **musée Dar Belghazi** rassemble des pièces d'art très diverses et fort belles (bijoux, caftans et ceintures de mariées, portes en bois sculpté, minbars, poteries, instruments de musique). Musée privé, il est l'œuvre d'un maître artisan du bois, héritier d'artistes et de collectionneurs.

🏛 **Musée Dar Belghazi**
Km 47, route de Kenitra.
Tél. 0537 82 21 78. ⏰ t.l.j. 9h-18h.
● ven. 12h-14h. 📷

Mehdya ❸

Carte routière C2. 39 km de Salé par la N1 en dir. de Kenitra, au Km 29, route de Mehdya-Plage. 🏘 5 800. 🚍 Kenitra puis taxi.

Très fréquentée par les habitants de Rabat et de Kenitra, cette petite station balnéaire, située à l'embouchure de l'oued Sebou, occupe l'emplacement de ce qui fut peut-être un comptoir carthaginois dès le Ve siècle av. J.-C., puis une

Les remparts de Salé, près de Bab el-Mrisa

Pour les hôtels et les restaurants de la région, voir p. 303-304 et p. 329

base navale almohade appelée alors El-Mamora (la « bien peuplée »). Par la suite, la ville fut occupée par les Portugais, les Espagnols et les Hollandais, avant d'être finalement prise par Moulay Ismaïl *(p. 54-55)* à la fin du XVIIe siècle. Sur le plateau dominant l'estuaire, la kasbah a conservé l'enceinte construite par les Espagnols, les bastions de style Vauban et leurs fossés ; la porte monumentale, érigée sous Moulay Ismaïl, donne accès au palais du gouverneur dont subsiste la cour centrale, les chambres, les dépendances, le hammam et la mosquée.

Aux environs : la **lagune de Sidi Bourhaba**, à 27 km sur la route de Mehdya-plage, abrite une importante réserve ornithologique : des milliers d'oiseaux, comme la sarcelle marbrée et la foulque caronculée y ont leur refuge lors de leur migration entre l'Europe et l'Afrique noire.

> ✂ **Lagune de Sidi Bourhaba**
> *Tél. 0537 74 72 09.*
> **Centre d'exposition et sentiers de découverte**
> ⬜ *sam., dim. et j.f. 12h-16h.*

Forêt de la Mamora ❹

Carte routière C2. À l'est de Rabat par la N1 en dir. de Kenitra ou la N6 en dir. de Meknès.

Entre les oueds Sebou et Bou Regreg, la forêt de la Mamora s'étend sur 134 000 ha (60 km de long sur 30 km de large). Même si la forêt est surtout replantée aujourd'hui d'eucalyptus à la croissance beaucoup plus rapide, elle est

Écorce de chênes-lièges

composée en grande partie de chênes-lièges, dont on démascle le tronc pour l'exploitation du liège. Une usine, installée à Sidi Yahia, transforme le bois d'eucalyptus en pâte utilisée pour la fabrication de papier ou de rayonne. La forêt, exploitée de façon intensive, dégradée par le pacage des bovins et des ovins, est de plus en plus clairsemée. Elle permet cependant en été d'agréables promenades, où l'on peut observer tourterelles des bois, élanions blancs, rolliers d'Europe ou gobe-mouches gris.

Kenitra ❺

Carte routière C2. 🏙 *300 000.*
🚉 🚌 *Rabat.* 🛒 *lun., sam.*

Fondée en 1913 au début du protectorat français, la ville porta le nom de Port-Lyautey de 1933 à 1955. Kenitra présente une succession de quartiers : zone de villas, centre-ville de type européen et faubourgs populaires. Le port, sur la rive gauche du Sebou, permet l'exploitation des produits régionaux en provenance du Rharb (agrumes, liège, coton, céréales, pâte à papier). Autrefois zone de marécages frappée par le paludisme et territoire d'élevage extensif, la plaine alluviale du Rharb est devenue, grâce au réseau d'irrigation, une région de culture intensive et l'une des grandes

zones agricoles du Maroc, spécialisée dans la culture du riz, de la betterave à sucre, du coton et des agrumes.

Thermes de Thamusida sur les bords de l'oued Sebou

Thamusida ❻

Carte routière D2. 55 km au nord-est de Rabat, 17 km au nord-est de Kenitra, autoroute (sortie Kenitra N).

Sur la N1, au niveau de la borne kilométrique marquée « Kenitra 14 km, Sidi Allal Tazi 28 km », on prend vers l'ouest une piste qui mène au site antique, au bord de l'oued Sebou. Il fut occupé par les Romains du IIe siècle av. J.-C. au IIIe apr. J.-C. Des éléments de l'enceinte, l'emplacement d'un camp quadrillé de rues se coupant à angles droits, et surtout le *praetorium,* siège du commandement, avec ses colonnes et ses pilastres, sont encore visibles. Au nord-est se dressent des thermes, dont le plan est conservé, et un temple à trois chambres, ou *cellae.* Au nord du Sebou, on devine l'emplacement des anciens quais du port.

Port de pêche de Mehdya sur l'oued Sebou

Chênes-lièges de la forêt de la Mamora ▷

Moulay Bousselham ❼

Carte routière D2. 48 km au sud de Larache. *Autoroute puis 10 km par la route S216.* 🏠 *900.* 🚌 🎪 *moussem (déb. été).*

La petite ville de Moulay Bousselham est une station balnéaire très appréciée des Marocains. La mosquée et le tombeau de Moulay Bousselham dominent l'océan et la lagune de Merja Zerga. Un pèlerinage très suivi s'y déroule fin juin-début juillet. La vie de Moulay Bousselham, un « saint » du Xe siècle, est auréolée de légendes en relation avec l'océan et ses dangers. La barre de Moulay Bousselham est d'ailleurs très dangereuse : les vagues déferlent sur la plage et les récifs. La lagune est plus calme ; une promenade en barque permet de découvrir les milliers d'oiseaux qui la traversent lors des migrations en décembre et janvier : hérons, flamants roses, fous de Bassan, tadornes de Belon. Le petit port de pêche est le point d'embarquement pour les promenades sur la lagune *(se renseigner au café Milano).*

La ville de Moulay Bousselham et la lagune

Larache ❽

Carte routière D1. 🏠 *95 000.* ✈ *Tanger, Rabat.* 🚌 *dim.*

À l'écart des voies de circulation, Larache est à la fois andalouse et arabe. La partie moderne de la ville est très marquée par l'occupation espagnole. Fondée au VIIe siècle par des conquérants arabes, Larache est au XIe siècle un important centre de commerce de la rive gauche

Fontaine andalouse de la place de la Libération, Larache

de l'oued Loukkos. Au XVIe siècle, les corsaires algérois et turcs y font escale, et la ville subit les représailles des Portugais présents à Asilah. Elle devient espagnole en 1610, avant d'être conquise par Moulay Ismaïl à la fin du XVIIe siècle. De 1911 à 1956, Larache est occupée par l'Espagne dans le cadre du protectorat.

Depuis la place de la Libération, au style très espagnol, on pénètre dans la medina par Bab el-Khemis, porte en brique surmontée d'un petit auvent de tuiles vernissées. Dans le souk des étoffes ou *kissaria (socco de la alcaiceria),* se tient un marché de produits variés. Des ruelles aux maisons décorées de motifs floraux descendent vers le port. La porte Bab el-Kasba ferme au sud le souk des étoffes et ouvre sur la rue Moulay-el-Mehdi. Celle-ci, enjambée par des arcs, conduit à un minaret octogonal et à une terrasse qui offre une vue des méandres du Loukkos, des salines et du promontoire de Lixus. Près de là, la citadelle de la Cigogne est une forteresse érigée en 1578 par les Saadiens et remaniée par les Espagnols au XVIIe siècle ; elle ne se visite pas.

Allez flâner au bord de la mer sur le « balcon de l'Atlantique ». Non loin, le marché municipal possède un décor hispano-mauresque. Dans le cimetière catholique, proche du phare, la tombe de l'écrivain Jean Genet (1910-1986) fait face à l'océan.

Lixus ❾

Carte routière D1. 5 km au nord-est de Larache sur la N1. 🚌 *Larache.*

Ce site antique, en voie de classement au patrimoine mondial par l'Unesco, offre une vue de l'océan, de l'oued Loukkos et de Larache. La légende y situe l'un des douze travaux d'Hercule : la cueillette des pommes d'or au jardin des Hespérides. Au VIIe siècle av. J.-C., l'écrivain romain Pline décrit Lixus comme la plus ancienne colonie phénicienne en Méditerranée occidentale.

Les Phéniciens y installent un comptoir dès le VIIe siècle av. J.-C., servant de relais sur la route de l'Or. Après sa conquête par les Romains entre 40 et 45 apr. J.-C., Lixus devient une colonie et un centre de fabrication de *garum,* sauce à base de déchets de poissons marinés dans la saumure récupérée dans les cuves de salaison. Lixus est abandonnée par les Romains à la fin du IIIe siècle apr. J.-C. Le rempart construit à cette

Les ruines romaines de Lixus sur un magnifique promontoire

époque réduisit de moitié la superficie habitable de la ville.

Les cuves où se préparaient les salaisons et le *garum* occupent le pied du site. Elles constituent le centre de cette industrie le plus important du Maroc. Le théâtre, doté d'une arène circulaire, accueillait dans l'Antiquité les jeux du cirque.

La ville haute (acropole) est entourée d'un rempart distinct de celui de la ville, sauf du côté ouest, très escarpé. On y a dégagé un édifice absidial, précédé d'un atrium avec citerne. Le Grand Temple (Ier siècle av. J.-C.-Ier siècle apr. J.-C.), à l'extrémité sud des ruines, comprend une *area* (cour) entourée d'un portique. La *cella,* lieu de la divinité, dans l'axe du péristyle, est adossée à un mur en forme d'abside ; une large abside semi-circulaire, dont le sol était revêtu de mosaïque, s'ouvre à l'opposé.

Asilah ❿

Carte routière D1. 🏘 25 000. 🚉 *2 km au nord de la ville, route de Tanger.* 🚌 *Tanger ou Rabat.* 🎭 *festival culturel (août).* 🎡 *jeu.*

D'origine phénicienne, Asilah est une ville importante à l'époque maurétanienne (elle frappe alors la monnaie), puis romaine. Elle est prise par les Portugais en 1471 et devient un centre de commerce avec les pays méditerranéens. La ville passe sous contrôle marocain à l'époque de Moulay Ismaïl (1691). À la fin du XIXe siècle, Raissouni, un prétendant au pouvoir, brigand, rançonneur, kidnappeur, en fait sa capitale. Profitant des intrigues qui se jouent autour du souverain, il obtient la place de pacha puis de gouverneur du pays jbala (1906). Il se fait construire un palais face à la mer, dont il est chassé par les Espagnols en 1924.

Les remparts enserrent la petite ville au charme andalou. Dans les ruelles pavées et chaulées,

Étalage de fruits bigarrés au marché d'Asilah

les maisons, aux boiseries peintes en bleu ou vert, s'ouvrent par des balcons aux moucharabiehs discrets.

La jetée de la Criquia, au nord-ouest de la cité, domine un minuscule cimetière aux tombes revêtues de céramiques émaillées.

Au pied de la tour carrée, sur la place Ibn-Khaldoun, s'ouvre la « porte de la Mer », Bab el-Bahr. À l'opposé, Bab Homar, « porte de la Terre », portant l'écusson aux armes royales portugaises, ouvre sur l'extérieur des remparts et les quartiers modernes.

À l'intérieur des remparts, rue de la Kasbah, le **Centre des rencontres internationales Hassan-II** est, pendant l'été, un lieu de rencontres culturelles et d'expositions. Asilah est une ville appréciée des peintres qui aiment laisser sur ses murs les souvenirs de leurs passages.

Cromlech de M'Soura ⓫

Carte routière D1. El-Utad à Chouahed. 27 km au sud-est d'Asilah par N1, puis R417 en dir. de Tétouan.

Par une piste de 7 km, depuis Sidi el-Yamani en direction de Souk et-Tnine, on rejoint ce site néolithique, qui pourrait être la sépulture d'un important souverain local,

avec 200 pierres levées monolithiques de hauteur variant entre 50 cm et 5 m et qui entourent un vaste tertre funéraire d'environ 55 m de circonférence. Unique au Maghreb et au Sahara, ce monument rappelle, par son gigantisme, ceux qui furent découverts en Espagne. Les types de poteries décorées à l'aide de coquilles de *cardium* ou les armes de bronze, mis au jour lors des fouilles, sont également identiques à celles trouvés en Espagne.

Une des 200 pierres levées du cromlech de M'Soura

Culture de la canne à sucre dans la région de Ksar el-Kebir

Ksar el-Kebir ⑫

Carte routière D1. 🏠 *107 000.*
🚉 *Moulay el-Mehdi (env. 3 km)*
🚌 *Tanger.* 🚌 *dim.*

La ville doit son nom à une
grande forteresse, importante
à l'époque des Almoravides et
des Almohades : elle surveille
alors la route conduisant aux
ports du détroit. Près de là,
sur l'oued el-Makhazine,
se déroule en 1578 la **bataille
dite « des trois Rois »** que
l'historien français Fernand
Braudel qualifie de « dernière
croisade de la chrétienté
méditerranéenne ».

Le souverain saadien
El-Moutawakkil, chassé du
Maroc, tente d'y retrouver
son trône avec l'appui de
Sebastiao Ier, roi du Portugal,
en quête de croisade.
Sebastiao, El-Moutawakkil et
le souverain saadien Abd
el-Malik, pourtant victorieux
des envahisseurs, y trouvent
tous les trois la mort. Moulay
Ahmed, frère d'Abd el-Malik,
lui succède et y gagne
les surnoms d'El-Mansour,
le « Victorieux », mais aussi
d'El-Dhebi, le « Doré »,
grâce aux rançons versées.

Ksar el-Kebir est aujourd'hui
un gros bourg rural. Son souk
est particulièrement important
le dimanche : les produits
des jardins et maraîchages
locaux, des oliveraies
traditionnelles de la région
et des vergers d'agrumes,
notamment des citrons, s'y
échangent. La région produit
également des melons jaunes,
dits « melons d'Espagne ».

Souk el-Arba du Rharb ⑬

Carte routière D2. 🏠 *38 000.*
🚉 🚌 *Rabat, Tanger.* 🚌 *mer.*

Important centre agricole à
la limite nord-ouest du Rharb,
Souk el-Arba du Rharb
s'anime surtout le mercredi,
jour de souk. Sa position
au carrefour des routes
conduisant vers Tanger,
Rabat, Meknès, mais aussi
vers Moulay Bousselham en
bordure de l'océan, a amplifié
sa vocation de ville-étape.

Banasa ⑭

Carte routière D2. 103 km au nord-
est de Rabat par N1 ou autoroute
Rabat-Tanger (sortie Kénitra nord).

On atteint Banasa par la
route R413, puis à 3 km
avant Souk Tleta du Rharb
en bifurquant sur la P4234.
Il faut suivre une piste
sur les derniers kilomètres.

Ce site antique, port
intérieur du Sebou
le plus avancé en Maurétanie
Tingitane, est un centre de
production de céramiques
entre le IIIe siècle et le
Ier siècle av. J.-C. La ville,
colonie romaine entre 33
et 25 av. J.-C., est, jusqu'à
la fin du IIIe siècle, une cité
commerciale riche et active.

Après avoir franchi l'entrée
marquée par une baie voûtée
en plein cintre, on découvre
la basilique et le forum
dallé bordé de portiques,
surplombé sur son côté sud

par le capitole ; sur celui-ci
subsistent plusieurs autels
devant les cinq chambres,
ou *cellae*, du temple.

Dans les thermes de
l'ouest, on distingue
nettement les différentes
salles traditionnelles :
vestiaires, salles chauffées
par hypocauste, piscine
froide. Quelques fresques
et un sol pavé de briques
disposées en arêtes de
poissons sont visibles dans
un autre établissement
de thermes, en contrebas
des précédents.

Sur le site de Banasa fut
retrouvé un document
épigraphique célèbre, gravé
dans le bronze, connu sous
le nom de *Table de Banasa*,
par lequel Caracalla accordait
à la province une remise
d'arriérés d'impôts en
échange d'éléphants, de
lions et autres, destinés
aux spectacles romains.

Inscription latine dans les ruines
de Banasa

Pour les hôtels et les restaurants de la région, voir p. 303-304 et p. 329

Villes romaines du Maroc

Pendant le règne des rois maurétaniens (Juba II et Ptolémée), protégés de Rome, des villes sont fondées au Maroc. Tenues par les Romains, elles se développent, devenant soit des colonies (comme Lixus ou Banasa), soit des municipes (comme Sala ou Volubilis). Les habitants, enrichis par l'exploitation des campagnes et l'activité commerciale, édifient de grands centres municipaux (forum, basilique, capitole, arc de triomphe, etc.). S'adaptant au mode de

Buste d'Hercule

vie romain, ils font construire des demeures à péristyles, décorées de mosaïques, de sculptures en bronze importées d'Égypte ou d'Italie, et de vaisselle d'Étrurie. Les thermes publics ou privés témoignent d'un souci d'hygiène et font office de faire-valoir social. Des boutiques s'alignent sous les arcades du *decumanus maximus*. Des bâtiments à vocation artisanale sont installés en périphérie : huileries, meuneries, usines de salaisons ou de *garum*.

Juba II *(52 av. J.-C. – 23 apr. J.-C.), marié à la fille de Cléopâtre et d'Antoine, fit de la Maurétanie un pays très prospère.*

Ptolémée, *successeur de Juba II, est assassiné à Rome en 40 apr. J.-C. La Maurétanie devient totalement romaine.*

EMPEREURS

Juba II reçut son pouvoir d'Auguste. Sous l'empereur Claude, la province est administrée par Rome. Ses monuments, des arcs de triomphe, sont construits sous Commode et Caracalla. Sous Dioclétien, le pays est rattaché à la province d'Espagne (fin du IIIe siècle).

Les villes *sont les centres de commerce, de garnison et d'administration. Comme à Rome, la ville s'organise autour du forum, lieu public d'échanges et de vie, et de la basilique, tout à la fois bourse, tribunal et lieu de réunion. Le culte civique était rendu au capitole.*

Volubilis, la basilique et les colonnes du capitole

ART ROMAIN

À mesure que Rome impose son hégémonie politique, son influence artistique se répand dans tout le Maghreb.

Ce Bacchus *jeune, aux formes rondes et molles, et à l'aspect efféminé, est proche du goût régnant alors à Rome.*

L'art funéraire romain *se retrouve au Maroc. De nombreuses stèles ont la forme d'un rectangle surmonté d'un triangle figurant un personnage à longue tunique.*

Cette mosaïque représentant Éole, *le dieu du Vent, dont le souffle redonne vie à la nature, provient du pavement d'une riche maison de Volubilis.*

CASABLANCA

*E*ntre Orient et Occident, la capitale économique du Maroc, profondément remodelée au XXe siècle, offre un visage déroutant qui mêle à la fois tradition et modernité : ici, les gratteciel des grandes artères cohabitent avec les échoppes de la medina aux ruelles tortueuses, et les hommes d'affaires côtoient les indigents.

Au VIIe siècle, Casablanca n'est qu'une petite cité berbère installée sur la colline d'Anfa, mais elle aiguise déjà l'appétit des puissances étrangères pour des raisons stratégiques et commerciales. En 1468, la ville est mise à sac par les Portugais, qui réduisent à néant sa flotte de corsaires. Il faut attendre l'avènement de Sidi Mohammed ben Abdallah au XVIIIe siècle, pour que Dar el-Beïda (« Maison blanche », ou « Casa blanca » en espagnol), prenne un nouvel essor grâce à son port qui joue le rôle de plaque tournante dans le commerce du sucre, du thé, de la laine et du blé avec le monde occidental. Mais c'est au XXe siècle que Casablanca subit sa plus profonde mutation sous le protectorat français *(p. 56-57)*. Contre l'avis des experts, le premier résident général, Lyautey, décide de faire de Casablanca le centre économique du pays. À cette fin, il s'entoure d'urbanistes pour édifier une ville à la mesure de ses ambitions et modernise le port. Durant près de 40 ans, les architectes les plus novateurs travaillent à ce gigantesque chantier. Après l'indépendance, l'expansion de Casablanca ne cesse pas pour autant. Ses tours futuristes et sa formidable mosquée dardant ses rayons laser vers la Mecque, témoignent une nouvelle fois de son esprit d'avant-garde. Avec près de 3,5 millions d'habitants, Casablanca est aujourd'hui l'une des cinq plus grandes métropoles du continent africain et son port est le premier du Maroc.

Marocains à une terrasse de café, parc de la Ligue-Arabe

◁ La mosquée Hassan-II, vue de la mer

À la découverte de Casablanca

Le centre de la ville moderne s'articule autour des places des Nations-Unies et Mohammed-V, où sont rassemblés les plus beaux bâtiments des années 1930. Au nord, l'ancienne medina est encore ceinturée de remparts. Au sud-est, s'étend le parc de la Ligue-Arabe, poumon de la ville. Plus loin à l'ouest, on trouve le quartier résidentiel d'Anfa et la station balnéaire d'Aïn Diab. Le boulevard de la Corniche mène à la monumentale mosquée Hassan-II. Les amateurs d'architecture se rendront dans le quartier des Habous, nouvelle medina bâtie dans les années 1920.

CASABLANCA D'UN COUP D'ŒIL

Avenue et boulevard
Avenue des Forces-Armées-Royales ❷
Boulevard Mohammed-V ❸

Places
Place Mohammed-V ❹
Place des Nations-Unies ❶

Quartiers
Ancienne medina ❻
Anfa ⑫
Corniche d'Aïn Diab ⑬
Nouvelle medina ou quartier des Habous ❾
Port ❼

Parc
Parc de la Ligue-Arabe ❺

Bâtiment
Casablanca Twin Center ⑩

Mosquée
Mosquée Hassan-II p. 102-103 ❽

Musée
Musée du Judaïsme marocain ⑪

Environs
Mohammedia ⑭

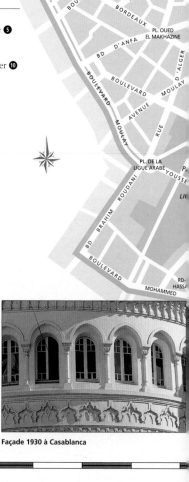

CASABLANCA ET SES ENVIRONS

OCÉAN ATLANTIQUE

ZONE DE LA CARTE PRINCIPALE

Façade 1930 à Casablanca

CIRCULER

Casablanca mérite au moins une journée de visite. L'ancienne medina et la ville moderne se parcourent à pied, le nez en l'air, pour admirer le patrimoine architectural. En revanche, il faut être motorisé pour gagner le quartier des Habous et la mosquée Hassan-II. Le stationnement ne pose pas de problème, car les parkings sont nombreux. Il est aussi possible de circuler en bus ou « petit taxi ». Bus et tramways desservent le centre de la ville comme la périphérie.

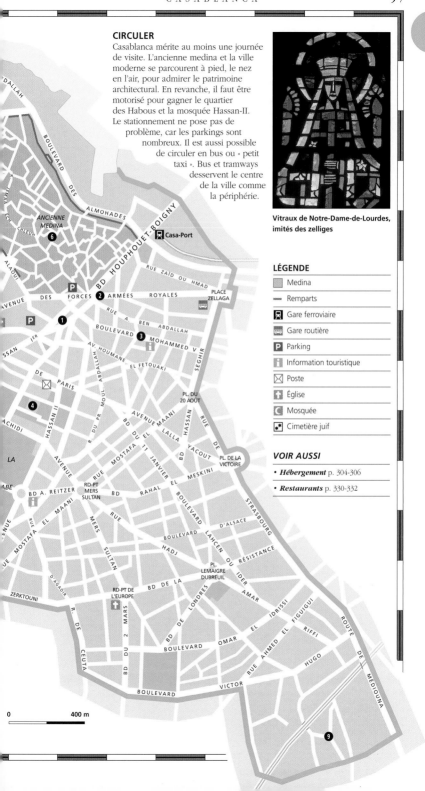

Vitraux de Notre-Dame-de-Lourdes, imités des zelliges

LÉGENDE

	Medina
—	Remparts
🚉	Gare ferroviaire
🚌	Gare routière
P	Parking
ℹ	Information touristique
⊠	Poste
✝	Église
C	Mosquée
⊡	Cimetière juif

VOIR AUSSI

• **Hébergement** p. 304-306

• **Restaurants** p. 330-332

0   400 m

L'immeuble Moretti-Milone,
un des plus hauts en 1934

Place des Nations-Unies ❶

Au sud de l'ancienne medina.

Ce qui n'était encore, au début du XXe siècle, qu'un marché abandonné, le soir, aux conteurs et charmeurs de serpents est devenu le cœur de la ville moderne, où convergent les grands axes urbains. Lors de son aménagement en 1920, elle se nommait place de France, mais elle a été aujourd'hui rebaptisée. Sous les arcades des immeubles 1930 s'alignent les terrasses des brasseries et les boutiques de souvenirs.

À l'angle nord-est, la **tour de l'Horloge**, qui date de 1910, fut démolie en 1940, puis reconstruite à l'identique. Lors de son édification, elle symbolisait l'ordre colonial et indiquait à la population qu'elle devait maintenant vivre à l'heure de la civilisation industrielle.

On retrouvera le souvenir d'Humphrey Bogart et d'Ingrid Bergman, acteurs dans le célèbre film holywoodien *Casablanca* (1943) de Michael Curtiz, à l'**hôtel Hyatt Regency**.

À l'angle sud-est se dresse l'**hôtel Excelsior**, conçu par H. Delaporte entre 1914 et 1916. Avec ses frises et balcons arabo-andalous,

il inaugure l'ère de l'hôtellerie moderne au Maroc. C'est un des plus beaux bâtiments de la place. En 1934, l'**immeuble Moretti-Milone** (11 étages), à l'angle avec le boulevard Houphouët-Boigny, est la première construction en hauteur du centre-ville. Surnommé « Canebière » de Casablanca, le **boulevard Houphouët-Boigny**, bordé de boutiques et de restaurants, prolonge la place jusqu'au port. À son extrémité, à droite, le marabout de Sidi Belyout, patron protecteur de Casablanca, contraste avec les immeubles voisins.

Avenue des Forces-Armées-Royales ❷

Au sud de l'ancienne medina, de la pl. Oued el-Makhazine à la pl. Zellaga.

Avec ses buildings, ses hôtels pretigieux (**Sheraton**, **Royal Mansour**), ses compagnies d'aviation et ses agences de voyage, cette avenue délimite le quartier d'affaires de la ville, dominé par l'immeuble futuriste en verre de l'**Omnium Nord Africain** (ONA). Des projets d'urbanisme sont prévus dans le prolongement de l'avenue jusqu'à la mosquée Hassan-II.

Fenêtre de
l'hôtel Excelsior

Boulevard Mohammed-V ❸

De la pl. des Nations-Unies au bd Hassan-Seghir.

Épine dorsale de la ville, le boulevard relie la place des Nations-Unies à la gare, construite à l'est de la ville. Selon ses concepteurs en 1915, celui-ci devait jouer le rôle de « grande voie de la

Courbes, frises et balcons
du n° 208, boulevard Mohammed-V

cité du commerce ». De part et d'autre du boulevard, des arcades couvertes abritent boutiques et restaurants. Un terre-plein canalise le trafic et s'élargit pour devenir une véritable place à hauteur du **marché central**. Les immeubles d'angle se distinguent par leur décor de loggias, de colonnes,

L'immeuble Glaoui, construit en 1922 par M. Boyer

Pour les hôtels et les restaurants de la ville, voir p. 304-306 et p. 330-332

Le Palais de justice (1922) d'inspiration arabo-andalouse

de zelliges et de sculptures géométriques. L'originalité des constructions de cette époque réside dans le mélange du style Art déco, aux façades blanches très simples, et du style typiquement marocain et décoratif. Parmi les plus beaux édifices, citons l'**immeuble Glaoui** (M. Boyer, 1922), au coin de la rue El-Amraoui-Brahim ; l'**immeuble Bessonneau** (H. Bride, 1917), face au marché ; les immeubles situés aux nᵒˢ 47, 67, 73, dotés de loggias en encorbellement et de balcons arrondis ; l'**immeuble Asayag** (M. Boyer, 1932), à l'angle du boulevard Hassan-Seghir. Très novateur pour l'époque, ce dernier possède cinq étages et trois tours qui s'organisent autour d'un noyau central. À partir du 4ᵉ étage, des terrasses prolongent les studios.

Autre particularité du boulevard Mohammed-V, des passages couverts ont été aménagés sur le même modèle que les galeries marchandes réalisées à Paris à la même époque (années 1920) sur les Champs-Élysées. Parmi les passages les plus intéressants, il faut voir celui du **Glaoui**, qui relie le boulevard Mohammed-V à la rue Allal-ben-Abdallah. Éclairée par des luminaires prismatiques, la galerie est rythmée par des rotondes vitrées. En face, le **passage Sumica** se rapproche davantage du style Art déco. Il rejoint la **rue du Prince-Moulay-Abdallah**, qui

présente aussi d'admirables immeubles des années 1930. Cette rue piétonne est prisée des amateurs de shopping.

Dans la rue Mohammed-el-Quori, qui part du boulevard Mohammed-V, se trouvait le **Rialto**, cinéma réputé pour sa très belle ornementation, ses vitraux et ses luminaires Art déco. Il a été restauré.

🔲 Marché central
Bd Mohammed-V.
⏰ t.l.j. 7h-14h.

Place Mohammed-V ❹

Au nord du parc de la Ligue-Arabe.

Emblématique de l'architecture du protectorat, cette place administrative conjugue la monumentalité française et la sobriété arabo-andalouse. Ici sont rassemblés la préfecture, le palais de justice et les services postaux, bancaires et culturels.

La **préfecture** (M. Boyer, 1937), que domine un campanile de 50 m d'inspiration toscane, ferme la place au sud-ouest. Les bâtiments se répartissent autour de trois patios agrémentés d'un jardin tropical. L'escalier d'honneur est encadré de deux immenses peintures de Jacques Majorelle *(encadré p. 243)* représentant la fête

Des zelliges décorent la façade de la poste

d'un *moussem* (pèlerinage au tombeau d'un saint) et la danse de l'*ahwach*.

À l'arrière se dresse le **palais de justice** (J. Marrast, 1922). La verticalité du portail arabo-andalou, surmonté d'un auvent de tuiles vertes, s'oppose à l'horizontalité de la galerie à arcades que renforce une frise sculptée courant tout le long du bâtiment.

Deux édifices légèrement en retrait viennent caler la façade du palais de justice. À droite se trouve le **consulat de France** (A. Laprade, 1916), dont les jardins abritent la statue équestre de Lyautey, œuvre de Cogné (1938) installée jusqu'à l'indépendance au centre de la place. À gauche, dans l'angle nord-est, se tient le **Cercle militaire** (M. Boyer). Au nord, la **poste** (A. Laforgue, 1920) porte en façade une loggia décorée de zelliges et d'arcs en plein cintre, qui donne accès à la salle des guichets traitée dans le style Art déco. Face à elle, sur la rue de Paris, un îlot de verdure, fréquenté par les promeneurs, donne un caractère plus pittoresque à la place dont le centre est occupé par une monumentale **fontaine**. Conçue en 1976 par des artistes espagnols, celle-ci diffuse, à certaines heures, de la musique et des jeux de lumières.

Une allée rectiligne du parc de la Ligue-Arabe

Parc de la Ligue-Arabe ❺

Au sud de la place Mohammed-V (entre le boulevard Rachidi et le boulevard Mohammed-Zerktouni).

Dessiné en 1919 par l'architecte A. Laprade, ce vaste jardin agrémenté de terrasses de cafés est un lieu de promenade apprécié des Casablancais. Les allées bordées de magnifiques palmiers et de ficus, d'arcades et de pergolas encadrent d'éclatants parterres de fleurs. Dans les rues environnantes (rue d'Alger, rue du Parc ou bd Moulay-Youssef), on peut encore apercevoir quelques villas Art nouveau ou Art déco.

Au nord-ouest du parc, l'**église du Sacré-Cœur,** impose sa silhouette blanche de béton et sa façade à tours jumelles d'inspiration en partie Art déco.

Au sud-est se dresse l'église Notre-Dame-de-Lourdes (1956), dont les vitraux exceptionnels retracent des scènes de la vie de la Vierge sur fond de motifs imitant les tapis marocains. Ils sont l'œuvre du maître-verrier chartrain G. Loire. Au sud-ouest du parc, la **Villa des Arts**

Un canon de la *sqala*, face au port et à l'océan

présente un panorama très représentatif de la peinture marocaine contemporaine.

🔒 **Église du Sacré-Cœur**
Rond-point de l'Europe.
⭕ *pour concerts ou autres manifestations seul.*
🏛 **Villa des Arts**
30, bd Brahim-Roudani.
Tél. 0522 29 50 87. ⭕ *lors des expositions, mar.-sam. 10h-19h.* ♿

Ancienne medina ❻

Entre le boulevard des Almohades et la place des Nations-Unies.

Au début du XXᵉ siècle, cette medina composait à elle seule Casablanca et comptait à peine quelques milliers d'habitants.

À l'origine, l'enceinte de la vieille ville était percée de quatre portes, dont deux sont encore visibles de nos jours.

À l'ouest, **Bab Marrakech** et **Bab el-Jedid** donnent sur le boulevard **Tahar-el-Alaoui.** Le long des murailles est installé un **marché** permanent avec bijoutiers, barbiers, écrivains publics, etc.

Face au port de pêche, le bastion fortifié de la *sqala* (XVIIIᵉ siècle) a été bâti sous

le règne de Sidi Mohammed ben Abdallah. Derrière la *sqala*, le marabout à la double couronne de merlons festonnés renferme le **tombeau de Sidi Allal el-Kairouani,** premier patron de Casablanca en 1350. Ouvrant sur le boulevard des Almohades, **Bab el-Marsa** (« porte de la Marine ») est un autre vestige du XVIIIᵉ siècle. C'est ici que les Français débarquèrent en juillet 1907.

Port ❼

À l'est de l'ancienne medina.

D'une superficie de 180 ha, le premier port du Maroc, bâti sous le protectorat, est l'un des plus grands ports

Port de la criée, au débarcadère immédiat des bateaux de pêche

artificiels du monde. Une digue brise-lames le protège de la houle qui détruisit par le passé les constructions successives. Avec ses longues jetées, dont une de plus de 3 km, le port est doté d'installations très modernes pour le commerce, la pêche et la plaisance. Phosphates, produits métallurgiques, grains, agrumes et primeurs assurent l'essentiel des activités. On peut entrer dans le complexe par le port de pêche. Sur celui-ci et dans l'avenue qui y mène, on trouve d'excellents restaurants de poisson. Une vaste marina avec hôtels, restaurants et boutiques devrait être inaugurée ici en 2012.

Pour les hôtels et les restaurants de la ville, voir p. 304-306 et p. 330-332

Architecture des années 1920 et 1930

À partir de 1907, Casablanca prend les allures d'un immense chantier, où les pionniers bâtisseurs vont expérimenter les différents courants de l'architecture moderne. Aux débuts des années 1920, on compte ainsi trois fois plus d'architectes à Casablanca qu'à Tunis. Quel que soit le style qu'ils adoptent, l'avant-garde est souvent contrebalancée par l'art traditionnel marocain.

Architecture 1930

Les architectes puisent ainsi dans les répertoires néoclassique, Art nouveau et Art déco en vogue à l'époque, tout en s'inspirant du style hispano-mauresque qui fascine les Européens. À mesure que l'on se rapproche de la décennie 1930, une nouvelle tendance à l'esthétique plus dénudée se dessine. Privilégiant les volumes au détriment du décor, elle joue essentiellement sur les pleins et les creux, les balcons et les bow-windows. Il s'agit par ailleurs de répondre aux attentes de la population coloniale et affairiste en matière de confort : ascenseur, salle de bains, cuisine et parking font leur apparition.

FAÇADES

Les façades d'immeubles débordent d'angelots, de fruits, de fleurs, de pilastres, mais aussi d'auvents à tuiles vertes, de stucs et de zelliges. De même, les résidences coloniales, situées en périphérie, ont des allures d'hôtel particulier parisien mâtiné de villa balnéaire à la marocaine.

Ce balcon en fer forgé *de la maison Darius Boyer est typique des ferronneries de style Art nouveau qui ornent souvent portes-fenêtres ou balcons.*

La coupole, réutilisation d'une forme architecturale de l'art arabo-andalou.

Les balcons, adaptés au climat ensoleillé et à la lumière.

Mosaïques

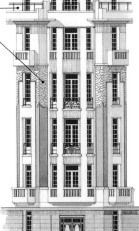

L'architecture des années 1930 *reprend des éléments de la tradition arabo-andalouse avec des arcs en plein cintre et des décors de plâtre sculpté.*

L'architecture à l'ensemble très classique, *qui s'épanouit dans l'Entre-deux-guerres, s'orne de colonnes, de belvédères et de coupole aux motifs Art nouveau.*

La mosaïque du palais de justice *comporte des zelliges colorés aux formes géométriques, qui surmontent une frise de plâtre sculpté aux motifs pigraphiques.*

La poste de Casablanca *est célèbre pour sa loggia décorée de zelliges et d'arcs en plein cintre.*

Mosquée Hassan-II ●

Porte vue de l'intérieur

Gigantesque vaisseau de prière pouvant accueillir 25 000 fidèles, la mosquée Hassan-II est le monument religieux le plus vaste du monde après celui de La Mecque. L'ensemble du site couvre 9 ha, dont les deux tiers ont été gagnés sur la mer. Phare de l'islam, le minaret culmine à 200 m. Deux rayons laser d'une portée de 30 km indiquent la direction de La Mecque. L'édifice, conçu par le Français Michel Pinseau, a fait appel au savoir-faire de 35 000 artisans. Stuc savamment ciselé, zelliges aux motifs géométriques, plafond en cèdre peint, revêtements de marbre, d'onyx et de travertin au sol témoignent de la virtuosité marocaine.

★ Minaret
C'est une réalisation exceptionnelle, au vu de sa hauteur (200 m), de ses dimensions (25 x 25 m) et de son décor.

Fontaines
Elles sont décorées de zelliges et encadrées d'arcs et de colonnes de marbre.

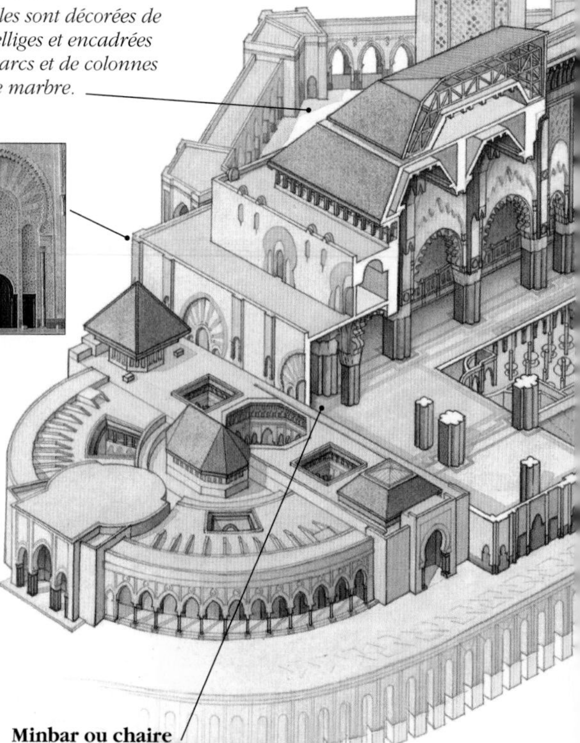

Marbre
Sur les piliers de la salle de prière, les portes, les fontaines et les escaliers, le marbre est omniprésent, s'alliant parfois au granit et à l'onyx.

Minbar ou chaire à prêcher
À l'extrémité orientale de la salle de prière, ce minbar est particulièrement travaillé et décoré de versets coraniques.

À NE PAS MANQUER

★ Minaret

★ Salle de prière

Pour les hôtels et les restaurants de la ville, voir p. 304-306 et p. 330-332

Galerie des femmes

Surélevée sur deux mezzanines et abritée des regards, elle s'étend sur 5 300 m² et peut recevoir jusqu'à 5 000 femmes.

MODE D'EMPLOI

En partant du port et en longeant la mer vers le sud.
Tél. 0522 48 28 89 / 86.
t.l.j. 9h, 10h, 11h, 14h ; ven. 9h, 14h.

Coupole

C'est sous la coupole de la salle de prière que brillent les plafonds en bois de cèdre polychrome et sculptés.

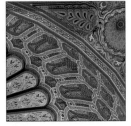

Porte royale
Des motifs traditionnels y sont ciselés dans le laiton et le titane.

Colonnes

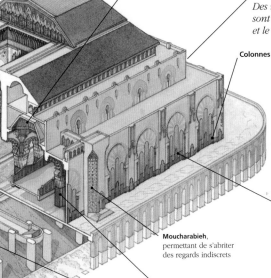

Moucharabieh, permettant de s'abriter des regards indiscrets

Hammam

Portes
Vues de l'extérieur, les portes ont des battants en forme d'arcs brisés encadrés de colonnes souvent de bronze ciselé et décoré.

Escalier menant à la galerie des femmes

Dans cet escalier, boiseries, arcs polylobés et colonnes de marbre, de granit ou d'onyx entremêlent leurs formes et leurs reflets.

★ Salle de prière
Conçue pour abriter 25 000 fidèles, elle mesure 200 m sur 100 : le plafond, dans sa partie centrale, peut s'ouvrir sur le ciel.

Le souk du cuivre dans le quartier des Habous

Nouvelle medina ou quartier des Habous ❾

Au sud-est du centre-ville, près du boulevard Victor-Hugo.

Pour faire face à la croissance de la population et éviter que les classes défavorisées ne s'installent dans des quartiers insalubres – ce qui n'empêchera pourtant pas les bidonvilles par la suite –, les urbanistes français entreprirent dans les années 1930 la construction d'une nouvelle medina. Cette cité moderne devait concilier l'architecture arabe traditionnelle avec ses espaces publics (marché, boutiques, mosquées, *kissaria*, bains…) et ses habitations privées (organisées autour d'un patio qu'un mur aveugle sépare de la rue) tout en respectant les règles modernes d'urbanisme et d'hygiène. Des terrains acquis au sud furent confiés aux Habous, l'administration des fondations religieuses, d'où le nom de la cité.

Autre facette de l'urbanisme colonial du protectorat, la nouvelle medina et ses rues fleuries ponctuées d'arcades offre l'occasion de flâner dans un quartier pittoresque. Les maisons les plus modestes se situent autour du marché, les plus riches autour de la mosquée. Au nord-est de la medina, on trouvera le souk aux cuivres et la pâtisserie la plus renommée de Casablanca, Chez Bennis,

qui propose cornes de gazelle, beignets et *pastilla*… Certaines boutiques se sont aussi spécialisées dans la brocante, et l'on pourra y dénicher des objets Art déco. Au souk aux tapis, chaque semaine se tient une vente à la criée qui présente un large éventail de la production marocaine.

Au nord-ouest de la nouvelle medina, on aperçoit la **Mahakma du Pacha**, un ancien tribunal où siège aujourd'hui une des huit préfectures urbaines de la ville. L'édifice (A. Cadet, 1952), qui s'articule autour d'une grande tour et de deux patios, est un bel exemple d'adaptation moderne des traditions arabes. La décoration des 64 salles, réalisée par des artisans marocains, révèle leur savoir-faire ancestral : stuc ciselé et zelliges aux murs, cèdre sculpté aux plafonds, fer forgé aux portes.

En bordure du quartier des Habous, le **palais royal**, environné de vastes jardins méditerranéens, a été édifié par les frères Pertuzio dans les années 1920. Les architectes s'attachèrent à faire de l'ensemble un endroit somptueux doté des équipements les plus modernes.

🏛 **Mahakma du Pacha**
Boulevard Victor-Hugo.

⚜ **Palais royal**
Entre le bd Victor-Hugo et la rue Ahmed-el-Figuigui. ⬤ *au public.*

Étalage de tapis dans le quartier des Habous

Twin Center, en forme de carène de navire, dominé par ses tours

Casablanca Twin Center ❿

Au croisement des boulevards Zerktouni et El-Massira.

Dominé par ses deux tours de 100 m de haut, ce vaste ensemble, qui témoigne du poids économique de la ville, a été construit par Ricardo Bofill et Elie Mouyal. Le complexe comprend des bureaux, des galeries commerciales et un hôtel. Il est l'expression, par ses équipements et son architecture, du rôle national et international que veut tenir Casablanca aujourd'hui.

Musée du Judaïsme marocain ⓫

81, rue Chasseur-Jules-Gros, quartier de l'Oasis. **Tél.** 0522 99 49 40.
🕐 *lun.-ven. 10h-18h.*

Ce musée, qui a été rénové, présente de nombreux objets de culte, des foulards, des caftans et des châles de prière, ainsi que la reconstitution d'une synagogue. Formant une communauté très importante depuis l'époque romaine jusqu'à l'Indépendance (1956), les juifs sont toujours présents au Maroc (environ 5 000) et ont joué et jouent encore un rôle important dans les domaines politique, économique et culturel.

◁ **Plâtres polychromés de la salle de prière de la mosquée Hassan-II**

également. Destinés à une clientèle huppée, les premiers établissements ont ouvert leurs portes dans les années 1930. L'un d'entre eux, **La Réserve**, restaurant avec vues panoramiques sur la mer, a été bâti sur pilotis en 1934. Il est actuellement fermé pour changement de direction.

Au pied de la colline d'Anfa, près du **palais Ibn-Séoud**, la fondation du même nom abrite une mosquée et l'une des bibliothèques les plus importantes du continent. À l'extrémité ouest de la Corniche (3 km), le **marabout de Sidi Abderrahman**, niché sur son rocher, n'est accessible qu'à marée basse. Il accueille les pèlerins musulmans atteints de maladies nerveuses ou victimes d'envoûtement.

Mohammedia ⑭

À 28 km au nord-est de Casablanca.

Mohammedia, anciennement appelée Fedala, n'était au début du XXᵉ siècle qu'une simple kasbah jusqu'à ce que son port se spécialise, à partir de 1930, dans le trafic pétrolier. Aujourd'hui, cette activité prépondérante assure 16 % du trafic portuaire marocain.

Si les flammes des raffineries marquent le paysage, cette ville de 150 000 habitants, désormais intégrée au Grand Casablanca, est pourtant résidentielle. Elle possède un casino, un terrain de golf et un yacht-club. Ses plages et son atmosphère chaleureuse ont contribué à faire de Mohammedia une station balnéaire fréquentée des élites marocaines.

Après avoir visité la kasbah et la halle aux poissons, une promenade s'impose sur le front de mer. À partir du port, la route de la falaise, qui surplombe la mer, offre un beau panorama sur le golf et Mohammedia.

Le quartier d'Anfa est construit sur une colline qui domine la ville

Quartier d'Anfa ⑫

Au nord-ouest de la ville.

Installé sur une colline qui domine Casablanca au nord-ouest, Anfa est un quartier résidentiel aux larges avenues fleuries, dont les demeures luxueuses, avec terrasse, piscine et jardin verdoyant, rappellent un peu Beverly Hills. Depuis les années 1930, des villas de tous styles ont vu le jour ici et racontent, chacune à sa manière, l'évolution des modes en matière d'architecture.

C'est à l'hôtel d'Anfa, aujourd'hui démoli, qu'eut lieu, en janvier 1943, l'entrevue historique entre Roosevelt et Churchill, au cours de laquelle la date du débarquement allié en Normandie fut fixée. Informés de l'événement, les Allemands se laissèrent abuser par la traduction littérale de Casablanca et ne purent empêcher la rencontre qui devait, selon eux, se dérouler à la Maison-Blanche à Washington ! Au cours de l'entrevue, le président Roosevelt apporta aussi son soutien au sultan Mohammed V dans son désir d'émancipation, ouvrant ainsi de nouvelles perspectives pour le Maroc d'après-guerre.

Corniche d'Aïn Diab ⑬

À l'ouest de la mosquée Hassan-II.

Haut lieu de la vie nocturne casablancaise, la Corniche fut prisée dès les années 1920. Depuis le **phare d'El-Hank** (1916), à l'est, jusqu'au marabout de Sidi Abderrahman, à l'ouest, cette « Croisette maghrébine» est une succession de piscines d'eau de mer, d'hôtels, de restaurants et de boîtes à la mode. Un institut de thalassothérapie s'y trouve

Phare d'El-Hank

CÔTE SUD-ATLANTIQUE

*C*omme l'ensemble de la façade atlantique, la région située au sud de Casablanca est d'un intérêt inégal pour le visiteur. Elle vaut cependant le détour, tant pour l'architecture des places fortes bâties par les Portugais, comme El-Jadida et Essaouira, que pour les saisissants paysages côtiers, ou encore pour un séjour à la station balnéaire d'Oualidia, qui offre une plage très sûre.

La côte sud-atlantique abrite de nombreuses oasis, qui conviendront à ceux qui souhaitent s'éloigner de la frénésie des villes impériales.

Cette région, plus que n'importe quelle autre au Maroc, a toujours été ouverte sur le monde extérieur. Les Phéniciens, puis les Romains, y installèrent des comptoirs ; Portugais et Espagnols construisirent ensuite des bases militaires et commerciales le long de la côte, qui offrait aussi de nombreux repaires aux pirates. Les villes fortifiées comme El-Jadida, Safi et surtout Essaouira témoignent des apports espagnol et portugais à l'histoire du pays. Sous le protectorat français, la région devient le centre économique et administratif du pays. Aujourd'hui, cette partie de la côte est tournée vers la modernité, avec de nombreuses industries : la majorité du phosphate marocain y est produit, attirant une abondante main-d'œuvre venue de l'arrière-pays.

Jalonné de points de vue sur l'océan, le littoral est propice à l'observation des oiseaux, la paléontologie ou encore la dégustation des huîtres réputées d'Oualidia. La route, excellente de Casablanca à Essaouira, passe par de splendides plages sauvages très appréciées des surfeurs. Elle serpente jusqu'à Agadir, grand port sardinier et deuxième destination touristique du royaume. Les paysages sont dominés par l'arganier, étonnant petit arbre torturé, auquel grimpent des chèvres, et à partir duquel on produit la précieuse et parfumée huile d'argan.

Barques de pêcheurs à Imessouane, sud du cap Tafelney

◁ **Gardien de la kasbah de Boulaouane** *(p. 112)*

À la découverte de la côte sud-atlantique

La côte sud-atlantique est ponctuée de villes fortifiées
établies par les Portugais aux XVᵉ et XVIᵉ siècles :
Azemmour, El-Jadida, Safi et Essaouira. À l'intérieur des
terres, la route de Settat à Boulaouane traverse un plateau
majestueux, creusé par la vallée de l'oued Oum er-Rbia
(« Mère du Printemps »), qui décline les splendides couleurs
des paysages du pays Doukkala. Plus au sud, la route
qui mène à Agadir permet de belles excursions dans les
premiers contreforts du Haut Atlas. Dans les années 1970,
la plus accessible d'entre elles était appelée la « vallée
du Paradis ». La route bien balisée qui serpente à travers
de luxuriantes cascades est un point de départ
de randonnées pédestres et mène à Imouzzer des
Ida Outanane, un paisible lieu de villégiature.

CIRCULER

Une autoroute relie désormais
Casablanca à El-Jadida, distante
de 99 km. De là, la N1 est la route
la plus rapide pour Agadir. Elle s'écarte
de la côte jusqu'à Essaouira, à 360 km
de Casablanca, et s'en rapproche
sur les 165 km qui séparent Essaouira
d'Agadir. Une voie secondaire (R301),
plus pittoresque car côtière, joint
El-Jadida et Essaouira, passant par
Oualidia et Safi (241 km de Casablanca).
De Casablanca, la N9 en direction
de Settat (et de Marrakech) s'enfonce
à l'intérieur des terres. À Settat,
la R316 chemine jusqu'à la kasbah
de Boulaouane, d'où il est aisé
de rejoindre la voie littorale.

Azemmour, au bord de l'Oum er-Rbia

OUALIDIA 6

Tlete
bou Arizz

Cap Beddouza

Doukkala

R2

R301

Sidi
Aïssa

SAFI 7   R204

Tleta-de-Sid
Bouguedra

Sebt-des-
Gzoula

OCÉAN
ATLANTIQUE

Tnine Rhiate

KASBAH 8
HAMIDOUCH   N1

Talmest

Tleta-Irhoud

R301   9

CHIADMA

Moulay
Bouzerktoun

Ha Dra

Sidi-Mok

R207   Taflecht

Ounara

Chicha

ESSAOUIRA 10

Cap Sim
Sidi Kaouki   N1

R214   Bouaboute

Smimou   Dar-Caïd-
Zemzem

Imi-n-
Tanoute

Cap Tafelney

Haba

Sebt-des-
Aït-Daoud

TAMANAR 11

Khemis-
Igui-Nilieud

Arhbalou

Djebel Touchka
1690 m

TAMRI 12

13 **IMOUZZER DES**
IDA OUTANANE

Taghazoute

N1   N8

AGADIR

N10 *Taroudannt*

Tiznit

VOIR AUSSI

• *Hébergement* p.306-307

• *Restaurants* p.332-333

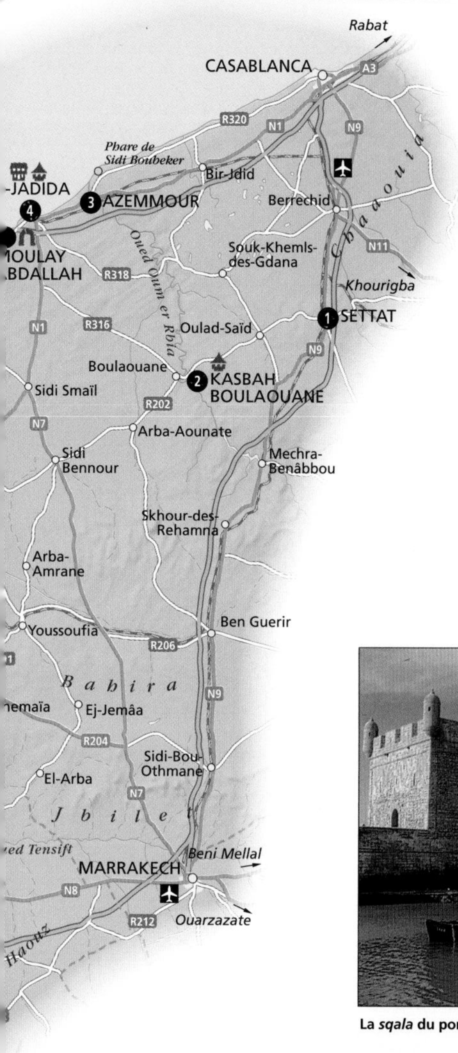

Rabat

CASABLANCA

Phare de
Sidi Boubeker

-JADIDA AZEMMOUR Bir-Jdid

Berrechid

OULAY
BDALLAH

Oued Oum er Rbia

Souk-Khemis-
des-Gdana

Khourigba

Oulad-Saïd SETTAT

Boulaouane

Sidi Smaïl KASBAH
BOULAOUANE

Arba-Aounate

Sidi
Bennour

Mechra-
Benâbbou

Skhour-des-
Rehamna

Arba-
Amrane

Youssoufia

Ben Guerir

Bahira

emaïa Ej-Jemâa

Sidi-Bou-
Othmane

El-Arba

Jbilet

ed Tensift

MARRAKECH

Beni Mellal

Ouarzazate

LA RÉGION D'UN COUP D'ŒIL

La *sqala* du port d'Essaouira

Citerne portugaise, El-Jadida

LÉGENDE

━━ Autoroute

━━ Route principale

⁚⁚⁚ Route secondaire

--- Piste

∿ Voie ferrée

△ Sommet

0   20 km

Village de la région de Settat

Settat ❶

Carte routière C3. 🏛 *100 000.*
ℹ *avenue Hassan-II, immeuble El-Haram 0523 40 58 07.* 🚌 🚉
🎪 *moussem de la Chaouia (1ʳᵉ sem. juil. ou sept.), festival des Arts populaires de la Chaouia (dern. sem. de nov.).* 🏪 *t.l.j., (sam. : bétail).*

Carrefour entre le Nord et le Sud, Settat est la capitale d'une province qui regroupe 850 000 d'habitants. Centre économique de la plaine de la Chaouia, le « grenier du Maroc » est réputé au Nord pour sa richesse agricole et au Sud pour ses terres dédiées à l'élevage (*chaoui* signifie « éleveur de moutons »).

La construction de la kasbah Ismaïla par Moulay Ismaïl à la fin du XVIIᵉ siècle contribua à la sécurité et à la stabilité de cette région, zone importante de passages de caravanes ; c'était un lieu d'étape pour le sultan lorsqu'il se rendait de Fès à Marrakech. Les vestiges de la kasbah sont aujourd'hui intégrés dans la ville moderne. Celle-ci ne présente pas d'intérêt touristique majeur, mais, sous l'égide de Driss Basri, enfant du pays et ministre de l'Intérieur pendant près de 20 ans, elle fut un modèle de développement urbanistique dans les années 1990. On pourra le constater au centre-ville, place Hassan-II, en appréciant la distribution des espaces paysagers, piétons, commerciaux et les imposants monuments en arrondi qui tentent maladroitement de conjuguer le style Art déco et le style arabo-andalou.

Aux environs : de Settat, on peut se rendre au minuscule village de **Boulaouane**. La route donne un avant-goût des paysages semi-arides du Sud. Les voies sont bordées de figuiers de Barbarie et des ânes y transportent les fûts de vin gris local.

Kasbah de Boulaouane ❷

Carte routière C3.

Dominant un méandre de l'Oum er-Rbia, cette kasbah est située sur un promontoire au cœur d'une forêt de 3 000 ha. Occupé, semble-t-il, à l'initiative des Almohades, qui en font un poste impérial sur la route de la côte et de Fès, le site est, au début du XVIᵉ siècle, le lieu d'une bataille qui arrête l'avancée portugaise vers l'intérieur. Moulay Ismaïl (*p. 54-55*) redonne vie au village en décidant en 1710 d'y faire construire une kasbah afin de pacifier et de contrôler la région.

La forteresse en pierre est entourée d'une muraille crénelée, ponctuée de bastions et percée d'une porte coudée, sculptée de trois arcs en plein cintre légèrement brisés. Au-dessus de celle-ci figure une inscription comportant le nom de Moulay Ismaïl et la date de fondation de la kasbah.

L'accès à la forteresse se fait par cette seule porte qui abritait des postes de garde. Elle débouche à proximité de l'ancienne demeure du sultan, construite autour d'une cour intérieure recouverte de mosaïques. Tout près de la maison, une tour carrée d'une dizaine de mètres de hauteur, aujourd'hui fissurée, permettait de surveiller les alentours et d'anciens magasins voûtés servaient au stockage des vivres. La mosquée, à cinq nefs, est en piteux état. Tout à côté se trouve la tombe d'un saint nommé Sidi Mancar, que les habitants de la région honorent encore aujourd'hui, car il est réputé guérir paralysie et stérilité.

Classée Monument historique en 1922, la kasbah, abîmée par les intempéries, n'a cessé de se dégrader. Depuis 1995, un projet de restauration est en cours,

La kasbah de Boulaouane date du XVIIIᵉ siècle

VIN DE BOULAOUANE

Les vignobles de Boulaouane

Ce vin « gris », c'est-à-dire à la robe rose pâle aux reflets orangés, est considéré par les amateurs comme l'un des meilleurs vins du Maroc. Si les Romains ont su tirer parti de la terre et du climat de Maurétanie tingitane, l'islamisation du Maghreb ne contribue pas au développement des vignobles. Ceux-ci connaissent un nouvel essor sous le protectorat français. En 1956, le vignoble passe sous le contrôle de l'État marocain. Après la faillite de la société d'État qui commercialise le boulaouane, le cépage perd de sa qualité. Dans les années 1990, le groupe français Castel reprend le vignoble : les vieilles vignes sont alors arrachées et replantées en cabernet-sauvignon, merlot, cinsault, syrah et grenache gris. Aujourd'hui, le vignoble compte 350 ha répartis sur le canton de Boulaouane, la région des Doukkala, au pied de l'Atlas et en bordure de la côte atlantique. Il est constitué de pieds de vigne plantés directement dans le sable, dont la chaleur bloque le développement du phylloxéra. Les grains de raisin sont vendangés à la main fin août. Le vin, embouteillé en France, est exporté principalement en Europe.

Gris de Boulaouane

mais les progrès sont lents et bien souvent retardé par manque de moyens.

La région est également célèbre pour la chasse au faucon qu'y pratiquent quelques grandes familles locales de fauconniers.

Azemmour ❸

Carte routière B2. 🏛 *32 800.*
🛈 *avenue Mohammed-V.*
🚌 *moussem (août).* 🚗 *mar.*

Ancienne cité almohade située sur la rive gauche de l'embouchure de l'oued Oum er-Rbia, Azemmour porte également le nom de son saint patron, Moulay Bouchaïb, dont le patronage au XIIᵉ siècle s'étendait aussi au commerce alors florissant entre la ville et Al-Andalus (Malaga).

En 1513, les Portugais s'y installent et fortifient le site. Leur fortin correspond à la kasbah d'aujourd'hui.

Porte de la medina, Azemmour

Ils l'abandonnent à la chute d'Agadir en 1541. Réputée pour son climat doux toute l'année, cette station balnéaire est agréable et préservée en raison de sa capacité hôtelière particulièrement réduite. La medina, avec ses ruelles blanches, est parsemée

de références architecturales portugaises, visibles particulièrement aux portes des maisons. Sa broderie d'inspiration portugaise est célèbre pour ses dragons et ses lions en train de s'affronter, exemple unique au Maroc. Autrefois, le mellah était entouré de murailles. Il est aujourd'hui à l'abandon. On remarquera cependant la synagogue dont le fronton comporte une inscription en hébreu.

Aux environs : à 8 km au nord, sur la route côtière, le phare de **Sidi Boubeker** offre une belle vue des défenses portugaises de la ville. À 2 km d'Azemmour, la plage de sable fin d'**Haouzia** s'étire sur 15 km, de l'embouchure de l'Oum er-Rbia jusqu'à El-Jadida. Elle est bordée d'une forêt d'eucalyptus, de pins, de mimosas et de cactées qui fleurissent en janvier.

Broderie aux dragons, typique d'Azemmour

El-Jadida **④**

Les Portugais s'y implantent en 1502 et construisent un fortin qu'ils nomment « Mazagan ». La ville devient un établissement commercial important, où les voiliers d'Europe et d'Orient font escale pour se ravitailler. En 1769, les Portugais sont chassés et la ville détruite. Elle est repeuplée au début du XIXᵉ siècle par des tribus arabes des environs et par une importante communauté juive venue d'Azemmour. Elle prend le nom d'El-Jadida (« La Nouvelle ») et retrouve le nom de Mazagan sous le protectorat français.

⚜ Remparts

On entre dans la vieille ville par une porte qui donne sur la place Mohammed-ben-Abdallah.

À l'origine, la muraille était flanquée de cinq bastions « en étoile ». Seuls quatre d'entre eux furent reconstruits après une explosion en 1769. Le chemin de ronde conduit jusqu'au bastion de l'Ange, qui offre une très belle vue sur la cité.

Le bastion Saint-Sébastien abritait autrefois le siège du tribunal de l'Inquisition et également la prison.

Le bastion de l'Ange offre une belle vue du port d'El-Jadida

🕌 Medina

La rue principale mène à la porte de la Mer (Porta do Mar) d'où l'on peut gagner le chemin de ronde. Cette porte aujourd'hui condamnée permettait d'accéder à la grève. À mi-parcours de la rue principale se trouve l'entrée de la citerne portugaise dont il ne faut manquer la visite à aucun prix.

Le mellah semble à l'abandon depuis que la majorité de la communauté juive a émigré en Israël, vers le début des années 1950.

La cité portugaise d'El-Jadida

CITERNE PORTUGAISE

Les Portugais construisent cette « citerne » souterraine en 1514. Arsenal, puis salle d'armes, elle est transformée en citerne en 1541. Le reflet des colonnes et des voûtes dans l'eau offre un spectacle irréel et mystérieux.

La travée centrale est percée d'un puits de 3,5 m de diamètre, par lequel entre la lumière du jour.

Les voûtes reposent sur cinq rangées de colonnes.

La citerne a la forme d'un carré de 34 m de côté (en fait, 34 m par 33 m).

Les 25 piliers se reflètent dans l'eau stagnante.

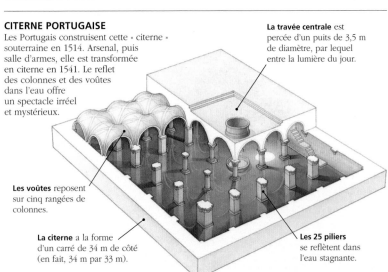

HUÎTRES D'OUALIDIA

Les huîtres d'Oualidia ont bonne réputation auprès des amateurs. La variété d'huître élevée dans les parcs est issue des variétés fines de claires et spéciales de claires provenant de la région française de Marennes-Oléron, importées dans les années 1950.

Le parc ostréicole n°7, créé en 1992 sur cette lagune, est un des plus modernes du Maroc. Huîtres et coquillages y répondent désormais à toutes les normes sanitaires européennes, une garantie pour les consommateurs.

Huîtres d'Oualidia

🏛 Citerne portugaise

⏱ *t.l.j. 9h-13h et 15h-18h.* 📷

Cette ancienne salle d'armes de style gothique manuelin devient une citerne après l'agrandissement de la place forte en 1541. Elle est alors constamment remplie d'eau douce pour éviter la pénurie en cas de siège prolongé. Redécouverte par hasard en 1916 par un commerçant qui abat un mur pour agrandir son magasin, elle fascine de nombreux artistes et visiteurs. Orson Welles y tourne certaines scènes de son *Othello* (primé à Cannes en 1952).

Aux environs : d'El-Jadida, on peut se rendre en bus à la plage très fréquentée de **Sidi Bouzid**, située à quelque 5 km au sud.

Moulay Abdallah ❺

Carte routière B3. À 11 km au sud d'El-Jadida, à 82 km au nord d'Oualidia. 📷 *moussem (août).*

Ce village de pêcheurs tire son origine d'une création almohade au XIIe siècle, connue alors sous le nom de Tit et dont les imposantes ruines sont encore visibles aujourd'hui, dominées par un minaret contemporain de celui de la Koutoubia. Il s'agissait alors d'un *ribat* (ou couvent fortifié) établi auprès d'un « saint », Moulay Abdallah, et chargé de protéger la côte. Devenu un port actif, il est détruit au début du XVIe siècle pour empêcher les Portugais, présents à Azemmour, de l'occuper. Ses pêcheurs firent

MODE D'EMPLOI

Carte routière B2. 🏙 150 000.
ℹ 20 bis, av. Moukawama et pl. Mohammed-V 0523 34 47 88).
🚌 🚉 📷 *moussem de Moulay Abdallah (août).* 🛒 *dim.*

revivre le village qui prit alors le nom du saint fondateur. Le moussem qui s'y déroule début août est célèbre pour ses fantasias.

Aux environs : en empruntant la route côtière vers le sud, on rencontre les immenses installations du port minéralier **Jorf Lasfar**, le plus grand port d'Afrique, construit dans les années 1980, qui abrite des complexes chimiques et une raffinerie pétrolière.

Oualidia ❻

Carte routière B3. 🏙 3 000.
🚌 🛒 *sam.*

Cette petite station balnéaire doit son nom au sultan El-Oualid qui, en 1634, y fit construire une kasbah. Passé le centre-ville, sans grand charme, on atteint une très belle plage qui borde une lagune où la baignade est sans danger. Côté océan, la mer est tumultueuse. C'est, en outre, un des sites de la côte où l'on pratique le surf, particulièrement adapté aux débutants. Parmi les résidences d'été, on peut apercevoir le palais que fit construire Mohammed V.

La ville est aujourd'hui un important centre d'ostréiculture. Une promenade dans les parcs, notamment le **parc à huîtres n° 7** – avec dégustation sur place – constituent une escale des plus agréables. C'est également ici que se trouvent l'hôtel et le restaurant **Ostrea**.

Parc à huîtres n° 7
Route d'El-Jadida. **Tél.** 0523 36 64 51 ou 0664 49 12 76.

Aux environs : la route côtière sur la crête de la falaise en direction du sud mène au **cap Beddouza**, puis à Safi.

Montagnes de phosphate du port minéralier de Jorf Lasfar

Safi ❼

Carte routière B3. 🏘 *260 000.*
ℹ️ *rue Imam-Malek et marché municipal, av. de la Liberté (0524 62 24 96).* 🚌 🚉 🛶 *moussem des Sept Saints (mi-août), moussem de Lalla Fatna (mi-nov.).* 🛶 *lun.*

Important port marocain depuis le XVIᵉ siècle, la ville de Safi est aujourd'hui un centre industriel et un grand port sardinier grâce au développement de la pêche et de l'industrie de transformation et d'exportation des phosphates. Cité en pleine expansion, Safi conserve une medina intéressante et les traces de son passé portugais.

🕌 Medina

Derrière ses remparts, la medina occupe un triangle d'une base d'environ 300 m. La rue du Souk, bordée de boutiques et d'ateliers, conduit à Bab Chaaba (« porte du Vallon »). Près de la Grande Mosquée, au sud de la medina, la **chapelle portugaise** (entrée payante) correspond à l'ancien chœur de la cathédrale de Safi édifiée par les Portugais en 1519.

⚓ Dar el-Bahr

◻️ *mer.-lun. 8h30-12h, 14h30-17h30.*
Le « château de la Mer » est une agréable petite forteresse dominant la mer. Bâti par les Portugais au début du XVIᵉ siècle, il sert de résidence au gouverneur, puis aux sultans au XVIIᵉ siècle. On peut voir sur l'esplanade des canons fondus en Espagne, au Portugal et en Hollande.

La kasbah Hamidouch, construite par Moulay Ismaïl

🏛 Musée national de la Céramique

Kechla. ◻️ *mer.-lun. 8h30-12h, 14h-18h.*
Édifiée par les Portugais au XVIᵉ siècle, la citadelle de la Kechla est dotée d'une mosquée et d'un jardin (XVIIIᵉ et XIXᵉ siècles). Elle abrite depuis 1990 le musée national de la Céramique qui expose des objets traditionnels et modernes : céramiques bleues de Safi, céramiques de Fès et de Meknès, œuvres de Boujmaa Lamali (1890-1971).

Bougeoir de Safi du XXᵉ siècle

🕌 Colline des Potiers

Dans le quartier de Bab Chaaba, des artisans fabriquent les céramiques qui ont fait la renommée de Safi. Une fois achevées, ces poteries sont vendues dans une galerie marchande et les visiteurs peuvent découvrir l'école de la coopérative et suivre les étapes de la fabrication.

Kasbah Hamidouch ❽

Carte routière B3. À 29 km au sud de Safi par la route côtière.

Cette kasbah fait partie d'un système de postes fortifiés isolés mis en place par Moulay Ismaïl *(p. 54-55)* le long des principales voies de communication pour contrôler le pays et accueillir les voyageurs. Elle est entourée d'une première enceinte qui comprend une mosquée et plusieurs bâtiments en ruine. Une seconde enceinte, intérieure, ponctuée de tours carrées et doublée d'un fossé, entoure une cour avec des magasins, divers logements et un oratoire.

Pays chiadma ❾

Carte routière B3-4.

Le territoire des Chiadma, situé sur les provinces de Safi et d'Essaouira, est habité par des Berbères regraga, descendants de sept saints apôtres de l'islam. Ces derniers, lors d'un voyage à La Mecque, auraient été chargés par le Prophète d'islamiser le Maghreb. Chaque printemps, un pèlerinage s'achève au petit village d'**Ha Dra**. Celui-ci accueille, tous les dimanches matin, l'un des souks les plus authentiques de la région, fournissant grains, épices, animaux et diverses denrées essentielles alimentaires.

À Safi, les potiers travaillent une argile de qualité

◁ **Essaouira bénéficie d'une lumière exceptionnelle**

Pêche en mer au Maroc

Longues de plus de 3 500 km, les côtes marocaines, qui ont une façade à la fois sur l'océan Atlantique et sur la mer Méditerranée, sont parmi les plus poissonneuses du monde. Le Maroc est le premier producteur de poisson d'Afrique, grâce surtout à la sardine, dont il est le premier producteur et exportateur mondial.

Cette pêche côtière alimente une importante industrie de conserveries. Le secteur de la pêche maritime emploie quelque 200 000 personnes et les exportations rapportent 600 millions de dollars. Toutefois, le secteur reste marqué par la coexistence de techniques récentes et de matériels plus traditionnels.

La pêche à la sardine à Essaouira *utilise des filets tournants. Les pêcheurs retournent chaque jour au port car, malgré leur excellente connaissance des fonds marins, leurs filets sont perpétuellement à recoudre.*

Les petits chalutiers, *souvent en bois, et les canots à moteur sillonnent la zone côtière jusqu'à la limite du plateau continental. Ils sont réservés à la pêche aux poissons plats ou ronds.*

Les gargottes du port d'Essaouira, *qui invitent à constituer soi-même son assiette et à consommer sur place, sont aujourd'hui bien installées à la sortie de la* sqala *du port.*

Les halles d'Agadir, *un des premiers ports sardiniers du monde, ont été modernisées. Chaque jour s'y déroule la vente aux enchères de près de 250 espèces de poissons.*

Les caisses de poissons *permettent de présenter la pêche. Si la sardine reste majoritaire, le choix est vaste : pageots, merlus, sars, mulets…*

CONSERNOR
كونسيرنور
CONSERVERIES NORD AFRICAINES
CONSERNOR

Les conserveries Consernor, *spécialité du port de Safi, ont relancé l'économie locale dans les années 1930.*

Essaouira ❿

Burnous

Marocaine en diable par la blancheur de ses murs chaulés et les haïks épais des femmes, l'ex-Mogador est une des cités les plus originales du pays. À cet endroit de la côte atlantique, la ville bénéficie d'un climat très particulier, dû aux alizés qui la balaient presque toute l'année. La ville, encore préservée du tourisme de masse, se fait le lieu de prédilection des surfeurs. Elle fut l'un des refuges du mouvement hippie dans les années 1970 et, toujours fidèle à sa réputation de cité d'artistes, elle est aujourd'hui très en vogue auprès des voyageurs individuels.

La porte de la Marine, construite par Sdi Mohammed ben Abdallah

Certaines femmes d'Essaouira sont drapées dans un haïk

À la découverte d'Essaouira

Le site d'Essaouira sert d'escale aux Phéniciens dès le VIIᵉ siècle av. J.-C., et Juba II y développe la fabrication de la pourpre au Iᵉʳ siècle av. J.-C. Les Portugais y établissent une tête de pont commerciale et militaire dès le XVᵉ siècle, qu'ils baptisent Mogador. Toutefois, la ville est réellement fondée vers 1760 par le sultan alaouite Sidi Mohammed ben Abdallah (Mohammed III), qui veut en faire une base navale. La construction de la ville, du port et des fortifications, dans le style des forteresses européennes, est attribuée à Théodore Cornut, architecte français renommé sous Louis XV pour ses plans de fortifications du Roussillon.

⚓ Remparts

Du côté de la mer, les remparts extérieurs, aux créneaux biseautés, sont caractéristiques du style européen dans la protection contre les assauts maritimes. En revanche, les remparts intérieurs aux créneaux carrés, rappelant les fortifications de Marrakech, sont chérifiens. Ils sont construits en pierre et enduits d'un crépi de terre. La muraille est percée par des portes, voies d'accès à la medina : Bab Sebaa au sud, Bab Marrakech à l'est et Bab Doukkala au nord-est.

⚓ Sqala

On distingue deux **sqalas** (batteries), construites pour protéger la ville et le port. Au nord-ouest, la **sqala de la ville** est constituée d'une plate-forme rectangulaire bordée de créneaux et terminée par le bastion nord qui supporte une rangée de canons espagnols. Elle fut édifiée par Théodore Cornut, à la place du Castello Real (place forte construite par les Portugais vers 1505). L'esplanade (décor du film *Othello* d'Orson Welles en 1949) offre une vue sur l'océan et les îles Purpuraires. Du bastion, un passage voûté débouche sur les anciens entrepôts de munitions qui abritent aujourd'hui des ateliers de marqueterie.

Port

Sqala du port. ⬜ *t.l.j. 8h30-12h30, 14h30-18h.*

La porte de la Marine est ornée d'un fronton triangulaire classique et dominée par deux tours imposantes flanquées de quatre tourelles. Le bastion quadrangulaire qui protège la *sqala* est surmonté d'échauguettes.

Dès le XVIIIᵉ siècle, Essaouira, qui assure 40 % du trafic de la côte atlantique, devient le « port de Tombouctou », débouché des caravanes qui apportaient d'Afrique subsaharienne leurs produits à destination de l'Europe. Jadis l'un des principaux ports sardiniers

La *sqala* de la ville est le lieu de prédilection des promeneurs au coucher du soleil

Vue de la *sqala* du port, à l'entrée sud de la ville

du pays, il ne fait plus vivre que 500 à 600 familles. Un chantier de construction navale traditionnelle en bois existe toujours. On peut assister à la criée des pêcheurs et déguster des sardines grillées.

⚓ Medina

Le plan urbain d'Essaouira est un des rares de l'ancien Maroc à avoir été dessiné avant le développement de la ville. On l'attribue à l'architecte avignonnais Cornut, qui construit entre 1760 et 1764 les *sqalas* de la kasbah et du port avec fortifications et batteries, ainsi, que l'enceinte des murailles extérieures et des remparts intérieurs. Si, comme partout au Maroc, les ruelles de la medina sont étroites, la ville s'organise toujours autour de ces rues rectilignes à angle droit, coupées par des portes. La **Grande Mosquée** se trouve au centre de la medina. Au nord, le vaste marché, appelé **souk Jdid**, est divisé en quatre par le croisement des deux artères principales : les souks aux poissons, aux épices, aux grains et à la brocante (la *joutia*).

MODE D'EMPLOI

Carte routière B4. 🏛 *70 000.*
🚉 🚌 *À 1 km au nord-est de la medina. Liaison avec la gare routière de Marrakech (départ en face de l'Hôtel des Îles).*
ℹ *rue du Caire, 0524 78 35 32.*
🎭 *Festival de musique gnaoua (juin). Pèlerinage des Regraga (déb. avr.). Festival des alizés (avr.).*

Souk permanent aux épices, autour du souk aux poissons

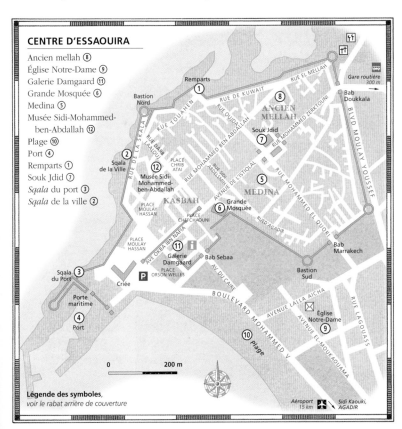

CENTRE D'ESSAOUIRA

Légende des symboles,
voir le rabat arrière de couverture

0   200 m

Artisanat du thuya

Très recherché, le thuya à l'odeur envoûtante croît en abondance autour d'Agadir et d'Essaouira. Il a fait la richesse de cette dernière. Le thuya est un arbre au bois très dur et presque tout, chez lui, peut être utilisé, à part les branches : le tronc, au bois relativement clair ; la souche, réservée à la confection des petits objets ; et enfin la loupe, une excroissance très rare et très courue des ébénistes. Veinées de brun et de rosé, la loupe est polie, incrustée de motifs en citronnier, en nacre ou en ébène, et parfois sertie de fils de cuivre ou d'argent, ou d'éclats d'os de dromadaires. Elle sert à réaliser des tables basses, des coffrets, des statuettes, des boîtes de toutes formes, des plateaux, des bijoux... Creusées sous les remparts d'Essaouira, d'anciennes caches d'armes abritent aujourd'hui les meilleurs artisans en marqueterie – des hommes selon la tradition.

MARQUETERIE

Les ébénistes souiris étaient déjà renommés dans l'Antiquité, et la ville reste le royaume de la marqueterie. L'usage impose que la partie artistique du travail du bois (du gros œuvre aux finitions) soit traditionnellement exécuté par les hommes. Il revient à la femme et aux enfants de lustrer les produits.

L'aspect brillant *de cette boîte à pain est obtenu en lustrant l'objet avec de l'alcool à brûler et de la gomme arabique. L'huile de lin nourrit le bois et l'empêche de se fissurer.*

Les dessins *de cette assiette sont organisés autour d'un motif géométrique et les bordures sont faites d'une alternance d'ébène et de citronnier.*

LOUPE DE THUYA

Cette excroissance qui se développe sur certains arbres, et en particulier le thuya, est très recherchée en ébénisterie pour son aspect veiné et moucheté. Les objets fabriqués à partir du tronc du même arbre sont, quant à eux, plus clairs.

Les artisans *rivalisent d'imagination pour confectionner de nouvelles formes.*

La loupe *de thuya est une excroissance ligneuse.*

Partie ancienne du cimetière juif d'Essaouira

🏛 Ancien mellah

En venant de Bab Doukkala, entrée par la rue Mohammed-Zerktouni.
Accès contrôlé.

Ayant pris son essor aux XVIIIe et XIXe siècles, la communauté juive d'Essaouira joue un rôle économique important et ses bijoutiers acquièrent une grande renommée. L'ancien quartier juif de la ville, aujourd'hui vidé de ses premiers occupants, abrite toujours, rue Darb-Laalouj, d'anciennes maisons de négociants juifs, reconverties en boutiques. À la différence des maisons musulmanes, elles portent des balcons ouverts sur la rue et, sur certains linteaux, des inscriptions en hébreu. La rue Mohammed-Zerktouni, axe principal du quartier, propose un marché très animé. En sortant par Bab Doukkala, l'austère cimetière juif est à visiter (demander les clés au gardien).

🔒 Église Notre-Dame

Avenue El-Moukaouama, au sud de la poste. 🕐 *t.l.j. 8h30, sf dim. 11h.*
Tél. 0524 47 58 95.

Cette église catholique est située hors les murs de la medina, sur la route qui mène à la plage. C'est la seule du pays dont les cloches sonnent le dimanche, pour annoncer la messe de 11 h. Son mobilier cultuel est essentiellement constitué de bois de thuya. L'office y est alternativement donné en français, anglais, hollandais et allemand.

🏖 Plage

La plage d'Essaouira, qui s'étend au sud de la ville, est réputée être une des plus belles du Maroc. Les vents alizés apportent tout l'été une fraîcheur surprenante à cet endroit de la côte. Toutefois, les rafales de vent parfois violentes peuvent obliger à chercher refuge vers la medina. À l'autre extrémité, à l'embouchure de l'oued Qsob, on trouve des vestiges du système de défense du sultan Sidi Mohammed, construit sur un promontoir rocheux, et dont les épais murs encore visibles se sont effondrés. En remontant l'oued, après un pont écroulé, il est possible de rejoindre le village de Diabet (que l'on peut également atteindre par la route d'Agadir, par une bifurcation sur la droite à 7 km). On découvre alors, au milieu des dunes, les ruines d'un ancien palais du XVIIIe siècle presque totalement ensablé, **Dar Soltane Mahdounia**, construit par Sidi Mohammed ben Abdallah. Il aurait inspiré à Jimi Hendrix (qui aurait vécu plusieurs années à Diabet) sa chanson *Castles made of Sand*. Les adeptes de sport de glisse pourront quant à eux profiter des nombreuses plages qu'offrent les environs d'Essaouira.

Grâce à des associations locales très actives, le Maroc est sur le point de devenir une des destinations phares des surfeurs et des véliplanchistes (location de matériel, notamment au café L'Océan Vagabond).

À l'exception d'Agadir, dans la région d'Essaouira, la période la plus venteuse, et donc la plus propice, dure d'avril à septembre. Si la température de l'air (entre 20 et 30 °C) est toujours agréable, celle de l'eau reste en revanche très fraîche (entre 16 et 18 °C) et impose le port d'une combinaison. Au sud d'Essaouira, au **cap Sim** (après Diabet) et à **Sidi Kaouki**, et au nord à **Moulay Bouzerktoun**, les vagues sont très puissantes et réservées aux planchistes confirmés. Également au sud, à **Tafelney** (après le village de Smimou), on trouve une baie magnifique aux eaux plus chaudes. Malgré les rafales de vent incessantes, la mise à l'eau est plus facile sur la plage d'Essaouira, car les vagues sont beaucoup moins fortes.

Surfeur

La plage est balayée toute l'année par de spectaculaires rafales de vent

Pour les hôtels et les restaurants de la région, voir p. 306-307 et p. 332-333

🏛 Galerie Damgaard

Avenue Oqba-Ibn-Nafia.
Tél. *0524 78 44 46.*
⭕ *t.l.j. 9h-13h, 15h-19h.*

Depuis plus de 20 ans, une génération de peintres et de sculpteurs a fait d'Essaouira un centre de création artistique important.
De nombreux talents ont été révélés par le Danois Frédéric Damgaard. Cet ancien antiquaire de Nice, qui s'est consacré aux arts plastiques souiris de 1988 à 2006, a installé au sein de la medina sa propre galerie d'art. On y trouve les œuvres d'artistes qui exerçaient au départ les métiers les plus simples. Parmi les plus connus, on peut citer Mohammed Tabal, peintre gnaoua surnommé « peintre de la transe », Zouzaf, Ali Maimoune, Rachid Amarhouch ou encore Fatima Ettalbi.
Si d'autres ont été découverts, comme l'expressionniste Ali – entre art naïf et art brut –, ils puisent tous aux sources de la mosaïque culturelle souirie, et reflètent les traditions des différentes confréries. De nombreux ouvrages et expositions, au Maroc et dans le monde, sont dédiés aux peintres d'Essaouira.

La galerie de Frédéric Damgaard, grand découvreur de talents

🏛 Musée Sidi-Mohammed-ben-Abdallah

Rue Darb-Laalouj.
⭕ *mer.-lun. 9h-18h.* 📷

Ce petit musée ethnographique, installé dans une demeure du XIXᵉ siècle, résidence d'un pacha et mairie sous le protectorat, recèle de belles pièces d'artisanat ancien, des armes ainsi que des bijoux. Instruments et accessoires des confréries religieuses et instruments de musique arabo-andalouse y cotoient de superbes costumes berbères et juifs en soie, velours ou flanelle, ainsi que des tapis illustrant les traditions des tribus de la région.

Rbab du musée Sidi-Mohamed-ben-Abdallah

Aux environs : les **îles Purpuraires**, visibles depuis la baie d'Essaouira, abritent une réserve ornithologique, où se réfugient goélands et faucons d'Éléonore, dont l'espèce est menacée. Conservées au Musée archéologique de Rabat (p. 78-79), les amphores phéniciennes, attiques et ioniennes découvertes sur l'île de Mogador, l'île principale, attestent de l'existence des échanges commerciaux dès le VIIᵉ siècle av. J.-C.
Au Iᵉʳ siècle av. J.-C, Juba II (p. 45), fondateur de Volubilis, fait installer ici une fabrique de pourpre qui donnera son nom aux îles. La pourpre, teinture prisée des Romains, était obtenue à partir d'un mollusque, le murex. On aperçoit aussi les ruines d'une prison construite par le sultan Moulay el-Hassan au XIXᵉ siècle.
À 12 km au sud d'Essaouira, la magnifique plage de **Sidi Kaouki** est appréciée des surfeurs. Comme surgi de l'eau, le mausolée abrite le tombeau d'un marabout qui, selon la légende, guérit les femmes de la stérilité. Chaque année à la mi-août, se déroule à cet endroit un pèlerinage qui rassemble de nombreux adeptes.

🛥 **Îles Purpuraires**
ℹ️ *0524 78 35 32/ 47 38 19.*
Essaouira sailing Tour
Tél. *0664 62 63 13.*
⭕ *départs t.l.j. 10h30, 14h30, 16h30, 18h30 (si le temps le permet).*

Le marabout de Sidi Kaouki se dresse au bout d'une plage splendide

Artistes peintres d'Essaouira

Ville d'art et de culture, Essaouira abrite une génération d'artistes peintres uniques en leur genre, appelés « artistes libres », dont les talents sont reconnus et les toiles exposées dans de nombreuses galeries européennes. Ayant tous en commun un amour inconditionnel de leur ville, ces autodidactes (souvent des sculpteurs,

Détail d'un Tabal

marins ou maçons) composent des peintures naïves, « tribales » et très colorées, qui puisent dans la culture populaire marocaine, ses mythes, son passé arabo-berbère et ses origines africaines. Arabesques, dessins géométriques, pointillés, foisonnement d'objets, d'animaux ou de personnages peuplent tout un univers poétique.

MOHAMMED TABAL

Figure de proue du mouvement artistique d'Essaouira, il puise son inspiration dans ses origines gnaoui, dans les rites mystiques de possession et de transes propres à cette confrérie populaire d'origine africaine. Ses tableaux sont éclaboussés de couleurs vives et contrastées, et d'une multitude de petits détails, de motifs naïfs riches en symboles.

Les œuvres de Tabal *sont empreintes de mysticisme.*

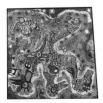

Abdallah Elatrach *s'inspire de scènes de la vie quotidienne dans les souks et des traditions de diverses confréries de la transe.*

Ali Maïmoune *peint des univers boisés, peuplés de monstres terrifiants, d'animaux et de guerriers fantastiques.*

Imouzzer des Ida Outanane ⓭

Cette excursion permet de découvrir une très jolie vallée fluviale aux nombreuses piscines naturelles, bordées de palmiers. D'Agadir, une route sinueuse aboutit au village d'Imouzzer, arquebouté sur les contreforts du Haut Atlas.
C'est le cœur du pays des Ida Outanane, une population berbère dont la spécialité historique est la récolte du miel. En dépit de l'exode rural, on aperçoit toujours de nombreuses femmes sillonant la montagne avec leurs robes de couleurs vives.

Grottes de Win Timdouine ①
Situées à 35 km d'Imouzzer, ce sont les plus vastes d'Afrique du Nord. Leur aménagement est en cours d'étude.

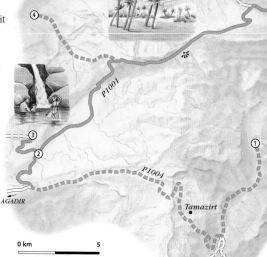

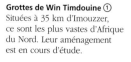

Imouzzer ②
Village aux maisons blanches célèbre par ses cascades, qui jaillissent en hiver et au printemps. C'est le départ des nombreuses excursions proposées par l'hôtel des Cascades, que l'on peut faire à dos d'âne ou à pied *(p. 307).*

P1001

P1004

AGADIR

Tamazirt

0 km   5

AGADIR

Tamanar ⓫

Carte routière B4. 🚌 *jeu. à Tamanar, ven. à Arba des Ida Outrhouma (à 10 km au sud de Tamanar).*

Ce gros bourg, qui s'étend le long de la route principale, est le centre administratif régional et se considère comme la capitale de l'arganier. Il se situe au cœur du pays des Haha, une population berbère sédentaire très active, qui était autonome au xvᵉ siècle. À la sortie du village, près du café Argane, se trouve la coopérative artisanale d'huile d'argan Amal. Les femmes qui la gèrent présentent avec convivialité les étapes de leur travail et proposent leurs produits à la vente.

Paysage de la région de Tamanar

Aux environs : entre Smimou (souk pittoresque le dimanche) et Tamanar, une petite pancarte marquée « Tafadna » indique la direction de **Tafelney**.
À partir du deuxième tiers du chemin, le paysage est d'une beauté majestueuse. Au bout de la route, on débouche subitement sur une magnifique baie. Sur la plage, les pêcheurs cousent leurs filets. À gauche, une série de bicoques identiques sont autant de refuges de milliers d'oiseaux. Le charme étrange du lieu comblera les amateurs de bout du monde.

Tamri ⓬

Carte routière B4. 🏖

À Tamri, situé à l'embouchure d'une rivière alimentée en partie par les eaux hivernales d'Imouzzer *(voir ci-dessus)*, on découvre une immense bananeraie.

Tamaroute ③

Les cascades de ce beau village sont appelées le « Voile de la mariée ». Ce sont les dernières cascades avant le Sahara. Jaillissant sur plusieurs niveaux, les eaux sont abondantes à la fonte des neiges.

Assif el-Had ④

Le pont naturel d'Assif el-Had est une véritable cathédrale creusée par les eaux de la montagne.

Imi Irhzer ⑤

En février, les maisons ocre-rouge des villages sont noyées dans les amandiers. Un gîte est amenagé dans une ancienne bergerie.

CARNET DE ROUTE

Point de départ : Imouzzer des Ida Outanane, à l'Hôtel des Cascades.
Comment y aller : d'Agadir, prendre la N1 vers le nord, puis bifurquer à 12 km sur une piste. Venant du nord, route à gauche à 20 km après le cap Rhir. D'Agadir, un bus quotidien part t.l.j. à côté de la gare routière vers 12h30 (durée 3 h 30 environ). Retour d'Imouzzer le lendemain à 8h.
Où s'arrêter : À Imouzzer, l'Hôtel des Cascades (p. 306) dispose d'agréables jardins et d'un restaurant.

Bigoudine ⑥

Sur la route de Bigoudine, panoramas et points de vue se succèdent. C'est le début des forêts d'arganiers. Une nouvelle route passant par la N8 et Bigoudine permettra de rejoindre Imouzzer.

LÉGENDE

▬ Circuit (route)
▪▪ Circuit (piste)
═ Autre route
═ ═ Autre piste
🌟 Point de vue

À gauche en venant du nord, une route à l'intérieur des terres mène à un important site ornithologique, où on peut observer le goéland d'Audouin, le faucon de Barbarie, le faucon Lamier, le passereau et de nombreuses autres espèces.

Aux environs : à 19 km au nord d'Agadir, **Taghazoute**, village de pêcheurs également apprécié des surfers, fut un haut lieu du mouvement hippie. Ainsi, à la sortie du village, il faut prendre la direction de « Banana village » pour rejoindre « Paradise valley », dénominations héritées de ceux qui suivaient les traces de Jimi Hendrix dans les années 1970.

L'ARGANIER

Huile d'argan

L'arganier est l'essence la plus originale d'Afrique du Nord et présente un intérêt botanique, écologique et économique. « Arbre à tout faire », ce persistant tortueux, qui ne dépasse jamais 6 m de haut, est utilisé à la fois dans la fabrication du charbon (c'est un bois très dur), dans l'alimentation animale (les dromadaires et les chèvres sont très friands des feuilles), et pour la fabrication de l'huile d'argan (extraite de l'amande du noyau). Selon le degré d'affinage, cette dernière, riche en vitamines, est utilisée dans divers domaines : en cosmétique (elle est réputée prévenir le dessèchement et le vieillissement de la peau), en médecine (traitement contre les risques d'artériosclérose, varicelle et rhumatismes), en cuisine (quelques gouttes relèvent le goût d'une salade ou d'un tajine) ou encore pour l'éclairage.

Les chèvres grimpent sur les arganiers pour leurs fruits

TANGER

Parmi les villes marocaines, Tanger occupe une place à part, marquée par son passé international et par l'accueil fait aux écrivains et artistes, de Matisse à Paul Bowles. Passage de nombreux candidats africains à l'exil, sa medina est un lien entre l'Afrique et l'Europe. Avec l'autoroute, qui la relie à Rabat, et son nouveau port sur la Méditerranée, Tanger poursuit son expansion.

L'histoire de Tanger, liée à la mer et à sa position stratégique sur le détroit, se perd dans les légendes. Elle serait une fondation carthaginoise sur un site déjà fréquenté par les Phéniciens. Elle devient ensuite romaine et ville principale de la Maurétanie, à laquelle elle a donné le nom de « Tingitane ». C'est d'ici que les troupes arabes et berbères partirent en 711 conquérir l'Espagne. Au XIVe siècle, Tanger commerce avec Marseille, Gênes, Venise et Barcelone. Les Portugais la conquièrent en 1471, suivis par les Espagnols (1578-1640) et par les Anglais, ces derniers étant délogés en 1684 par les coups de boutoir de Moulay Ismaïl. Au XIXe siècle, le Maroc fait l'objet des convoitises européennes. Quand, le 31 mars 1905, Guillaume II débarque à bord du *Hohenzollern* et dénonce l'Entente cordiale entre la France et l'Angleterre, l'internationalisation de Tanger est lancée. La conférence d'Algésiras (1906) la confirme, et c'est dès lors son corps diplomatique qui contrôle les affaires politiques, financières et fiscales du Maroc. Après le traité du Protectorat (1912), l'Espagne contrôle le Nord du pays, mais Tanger reste sous administration internationale. La ville connaît une période faste. Littérature et cinéma lui valent une réputation romanesque et sulfureuse. Après l'indépendance, Tanger est longtemps restée la mal-aimée du pouvoir politique. Aujourd'hui, les projets touristiques reprennent ; la ville s'industrialise et se développe. Le roi Mohammed VI y séjourne et redonne espoir à la ville.

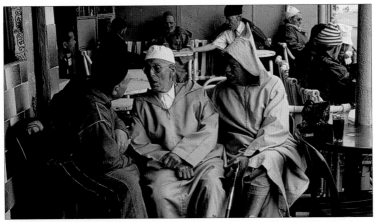

Tangérois au café du Grand Socco

◁ L'ancien palais du Mendoub

À la découverte de Tanger

Pour découvrir Tanger, si on en a la possibilité, il faut saisir la ville dans son ensemble depuis les collines du Charf ou de Bella-Vista au sud-est. Le cœur de Tanger, là où on découvre sa vie et son histoire, c'est la medina, mais son âme, c'est la kasbah avec son palais-musée, ses ruelles, ses portes, sa promenade en surplomb de la mer. Le soir, quand il vaut mieux avoir quitté la medina, on retrouve dans la ville nouvelle, sur les boulevards Pasteur et Mohammed-V, le charme espagnol du *paseo*, à moins qu'on ne lui préfère un séjour aux cafés de la place de France ou sur la place de Faro, d'où l'on peut contempler le port, le détroit et, par temps clair, les lumières de la côte espagnole.

TANGER D'UN COUP D'ŒIL

Boulevards, rues et places
Boulevard Pasteur ⑭
Place de France et place de Faro ⑬
Rue de la Liberté ⑫
Rue Es-Siaghine ⑥

Quartiers et promenades
Baie de Tanger ⑲
Colline du Charf ⑱
Grand Socco (place du 9-Avril-1947) ⑧
Kasbah ①
Petit Socco ④
Quartier du Marshan ⑰
Remparts ③

Mosquées et églises
Église anglicane St Andrew's ⑨
Grande Mosquée ⑤

Sites historiques
Ancien palais du Mendoub ⑮
Café Hafa ⑯
Fondouk Chejra ⑪

Musées
Galerie d'Art contemporain Mohammed Drissi ⑩
Musée archéologique ②
Musée de l'Ancienne Légation américaine ⑦

0   200 m

VOIR AUSSI

• **Hébergement** p. 307-308

• **Restaurants** p. 333-334

CIRCULER

On peut se garer dans la ville nouvelle,
place du 9-Avril-1947 (Grand Socco) ou sur
le plateau du Marshan. C'est à pied qu'il faut
découvrir la medina et la kasbah. Voitures
ou taxis ne sont utiles que pour atteindre
les collines du Charf ou de Bella-Vista,
le plateau du Marshan et la montagne, ou
pour longer la baie, du port aux premières
collines boisées vers le cap Malabata.

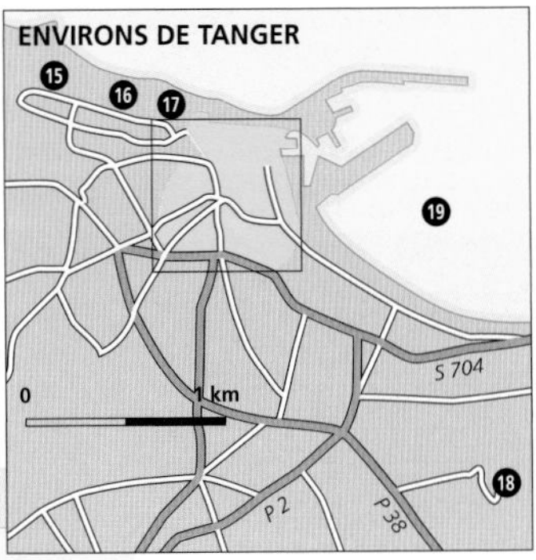

ENVIRONS DE TANGER

ⓤ 15 ⓤ 16 ⓤ 17 ⓤ 19 ⓤ 18

0 1 km

☐ ZONE DE LA CARTE
PRINCIPALE

LÉGENDE

☐ Medina

☐ Monument important

— Remparts

🚌 Gare routière

P Parking

ℹ Information touristique

✝ Église

✡ Synagogue

☪ Mosquée

⚰ Cimetière chrétien

⚰ Cimetière juif

⚰ Cimetière musulman

PL. DE L'ARSENAL

Port

BAB EL BAHAR

PLACE DE LA TANNERIE

PL. DU PROGRÈS

RUE DU PORTUGAL

AVENUE D'ESPAGNE

**Bab el-Assa permet l'accès
à la place de la Kasbah**

La fontaine de Bab el-Assa (kasbah) : décorée de motifs en mosaïques, elle est surmontée de stucs et de bois sculptés

Kasbah ●

Du quartier du Marshan, accès par la porte de la Kasbah ; de la medina par la rue Ben-Raissouli et Bab el-Assa ; du Grand Socco, par les rues d'Italie et de la Kasbah.

La kasbah, élevée sur le site romain antique, tient sa forme et ses limites actuelles de l'époque portugaise et de Moulay Ismaïl *(p. 54-55)*. Le calme de ses ruelles, la gentillesse de ses habitants, son palais, le Dar el-Makhzen, transformé aujourd'hui en musée, et les superbes vues qu'offrent ses murailles et ses portes sur le détroit, la baie et la ville de Tanger font tout son charme.

La place de la Kasbah est l'ancien *mechouar* où se déroulaient jadis les audiences publiques du sultan ou de ses pachas. Sur la place s'élève, outre le Dar el-Makhzen, la **mosquée de la Kasbah**, au minaret octogonal revêtu de faïences polychromes. Sa forme remonte au XIXᵉ siècle ; le *mendoub* y présidait la prière chaque vendredi. L'ancien tribunal, Dar ech-Chera, donne sur la place par trois grandes baies à colonnes en marbre blanc. C'est sous le figuier qui domine le mur d'une belle demeure que l'écrivain Samuel Pepys aurait rédigé son journal sur Tanger au XVIIᵉ siècle.

Bab el-Assa (la « porte de la Bastonnade ») ferme la place, côté medina ; elle est disposée en chicane pour assurer une meilleure protection. Son nom lui vient de la bastonnade qu'on y donnait autrefois aux malfaiteurs. Dans le vestibule, entre les deux porches, une ancienne fontaine est décorée de mosaïques, de stucs et de bois sculptés. Souvent, des Gnaoua, cousins lointains de ceux de Marrakech et d'Essaouira, y donnent concerts et danses. Le soir, on peut s'y entretenir avec eux de musique et du répertoire gnaoua.

Du vestibule, un étroit passage permet d'admirer un minuscule *derb* sur lequel donnent de très belles demeures. Au-delà de la porte, la vue plonge sur la ville. Après quelques marches se tient le petit **musée de Carmen-Macein**, qui expose lithographies, sculptures et toiles de Picasso, Ernst, Braque, entre autres.

🏛 **Musée de Carmen-Macein**
Bab el-Assa. 📞 *0539 94 80 50.*
🌐 *pour rénovation.*

Patio central bordé de colonnes en marbre blanc, Musée archéologique

Musée archéologique ❷

Place de la Kasbah. 📞 *0539 93 20 97.* 🕐 *mer.-lun. : 9h-16h ; ven. 9h-11h30, 13h30-16h.*

Le musée est installé dans le Dar el-Makhzen, ancien palais des sultans construit au XVIIᵉ siècle par Ahmed ben Ali, fils d'Ali ben Abdallah el Hamani Errifi qui chassa les Anglais en 1664. Le palais a été transformé et plusieurs fois agrandi aux XVIIᵉ et XIXᵉ siècles. La salle du trésor, Bit-el-Mal, renferme, sous un magnifique plafond en cèdre peint, d'énormes coffres du XVIIIᵉ siècle au système de fermeture très compliqué.

Une galerie mène au palais proprement dit. Celui-ci s'organise autour d'une cour intérieure pavée de zelliges et

La mosquée de la Kasbah possède un minaret octogonal

Pour les hôtels et les restaurants de la ville, voir p. 307-308 et p. 333-334

entourée d'une galerie que supportent des colonnes en marbre blanc aux chapiteaux corinthiens.

Les sept salles qui donnent sur la cour abritent des pièces évoquant l'histoire de Tanger de la préhistoire au XIXᵉ siècle, parmi lesquelles des outils en pierre, des céramiques, des figurines en terre cuite et des bijoux phéniciens en argent. La *Navigation de Vénus*, une mosaïque romaine provenant de Volubilis *(p. 202-205)*, est exposée dans la cour intérieure. On pourra aussi admirer les copies de plusieurs bronzes célèbres du Musée archéologique de Rabat *(p. 78-79)*. Une salle est consacrée aux grands sites archéologiques marocains. La préhistoire et l'histoire de Tanger et de sa région, du néolithique jusqu'aux siècles d'occupation, sont présentés à l'étage au travers de mobilier funéraire, de poteries et de monnaies.

Depuis la cour intérieure, on peut accéder au jardin andalou.

Remparts ❸

Place de la Kasbah. *Accès par Bab el-Bahar.*

Côté mer, à l'opposé de Bab el-Assa, la place s'ouvre par Bab el-Bahar « porte de la Mer », percée dans la muraille en 1920. De la terrasse, la vue est une des plus incroyables qui soient sur le port et le détroit et, par temps clair, sur la côte espagnole. Le sentier qui part à gauche longe les remparts à l'extérieur et conduit aux imposantes fortifications du **Borj en-Naam**. La ruelle continue, longe la mer et traverse des quartiers populaires, jusqu'au quartier de Hafa.

🏛 **Borj en-Naam.**
 au public.

Le Petit Socco, ou souk Dakhli, garde un pâle reflet de son brillant passé

Petit Socco ❹

Par la rue Es-Siaghine ou Jma-el-Kbir.

C'est sans doute au Petit Socco, aujourd'hui appelé souk Dakhli, que se tenait le forum de la Tingis romaine. Ce souk rural, où l'on venait s'approvisionner, devint, à l'arrivée des Européens à la fin du XIXᵉ siècle, le centre de la medina. Les affaires s'y réglaient ; agents des postes, diplomates et banquiers, dont les sièges étaient situés sur la place ou tout près, se retrouvaient dans les cafés et hôtels, les casinos et les cabarets du Petit Socco. Le café-restaurant-hôtel Fuentès n'est plus qu'un pâle reflet de cette période. À partir des années 1950, ces activités se déplacèrent vers la ville moderne, et seuls quelques écrivains, comme Jean Genet et Mohammed Choukri, et des flâneurs, des fumeurs de kif et des trafiquants divers restèrent fidèles au quartier.

Grande Mosquée ❺

Rue Jma-el-Kbir.  *aux non-musulmans.*

La Grande Mosquée, édifiée sur le site d'une cathédrale portugaise, occupe l'emplacement probable d'un temple dédié à Hercule. Datant de l'époque de Moulay Ismaïl, elle fut agrandie en 1815 sous Moulay Slimane. Mohammed V y présida la prière du vendredi, le 11 avril 1947, lors du séjour pendant lequel il prononça aussi son discours historique dans le parc de la Mendoubia *(p. 138)*. Face à la mosquée et à son magnifique auvent, qui a été restauré, l'école primaire est une ancienne medersa mérinide rénovée au XVIIIᵉ siècle.

Non loin, le Borj el-Hadjoui donne vue sur le port et sur deux canons Armstrong de 20 tonnes chacun, achetés aux Anglais de Gibraltar, qui n'auraient jamais servi.

Du *borj*, en suivant la rue Dar-el-Baroud, on atteint l'**Hôtel Continental**, face au port, qui compte parmi les plus anciens hôtels de Tanger. Son architecture, ses patios, ses salons arabo-andalous et ses terrasses lui

Porte de la Grande Mosquée

confèrent un charme suranné apprécié par les peintres, les écrivains – Degas a apposé sa signature dans le livre d'or –, les réalisateurs de cinéma et les graphistes d'affiches.

🏨 **Hôtel Continental**
36, rue Dar-el-Baroud.
Tél. 0539 93 10 24. ⬜ *t.l.j.*

L'Hôtel Continental est l'un des plus anciens de Tanger

Une bijouterie, non loin de la rue Es-Siaghine

Rue Es-Siaghine ❻

Du Petit Socco au Grand Socco.

La rue Es-Siaghine (place du 9-Avril-1947) serait le *decumanus maximus*, l'axe le plus fréquenté de la cité romaine, conduisant du port à la porte de la campagne, aujourd'hui Bab Fahs. La rue ponctuée de cafés et bazars n'a rien perdu de son animation.

Au n° 47, un petit bâtiment administratif, au patio planté d'orangers, fut de 1860 à 1923 la résidence du *naïb*, le haut fonctionnaire marocain servant d'intermédiaire entre le sultan et les ambassadeurs étrangers. Au n° 51, l'église espagnole de l'Immaculée-Conception (« la Purisima ») fut inaugurée en 1880 à l'initiative du gouvernement espagnol, mais servit à toute la communauté chrétienne de la ville et aux diplomates étrangers. Elle est aujourd'hui affectée à des activités sociales.

Plus haut à gauche, par la rue Touahine, rue aux nombreux bijoutiers, on atteint le musée de la **Fondation Lorin**. Établie dans une ancienne synagogue, la fondation présente de nombreux documents (journaux, photographies, affiches, plans) sur l'histoire politique, sportive, musicale et mondaine de Tanger depuis les années 1930, ainsi que des expositions temporaires de peintures.

🏛 **Fondation Lorin**
44, rue Touahine. 🛈 *0539 93 91 03.* ⬭ *dim.-ven. 11h-13h, 16h-19h.*

Musée de l'Ancienne Légation américaine ❼

8, rue d'Amérique. ***Tél.*** *0539 93 53 17.* ⬭ *lun.-jeu. 10h-13h, 15h-17h ; ven. 10h-12h, 15h-19h.*

Un premier ensemble de salons appartient à la résidence offerte en 1821 par Moulay Slimane aux États-Unis, qui en font leur consulat pendant 140 ans. Un autre ensemble, distribué sur plusieurs niveaux autour d'un jardin, fut offert par une famille juive : portes, fenêtres et plafonds ont été décorés par des artisans de Fès. Les différentes salles présentent une collection de gravures de Gibraltar et de Tanger, ainsi que des cartes anciennes et des tableaux divers (Brayer, Mohammed ben Ali Rbati, James Mc Bey, Claudio Bravo) offerts à la légation par Margarite Mc Bey, résidente de Tanger. Une salle Paul Bowles donne, à l'aide de photographies, d'ouvrages et de disques, un panorama de la vie et de l'activité tangéroise de l'écrivain. Une bibliothèque spécialisée est ouverte aux spécialistes et aux étudiants travaillant sur l'Afrique du Nord.

Cour intérieure du musée de l'Ancienne Légation américaine

Artistes et écrivains à Tanger

Au début du XXe siècle, de nombreux écrivains franchissent la Méditerranée ou l'Atlantique pour poser à Tanger leurs valises, plus ou moins durablement. En plus du soleil, ils sont à la poursuite du bonheur et recherchent surtout l'atmosphère de liberté et le parfum d'aventure que dégage la ville. La réputation sulfureuse de Tanger, ville de trafiquants et d'espions, de la drogue, du sexe et des plaisirs, est également un aimant puissant.

PEINTRES

Tanger, sa lumière, son architecture et ses habitants ont été la source d'inspiration de nombreux peintres européens et américains. Révélée par Eugène Delacroix à la fin du XIXe siècle, elle sera ensuite le sujet des peintures de Georges Clairin, Jacques Majorelle, James Wilson Morrice, Kees Van Dongen, Claudio Bravo, sans oublier l'expressionniste Henri Matisse.

Eugène Delacroix, *(1798-1863) découvre le Maroc en 1832. Ce voyage capital marque un tournant dans son œuvre et l'orientalisme va inspirer sa peinture pour le restant de sa vie.*

Henri Matisse *(1869-1954) a été un des grand peintres du mouvement fauve. Son* Odalisque à la culotte grise *est typique de son œuvre.*

ÉCRIVAINS

Dans le sillage de Bowles se glissent écrivains et musiciens de la beat ou de la rock generation comme de la vague hippie. Tenessee Williams vient le retrouver ; en 1949, Truman Capote, arrive à Tanger « pour échapper à lui-même » ; William Burroughs réside plus longuement à Tanger, ville où bat le « pouls du monde ».

Paul Bowles, *venu pour la première fois à Tanger en 1931, sur les conseils de Gertrude Stein, s'y installe définitivement en 1947. Il y décède en 1999.*

Mohammed Choukri *est né en 1935 dans le Rif. Ami de Genet et de Tenessee Williams, il fut révélé par son roman* Pain nu *en 1980.*

Paul Morand **Hécate et ses chiens**

Paul Morand, *diplomate, écrivain, mais aussi grand voyageur, écrit* Hécate et ses chiens *à Tanger en 1955. Dans ce petit roman sur le couple règne une atmosphère bien particulière : « Rien ne s'apprend plus vite, en terre d'Afrique, que l'art de se laisser vivre ».*

Grand Socco (place du 9-Avril-1947) ❽

La place du Grand Socco constitue le lien entre la medina et la ville nouvelle. Elle a été rebaptisée « place du 9-Avril-1947 » en souvenir du discours d'indépendance prononcé à cette date par Mohammed V. Elle s'anime surtout le soir, quand le sol se couvre des vastes étalages de friperies et d'objets les plus hétéroclites. Un marché très coloré se tient en haut de la place, au bas de la rue d'Angleterre, près de l'entrée de l'église St Andrew's. Les paysannes, vêtues de leur *fouta* rayée et coiffées de leurs larges chapeaux de paille à pompons en laine multicolore, viennent y vendre fruits et volailles.

Le minaret de la mosquée de Sidi Bou Abib (1917), orné de faïences polychromes, domine la place au sud-ouest. Près de Bab Fahs, une double porte qui donne accès à la medina, s'étend le parc de la Mendoubia, résidence du *mendoub* à l'époque du statut international de Tanger (1923-1956).

Église anglicane St Andrew's ❾

Rue d'Angleterre. ◯ 9h30-12h30 et 14h30-18h. Demandez les clés au gardien. ✠ dim. 11h.

Achevée en 1894, elle fut construite sur un terrain offert par le souverain Moulay

L'église St Andrew's, au clocher en forme de minaret

Hassan pour les besoins d'une population britannique de plus en plus nombreuse. L'intérieur présente un curieux mélange de styles où domine l'art arabo-andalou. L'arc festonné de l'entrée du chœur et le plafond au-dessus de l'autel, où figure une citation de l'Évangile en arabe, sont très intéressants. Le clocher de l'église, en forme de minaret, surplombe le cimetière où sont enterrés, entre autres, Walter Harris, journaliste et correspondant du *Times,* et Henry Mc Lean, conseiller militaire des sultans. Une plaque à l'ouest de l'église rappelle le souvenir d'Emily Kean : venue à Tanger accompagner la petite fille de l'archevêque de Canterbury au XIXe siècle, elle y resta, épousa un chérif d'Ouezzane et consacra sa vie à aider et soigner les habitants du Nord du Maroc.

Galerie d'Art contemporain Mohammed Drissi ❿

Rue d'Angleterre. 🛈 0539 93 60 73. ◯ mar.-lun. 9h-12h30, 15h-18h.

Cette surprenante galerie d'art contemporain doit son nom au peintre marocain Mohammed Drissi (1946-2003). Elle accueille des expositions d'artistes marocains et internationaux.

Fondouk Chejra ⓫

Rue de la Liberté. *Accès par l'escalier en contrebas de l'hôtel El-Menzah.*

L'atmosphère du fondouk Chejra, appelé « souk des pauvres » ou encore « souk des tisserands », est celle d'un bazar à l'orientale. Au-dessus des boutiques du rez-de-chaussée, les pièces réservées aux anciens voyageurs et commerçants ont été transformées en ateliers de tisserands où sont fabriquées les étoffes blanc et rouge typiques du Rif. Il est difficile de reconnaître sur place le plan d'origine, car la cour centrale de cet ancien caravansérail ou fondouk a été très remaniée.

Rue de la Liberté ⓬

La rue de la Liberté relie la place du 9-Avril-1947 (Grand Socco) à la ville moderne. Anciennement « rue de Fès », puis « rue du Statut », elle porte son nom depuis l'indépendance. Le consulat de France, installé au centre d'un très agréable parc, date de 1929 ; au classicisme des arcades de la façade s'ajoute le style arabo-andalou de la décoration. Accolée au consulat, la **galerie Delacroix** est un espace d'expositions temporaires dépendant de l'Institut français.

En face, l'**hôtel El-Minzah** (la « belle vue »), inauguré en 1930, est l'un des plus beaux établissements du Maroc, avec son patio andalou et ses jardins, ses salons et ses bars.

Le Grand Socco

◁ **Vue sur les maisons blanches de Tanger**

Winston Churchill, Paul et Jane Bowles, Jean Genet et de nombreuses stars d'Hollywood (Rita Hayworth, Errol Flynn, Anthony Quinn, etc.) étaient des habitués de ce lieu magique.

🏛 **Galerie Delacroix**
41, rue Hassan Ibn Wazzane.
Tél. 0539 93 21 34.
⬤ mar.-dim. 11h-13h, 16h-20h30.

Place de France et place de Faro ⑬

La place de France est le lieu de rencontre des Tangérois. Inauguré en 1920, le **Café de Paris**, le premier à s'établir hors de la medina, était fréquenté par les diplomates étrangers, Paul Bowles, Tenessee Williams ou encore Jean Genet. Le café est resté, le soir, un des hauts lieux de

Le Café de Paris fut dans le passé l'un des plus chic de Tanger

la vie tangéroise. À quelques mètres de la place de France, sur le boulevard Pasteur, la place de Faro (ville portugaise jumelée avec Tanger en 1984), ornée de canons, est l'un des seuls endroits ayant échappé aux promoteurs. On y aperçoit l'ensemble de la medina et le mouvement des ferrys dans le port et le détroit.

Boulevard Pasteur ⑭

C'est l'artère principale et le cœur économique de la ville moderne, avec l'avenue Mohammed-V qui le prolonge vers l'est. Le soir venu, l'artère est le lieu du *paseo*. Au n° 29,

La façade Art déco, très endommagée, du théâtre Cervantès

l'Office marocain de tourisme occupe le premier bâtiment construit sur le boulevard. Au n° 27, une villa abrite derrière des grilles la **Grande Synagogue**. Tous les écrivains de Tanger, de passage ou résidents, ont fréquenté la **Librairie des Colonnes** (n° 54), qui regroupe la plupart des ouvrages écrits sur Tanger. Elle a perdu de son prestige et de son rayonnement depuis le départ des deux sœurs qui l'avaient fondée, mais des conférences et des signatures continuent d'y être organisées.

Le **Gran Teatro Cervantes**, inauguré en 1913, fut l'un des plus importants théâtres d'Afrique du Nord. Derrière sa façade Art déco se sont produit les plus grands chanteurs et danseurs de l'époque. Il est aujourd'hui très endommagé, et l'absence d'accords entre la ville et l'État espagnol, qui avait accepté d'en assurer les travaux, retarde sa restauration.

🔷 **Grande Synagogue**
27, bd Pasteur.

📖 **Librairie des Colonnes**
54, bd Pasteur.

🎭 **Grand Teatro Cervantes**
Depuis le bd Pasteur, par la rue du Prince-Moulay-Abdallah et l'escalier qui la prolonge.

Ancien palais du Mendoub ⑮

Avenue Mohammed-Tazi (au nord-ouest de la ville). ⬤ au public.

Le *mendoub* représentait le sultan auprès de l'administration internationale. Si le sultan résidait surtout à la *mendoubia*, proche du Grand Socco, il utilisait ce palais, construit en 1929, principalement pour les réceptions. Acheté en 1970, par le milliardaire américain Malcom Forbes (1919-1990), fondateur de la revue *Fortune*, il devient une demeure somptueuse. Les grands noms de la jet set

L'élégant palais du Mendoub

mondiale, dont Elizabeth Taylor, s'y sont pressés. Derrière les murs de la façade majestueuse, aux auvents de tuiles vernissées, Forbes installa une collection de miniatures militaires de plomb d'environ 120 000 pièces. Acquis par l'État, le palais deviendra la maison des hôtes étrangers de marque.

Café Hafa ⑯

Rue Mohammed-Tazi (dans une ruelle face au stade, en direction de la mer).

Ouvert en 1921, le café semble n'avoir changé ni de mobilier ni de style. Les tables dépareillées et les nattes dispersées sur plusieurs terrasses étagées en surplomb de la falaise offrent au visiteur une vue exceptionnelle du détroit. Écrivains et chanteurs, de Paul Bowles à William Burroughs, des Beatles aux Rolling Stones, s'y sont succédé, cherchant le contact avec des jeunes Tangérois ou des pêcheurs du quartier. On y fume, on y boit du thé à la menthe, dont la préparation n'a pas dû changer depuis la fondation du café.

Quartier du Marshan ⑰

Rue Mohammed-Tazi, rue Assad-ibn-Farrat, avenue Hassan-II (quartier ouest de la kasbah).

Construit à l'ouest de la kasbah, le plateau du Marshan fut urbanisé de la fin du XIXe siècle au début du XXe siècle. Éloigné de l'agitation de la medina et de la ville moderne, il s'est couvert de palais et de grandes villas à l'initiative des grands vizirs de la fin du XIXe siècle et des chorfa d'Ouezzane. Le consulat d'Italie (rue Assad ibn-Farrat), reconstruit en 1916, aux murs couverts de zelliges, hébergea Garibaldi de novembre 1849 à juin 1850. L'ancien palais du souverain Moulay Hafid, de style arabo-andalou, devint, en 1926, le palais des Institutions italiennes.

Élégante villa dans le quartier du Marshan

Plages autour de Tanger

La baie de Tanger, conque magnifique que l'on compare quelquefois aux baies de Nice et de Copacabana, s'étend sur près de 4 km, des abords du port jusqu'aux complexes résidentiels et balnéaires et aux premiers contreforts qui la ferment à l'est. Mais la proximité de la ville et les rivières qui s'y déversent en font, hélas, la plage la plus polluée du Maroc. On lui préférera pour les baignades ou les bains de soleil les plages qui se succèdent du cap Spartel aux grottes d'Hercule et au-delà, les criques de part et d'autre du cap Malabata ou, plus à l'est, la plage de Sidi Khankroucht ou de Ksar es-Seghir.

③ **La baie de Tanger** *est splendide et très grande, mais malheureusement polluée.*

② **De Tanger au cap Spartel**, *de petites criques s'offrent à ceux que ne rebute pas une descente à pied à travers pins parasols et mimosas depuis le belvédère de Perdicaris.*

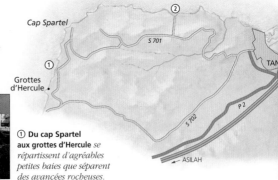

Cap Spartel

S 701

①

Grottes d'Hercule •

TAN

P 2

S 702

◄— ASILAH

① **Du cap Spartel aux grottes d'Hercule** *se répartissent d'agréables petites baies que séparent des avancées rocheuses.*

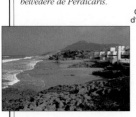

Sur le détroit, le Marshan s'achève dans un quartier populaire et vivant, au-dessus de la falaise *(bafa)*.

Colline du Charf ⑱

Au sud-est de la ville.

La colline du Charf, haute d'une centaine de mètres, donne la vue plus impressionnante et la plus complète de Tanger.
Le regard va du cap Malabata à l'est jusqu'à la Montagne qui domine la vieille ville. La plage s'étend dans l'arc de la baie, la medina, blanche et très dense, dévale les pentes en direction du port, tandis que les immeubles de la ville moderne s'allongent le long des grandes avenues. D'immenses quartiers populaires progressent en direction du sud : parmi eux, au pied de la colline,

on distingue les arènes de la Plaza Toro, aujourd'hui converties en salles de spectacle, et, plus au nord, la mosquée syrienne au minaret inhabituel au Maghreb. Le bâtiment, au sommet de la colline, aux allures de mosquée, fut, paraît-il, un café à l'époque internationale. Les Tangérois aiment venir flâner sur la colline et s'asseoir face au détroit.

Baie de Tanger ⑲

Du port aux approches du cap Malabata, la baie, enserrant la plage dans un bel amphithéâtre, abrite le long de l'avenue d'Espagne petits hôtels traditionnels et grands hôtels modernes. Les coques des bateaux bleus, rouges ou blancs et les filets ocres, verts

Le port de pêche de Tanger, au pied de la medina

ou oranges dessinent un tableau coloré du petit port de pêche. On y savoure des poissons fraîchement pêchés.
Sur l'avenue d'Espagne, le réalisateur Bernardo Bertollucci tourna quelques scènes de *Un Thé au Sahara*. Bien des œuvres, de Burroughs ou de ses confrères américains, sont nées dans les petites pensions qui bordent l'avenue. Michel Foucault avait ses habitudes à l'hôtel Cecil, tandis que Samuel Beckett aimait descendre au Solazur.

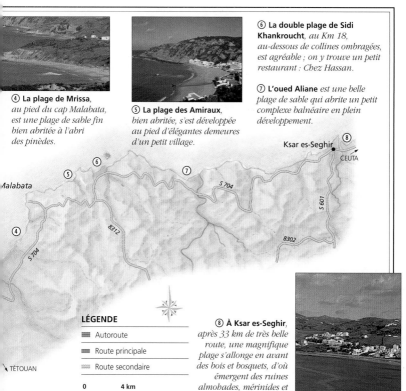

④ **La plage de Mrissa**, *au pied du cap Malabata, est une plage de sable fin bien abritée à l'abri des pinèdes.*

⑤ **La plage des Amiraux**, *bien abritée, s'est développée au pied d'élégantes demeures d'un petit village.*

⑥ **La double plage de Sidi Khankroucht**, *au Km 18, au-dessous de collines ombragées, est agréable ; on y trouve un petit restaurant : Chez Hassan.*

⑦ **L'oued Aliane** *est une belle plage de sable qui abrite un petit complexe balnéaire en plein développement.*

⑧ **À Ksar es-Seghir**, *après 33 km de très belle route, une magnifique plage s'allonge en avant des bois et bosquets, d'où émergent des ruines almohades, mérinides et portugaises.*

Ksar es-Seghir

CEUTA

Malabata

S 704

S 601

8312

8302

S 704

TÉTOUAN

LÉGENDE

▬▬ Autoroute

▬▬ Route principale

▭▭ Route secondaire

0   4 km

LE RIF ET LA CÔTE MÉDITERRANÉENNE

Grand arc montagneux qui barre tout le Nord du Maroc et qui s'est toujours laissé difficilement conquérir, le Rif est le refuge d'une vieille et rude population berbérophone, soucieuse de ses traditions et ses libertés, mais qui n'en sait pas moins être accueillante. Toujours proche, la Méditerranée offre d'agréables plages et des criques de sable fin, souvent au pied d'imposantes falaises.

Difficile à pénétrer, très compartimenté, le Rif atteint 2 452 m au *jbel* Tidirhine, dans sa partie centrale. Au nord-ouest, la région se couvre de montagnes et de collines, où les villages s'accrochent à mi-pente, sur la ligne des sources. Le centre est le domaine des hauts sommets et des vallées très encaissées. À l'est, le Rif proprement dit, ou « Rif des Rifains », s'abaisse doucement et se morcelle à l'approche de la basse Moulouya et de la frontière algérienne. Un caractère commun réunit tous les Rifains : la volonté farouche de préserver leur identité culturelle. Les Espagnols, auxquels échoit la région lors du partage du protectorat français, en font les frais lors de la guerre du Rif (1921-1926) et subissent en 1921 une cuisante défaite à Anoual (*p. 56*).

L'histoire du Rif et de sa côte est liée à celle de l'Espagne. Pour le Maroc, la région devient une tête de pont pour conquérir l'Espagne. À partir du XVe siècle, l'occupation portugaise puis espagnole coupe le Maroc de la Méditerranée. L'Espagne est toujours présente à Ceuta, Melilla et sur quelques autres rochers. Le Maroc accentue sa collaboration avec l'Espagne et l'Europe pour lutter contre les trafiquants et l'émigration clandestine. Depuis 2007, un nouveau port et un nouvel aéroport ont remodelé totalement la côte et ses abords.

Le port de pêche d'Al-Hoceima

◁ Porte en bois, Chefchaouen

À la découverte du Rif et de la côte méditerranéenne

Des pays Jbala à l'ouest jusqu'au Maroc oriental, le Rif offre une grande variété de paysages : de hautes vallées encaissées où fleurissent amandiers et lauriers-roses, des routes de crête, sauvages et magnifiques, des forêts de cèdre, de sapins ou de chênes, des villages ou des maisons isolées aux toits de tôle à double pente. Le long de la côte se succèdent de longues plages au sable doré, de Ceuta à Cabo Negro ou des baies plus discrètes, aux pieds des corniches, de l'oued Laou à Al-Hoceima et Saïdia. Les medinas de Tétouan et de Chefchaouen sont parmi les plus belles du Maroc.

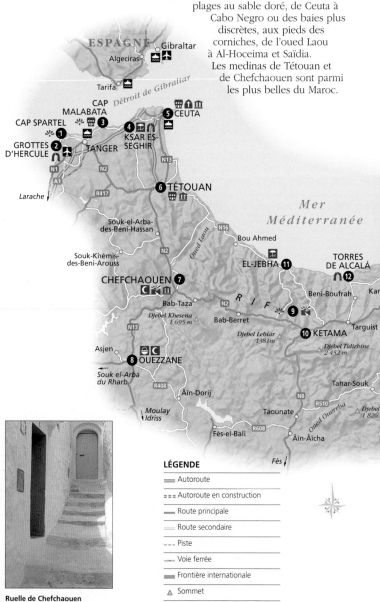

ESPAGNE
Gibraltar
Algeciras
Tarifa
Détroit de Gibraltar
CAP MALABATA
CAP SPARTEL **1**
GROTTES D'HERCULE **2**
TANGER
3
4 KSAR ES-SEGHIR
5 CEUTA
Larache
6 TÉTOUAN
Souk-el-Arba-des-Beni-Hassan
Souk-Khémis-des-Beni-Arouss
Oued Laou
Bou Ahmed
EL-JEBHA **11**
Mer Méditerranée
TORRES DE ALCALÁ **12**
CHEFCHAOUEN **7**
Bab-Taza
Djebel Khesena 1 695 m
Bab-Berret
Beni-Boufrah
Kama
9
R I F
Djebel Lebiar 1381m
10 KETAMA
Targuist
Djebel Tidirhine 2 452 m
Asjen
8 OUEZZANE
Souk el-Arba du Rharb
Tahar-Souk
Moulay Idriss
Âïn-Dorij
Taounate
Oued Ouerrba
Djebel Ta 1 826 m
Fès-el-Bali
Âïn-Aïcha
Fès

LÉGENDE

━━━ Autoroute

▪▪▪ Autoroute en construction

━━ Route principale

═══ Route secondaire

╴╴╴ Piste

╾╾ Voie ferrée

▬▬ Frontière internationale

△ Sommet

Ruelle de Chefchaouen

LA RÉGION D'UN COUP D'ŒIL

CARTE DE SITUATION

CIRCULER

Les aéroports desservant la région sont ceux de Tanger, d'Al-Hoceima et d'Oujda. Il vaut mieux louer une voiture qu'utiliser les grands taxis ; la voiture individuelle reste le meilleur moyen de découvrir le Rif, car elle permet d'atteindre une plage discrète ou de pénétrer quelque haute vallée. Dans cet environnement montagneux, les routes peuvent parfois être en mauvais état et il y a souvent des travaux, particulièrement sur les grands axes.

0   20 km

VOIR AUSSI

• *Hébergement* p. 308-309

• *Restaurants* p. 334-335

Paysage du Rif

Cap Spartel ❶

Carte routière D1. À 14 km à l'ouest de Tanger.

Depuis Tanger, la route pour rejoindre le cap Spartel parcourt le quartier dit de « la Montagne », à l'ouest de la ville, dans les senteurs d'eucalyptus et de mimosas. De longs murs enserrent les palais royaux et princiers, marocains, koweïtiens ou saoudiens, et les villas luxueuses nées de l'âge d'or de l'époque internationale. Au-delà s'étendent les forêts de chênes verts, de chênes-lièges, de pins parasols, de lentisques, de genêts et de bruyères, arrosées par la pluviosité la plus forte du Maroc. Ce cap situé à l'extrême nord-ouest de l'Afrique s'appelait dans l'Antiquité cap Ampelusium – ou cap des Vignes. Le phare date de 1865.

Le phare du cap Spartel, entre mer et océan

De l'esplanade du phare, la vue est splendide sur l'océan, où se mêlent les eaux de la Méditerranée et de l'Atlantique, et, par temps clair, sur le détroit et la côte espagnole, du cap Trafalgar à celui de Gibraltar.

Grottes d'Hercule ❷

Carte routière D1. À 5 km au sud-ouest du cap Spartel. 🖼

Au lieu-dit Achakar, la mer a creusé dans la falaise d'impressionnantes grottes ; les hommes, qui y séjournèrent dès l'époque

« Château » inachevé au cap Malabata

préhistorique, y ont taillé pierres et meules pour les pressoirs à huile. Les grottes ouvrent sur l'océan par une faille dont les contours dessinent une carte inversée de l'Afrique. Selon la légende, Hercule y aurait dormi avant d'accomplir l'un de ses douze travaux, la cueillette des pommes d'or du jardin des Hespérides. Le territoire de ces nymphes mythologiques, gardé par le dragon à cent têtes, se serait trouvé plus au sud, aux environs de Lixus. La fin d'après-midi est préférable pour visiter les grottes, car on bénéficie, depuis les cafés établis à proximité, de la lumière du soleil couchant. Vers le sud, en contrebas des grottes, les **ruines de Cotta** (Ier siècle av. J.-C. - IIIe siècle apr. J.-C.) abritent les restes d'établissements de salaison de poisson, de fabrication de *garum* et de pourpre, qui furent parmi les plus importants de l'époque punico-maurétanienne.

Les grottes d'Hercule, une carte inversée de l'Afrique

Cap Malabata ❸

Carte routière D1. À 12 km à l'est de Tanger.

On quitte Tanger en dépassant la zone des grands hôtels de tourisme et en suivant vers l'est la courbe de la baie. Peu après un minuscule estuaire, au bord de la route, se trouvent les ruines d'une forteresse du XVIe siècle d'où les combattants marocains pouvaient surveiller et attaquer les occupants portugais, espagnols et anglais. Des murailles blanches crénelées entourent le vaste parc verdoyant de la **villa Harris**. Cette villa était autrefois la résidence du diplomate Walter Harris (1866-1953), un brillant journaliste et chroniqueur de la vie à Tanger, correspondant du *Times* à partir de 1892. Après le grand hôtel et casino Möwenpick, la route gravit les collines à travers de magnifiques pinèdes abritant des cafés qui – comme le Ryad – ont gardé un charme suranné. Peu avant le cap se dresse une étrange bâtisse, restée inachevée et d'inspiration médiévale, qui est l'œuvre d'un Italien fantaisiste des années 1930. Du cap Malabata, la vue est très belle – particulièrement le matin – sur l'ensemble du site de Tanger, sur le détroit et, vers l'est, sur le *jbel* Moussa qui domine Ceuta.

Ksar es-Seghir ❹

Carte routière D1. À 33 km à l'est de Tanger. 🚶 8 800. 🚌 sam.

Pourvu d'un petit port de pêche et d'une belle plage, Ksar es-Seghir fait face à la ville espagnole de Tarifa. Chaque samedi, elle accueille, route de Tanger, un souk fréquenté par des Rifaines dans leur *fouta* blanche rayée de rouge. Le site, bien protégé, à l'embouchure d'une rivière, a été utilisé dès le VIIIe siècle pour l'embarquement des troupes à destination de l'Espagne. Les Almohades en firent un centre important de constructions navales et d'artisanat. Les ruines, à l'intérieur d'une petite forêt, sont les témoins de la ville édifiée par les Mérinides au XIVe siècle. Sa muraille, de forme circulaire, est très rare au Maroc mais considérée comme idéale par les urbanistes arabes de la ville islamiste ; la porte de la mer est la mieux conservée. Les Portugais occupèrent la ville de 1458 à 1549 et la dotèrent de fortifications la reliant à la mer.

Ksar es-Seghir, un site plein de charme

Ceuta ❺

Carte routière D1. À 63 km à l'est de Tanger. 🚶 75 000. ℹ️ *calle Edrissis, Edif Baluarte des Mallorquines (0034 856 20 05 60).*

Ceuta, installée sur un isthme étroit reliant le mont Hacho au continent, bénéficie d'un site favorable face à Gibraltar. La ville est fréquentée dès le XIIe siècle par les commerçants génois, pisans, marseillais et catalans. Elle devient territoire portugais en 1415, puis espagnol en 1578.

Ceuta, en amphithéâtre sur son isthme la reliant au continent

Aujourd'hui, Ceuta (tout comme Melilla) est une ville autonome espagnole. Le Maroc, qui considère cette présence comme un anachronisme, en réclame la souveraineté. La ville abrite une très importante garnison militaire et vit surtout des activités commerciales « hors taxes » liées à son statut de port franc.

Le circuit (12 km) du mont Hacho permet de découvrir de très belles vues sur la ville, les montagnes la côte rifaine et Gibraltar, en particulier depuis le phare qui domine la pointe Almina. Dans la forteresse El-Desnarigado, musée militaire, l'ermitage San Antonio est le lieu d'un pélerinage très populaire (13 juin). Gibraltar et le mont Hacho constituent les deux colonnes d'Hercule.

La **plaza de Africa** est le centre monumental de la ville, où se dressent les principaux bâtiments publics. La cathédrale occupe le site de la Grande Mosquée. Sa forme remonte au XVIIIe siècle. Le musée présente quelques peintures et objets sacrés.

L'**église Notre-Dame-d'Afrique** date du début du XVIIIe siècle et a aussi été érigée sur l'emplacement d'une mosquée. Son style baroque surprend. Le maître-autel est orné d'une statue de la Vierge, patronne de Ceuta, qui aurait sauvé la ville d'une épidémie de peste au XVIe siècle. Le trésor renferme d'importants tableaux, des bannières et des livres enluminés du XVIIe siècle.

L'**Ayuntamiento** (hôtel de ville) de 1929 est intéressant pour les peintures de Mariano Bertuchi, artiste fécond de la période coloniale.

Le **Musée archéologique,** établi au-dessus des souterrains creusés aux XVIe et XVIIe siècles pour permettre l'approvisionnement en eau, présente des poteries et amphores néolithiques, puniques et romaines, des monnaies et des armes. Le **musée de la Légion** évoque les actions de la légion étrangère espagnole et les opérations conduites de 1921 à 1926 lors de la guerre du Rif contre Abdelkrim, au travers de très nombreuses photographies, de cartes et d'oriflammes. La Légion, créée en 1920, subit d'importantes pertes au cours de cette guerre.

🏛 **Musée archéologique**
30 Angle paseo de Revellin, calle Ingenieros. **Tél.** *0034 856 51 73 98.* 🕐 *lun.-sam. 9h-14h, 17h-20h ; dim. 10h-14h.* 📷

🏛 **Musée de la Légion**
Paseo de Colon. 🔴 *dim.* 📷

Tétouan ❻

Adossée au *jbel* Dersa, Tétouan est pour les poètes
arabes une colombe blanche, la « sœur de Fès »,
la « petite Jérusalem » ou la « fille de Grenade ».
Peuplée de populations grenadines (XVe siècle)
puis de Morisques andalous (XVIIe siècle), la ville a
su conserver l'héritage andalou, au travers de
l'architecture de sa medina, ses traditions culinaires et
musicales, et ses broderies. Du XVe au XVIIIe siècle,
Tétouan est un centre actif de piraterie puis de grand
commerce avec l'Europe, devenant une sorte de
« cité-État » comparable à Florence ou à la Venise
des Doges. Au XVIIIe siècle, la ville est la capitale
diplomatique du Maroc. Les Espagnols, qui l'occupent
de 1860 à 1862, en font leur capitale à l'époque du
protectorat et la dotent d'une nouvelle ville au flanc
ouest de l'ancienne medina andalouse.

L'église de la place Moulay-el-
Mehdi, construite en 1926

Place Hassan-II, lien entre ville moderne et medina

🏛 Ville moderne

Place Moulay-el-Mehdi et
bd Mohammed-V.
Les Espagnols ont pourvu la
nouvelle ville de Tétouan
d'une architecture coloniale
qui est particulièrement
expressive sur la place
Moulay-el-Mehdi, encore
appelée parfois « place Primo »
(de Rivera) par les Tétouanais.
Avec sa grande poste, sa
banque et son église (1926),
elle ressemble à toutes les
places centrales d'Espagne.
Les immeubles élégants aux
ouvertures et balcons ornés
de décors arabo-andalous se
retrouvent sur le boulevard
Mohammed-V, l'artère
principale de la ville.
La place Hassan-II assure
la liaison avec la medina.
Un dallage moderne a
remplacé les anciennes
mosaïques contribuant à

l'agrandissement et
à l'embellissement du palais
royal qui ferme la place
du côté de la medina.
Le boulevard et la place sont
très animés le soir lors
du *paseo*, une tradition
qui reste à Tétouan encore
plus vivace qu'ailleurs.

🏛 Musée archéologique

2, rue Ben H'saïn. ☐ *lun.-ven.*
apr.-m. seul. 🖼
Les salles du musée
présentent des
vestiges d'époque
romaine trouvés à
Volubilis, Lixus ou
encore Thamuda, site
romain en bordure
de l'actuelle ville
de Tétouan (au départ
de la route Tétouan-
Chefchaouen) :
mosaïques, dont celle
des *Trois Grâces*,

poteries, monnaies, bronzes,
etc. Les pièces les plus
intéressantes ornent le jardin :
inscriptions antiques,
pavements de mosaïques,
stèles funéraires musulmanes
portant l'étoile de David.

🏛 Medina

Entrer par la place Hassan-II et prendre
au sud-est la rue Ahmed-Torres.
La medina de Tétouan,
inscrite par l'Unesco au
patrimoine mondial (1997),
est la plus andalouse des
medinas marocaines :
les émigrés des XVe et
XVIIe siècles y ont gardé
leurs traditions architecturales,
leur goût des décors en fer
forgé et des portes aux
admirables ferrures.
Les senteurs d'épices,
de bois travaillé, de pain ou
kesra embaument les ruelles,
les places et les souks
spécialisés où s'affairent
menuisiers, babouchiers,
vendeurs d'étoffe, fripiers et
tanneurs. La rue El-Mokadem
(de la place Souk-el-Fouqui
à la place Gharsa-el-Kebira)
est la plus commerçante,
mais aussi l'une des plus
intéressantes au niveau
architectural avec ses
imposantes constructions

Étals de *kesra* (pains) au souk El-Fouqui

Pour les hôtels et les restaurants de la région, voir p. 308-309 et p. 334-335

La medina, sur les flancs du *jbel* Dersa

MODE D'EMPLOI

Carte routière D1. 🏘 *310 000.*
✈ *5 km.* 🚌 *Tnine-Sidi-Lyamani.*
🚉 ℹ *30, bd Mohammed-V,*
0539 96 19 15. 🛒 *près de la pl.*
Moulay-el-Medhi : mer., ven., dim.

blanches et son pavage.
Vendeurs d'étoffes rifaines
et de poteries occupent la
placette ombragée du souk
el-Houts, d'où l'on peut
rejoindre l'ancien mellah,
le quartier juif de Tétouan,
avec ses balcons, ses grandes
fenêtres, ses grilles et ses
arcades reliant les maisons
entre elles.

🏛 Musée d'Art marocain

Avenue Hassan-Ier et rue Sqala, près
de Bab Oqla. **Tél.** *0539 97 27 21.*
⭕ *mer.-lun. 9h-12h, 14h-18h.*
Situé dans un bastion construit
en 1828, le musée occupe un
palais andalou avec son
jardin, sa fontaine recouverte
de zelliges et son auvent de
tuiles rouges, typiquement
tétouanais. Les meubles, les
productions artisanales, les
costumes et instruments de
musique témoignent des
traditions de la ville. Des
salons tétouanais avec des
scènes de mariage (confection
du trousseau, présentation de
la mariée) ont été
reconstitués. L'école
artisanale, située près du
musée, face à Bab Oqla,
occupe une demeure de 1928
construite dans le style arabo-
andalou. Gardienne des
traditions, elle prépare
les élèves aux travaux du cuir,
de la poterie, de la mosaïque,
du tapis et du stuc. Une salle,
sous une coupole, présente
des travaux d'élèves.

Façade d'immeuble sur le
boulevard Mohammed-V

JUIFS DE TÉTOUAN

Une importante communauté juive, chassée
d'Espagne à la fin de la reconquête chrétienne,
s'installe à Tétouan, s'y développe et s'y épanouit
tout au long du XVIe siècle. Les juifs gardent,
avec les musulmans, venus nombreux eux aussi
d'Espagne, le souvenir de l'Andalousie « paradis
perdu », écoutant la même musique, portant dans
les fêtes les mêmes costumes, les mêmes bijoux.
   Les juifs profitent de leurs relations avec
Gibraltar, Anvers, Amsterdam, Londres et jouent
un rôle très actif dans la vie économique
de la ville, qui devient un important centre
d'échanges avec l'Occident. Au début du
XIXe siècle, victimes de violences et lourdement
taxés, les juifs doivent se regrouper dans leur
propre quartier, la *juderia*. Marginalisés sur
les plans professionnels et sociaux, de nombreux
juifs s'expatrient vers Melilla, Gibraltar, Oran
mais aussi en Amérique latine. Malgré l'embellie
de sa situation sous l'occupation espagnole,
la communauté, forte encore d'environ
3 000 personnes en 1960, se réduit
progressivement après l'indépendance,
s'exile vers Israël, pour ne plus compter
que 200 juifs au début des années 1990.

Fête juive à Tétouan d'Alfred Dehodencq
(1822-1882)

Chefchaouen ❼

La ville blanche de Chefchaouen se blottit au creux
des deux montagnes qui lui ont donné son nom,
les Cornes. Ruelles pentues chaulées de blanc et de
bleu indigo, placettes, fontaines sculptées et maisons
aux entrées bien décorées et aux toits de tuile rouge
en font une ville qui cultive le plaisir et la douceur
de vivre. Fondée par des chorfa idrissides, descendants
du Prophète, pour participer à la lutte contre
les Portugais (1471), Chefchaouen, considérée comme
une ville sainte, compte aujourd'hui huit mosquées,
des zaouïas et des marabouts.

Le musée (dans la kasbah), autour
d'un patio et de ses galeries

Un café place Utah-el-Hammam, au cœur de la ville

🏛 Place Utah-el-Hammam

C'est le cœur de la cité vers
lequel convergent toutes
les ruelles de la medina.
Bordée d'arbres, dallée
de pierres et de galets,
la place comporte en son
centre une fontaine aux
quatre faces ornées
d'arcatures et surmontée
d'un pavillon en tuiles
vertes. C'est l'endroit idéal
pour flâner autour de ses
échoppes et ses cafés.

🕌 Grande Mosquée

Place Uta-el-Hammam.
🚫 aux non-musulmans.
Fondée probablement au
XVIe siècle, elle est plusieurs
fois remaniée. Son minaret,

plus tardif (XVIIe siècle),
est original, avec sa forme
octogonale ; son décor
d'arcatures simples ou
polylobées sur fond
de peinture ocre se répartit
sur trois niveaux, le registre
supérieur s'enrichissant
de zelliges.

🏛 Fondouk

Angle de la place Uta-el-Hammam
et de la rue Al-Andalus.
Il est toujours en activité.
Une cinquantaine de
chambres, réparties autour
de la cour, permettent encore
l'hébergement des voyageurs
et marchands de passage.
L'ensemble surprend par
son style très simple : arcs
en plein cintre,
portique qui
entoure la cour
recouverte de
galets. Seule la
porte d'entrée
échappe à ce
dépouillement
avec son auvent
et son arc
outrepassé brisé
entouré d'une
arcature festonnée.

Le fondouk et ses chambres autour de la cour

🏛 Kasbah et musée

Angle ouest de la place
Uta-el-Hammam. ⬜ mer.-lun.
⬛ mar., ven. apr.-m. 📷
Avec ses murs rouges de pisé
crénelés et ses dix bastions,
c'est le cœur initial de la ville.
Commencée au XVe siècle
par Moulay Ali ben Rachid,
la forteresse est achevée au
XVIIe siècle par Moulay Ismaïl,
en même temps que
la résidence intérieure.
Le plan et le style de
construction relèvent de
la tradition andalouse.
Un agréable jardin avec ses
bassins se cache à l'intérieur.
On y a une vue très nette
des murailles et du chemin
de ronde. Le **musée
ethnographique** est une
maison traditionnelle
marocaine avec son patio
et son étage à galerie.
Il rassemble des poteries,
des armes, des broderies,
des costumes, des instruments
de musique, des palanquins
et des coffres en bois peint.
Du haut de la tour, on a
une très belle vue sur
la kasbah et la ville.

🏛 Medina

Une ruelle située entre
la kasbah et la Grande
Mosquée donne accès au
quartier Souïka. Quartier
le plus ancien de la ville,
il possède les demeures
les plus belles avec leurs
portes décorées et sculptées.
Son nom de *souïka*, ou
« petit marché », lui vient
de sa *kissaria*, constituée
de multiples échoppes
alignées le long
des étroites ruelles.

Pour les hôtels et les restaurants de la région, voir p. 308-309 et p. 334-335

des arcatures polylobées et festonnées.

🎪 Quartier Al-Andalus

On y pénètre par l'angle nord-ouest de la place Uta-el-Hammam, après avoir laissé à gauche le fondouk.

Ruelle aux maisons chaulées de blanc et de bleu

La medina recèle plus d'une centaine d'ateliers de tisserands encore en activité. En effet, Chefchaouen est célèbre pour la fabrication des jellabas en laine et des étoffes rayées rouge et blanc, que portent les femmes du pays jbala. On peut voir l'un des ateliers rue Ben-Dibane, identifiable par son escalier extérieur. Située dans la rue principale du quartier, dans un renfoncement, la fontaine d'Aïn Souika, abritée sous un porche, est l'une des plus originales de la ville avec un bassin en arc de cercle et

Le quartier accueillit la seconde vague d'immigrés (musulmans et juifs chassés d'Espagne) venus après 1492 (chute de Grenade). Les maisons, chaulées de blanc, de vert et de bleu, aux portes décorées, avec parfois des fenêtres grillagées abritées d'auvents, s'adaptent à la forte déclivité du terrain, multipliant les escaliers extérieurs et les entrées à différents niveaux.

🏞 Source Ras el-Ma et les moulins

Par les rues montantes d'Al-Andalus, en direction

MODE D'EMPLOI

Carte routière D1. 🏠 45 000. 🚌 🛈 à Tétouan : 0539 96 19 15 16. 🎭 moussem de Sidi Allal el-Hadj (9 août). 🏛 lun. et jeu.

de la montagne, on atteint d'abord Bab el-Ansar, porte de l'enceinte du nord-ouest de la ville, restaurée et rénovée. On arrive ensuite à la source de Ras el-Ma, aujourd'hui enclose dans un bâtiment. Source vauclusienne, elle est à l'origine de la ville et de sa richesse en jardins et en moulins. Empruntant des escaliers, en direction de la route goudronnée, on longe les lavoirs puis les moulins, dont la fondation remonterait à l'arrivée des réfugiés andalous, et on rejoint le pont tout proche qui enjambe l'oued Laou, avec son arche en plein cintre et ses contreforts à pans coupés. Cascades, lavoirs et cafés font de ce quartier un des lieux les plus agréables de la ville.

CENTRE DE CHEFCHAOUEN

Fondouk ③
Grande Mosquée ②
Kasbah et musée ④
Medina ⑤
Place Uta-el-Hammam ①
Quartier Al-Andalus ⑥

Légende des symboles, *voir le rabat arrière de couverture*

Une mer d'oliviers sur les collines avoisinant Ouezzane

Ouezzane ❽

Carte routière D2. À 60 km au sud de Chefchaouen. ▨ 🏍 70 000. 🎪 jeu.

Ouezzane s'allonge sur les pentes du *jbel* Bou Hillal dans un paysage de forêts d'oliviers et de figuiers, autour de sources abondantes. Au XVe siècle, la ville, peuplée d'Andalous, compte de nombreux juifs. Elle se développe aux XVIIIe et XIXe siècles sous l'influence des chorfa idrissides. Un descendant d'Idriss crée en 1727 la confrérie religieuse (zaouïa) des Taïba, dont l'influence se répand dans tout le Maghreb. Au XIXe siècle, les chorfa jouent au Maroc un rôle religieux et politique prépondérant. Le souci d'ouverture du chérif d'Ouezzane favorise par ailleurs les relations commerciales avec la France.

La **zaouïa** – ou mosquée Verte – et la mosquée Moulay Abdallah Chérif, du nom du fondateur de la confrérie, au minaret octogonal recouvert de zelliges, sont les lieux de rendez-vous de nombreux pèlerins. Les juifs viennent vénérer à Asjen (à 8 km de la ville) le tombeau de Rabbi Abraham ben Diouanne, mort vers 1780. Le pèlerinage qui a lieu 33 jours après la Pâque est aussi l'occasion pour la communauté juive du Maroc de rappeler son attachement au roi. Gros marché rural, Ouezzane est un important centre artisanal, notamment pour les textiles (djellabas, tapis) et l'huile d'olive.

Le Rif ❾

Voir p. 154-155.

Ketama ❿

Carte routière D-E1. À 107 km à l'est de Chefchaouen par la N2 dite « route des Crêtes ». 🎪 mer.

Ketama, située au cœur d'une forêt, est une station d'été et d'hiver. La neige y tombe en abondance mais la présence et l'insistance des vendeurs de haschisch et de kif à la sauvette incite à raccourcir son séjour. En quittant la ville, on découvre les pentes du *jbel* Tidirhine (ou Tidiquin), point culminant du Rif (2 452 m). Dans les hautes vallées, les maisons ont un toit à double pente, couvert de

planches et de tôles ondulées, qui ont presque partout remplacé le chaume. Dans certains villages, comme Taghzoute, la broderie sur cuir est très vivace.

El-Jebha ⓫

Carte routière D1. À 137 km à l'est de Tétouan par la route côtière N16, 73 km de Ketama par la N2 puis P4115. 🎪 mar.

Niché au pied de la pointe des Pêcheurs, El-Jebha est un petit port de pêche typiquement méditerranéen avec ses petites maisons cubiques à un étage, crépies de blanc. À droite du port, qui abrite des barques équipées de lamparos pour la pêche nocturne, la crique profonde, dite « de l'Écrevisse », est recherchée pour la pêche sous-marine. À gauche s'étire vers l'ouest une plage de sable fin.

Torres de Alcalà ⓬

Carte routière E1. À 144 km de Chefchaouen, à 72 km de Ketama par la N2 puis route P5205.

À l'embouchure de l'oued Bou Frah, Torres de Alcalà est un village de pêcheurs que domine un piton couronné par les ruines d'une forteresse espagnole. À 5 km à l'est, le **Peñon de Velez de la Gomera** est rattaché au continent par une mince langue de sable. Occupé par les Espagnols de 1508 à 1522,

Dans la medina, Ouezzane

il devient par la suite un repaire de corsaires et de pirates ; pénitencier sous le protectorat, il reste de souveraineté espagnole. À 4 km à l'ouest de Velez, la crique de **Kalah Iris** est une oasis de calme (sauf en été).

Al-Hoceima ⓭

Carte routière E1. 🏙 *65 000.* ✈ *17 km.* 🚌 ℹ *av. Marrakech 0539 98 11 85.* 🎭 *festival (fin juil.- déb. août).* 🛒 *mar.*

Le *peñon* de Velez de la Gomera, toujours sous souveraineté espagnole

Cet ancien centre portuaire, siège de l'émirat de Nokour au Moyen Âge, fut longtemps l'objet des convoitises des marchands européens. Fondation du général Sanjurjo en 1926, sur les lieux mêmes du débarquement des troupes d'occupation, Al-Hoceima (ou El-Hoceima) fut d'abord appelée « Villa Sanjurjo ». L'intérêt de la ville réside dans son site, l'un des plus beaux de la côte méditerranéenne, et dans ses maisons blanches disposées sur une baie, demi-cercle presque parfait,

Le *peñon* d'Al-Ceima, un îlot espagnol

enchâssée entre deux avancées montagneuses. C'est à quelques kilomètres à l'est, face au *peñon* d'Al-Hoceima occupé par les Espagnols, que s'offre le point de vue le plus saisissant sur la baie. Le port abrite quelques dizaines de chalutiers ; le soir, les lamparos s'allument sur les navires avant le départ en mer. La grande plage de Quemado est au pied de la ville ; on lui préfèrera des plages à quelques kilomètres d'Al-Hoceima,

comme celle d'**Asfiha**, en direction d'Ajdir, face au *peñon*, appelé ici le « rocher de Nokour »

Le souk se tient le mardi. Celui d'**Im Zouren**, à 17 km sur la route de Nador, est plus original : il n'accueille les premières heures que les femmes. Im Zouren comme Beni Bou Ayach, de gros bourgs au sortir d'Al-Hoceima, semblent un peu irréels avec leurs grands immeubles de toutes les couleurs, ocre, bleu, vert ou rose. Ils s'animent seulement quelques semaines par an au retour des travailleurs émigrés en Allemagne ou en Hollande.

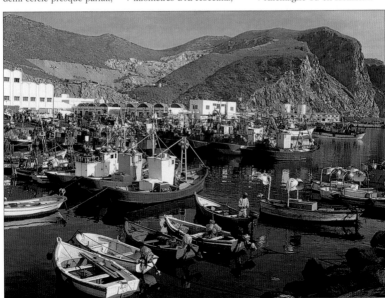

Le port d'Al-Hoceima, avec ses chalutiers et ses entrepôts

Le Rif

D'une superficie d'environ 30 000 km², le Rif
offre, outre ses medinas, d'admirables sites
naturels à découvrir : haute montagne, caps,
gorges, arches creusées dans la dorsale calcaire
et salines artisanales. Il faut aussi mentionner
les souks ruraux hebdomadaires, qui sont
toujours des lieux privilégiés pour entrer en
contact avec la population. En juillet se tient
l'un des pèlerinages ou *moussems* les plus
connus du Maroc : celui du *jbel* Alam auprès
du tombeau de Moulay Abdesselam ben
Mchich, un mystique soufi très vénéré,
mort en 1228. Les environs immédiats de
Chefchaouen permettent aux possesseurs
de voitures tout terrain, mais aussi aux
randonneurs, de découvrir l'un
des rares greniers collectifs du Rif
occidental à Akrar d'El-Kelaa, et
le parc naturel de Talassemtane aux
très belles sapinières protégées.

Souk de l'oued Laou
Le souk du samedi est le plus importa
et le plus coloré du Rif, avec les femme
en fouta *vendant les poteries qu'elles*
fabriquent elles-mêmes.

Pays Jbala
Dans un paysage de moyenne
montagne et de collines, les gros
villages du pays Jbala s'établissent
à mi-pente à la sortie des sources,
entourés de vergers d'oliviers qui
dominent les cultures céréalières.

Gorges de l'oued Laou
Sur plusieurs kilomètres, les gorges
offrent un paysage saisissant et
de toute beauté avec leurs hautes
falaises et leurs villages perchés.

Route des Crêtes
Cette route offre des vues magnifiques sur
la montagne, sur les villages ou les maisons
isolées, sur les cultures en terrasses et la
végétation d'oliviers et de chênes verts.

Torres de Alcalà
La côte rocheuse dissimule de magnifiques petites baies depuis le petit port de Badis jusqu'à la crique de Kalah Iris, un paradis de calme et de solitude.

MODE D'EMPLOI

Carte routière : *utiliser une carte au 1/100 000 de Chefchaouen, Ouezzane, Al-Hoceima. Pour les excursions autour de Chefchaouen : renseignements à Chefchaouen à l'hôtel Casa Hassan, en contactant l'association Culture et randonnée.* **Tél.** *0539 98 61 53.* **www***.casahassan.com Guide, logement chez l'habitant et mules sont fournis.*

Al-Hoceima
La baie sur laquelle descend la ville blanche d'Al-Hoceima est l'un des plus beaux sites naturels du Maroc. Le port, très actif, abrite de nombreux restaurants.

La baie d'Al-Hoceima, abrite des plages, des îles et le *peñon* dit « rocher du Nokour », occupé par l'Espagne.

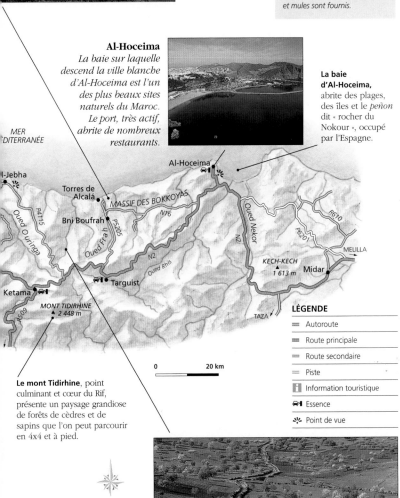

Le mont Tidirhine, point culminant et cœur du Rif, présente un paysage grandiose de forêts de cèdres et de sapins que l'on peut parcourir en 4x4 et à pied.

MER
MÉDITERRANÉE

Al-Hoceima

Torres de Alcalá
MASSIF DES BOKKOYAS
N16

I-Jebha
P4115
Oued Ouringa
Bni Boufrah
P5205
Oued Frah
N2
Oued Rhis
Targuist
Ketama
Oued Nekor
N2
R610
P6201
MELILLA
KECH-KECH
1 613 m
Midar
TAZA

MONT TIDIRHINE
2 448 m

0   20 km

LÉGENDE

═══	Autoroute
▬▬▬	Route principale
═══	Route secondaire
═══	Piste
🅷	Information touristique
⛽	Essence
☀	Point de vue

Amandiers
Dans un paysage de collines et de terrasses aménagées, les amandiers composent au printemps un décor éclatant.

Nador ⓮

Carte routière E1. À 154 km à l'est d'Al-Hoceima et 13 km au sud de Melilla. *200 000.* *dim., lun.*

Nador surprend par son allure de grande ville, avec ses larges avenues, ses boutiques, ses très nombreux cafés, restaurants et hôtels, ses banques et ses immeubles. Véritable ville-champignon, elle connaît un fort essor économique grâce à ses activités industrielles anciennes, comme la métallurgie approvisionnée en minerai de fer depuis le Rif et en anthracite depuis Jerada, mais aussi nouvelles dans les secteurs textile, chimique et dans celui de l'électricité. Le phénomène de l'émigration qui touche tout le Rif oriental contribue pour beaucoup au développement de Nador. Les émigrés investissent et consomment ; l'argent épargné, envoyé par les travailleurs depuis l'étranger, profite aussi à l'économie de la ville. La localisation géographique de Nador, à 13 km de l'enclave espagnole de Melilla, a favorisé le développement du commerce de contrebande. Des filières très précises existent, avec passage des marchandises en plusieurs points de la frontière, mais aussi par le poste même de **Beni Enzar** – de petites quantités sont transportées plusieurs fois par jour –, à bord de camionnettes ou à dos de femmes et d'enfants. Ces marchandises sont ensuite écoulées au grand jour dans deux énormes marchés. Au sortir de la ville, Beni Enzar, poste-frontière avec Melilla, est le premier port de chalutage du littoral méditerranéen, et des chantiers navals très modernes s'y sont implantés.

Cactus méditerranéen

◁ Paysage de la vallée du Nekkor

La côte aux alentours de Melilla

Melilla ⓯

Carte routière E1. À 167 km à l'est d'Al-Hoceima et 153 km au nord-ouest d'Oujda. *70 000.* *près de la Plaza de Toros 952 67 54 44.* *Semaine sainte, festival d'Espagne (déb. juil.), N.-D.-de-la-Victoire (déb. sept).*

Melilla est sous souveraineté espagnole depuis 1497, mais près de 40 % de sa population est marocaine. Elle entretient toutefois encore un style de vie très andalou.

Ancien comptoir carthaginois puis romain, port actif au Moyen Âge, débouché de Fès et point d'arrivée des caravanes en provenance de Sijilmassa et du Sahara, la ville connaît, sous le protectorat, un essor rapide grâce à son statut de zone franche. Mais l'indépendance et la fermeture de la frontière algérienne l'ont coupée de son arrière-pays et la ville traverse aujourd'hui une période troublée. L'aide à la consommation fournie par l'Espagne favorise le prix des produits en détaxe, entraînant une contrebande très importante, génératrice d'une apparente prospérité économique.

Sur la presqu'île rocheuse, le quartier de Medina Sidonia forme la ville haute, véritable forteresse avec ses murailles des XVIe et XVIIe siècles. En franchissant la porte de la Marine, on découvre un lacis de venelles, de passages voûtés, d'escaliers et, au hasard de petites places, une chapelle ou une église. Celle de **la Purisma Conception** abrite de beaux retables baroques ; le retable du maître-autel porte la statue de Notre Dame de la Victoire (XVIIIe siècle), patronne de la ville. À l'ouest de la vieille ville, la porte de Santiago donne accès à la place d'Armes. En contournant l'église, le long des remparts, on atteint le **Musée municipal**. Les époques phénicienne, punique et romaine y sont représentées par des céramiques, des monnaies et des bracelets trouvés dans la région de Melilla. Divers instruments en pierre taillée, en provenance du Sahara occidental, sont également exposés.

Vue de Melilla

KIF

Région où est cultivé le kif

Culture réservée il y a encore peu à quelques tribus autour de Ketama, les plantations de kif se sont étendues et couvrent plusieurs provinces de Chefchaouen à Al-Hoceima. Cette culture des hautes vallées du Rif central se répand désormais sur les pentes des vallées des oueds qui, depuis les crêtes, glissent vers la Méditerranée. L'exploitation de « l'herbe qui guérit », le chanvre indien (Cannabis sativa) est très rémunératrice et sous-tend toute l'économie du Rif.

Sa culture et sa consommation locale (traditionnelle dans la région) sont tolérées, mais sa commercialisation est interdite. Cette prohibition entraîne une importante contrebande contre laquelle le Maroc lutte avec l'appui financier de la l'Union européenne. Il s'agit de mettre en place des cultures de substitution et de désenclaver le Rif en construisant une route côtière de Tanger à Saïdia, en passant par Ceuta et Al-Hoceima.

La place d'Espagne, circulaire, forme le lien entre la vieille ville et une ville moderne, dont la construction a commencé à la fin du XIXe siècle. L'avenue Juan-Carlos-Ier (av. del Rey-Juan-Carlos) est l'artère la plus animée de la ville.

🏛 **Musée municipal**
◯ mar.-dim. 📷

Cap des Trois-Fourches ⑯

Carte routière E1. À 30 km de Melilla, route puis piste.

Au départ de Beni Enzar, la route conduit au cap des Trois-Fourches, qui offre des vues magnifiques sur Melilla et la mer Méditerranée. Le cap au-delà du phare de Charrana est sans aucun doute l'un des plus beaux promontoires de tout le Maroc. De part et d'autre du cap, criques et plages se nichent dans la côte rocheuse, mais soyez vigilant : la piste est étroite et difficile.

Basse vallée de la Moulouya ⑰

Carte routière E1. De Nador à Ras Kebdana puis Saïdia, route N16.

De la lagune de Bou Areg à l'embouchure de l'oued Moulouya, toute la région se prête à l'observation d'une faune et d'une flore riches et fascinantes. De nombreux oiseaux – canards colverts, oies cendrées, poules sultanes, ou encore flamants, sternes, mouettes et goélands – viennent hiverner dans cette

Paysanne, vallée de la Moulouya

zone marécageuse. Les dunes sont le domaine des bécasses, des pluviers, des hérons et des cigognes. La flore est également bien préservée : oyats, euphorbes et houx maritime poussent sur les dunes, tandis que salicornes, roseaux et joncs occupent les marécages où foisonnent libellules, sauterelles ou araignées des sables.

Le cap des Trois-Fourches offre des paysages splendides

Pour les hôtels et les restaurants de la région, voir p. 308-309 et p. 334-335

Gorges du Zegzel ❶⑧

Depuis Berkane, la route P6012 qui rejoint Taforalt est l'une des plus belles du Nord du Maroc. Elle suit l'oued Zegzel au creux des gorges et le long des vallées et des versants. De nombreuses grottes creusées dans les falaises, comme celles du Chameau ou de Tghasrout, portent d'importantes concrétions calcaires. En poursuivant cette même route, on découvre de superbes points de vue sur la montagne et la plaine des Angad, sur les vergers d'amandiers, les villages et les marabouts à coupole isolés. La route P6017 puis la N2 ramènent vers Oujda ou vers Berkane par Ahfir, une ville des Triffa, créée de toutes pièces par les Français à partir de 1910.

Grotte du Chameau ②
Creusée au flanc de la montagne, la grotte abrite plusieurs salles ornées de stalactites et stalagmites. Pour la visite, renseignez-vous à l'office de tourisme d'Oujda.

Gorges de l'oued Zegzel ①
Dominée par les parois rougeâtres de la montagne, la vallée de l'oued dévoile un paysage verdoyant, s'élargissant parfois par des terrasses plantées d'oliviers et d'arbres fruitiers.

Massif des Beni Snassen ③
À plusieurs reprises, la route révèle de belles vues sur la montagne déchiquetée par l'érosion. On y découvre des hameaux en pisé et des cultures en terrasse de vigne et d'oliviers.

Saïdia ❶⑨

Carte routière F1. 50 km au nord-ouest d'Oujda. 🚍 2 800. 🏨 🏤 dim. 🎭 *Festival d'arts populaires (août).*

À l'extrémité nord de la riche plaine agricole et viticole des Triffa, la petite ville de Saïdia se situe à l'embouchure de l'oued Kiss qui, sur les 20 derniers kilomètres de son cours, constitue la frontière entre le Maroc et l'Algérie. Grâce à sa superbe plage de plus de 12 km, bordée de mimosas et d'eucalyptus, qui l'a fait surnommer la « perle bleue », Saïdia est une station balnéaire très fréquentée en été par les touristes,

essentiellement nationaux. Elle abrite aussi un complexe balnéaire moderne pouvant recevoir plus de 1 000 hôtes, avec marina sur la mer. Un Festival d'arts populaires a lieu en août au palais du festival, boulevard Mohammed-V.

Oujda ❷⓪

Carte routière F2. 🚍 800 000. ✈ 15 km 🚍 🏨 🚇 *place du 16-Août-1953, 0536 68 56 31, et gare ferroviaire.* 🎭 *moussem de Sidi Yahia (sept).* 🏤 mer., dim.

L'histoire d'Oujda est marquée par sa situation géographique qui en a fait un carrefour et une voie de passage.

Dans la ville nouvelle, les principales activités bancaires et commerciales, et les grandes brasseries avec leurs larges terrasses, se concentrent sur l'avenue Mohammed-V et autour de la place du 16-Août-1953. La medina, encore enclose dans une partie de ses murailles, se parcourt facilement. Un grand axe d'ouest en est la traverse et débouche à la porte Sidi Abdel Ouahab. Sur l'axe principal, les différents souks se succèdent. La *kissaria*, bordée d'arcades, présente des étoffes variées, des caftans, des velours et des métiers à tisser et écheveaux de laine. De petites places, celle du souk El-Ma (marché

Vue sur le jbel Fourhal ④
Point culminant du massif des
Beni Snassen, le *jbel* Fourhal
présente sur ses flancs quelques
forêts de chênes-verts mais
aussi d'imposants chaos
d'éboulis calcaires.

LÉGENDE

▬ Itinéraire

═ Autre route

🏵 Point de vue

0   5 km

SAÏDIA
P6000
Abfir
P6002
N2
N2
Col de
Guerbouss
539 m
SNASSEN
in Almou
OUJDA
P6017
④ ⑤
⑥
⑦

Oulad Jabeur Fouaga ⑤
Ce petit village abrite autour de sa
mosquée quelques maisons aux toits très
caractéristiques de terre et de chaume, d'où
émerge parfois la cour centrale.

Amandiers ⑥
Très cultivés
dans la région,
les amandiers,
installés en terrasse,
donnent une note
riante aux paysages
souvent rudes de la
montagne calcaire.

Corniche des Beni Snassen ⑦
De la route construite en corniche
à flanc de montagne et dominant de
majestueux précipices, on peut voir
certains jours la plaine des Angad,
où s'est édifiée la ville d'Oujda.

---

de l'eau) et celle du souk
Attarine, constituent, avec
leurs arbres et leurs fontaines,
le centre vivant et aèrent
une medina où il est facile
de flâner sans se perdre.
Au-delà des remparts,
un **Musée ethnographique**
présente des costumes et
des produits de la vie
quotidienne locale.

🏛 **Musée
ethnographique**
Parc Lalla-Meriem.
Tél. *0536 68 56 31.*
⬜ *t.l.j.* 🈯

Aux environs :
À 6 km à l'est
d'Oujda, **Sidi Yahia**,
est une oasis aux

sources abondantes, située
près du tombeau du saint
patron d'Oujda, Sidi Yahia
ben Younès, vénéré par les
musulmans, les juifs et les
chrétiens, et assimilé par
certains à saint Jean-Baptiste.

Figuig ㉑

Carte routière F3.
368 km au sud d'Oujda.
🏠 *14 600.* 🚌 *Oujda.*
ℹ️ *à Oujda, 0536 68
56 31.* 🎪 *mar.*

Oasis à 900 m
d'altitude, Figuig
regroupe sept villages
ou ksour disséminés
dans une palmeraie
de près de 2 000 ha.

**Oujda, porte
dans la medina**

L'eau des seguias et
des *khettaras* irrigue de
très nombreux jardins,
dissimulés derrière leurs
murs d'argile. **Zenaga**,
très caractéristique, est
le plus grand des ksour.
El-Oudaghir est le siège
administratif. Le sommet
de son minaret offre
une vue de la palmeraie.
Centre caravanier très
recherché au Moyen Âge,
au croisement des grandes
routes caravanières,
Figuig a ensuite beaucoup
perdu de son importance.
La fermeture de la
frontière avec l'Algérie
lui a ôté le rôle de poste-
frontière qu'elle partageait
jadis avec Oujda.

FÈS

Remarquablement située entre les terres fertiles du Saïs et les forêts du Moyen Atlas, Fès est la plus ancienne des villes impériales. Elle est à la fois la mémoire du Maroc et sa capitale spirituelle et religieuse. Classée par l'Unesco au patrimoine mondial, Fès est la troisième ville du pays et se compose de Fès el-Bali, cœur historique, Fès el-Jedid, ville impériale des Mérinides, et enfin, plus au sud, des quartiers modernes développés depuis le protectorat.

C'est en 789 qu'Idriss Ier aurait fondé *Madinat Fas,* sur la rive droite de la rivière Fas. En 808, son fils Idriss II construit sur la rive gauche une autre ville, qui prend le nom d'*El-Alya,* la « ville haute ». Ces deux cités distinctes, séparées par des murailles, accueillent en 818 des centaines de familles musulmanes chassées de Cordoue. Vers 824, quelque 300 familles de réfugiés issus de Kairouan trouvent asile dans la ville haute et lui donnent alors le nom qui lui restera : Karaouiyine. Sous l'influence des deux communautés, les deux villes deviennent en quelques années le centre d'arabisation et d'islamisation du pays.

Au milieu du XIe siècle, les Almoravides réunissent les deux villes à l'intérieur d'une même enceinte. En 1145, les Almohades s'emparent de la ville après un rude siège. Fès s'impose comme la principale métropole du pays, notamment grâce à son université. En 1250, les Mérinides hissent la cité au rang de capitale impériale et la dotent de prestigieux édifices. Ils fondent à l'ouest de l'ancienne cité une nouvelle ville royale, Fès el-Jedid, « Fès la Nouvelle ». Conquise par les Alaouites en 1666, elle est délaissée par Moulay Ismaïl qui choisit Meknès comme capitale. Le déclin durera jusqu'au début du XXe siècle.

Lors du protectorat (1912), une ville moderne se construit qui, après l'indépendance, accueillera des citadins bourgeois de l'ancienne medina, tandis que les ruraux déracinés et pauvres s'entassent dans la vieille ville. L'Unesco a sauvé le patrimoine menacé et inestimable de Fès el-Bali.

Les toits de la Karaouiyine, Fès el-Bali

◁ **Porte d'entrée de la medersa Bou Inania**

À la découverte de Fès

Du haut de la colline des tombeaux des Mérinides, Fès offre au regard un tissu urbain compact. Enserrée dans ses murailles, Fès el-Bali, la medina historique, est un océan de toits d'où surgissent ici et là minarets et coupoles. Deux entités historiques sont séparées par l'oued Fas : le quartier des Andalous, à l'est, et celui des Kairouanais, à l'ouest. Fès el-Jedid *(p. 180-183)* est bâtie sur une hauteur au sud de la medina, où se trouvent notamment le palais royal et l'ancien quartier juif. La ville moderne, datant du protectorat, s'est développée encore plus au sud.

La rue Talaa-Kebira, Fès el-Bali

LÉGENDE

▢	Medina
▢	Monument important
—	Remparts
▥	Gare routière
P	Parking
⊠	Poste
✚	Hôpital
C	Mosquée
✡	Synagogue
⛾	Cimetière musulman
⬥	Cimetière juif

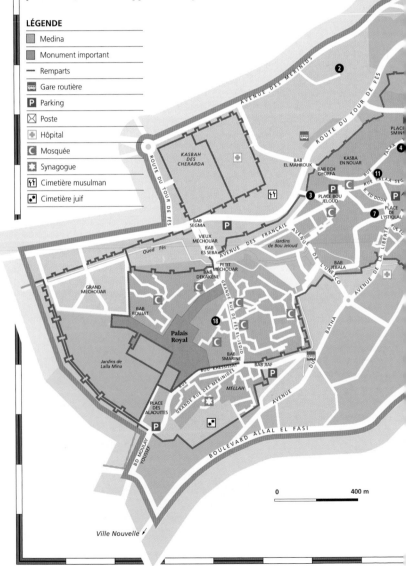

CIRCULER

Fès el-Bali comme Fès el-Jedid se visitent à pied.
Le plan labyrinthique des quartiers rend la circulation
des voitures quasi impossible. On peut se garer à
proximité de Bab Boujeloud ou de Bab el-Ftouh ou
place des Alaouites. Des bus (souvent bondés) relient
la ville nouvelle à Fès el-Bali et à Fès el-Jedid.
Mieux vaut prendre un petit taxi *(p. 374)* ; vous
en trouverez près de la poste, à Bab Boujeloud
et à proximité des grands hôtels.

**Tapis étalés sur une terrasse
de la medina**

VOIR AUSSI

- *Hébergement* p. 309-311

- *Restaurants* p. 335-336

FÈS D'UN COUP D'ŒIL

Édifices historiques

Fondouk El-Nejjarine **6**
Tombeaux mérinides **1**
Zaouïa de Moulay Idriss II **8**

Rues, places et quartiers
historiques

Fès el-Jedid p. 180-183 **18**
Place El-Seffarine **13**
Quartier des Andalous **15**
Quartier des Tanneurs **12**
Rue Talaa-Kebira **4**
Souks **5**

Mosquées

Mosquée des Andalous **14**
*Mosquée Karaouiyine
p. 176-177* **17**

Medersas

*Medersa Bou Inania
p. 172-173* **11**
Medersa El-Attarine **9**
Medersa El-Cherratine **10**

Musées

Musée des Armes **2**
*Musée Dar el-Batha
p. 168-169* **7**

Portes

Bab Boujeloud **3**
Bab el-Ftouh **16**

Les tombeaux mérinides dominent la medina de Fès

Tombeaux mérinides ❶

Au nord de la medina, colline des tombeaux des Mérinides.

Parmi les oliviers, les cactus et les agaves bleus, ces ruines du XVIe siècle qui dominent Fès el-Bali sont celles d'un palais et d'une nécropole mérinides. Les mémorialistes anciens rapportaient que ces tombes émerveillaient par la magnificence de leur marbre et les couleurs splendides de leurs épitaphes. Aujourd'hui, les tombeaux sont très délabrés, mais de la colline ainsi que de la terrasse de l'hôtel des Mérinides *(p. 310)*, la vue sur la cité est exceptionnelle.

La partie de la muraille que l'on aperçoit en contrebas est la plus ancienne de la medina. Certains fragments de courtine datent de l'époque almohade (XIIe siècle), dont le Borj Kaoukeb, près duquel se trouvait le quartier des lépreux. Les tombes surplombent un cimetière étagé qui s'étend jusqu'à Bab Guissa, porte almohade datant du XIIIe siècle.

Musée des Armes ❷

Borj nord. **Tél.** *0535 64 75 66.*
⬜ *mar.-dim.* 🖼

Bâti en 1582 sur l'ordre du sultan saadien Ahmed el-Mansour (1578-1603), ce fortin dominant la cité servait à sa défense et à son contrôle. En 1963, la collection d'armes du musée Dar el-Batha *(p. 168-169)* y fut transférée pour créer le musée des Armes. La collection (plus de 8 000 pièces) provient en grande partie de la Makina, l'arsenal construit par Moulay Hassan Ier à la fin du XIXe siècle, mais les collections ont été enrichies par les différents souverains alaouites.

Poignard en argent ciselé

Environ 1 000 armes sont présentées chronologiquement dans seize salles, depuis la préhistoire jusqu'aux armes à feu de la première moitié du XXe siècle. Les différentes armes marocaines sont bien représentées et témoignent du savoir-faire des artisans du pays. Le musée présente aussi d'intéressantes armes du monde entier.

Bab Boujeloud ❸

Place du Pacha-el-Baghdadi.

La grande place Pacha-el-Baghdadi, ceinte de hauts remparts, fait la jonction entre la medina et Fès el-Jedid. Sur celle-ci s'élève Bab Boujeloud, l'une des plus belles portes monumentales permettant l'entrée dans Fès el-Bali, bâtie en 1913. Avec le développement de l'artillerie lourde, les portes fortifiées de Fès se transformèrent en édifices décoratifs, contribuant au prestige de la ville et facilitant la perception des droits d'octroi. De style arabo-andalou, Bab Boujeloud s'ouvre par trois baies aux arcs outrepassés à la symétrie parfaite. Un riche décor, composé de figures géométriques et calligraphiques, de motifs floraux entrelacés, de faïence émaillée polychrome à dominante bleue, agrémente sa façade extérieure.
De cette entrée, on entrevoit la silhouette du minaret de la medersa Bou Inania, à gauche.

Le musée des Armes est installé dans une forteresse du XVIe siècle

Rue Talaa- Kebira ❹

Accès par Bab Boujeloud.

Cette artère dont le nom signifie la « Grande Montée », en partie couverte de canisses, est bordée d'échoppes sur presque toute sa longueur et prolongée par les souks de Ras Tiyalin, d'Aïn Allou et des marchés d'épices. Elle passe par la *kissaria* et aboutit à la mosquée Karaouiyine

La rue Talaa-Kebira est l'axe principal de la medina de Fès

(p. 176-177). Elle est doublée au sud par une autre ruelle importante, la rue Talaa-Seghira, « la Petite Montée » qui la rejoint à Aïn Allou, et qui forme avec elle les deux axes économiques et culturels majeurs de Fès el-Bali. Les plus grands monuments de la cité s'y trouvent.

En face de la Bou Inania (p. 172-173), **Dar el-Magana**, la « maison de l'Horloge », construite par le souverain Abou Inan en 1357, renferme une horloge hydraulique à billes en cours de restauration, conçue par les artisans de Fès à l'époque mérinide.

Non loin de là, à la hauteur d'un passage couvert dans le quartier de Blida, la **zaouïa El-Tijaniya**, abrite la tombe d'Ahmed el-Tijani, maître de la *tariqa el-Tijaniya* (la « voie »), doctrine qui s'est largement diffusée au Maghreb et en Afrique noire. Plus loin, on découvre trois échoppes d'instruments de musique. Les luthiers ont presque complètement disparu de Fès, et seul un artisan situé dans la rue Talaa-Seghira, en face de Dar Mnebhi, fabrique encore des luths selon les méthodes ancestrales. Plus loin, s'ouvre le fondouk des peaussiers, qui renferme les ateliers où les artisans travaillent le cuir.

Après le pont Bou Rous, la **mosquée Ech-Cherabliyine** (« des Fabricants d'escarpins »), érigée par le sultan mérinide Abou el-Hassan, est reconnaissable à son élégant minaret, décoré de faïences polychromes.

Souks ❺

Au-delà de la mosquée Ech-Cherabliyine s'étendent les **souks de Fès el-Bali**. L'emplacement des marchés traduit la hiérarchie des valeurs affectées aux produits. À chaque métier est réservée une rue particulière ou une portion de rue, disposée autour de la mosquée Karaouiyine, le tout formant un plan assez compliqué mais logique. Les commerçants sont regroupés par type de produits : le **souk El-Attarine** (épices), le **souk des babouches**, le **souk du henné**, qui occupe une jolie petite place ombragée et plantée d'arbousiers. Sur cette place était bâti, comme le signale une plaque, le plus grand asile d'aliénés de l'empire mérinide, le *maristan* Sidi Frij. Édifié par Abou Yacoub Youssef (1286-1307), il servait également à soigner les cigognes et resta en fonction

Les échoppes de peausserie n'ont pas changé depuis le Moyen Âge

jusqu'en 1944. Au XVIe siècle, Léon l'Africain y exerça la fonction de secrétaire pendant deux ans.

Près de la zaouïa de Moulay-Idriss, la *kissaria* constitue le cœur des souks. C'est un ensemble de rues couvertes parallèles et se coupant à angle droit, où sont regroupées les boutiques de marchandises précieuses telles que les soieries, les beaux caftans et les bijoux, faisant parfois l'objet d'un négoce international.

Le fondouk El-Nejjarine est inscrit au patrimoine de l'Unesco

Fondouk El-Nejjarine ❻

Place El-Nejjarine. **Tél.** 0535 74 05 80. **Musée** ☐ t.l.j. 9h30-18h. 📷

Non loin du souk du henné, l'impressionnant fondouk El-Nejjarine et son élégante fontaine est un des édifices les plus célèbres de Fès. Construit par l'*amine* (« prévôt ») Adeyel au XVIIIe siècle, ce caravansérail logeait les caravanes de commerçants de produits de luxe qui venaient de l'intérieur du pays. Classé Monument historique en 1916 et inscrit par l'Unesco au patrimoine mondial, sa restauration s'inscrit dans le projet global de la réhabilitation de la medina de Fès. Les trois étages du fondouk abritent un musée privé consacré aux arts et métiers du bois. Il possède, entre autres, de merveilleuses portes ouvragées provenant de la superbe medersa Bou Inania (p. 172-173).

Musée Dar el-Batha

L'édification du Dar el-Batha, entamée de 1873 à 1875 par Moulay el-Hassan, fut achevée en 1897 par Moulay Abdelaziz. Le palais fut construit dans une ancienne zone de jardins, irrigués par une rivière. Le sultan, qui voulait en faire un lieu de réception officielle, le dota d'une cour majestueuse recouverte de faïences polychromes, agrémentée d'une grande pièce d'eau et d'un immense et magnifique jardin andalou. Malgré les nombreux aménagements ultérieurs, ce palais, relativement récent, possède les caractéristiques de l'architecture hispano-mauresque traditionnelle.

Plat calligraphié du XIVe siècle

À LA DÉCOUVERTE DES COLLECTIONS DU DAR EL-BATHA

En 1914, l'orientaliste Alfred Bel entama la constitution du premier fonds de ce musée à vocation ethnographique, qui devint par décret royal en 1915 le musée des Arts et des Traditions de la ville et de la région de Fès. Aujourd'hui, dans les onze salles, l'exposition permanente présente 520 objets sur environ 5 000 acquisitions. Ils sont présentés en deux grandes sections. La section ethnographique, qui regroupe les métiers citadins de Fès et les activités rurales des régions avoisinantes, occupe les huit premières salles. La section archéologique se déploie dans les quatre salles restantes et retrace notamment le développement de l'art architectural fassi, des Idrissides aux Alaouites.

ARTS DU LIVRE

Dans la salle 1, les vitrines renferment quelques-uns des magnifiques reliures en cuir datant du XIe siècle, ouvragées au repoussé et décorées à l'or liquide, une tradition fassie jusqu'au XVIIe siècle. On peut également voir des corans

manuscrits sur parchemin du XVIe et du XVIIIe siècles, des livres de prières du savant soufi El-Jazouli et des manuscrits très significatifs du style calligraphique cursif andalou, très fréquent au Maroc depuis les VIIIe et IXe siècles. Des calligraphies enluminées présentant un répertoire diversifié d'ornements géométriques et d'autres objets témoignent du rôle que joua Fès dans le développement et la diffusion du savoir.

Jebhana, soupière à décor bleu et blanc

CÉRAMIQUE DOMESTIQUE

L'ancien emplacement du souk des potiers, qui était contigu à la mosquée Karaouiyine, témoigne du respect et de la notoriété dont jouissaient les maîtres du célèbre « bleu de Fès ». Dans la salle 2 sont exposés également des plats et *jebbana* (récipients traditionnels) en faïence

à décor polychrome bleu, vert, jaune, brun sur émail stannifère blanc, ou à décor d'épi *(sboula)* ou d'écaille *(chebka)*. Certains plats aux motifs verts de la vitrine n°11 sont des exemples du célèbre style fassi *zarghmil* ou « mille-pattes ».

ART DU CUIVRE

Dans la salle 3, on peut voir un magnifique fragment d'un lustre du XIIIe siècle provenant de la mosquée Karaouiyine, des mesures à aumônes de Fès des XVe et XVIIIe siècles, de superbes astrolabes et instruments employés à la détermination des heures de prières, de la direction de La Mecque ainsi que de la durée des mois lunaires, des luminaires, des écritoires, un bol « prophylactique », gravé de versets coraniques et de formules, des ensembles pour le cérémonial du hammam ou du thé, et un magnifique plateau du XVIIIe siècle, orné d'un répertoire complexe de formes géométriques. Tous les objets présentés attestent de l'immense savoir-faire et de l'exceptionnelle créativité des artisans fassis, qui répondaient aux nécessités religieuses, scientifiques et symboliques de leur époque.

Mesure d'aum... XVIIIe siècle

BOIS, BRODERIE ET TISSAGE

Coffres, étagères et meubles divers, travaillés dans des essences variées (cèdre, thuya, amandier, noyer, ébène, acajou, citronnier) montrent, dans la salle 4,

Linteau de la mosquée des Andalous (980)

**Détail de broderie fassie
(XIXe siècle)**

les différentes techniques d'ébénisterie : meubles sculptés et peints, mobilier recouvert de cuir et clouté ou de bois marqueté et incrusté de nacre et d'ivoire. On y trouve un magnifique coffre hispano-mauresque, daté du XIVe siècle, qui servait par tradition à transporter les précieux éléments du trousseau de la mariée de Fès à sa nouvelle demeure. La salle 5 présente différents échantillons de broderies de Fès : la broderie en lamé *terz sqalli,* caractérisée par l'utilisation de fils et de paillettes d'or ; la broderie *al-aleuj,* technique très proche des points persans ; la broderie *terz al-ghorza,* « au point et à fils comptés », la technique la plus renommée de Fès, habituellement en soie monochrome rouge, bleu, violet ou vert.

**Pichet double du Rif
(XIXe siècle)**

Des costumes féminins, des parures et des accessoires en soie brodée agrémentée de passementerie témoignent du raffinement de la tradition vestimentaire fassie.

ARTS RURAUX

Dans la salle 6 sont exposés des objets usuels provenant de différentes régions du Maroc. La poterie des régions du Rif, fabriquée seulement par les femmes, les tapis ruraux du Moyen Atlas et de superbes bijoux berbères (fibules, pectoraux, frontaux, bagues et bracelets) attestent de l'habileté des divers artisans du pays.

PORTES

Salle 7, on trouve des portes de maisons ordinaires et de grandes portes de palais sculptées et ornées de clous. Elles sont présentées avec diverses serrures provenant de maisons de la cité.

ART DU ZELLIGE

La salle 9 expose des panneaux de zelliges de Fès, qui sont parmi les plus renommés, datant du XIVe au XVIIIe siècle. Un remarquable panneau de la medersa Bou Inania exposé ici est un parfait exemple de cette tradition brillante de l'ornementation architecturale au Maroc, qui emploie un vocabulaire esthétique très riche pour agrémenter les surfaces austères par la polychromie.

MODE D'EMPLOI

Place du Bathal, à quelques minutes de marche de Bab Boujeloud. **Tél.** 0535 63 41 16.
🚪 mer.-lun. 8h30-16h30.
🚫 j.f. 📷 obligatoire. 🈲
🎵 Concerts de musique andalouse et festival de musique sacrée (mai et sept.). Tél. pour précisions.

ART MONUMENTAL DU BOIS

Les objets présentés en salles 10 et 11 retracent l'évolution de cet art architectural à Fès, du IXe siècle à nos jours. Parmi les pièces les plus intéressantes : un linteau provenant de la mosquée Karaouiyine, daté de 877, et la porte monumentale de la medersa El-Attarine (1325). Le merveilleux linteau de la

**Chaire à prêcher de la medersa
Bou Inania (1350)**

mosquée des Andalous, œuvre ziride datant de 980, est un chef-d'œuvre de l'art liturgique du début de l'islam au Maroc. Le musée possède également le minbar de la mosquée des Andalous exposé en alternance avec celui de la medersa Bou Inania (1350).

ARCHITECTURE FUNÉRAIRE

Quelques pièces de l'architecture funéraire musulmane et un échantillon de pierres tombales de Volubilis concluent la visite.

SUIVEZ LE GUIDE !

La visite se fait sous le regard attentif mais discret d'un gardien. Les collections se divisent en deux grandes sections. La section ethnographique se répartit dans huit salles : en salle 1 les arts du livre ; en salle 2 les faïences et les peintures ; en salle 3 l'art du cuivre ; en salle 4 la marqueterie, la broderie et le tissage ; en salles 5 et 6 les tapis, bijoux berbères et objets de la vie quotidienne ; en salle 7 les portes en bois ; en salle 8 la généalogie. La section archéologique commence salle 9 avec les zelliges et les céramiques, se poursuit salles 10 et 11 avec le bois d'architecture et s'achève salle 12 avec l'archéologie islamique et les stèles funéraires.

Calligraphie

Par tradition, l'Islam proscrit toutes représentations figurées, ce qui a encouragé la calligraphie chez les Arabes dès le VIIIe siècle. L'écriture devient une forme d'art qui décore les manuscrits mais aussi les bâtiments.

Manuscrit calligraphié

La calligraphie islamique est liée à la révélation coranique : la parole de Dieu doit être transcrite par une écriture belle et inégalable par le profane. Écrire le Coran, mais également les 99 noms de Dieu et celui du prophète Mohammed, devient donc une démarche considérée comme très pieuse, avant laquelle le calligraphe doit se purifier. Les longues frises sculptées, peintes ou couvertes de faïences polychromes qui se déploient sur les murs et les coupoles des mosquées et des medersas, et les milliers de manuscrits calligraphiés, scientifiques, littéraires et religieux, conservés dans les bibliothèques, attestent de l'importance de cet art au sein de la civilisation de l'Islam. La calligraphie en *maghribi*, utilisée dans le Maghreb, en Andalousie et au Soudan, dérive du style coufique, du nom de la ville de Kufa, en Irak, où fut inventée cette écriture.

MANUSCRITS ET FRISES

Le message contenu dans le Coran est omniprésent dans les manuscrits et les frises calligraphiées du Maroc. La calligraphie se présente dans toutes les tailles et sur tous les supports. L'écriture *maghribi* se caractérise par un mélange de corps arrondis et de terminaisons élancées.

Enluminure de manuscrit *en calligraphie* maghribi *ornée de motifs végétaux (Rabat,* XVIIIe *siècle).*

Calligraphie cursive *sur zelliges excisés, medersa Bou Inania. Les frises calligraphiées, souvent à contenu religieux, étaient fabriquées pour les édifices publics mais aussi pour les maisons particulières.*

Manuscrit enluminé *d'un* hadith, *faits et gestes du prophète Mahomet, en* maghribi. *L'enluminure enrichit les manuscrits de sa palette d'or et de couleurs vives. Les plus beaux manuscrits enluminés sont conservés à la Bibliothèque royale de Rabat.*

Ce manuscrit anonyme *traitant de partitions musicales montre que la calligraphie a parfois plus la fonction d'embellir les écrits que leur simple consignation.*

Calligraphie sur marbre, *mosquée Hassan-II.*

ENCRIERS

Les encriers de calligraphe ou d'enlumineur *mejma* rappellent par leur forme celle des koubbas, constructions dédiées aux saints musulmans.

Les différents godets *de ces encriers* mejma *sont destinés à contenir des encres de couleurs variées, utilisées pour les enluminures.*

Fontaine aux ablutions, zaouïa de Moulay Idriss-II

Zaouïa de Moulay Idriss II ❽

aux non-musulmans.

Cette zaouïa, qui abrite la tombe du second souverain idrisside considéré comme le fondateur de Fès, est le sanctuaire le plus vénéré du Maroc. Édifiée au centre de la cité sous le règne de Moulay Ismaïl au début du XVIIIe siècle, la zaouïa fut restaurée au milieu du XIXe siècle. La coupole pyramidale qui couvre le tombeau du saint et son minaret polychrome lui confèrent une majestueuse allure. Par une ouverture dans le mur d'enceinte, les fidèles en quête de purification, peuvent effleurer le catafalque qui recouvre le sépulcre. Le périmètre entourant la zaouïa, le *horm*, était jadis une enceinte inviolable où les hors-la-loi trouvaient asile. Toutes les ruelles qui y conduisent sont barrées à mi-hauteur par une solive en bois qui empêche le passage des bêtes de somme.

Chaque année à la fin de l'été, au cours d'un *moussem* qui dure deux à trois jours, ce lieu de pèlerinage attire non seulement les habitants de Fès, mais aussi les paysans des environs et même des montagnards de tribus lointaines à la recherche de bénédiction et de *baraka* (« force bienfaisante »). La foule des fidèles qui envahit alors les ruelles de la médina se compose de pèlerins, de mendiants et de vendeurs de nougats, de cierges et d'encens qui seront autant d'offrandes déposées au pied du tombeau.

Colonne ornementale, medersa El-Attarine

Medersa El-Attarine ❾

En face de la mosquée Karaouiyine. **Tél.** 0535 62 34 60. ⬜ t.l.j. 8h30-17h30. ⬤ ven. 11h30-15h.

Bâtie dans le voisinage de la mosquée Karaouiyine et du souk El-Attarine, la medersa « des marchands d'épices », érigée entre 1323 et 1325 par le sultan mérinide Abou Saïd Othman, est considérée, après la medersa Bou Inania, comme l'une des merveilles de l'architecture arabo-andalouse. L'entrée brillamment décorée conduit à un patio tapissé de faïences bicolores alternant brun et blanc. Façades et piliers sont recouverts à la base de zelliges polychromes. Les linteaux en bois de cèdre, noircis par le soleil, ont retrouvé leur teinte d'origine. Dotée d'un lustre en bronze de 1 400 kg, la salle de prière s'ouvre sur la cour par une porte superbement ouvragée. Les ornementations en stuc et les frises épigraphiques qui déclinent les multiples noms d'Allah témoignent d'une extraordinaire richesse décorative. Détail inhabituel, les chambres d'étudiants aménagées au second niveau donnent directement sur le patio par des fenêtres à balustrades en bois. De la terrasse, on a une superbe vue sur les toits de Fès el-Bali et sur la cour de la mosquée Karaouiyine.

Medersa El-Cherratine ❿

Rue El-Cherratine.

Située au sud-est de la mosquée Karaouiyine, dans la rue El-Cherratine (« des Cordiers »), cette medersa, bâtie par le premier sultan alaouite Moulay Rachid en 1670, est plus sobre et plus dépouillée que les medersas mérinides dont elle reprend toutefois la structure. Cet aspect austère vient notamment des *douiras*, sorte de constructions hautes et étroites qui occupent trois des angles de la cour, et dont les cellules exiguës accueillent les étudiants.

On pénètre dans la medersa El-Cherratine par une belle porte à deux battants bardée de bronze ciselé, qui ouvre sur un couloir couvert d'un superbe plafond en bois sculpté et peint. Au fond, le couloir donne accès à une cour hispano-mauresque.

Le souk El-Cherratine regroupe les artisans cordiers

Medersa Bou Inania ⓫

Tuiles vernissées de la medersa

Cette medersa est la plus vaste et la plus majestueuse jamais édifiée par les Mérinides. Bâtie entre 1350 et 1355 par le souverain Abou Inan, elle est la seule au Maroc qui dispose d'une chaire et d'un minaret. À la fois mosquée-cathédrale, résidence estudiantine et collège, ce sont ses fonctions qui ont déterminé sa complexité architecturale. De forme rectangulaire, l'édifice d'un étage est agencé autour d'une cour carrée à ciel ouvert de style arabo-andalou, pavée de marbre et d'onyx, et entourée sur trois côtés par un cloître. C'est un des seuls bâtiments religieux ouvert aux non-musulmans.

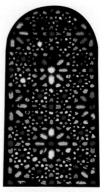

Vitraux
Les fenêtres de la salle de prière sont ornées de vitraux anciens.

Chapiteaux
Les motifs sculptés des chapiteaux de la Bou Inania s'inspirent de la tradition arabo-andalouse.

Toits de la mosquée à double bâtière

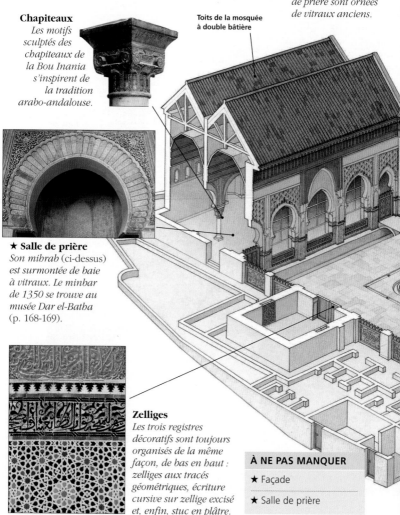

★ Salle de prière
Son mihrab (ci-dessus) est surmontée de baie à vitraux. Le minbar de 1350 se trouve au musée Dar el-Batha (p. 168-169).

Zelliges
Les trois registres décoratifs sont toujours organisés de la même façon, de bas en haut : zelliges aux tracés géométriques, écriture cursive sur zellige excisé et, enfin, stuc en plâtre.

À NE PAS MANQUER

★ Façade
★ Salle de prière

Pour les hôtels et les restaurants de la ville, voir p. 309-311 et p. 335-336

MEDERSA AU MAROC

Étudiant de la medersa

La medersa est une fondation culturelle et cultuelle. C'est tout d'abord une résidence universitaire destinée à recevoir les étudiants de la cité, surtout ceux de la campagne proche et lointaine, voire les jeunes voyageurs en quête de savoir. Elle est également une annexe de la grande mosquée-université, réservée autrefois à ceux qui étudiaient les disciplines religieuses, juridiques, scientifiques et même artistiques. Elle est, enfin, un lieu de prière et de recueillement. Les medersas de Fès, qui réunissaient les plus grands savants du pays, étaient les plus prisées du Maroc.

MODE D'EMPLOI

Rue Talaa-Kebira.
☐ même aux non-musulmans, mer.-lun. 8h30-18h30.

Ouvertures
Au 1er étage, les fenêtres des chambres d'étudiant, très ouvragées, sont encadrées d'un décor en stuc couronné de muqarnas.

★ **Façade**
Remarquablement décorée de zelliges, plâtre et bois, elle décline les répertoires ornementaux arabo-andalous.

Le minaret, un des plus importants de Fès, s'orne d'une frise de merlons. Le lanterneau se termine par une frise semblable.

Boutiques

Porte des Va-Nu-Pieds

Entrée principale

Cellule d'étudiant

Cour en marbre et onyx

Paravent
Le magnifique paravent en bois ouvré de la grande porte prend appui sur de gros piliers à dosserets. La porte contiguë, plus modeste, était appelée la « porte des Va-Nu-Pieds ».

Tanneries

Souvent placées à proximité des cours d'eau, et généralement loin des quartiers résidentiels en raison des odeurs pestilentielles qui s'en dégagent, les tanneries participent activement à l'écono-

Sac en cuir bleu

mie de la cité. Le tannage est une technique artisanale ancestrale. Il permet de transformer la peau des animaux en cuir imputrescible et souple, qui sera remis aux maroquiniers.

Les foulons, *grandes cuves utilisées parfois depuis des siècles, reçoivent les peaux en tripe qui baignent plusieurs jours dans une solution tannique obtenue à partir d'écorce broyée de grenadier ou de mimosa. On obtient ainsi le cuir.*

ÉTAPES DU TANNAGE

À Fès, les tanneries *(chouaras)* sont installées à proximité de l'oued Fas. Les peaux de moutons, de chèvres, de vaches ou de dromadaires subissent de nombreux traitements, dont l'épilage et l'écharnage, avant de devenir la « peau en tripe » prête pour le tannage.

Les peaux sont rincées *à grande eau avant d'être assouplies par des bains de solutions grasses.*

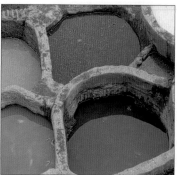

Les pigments naturels, *extraits de plantes et de roches, sont encore utilisés par les artisans marocains, même si les peaux sont aujourd'hui également teintes avec des colorants chimiques.*

Les peaux tannées *sont mises à sécher sur les terrasses de la medina, comme ici, ou dans d'autres endroits de la ville, comme le cimetière de Bab el-Guissa, ou encore les toits ou les collines des environs de la ville.*

Le cuir teint *sert à la fabrication d'une multitude d'objets utiles ou décoratifs tels que ces sacs brodés, mais aussi des babouches, des poufs ou des vêtements, que l'on retrouve dans les souks bigarrés de la medina de Fès.*

Quartier des Tanneurs ⑫

Au nord de la place El-Seffarine.

C'est du haut des terrasses avoisinantes que l'on verra le mieux le fascinant spectacle du quartier des tanneurs ou *chouara,* installé depuis le Moyen Âge près de l'oued Fas. Plongés jusqu'à mi-mollet dans des cuves multicolores desquelles se dégage une odeur nauséabonde, les tanneurs perpétuent des gestes ancestraux.

Place El-Seffarine ⑬

C'est autour de cette agréable place que sont établies depuis des siècles les échoppes des dinandiers et des chaudronniers. Fès est le premier centre de production de dinanderie et d'argenterie du Maroc. La jolie fontaine au décor de fleurs de lys mérite une halte. Il s'agit sans doute d'un ouvrage construit au XVIe siècle par des bagnards français. Au nord de la place, se trouve la **bibliothèque Karaouiyine** (XIVe siècle), dont la construction est attribuée au sultan Abou Inan. Elle fut fréquentée par les plus grands noms de la culture arabo-andalouse : le philosophe et médecin Ibn Rochd (Averroès), le philosophe Ibn Tufayl, l'historien Ibn Khaldoun et Léon l'Africain. Les manuscrits de sa riche bibliothèque ont été transférés à la bibliothèque royale de

Dinandier au travail, place El-Seffarine

Rabat. En face, la **medersa El-Seffarine**, érigée en 1280, est la plus ancienne medersa du Maroc toujours en activité. Au nord de la place, la **medersa El-Mesbahiya** a été édifiée par le souverain mérinide Abou-Hassan en 1346. Plus loin sur la droite s'ouvre le **fondouk des Tétouanais** (XVIe siècle), qui était destiné à accueillir les marchands et étudiants de Tétouan. De la place El-Seffarine, on peut se rendre à la **rue des Teinturiers**, en bordure de l'oued, où les écheveaux sont mis à sécher.

Bibliothèque Karaouiyine
Place el-Seffarine. ***Tél.*** *0535 62 34 60.* ☐ *sam.-jeu. 9h-12h, ven. 8h30-11h.*

Porte nord de la mosquée des Andalous

Mosquée des Andalous ⑭

Par la rue El-Nekhaline ou par Bab Ftouh et la rue Sidi-Bou-Ghaleb.
⬤ *aux non-musulmans.*
La légende attribue la fondation de cette mosquée à une femme pieuse, Mariam el-Fihri, sœur de la fondatrice de la Karouiyine, et aux Andalous qui habitaient le quartier. Le souverain almohade Mohammed el-Nasser lui donna sa configuration actuelle au XIIIe siècle. Les Mérinides y ajoutèrent une fontaine en 1306 et firent don d'une bibliothèque en 1416. Les non-musulmans ne pourront voir que l'extérieur, notamment la monumentale porte nord, couronnée d'un auvent en cèdre sculpté et le minaret zénète à coupole.

Quartier des Andalous ⑮

Le quartier des Andalous n'a pas connu le même essor que le quartier rival des Kairouanais situé sur l'autre rive de l'oued Fas, mieux pourvu en eau. Néanmoins, cette partie de la ville, plus calme et plus résidentielle, recèle de beaux monuments. Remarquable par la taille de son bassin à qui elle doit son nom, la **medersa El-Sahrij** fut érigée en 1321 par le prince mérinide Abou el-Hassan Ali. En terme de beauté, elle est considérée comme la troisième de Fès ; elle accueille encore des étudiants de la Karaouiyine. Le **mausolée de Sidi Bou Ghaleb**, situé dans la rue du même nom est celui d'un saint homme d'origine andalouse ayant vécu et professé à Fès au XIIe siècle.

Medersa El-Sahrij
Rue Sidi-Bou-Ghaled. ***Tél.*** *0535 62 34 60.* ☐ *sam.-jeu. 9h30-12h30, 14h30-18h ; ven. 9h30-11h30.* 🖂

Bab el-Ftouh ⑯

Au sud-est de la medina.

Littéralement « la porte de l'Ouverture », l'immense Bab el-Ftouh est aussi appelée « la porte de la Victoire ». Elle permet l'accès à la rive des Andalous. Érigée au Xe siècle par un émir zénète, elle a été modifiée sous le règne du souverain alaouite Sidi Mohammed ben Abdallah au XVIIIe siècle. À l'extérieur des remparts, sur une colline face à la cité, se déploie le cimetière de Bab el-Ftouh, où sont ensevelis certains des plus célèbres habitants de Fès.

Certains célèbres professeurs de Fès sont inhumés à Bab el-Ftouh

Pour les hôtels et les restaurants de la ville, voir p. 309-311 et p. 335-336

Mosquée Karaouiyine ⑰

La Karaouiyine est l'une des plus anciennes et des
plus illustres mosquées du monde musulman
occidental. Elle fut la première université du Maroc,
fréquentée par des lettrés célèbres tels Ibn Khaldoun
(p. 181), Ibn el-Khatib, Averroès *(p. 231)* et même le
pape Sylvestre II. Toujours considérée comme l'un des
principaux centres spirituels et intellectuels de l'Islam,
elle tire son nom du quartier dans lequel elle fut érigée,
celui des réfugiés kairouanais. Sa fondation, en 859, est
l'œuvre d'une femme pieuse venue de Kairouan, Fatima
bint Mohammed el-Fihri, qui plaça toute sa fortune
dans sa construction. Elle peut accueillir 20 000 fidèles et
elle abrite le siège de l'université musulmane de Fès.

Toit à double bâtière
en tuiles émeraude.

La salle de prière
peut accueillir
20 000 personnes.

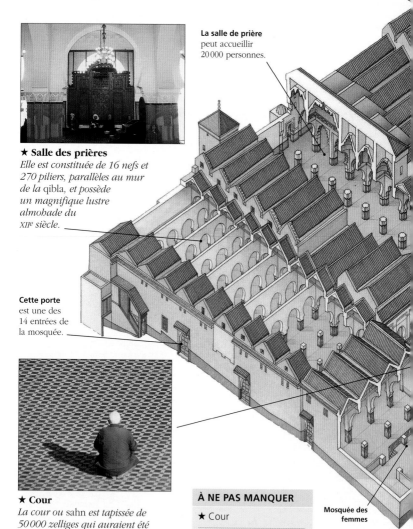

★ Salle des prières
*Elle est constituée de 16 nefs et
270 piliers, parallèles au mur
de la qibla, et possède
un magnifique lustre
almohade du
XIIe siècle.*

Cette porte
est une des
14 entrées de
la mosquée.

★ Cour
*La cour ou sahn est tapissée de
50 000 zelliges qui auraient été
spécialement fabriqués pour
recouvrir le sol de la mosquée.*

**Mosquée des
femmes**

À NE PAS MANQUER

★ Cour

★ Salle des prières

Pour les hôtels et les restaurants de la ville, voir p. 309-311 et p. 335-336

Vasque des ablutions

Au centre de la cour, cette vasque est taillée dans un seul bloc de marbre. Elle est posée dans un bassin de marbre où les fidèles font leurs ablutions, indispensables avant la prière.

MODE D'EMPLOI

La rue Bou-Touil (qui prolonge la rue Talaa-Kebira) longe la mosquée Karaouiyine.
⬤ *aux non-musulmans, mais possibilité de voir discrètement le monument à travers les différentes portes.*

Le minaret
primitif almoravide a une forme très proche d'une tour de guet.

LA MOSQUÉE DANS LA CITÉ

Chaque quartier possède une ou plusieurs mosquées et autres lieux de cultes. La prière du vendredi s'accomplit dans les grandes et petites mosquées. Les *msids* sont de petits oratoires sans minaret destinés à la prière et à l'apprentissage du Coran. Les zaouïas sont réservées aux réunions d'une confrérie religieuse. La mosquée, symbole social et urbain, est à la fois un lieu de culte, une université, un tribunal, un asile inviolable et un espace de convivialité. L'appel à la prière est lancé par le muezzin cinq fois par jour.

Kiosque saadien

Moucharabieh
La porte d'entrée principale possède d'intéressants moucharabiehs qui préservent les fidèles des regards.

Dôme de l'entrée
L'entrée principale donnant accès à la cour de la mosquée débouche sur la rue Bou Touil. Elle s'ouvre par une porte monumentale coiffée d'une petite coupole striée.

Fès el-Jedid ⑱

Fès el-Jedid, « Fès la Nouvelle », d'abord baptisée « Fès la Blanche », fut édifiée en 1276 par les princes mérinides pour se protéger de la fronde permanente des Fassis et contrôler leurs mouvements dans la vieille ville. Entourée de remparts, c'est d'abord une kasbah et ses fonctions politiques et militaires prévalent sur les fonctions urbaines d'une vrai cité islamique. Elle fut le centre administratif du pays jusqu'en 1912. Fès el-Jedid est composée d'ensembles bien spécifiques : à l'ouest, le palais royal et ses dépendances et le quartier de Moulay-Abdallah, au sud le mellah ou quartier juif, un entrelacs de ruelles étroites où les rayons du soleil pénètrent difficilement, et enfin à l'est les quartiers musulmans.

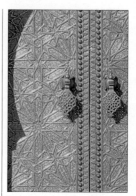
Porte du palais royal en cuivre ciselé d'un décor géométrique

central de communication qui commande un lacis de ruelles. L'une à l'est, **Bab Dekaken**, ouvrant sur le vieux *mechouar*, et l'autre à l'ouest, **Bab Boujat**, qui perce le rempart de la cité. Non loin, dans la rue principale, s'élève la **Grande Mosquée**, édifice mérinide datant du XIIIe siècle qui renferme la nécropole du sultan Abou Inan. Sur le même axe, en se dirigeant vers Bab Boujat, on trouve la **mosquée de Moulay Abdallah**, édifice du milieu du XVIIIe siècle.

Dar el-Makhzen, le palais royal de Fès

🏛 Dar el-Makhzen

🔵 *au public.*

Établi au cœur de Fès el-Jedid, ce complexe palatial entouré de hautes murailles qui s'étend sur plus de 80 ha était la résidence principale du sultan, de sa garde et de ses serviteurs. C'est là aussi que les dignitaires du *makhzen* venaient naguère prendre leur service. Le palais continue aujourd'hui à accueillir le roi du Maroc lorsqu'il séjourne à Fès. L'entrée principale, située sur la vaste place des Alaouites, est particulièrement imposante. Son magnifique portail de style hispano-mauresque, toujours fermé, est richement ornementé. Ses battants en bronze ciselé, d'une grande finesse, sont pourvus de magnifiques heurtoirs en bronze.

À l'intérieur, on trouve une multitude d'édifices disparates : palais organisés autour de cours ou de patios

assez vastes et leurs dépendances, dont le Dar el-Bahia où se tiennent les sommets arabes officiels ; le Dar Ayad el-Kebira, bâti au XVIIIe siècle par Sidi Mohammed ben Abdallah ; les bâtiments administratifs et militaires ; les jardins, en particulier le **jardin clos de Lalla Mina**. Le complexe abrite aussi une mosquée et une medersa, érigée en 1320 par le prince mérinide Abou Saïd Othman, ainsi qu'une ménagerie.

🏛 Quartier de Moulay Abdallah

Accès par Bab Boujat ou Bab Dekaken.

Cette zone est entièrement cernée à l'ouest par les murailles du palais et les remparts de Fès el-Jedid. Le quartier dispose de deux portes reliées par un axe

🏛 Grande rue de Fès-el-Jedid et quartiers musulmans

Accès par Bab el-Semarine au sud et Bab Dekaken au nord.

Les quartiers musulmans (Lalla Btatha, Lalla Ghriba, Zebbala, Sidi Bounafaa, Boutouil et Blaghma) forment véritablement l'agglomération que les Fassis appellent Fès el-Jedid. Ils sont circonscrits par la muraille de Dar el-Makhzen à l'ouest, et par un double rempart à l'est. Deux portes permettent l'accès : l'une au nord, Bab Dekaken, simple ouverture dans la fortification qui donnait accès au vieux *mechouar* ; l'autre monumentale au sud, Bab el-Semarine (la « porte des Maréchaux-Ferrants »).

Tour renforçant le rempart du *mechouar*

◁ **La medersa Es-Sahrij, quartier des Andalous**

IBN KHALDOUN

Abderrahman Ibn
Khaldoun naît à Tunis en
1332 dans une famille de
grands lettrés. Vers 1350,
il rejoint Fès, le centre
intellectuel le plus
remarquable du Maghreb
à cette époque, et devient
secrétaire de chancellerie
du sultan Abou Inan.
Il enseigne au Caire où
il meurt en 1406, laissant
derrière lui une œuvre
considérable dont un
*Discours sur l'histoire
universelle*. Considéré
comme le fondateur de la
sociologie, il est sans

aucun doute
l'un des plus
grands
historiens de
tous les temps.

**Portrait
d'Ibn Khaldoun**

Entre ces deux portes,
la **Grande rue de Fès-el-Jedid**
traverse l'agglomération.
Longée d'une suite quasi
continue de boutiques,
cette rue très encombrée,
couverte dans sa partie nord
de canisses, constitue le
centre économique de toute
la ville royale.

De part et d'autre de cette
voie principale s'étendent
de paisibles quartiers
résidentiels dont le plan
labyrinthique ressemble à
toutes les villes musulmanes.

À l'ouest, un petit quartier
est blotti autour de la
mosquée Lalla el-Azhar,
« Madame la Fleur », édifice
construit par le sultan
mérinide Abou Inan en 1357.

À l'est se déploient les
modestes quartiers habités
par les familles d'anciennes
tribus militaires. On y trouve
deux mosquées importantes,
Jama el-Hamra ou « mosquée
Rouge », dont le minaret

**Détail de Bab Segma,
au nord du vieux *mechouar***

date du XIVᵉ siècle,
et Jama el-Beïda ou
« mosquée Blanche ».

Bab el-Semarine est
une porte monumentale
à voûtes multiples,
en dessous de laquelle
s'est installé un souk
d'alimentation bigarré,
aménagé dans d'anciens
silos mérinides.

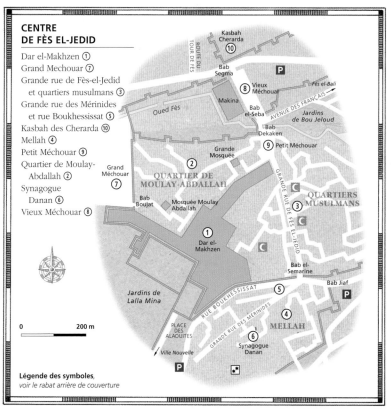

CENTRE DE FÈS EL-JEDID

Dar el-Makhzen ①
Grand Mechouar ⑦
Grande rue de Fès-el-Jedid
  et quartiers musulmans ③
Grande rue des Mérinides
  et rue Boukhessissat ⑤
Kasbah des Cherarda ⑩
Mellah ④
Petit Méchouar ⑨
Quartier de Moulay-
  Abdallah ②
Synagogue
  Danan ⑥
Vieux Méchouar ⑧

Kasbah Cherarda ⑩
ROUTE DU TOUR DE FÈS
Bab Segma
Vieux Méchouar ⑧
Makina
Oued Fès
Bab el-Seba
AVENUE DES FRANÇAIS
Fés el-Bali
Jardins de Bou Jeloud
Bab Dekaken
Petit Méchouar ⑨
Grande Mosquée
Grand Méchouar ⑦
② QUARTIER DE MOULAY-ABDALLAH
GRANDE RUE DE FÈS EL-JEDID
QUARTIERS MUSULMANS ③
Bab Boujat
Mosquée Moulay Abdallah
① Dar el-Makhzen
Bab el-Semarine
Bab Jiaf
Jardins de Lalla Mina
⑤
RUE BOUKHESSISSAT
GRANDE RUE DES MÉRINIDES
④ MELLAH
PLACE DES ALAOUITES
Ville Nouvelle
⑥ Synagogue Danan

0   200 m

Légende des symboles,
voir le rabat arrière de couverture

Pour les hôtels et les restaurants de la ville, voir p. 309-311 et p. 335-336

Seules les portes sont ouvragées dans le mellah

🏛 Mellah

Accès par la place des Alaouites
ou par Bab el-Mellah.
En franchissant Bab
el-Semarine puis Bab
el-Mellah, on entre dans
le **quartier juif de Fès** ou
mellah. Ce nom provient
probablement du terrain salé
où le quartier s'est établi, le
mellah, qui signifie « sel » en
arabe. Considéré comme
le premier du genre au
Maroc, ce quartier, qui était
à l'origine situé dans le nord
de Fès el-Bali sur la rive des
Kairouanais, plus précisément
dans le quartier El-Yahoudi,
fut transféré au début du
XIIIᵉ siècle par les souverains
mérinides près du palais,
à la place d'une ancienne
kasbah autrefois occupée par
les archers syriens du sultan.
Le pouvoir s'était alors engagé
à accorder sa protection à la
communauté juive,
moyennant le versement
d'une redevance annuelle au
Trésor de l'État. Le nouvel
emplacement leur offrait des
cautions supplémentaires de

sécurité. Le quartier, avec
ses souks, ses ateliers,
ses écoles, ses synagogues,
son cimetière, se développa
promptement en procurant
à cette communauté une
importante cohésion et
de formidables possibilités
de réussite sociale. La plupart
des juifs, regroupés, comme
les musulmans, en corps
de métier, étaient spécialisés
dans certains secteurs de
production. Léon l'Africain
parle ainsi de l'orfèvrerie,
en précisant que seuls
les juifs travaillaient l'or et
l'argent. Aujourd'hui, tous les
juifs ont émigré à Casablanca
ou à l'étranger, notamment
en Israël. Pénétrer dans
le mellah offre un contraste
avec les quartiers musulmans.
C'est un autre univers
architectural, une texture
urbaine en hauteur, plus
serrée et plus étroite.
Les limites actuelles du
quartier juif n'ont été définies
qu'à l'époque du sultan
alaouite Moulay Yazid, à la fin
du XVIIIᵉ siècle, et il occupe
une surface très réduite.
Les habitants furent obligés
de bâtir des maisons sur deux
étages disposés autour de
cours exiguës, et l'espace
libre laissé à la circulation
reste très étroit.

🏛 Rue des Mérinides et rue Boukhessissat

Accès par Bab el-Semarine ou
par la place des Alaouites.
Souk des bijoutiers ⬜ *sam.-jeu.*
à partir de 9 h.
Une voie centrale rectiligne,
bordée de diverses échoppes
et d'une *kissaria*, divise
le mellah en deux parties.

Tout le commerce de ce
quartier s'opère dans cette rue
qui en était autrefois le cœur
économique et spirituel.
La **rue des Mérinides** traverse
le souk des bijoutiers, où
travaillaient les orfèvres juifs.
La **rue Boukhessissat** sépare
le mellah du Dar el-Makhzen.
Pourvue de quelques
demeures luxueuses, elle
constituait le quartier
aristocratique ; l'architecture
des habitations est la plus
harmonieuse du mellah :
les maisons alignées
comprennent une échoppe
au rez-de-chaussée, et les
étages sont dotés de spacieux
balcons en bois finement
ouvragés, spécifiques à
l'architecture juive de Fès.

La synagogue Danan est enserrée entre les maisons du mellah

✡ Synagogue Danan

Rue Der el-Feran Teati.
⬜ *t.l.j. 9h-17h.* 🔲 *donation.*
Cimetière juif ⬜ *sam.*
Propriété d'une famille de
rabbins d'origine andalouse,
la synagogue, datant du
XVIIᵉ siècle, est imbriquée
au milieu des maisons
du mellah. Quatre nefs
organisent l'espace intérieur.
Dans la dernière nef à droite,
on aperçoit une trappe
débouchant sur un escalier
qui descend à un *mikve*, le
bain rituel destiné à purifier
les fidèles des péchés. Cette
quatrième travée soutient
la galerie des femmes, *azara*,
qui offre une vue d'ensemble

Tombes du cimetière juif

On accède au vieux *mechouar* par Bab el-Seba

de l'édifice. Ne pas manquer la terrasse, d'où on peut voir l'ensemble du mellah avec, en contrebas, les tombes blanches du **cimetière juif**.

♛ Mechouars

Les *mechouars* sont de grandes esplanades entourées de murailles destinées aux parades de l'armée royale. Divers cortèges et cérémonies, tel l'acte d'allégeance et de reconnaissance de la légitimité des princes, s'y déroulent. On en dénombre trois : au nord-ouest, le **grand mechouar**, appelé aussi le *mechouar* de Bab Boujat, est une place d'armes étendue, installée par le renégat Saulty. Plus à l'est, terminant la Grande Rue de Fès el-Jdid, se trouve le **petit mechouar**. Surplombant en partie l'oued Fas, il ouvre sur Bab Dekaken (la « porte des

Banquettes ») qui était l'ancienne entrée de Dar el Makhzen. En empruntant une ruelle sur la droite par une ouverture ménagée dans le mur, on aboutit à 150 m environ à une grande noria construite en 1287 par les Andalous. Enfin, le **vieux mechouar**, vaste esplanade rectangulaire, relie la porte Bab Seba à la porte Bab Segma. C'était là que, traditionnellement, se réunissait à la tombée du jour la population pour assister aux spectacles des danseurs, musiciens et conteurs. Le vieux *mechouar* est bordé à l'ouest par les hauts remparts de la Makina, arsenal fondé en 1885 par Moulay el-Hassan avec l'aide d'officiers italiens.

La **Makina**, désaffectée puis restaurée, sert dorénavant de salle de conférence et de concerts.

♛ Kasbah des Cherarda

Au nord de la ville, accès par Bab Segma.

Autrefois appelée la kasbah el-Khmis – le « fort du Jeudi », car naguère se tenait le long des murailles nord et est le souk el-Khmis –, cette kasbah fut bâtie par Moulay Rachid au XVIIe siècle. Son nom est dû à une ancienne kasbah édifiée à proximité par un caïd des Cherarda afin de défendre les silos de sa tribu.

Elle dominait la route de Meknès et de Tanger, par le réseau de fortifications qu'elle constituait avec les portes Bab Segma et Bab Dekaken, et protégeait Fès el-Jedid et ses liaisons avec Fès el-Bali. Ce fort, enserré dans des murailles crénelées et renforcées à intervalles réguliers de puissantes tours carrées, est percé de deux portes monumentales aménagées l'une à l'ouest et l'autre à l'est.

Actuellement, un hôpital et une annexe de l'université Karaouiyine sont installés dans la kasbah. Sous ses murs, au sud et à l'est, s'ordonnent les sépultures du cimetière Bab el-Mahrouk, dans une zone occupée par d'anciens silos almoravides et almohades.

Parmi elles, on aperçoit le petit mausolée de Sidi Boubker el-Arabi.

La kasbah des Cherarda, construite par Moulay Rachid au XVIIe siècle

MEKNÈS ET VOLUBILIS

Entre la plaine fertile du Rarb et le Moyen Atlas, au cœur d'une province agricole qui servit longtemps de grenier à blé, « Meknès des Oliviers » et Volubilis ont joué un rôle historique de premier plan. Il suffit d'admirer les ruines du plus important site antique du Maroc, Volubilis, capitale de la Maurétanie Tingitane, et la grandeur des monuments arabo-andalous de Meknès.

Depuis sa fondation au Xᵉ siècle jusqu'à l'avènement des Alaouites (XVIIᵉ siècle), Meknès n'était qu'une grosse bourgade éclipsée par Fès, sa voisine et rivale. Il faut attendre l'arrivée au pouvoir de Moulay Ismaïl *(p. 54-55)* pour qu'elle soit érigée pour la première fois au rang de capitale impériale. Avec une inlassable ferveur, le sultan fait construire tout au long de son règne (1672-1727) des édifices monumentaux – portes, remparts, mosquées, palais, etc. –, n'hésitant pas, selon les besoins, à piller les ruines romaines de Volubilis *(p. 202-205)* et le palais El-Badi de Marrakech *(p. 235)*.

Cinquante ans ne suffiront pas à achever ces chantiers titanesques. Si l'empressement du souverain a parfois desservi ses ouvrages, on lui doit toutefois d'avoir relancé l'architecture palatiale. Aujourd'hui, la sixième ville du Maroc en terme de population (596 000 habitants) est un centre économique très actif, réputé pour ses olives, son vin et son thé à la menthe. La cité impériale cohabite désormais avec la ville nouvelle, sur la rive est de l'oued Boufekrane.

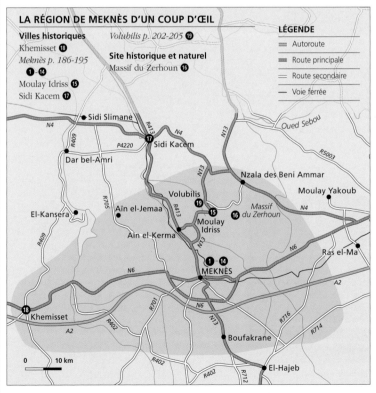

LA RÉGION DE MEKNÈS D'UN COUP D'ŒIL

Villes historiques
Khemisset ⑱
Meknès p. 186-195
❶ - ⑭
Moulay Idriss ⑮
Sidi Kacem ⑰

Volubilis p. 202-205 ⑲

Site historique et naturel
Massif du Zerhoun ⑯

LÉGENDE
▬ Autoroute
▬ Route principale
═ Route secondaire
— Voie ferrée

◁ **Bacchus, maison de Dionysos et des Quatre Saisons, Volubilis**

À la découverte de Meknès

Meknès se compose de trois quartiers bien distincts : la medina, la ville impériale et la ville nouvelle. La medina se caractérise par une agglomération dense. La kasbah ou ville impériale possède les plus beaux des monuments édifiés par Moulay Ismaïl. La ville moderne est située sur la rive est de l'oued Boufekrane.

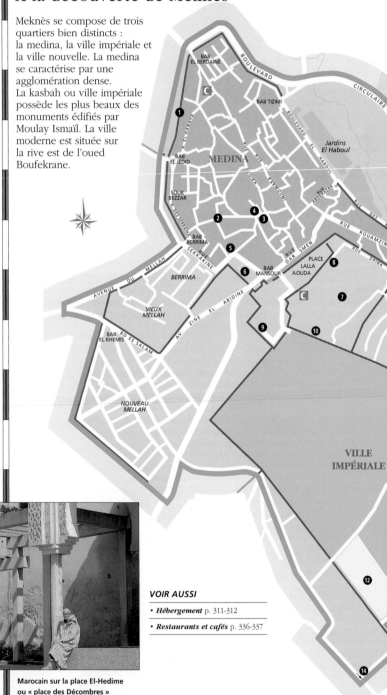

VOIR AUSSI

- *Hébergement* p. 311-312

- *Restaurants et cafés* p. 336-337

Marocain sur la place El-Hedime
ou « place des Décombres »

CIRCULER

La promenade dans la medina et la cité impériale peut se
faire à partir de la place El-Hedime. Un parking est situé
non loin de cette esplanade. De là, on peut visiter à pied
les environs de Bab Mansour ainsi que
le mausolée de Moulay Ismaïl.
Le reste de la ville impériale,
Dar el-Ma notamment,
nécessite une voiture.

MODE D'EMPLOI

🏯 596 000. 🚊 🚌
ℹ️ place Administrative,
0535 52 44 26.

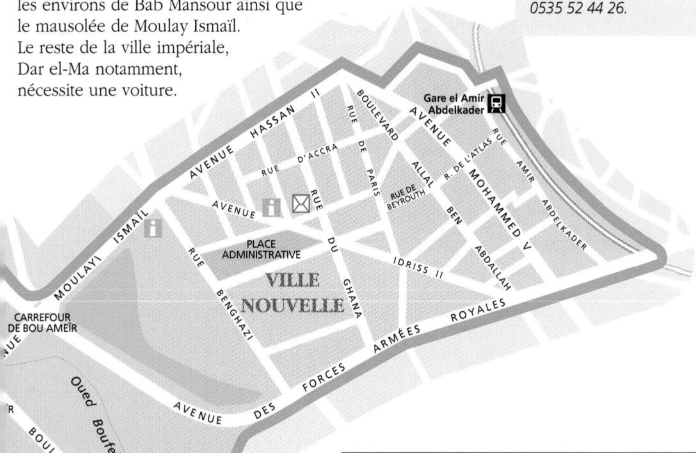

Gare el Amir
Abdelkader 🚉

AVENUE HASSAN II

BOULEVARD

AVENUE

RUE DE L'ATLAS

RUE AMIR ABDELKADER

RUE D'ACCRA

RUE DE PARIS

ALLAL

RUE DE BEYROUTH

AVENUE

BEN

MOHAMMED V

ABDALLAH

RUE DU GHANA

IDRISS II

PLACE
ADMINISTRATIVE

RUE BENGHAZI

**VILLE
NOUVELLE**

ROYALES

CARREFOUR
DE BOU AMEÏR

ARMÉES

AVENUE DES FORCES

Oued Boufekrane

BOULEVARD ABDERRAHMANE

BEN ZIDANE

AVENUE

⓫

MECHOUAR

BAB EN NOUARA

Vue générale de la medina de Meknès

0   400 m

LÉGENDE

	Medina
	Monument important
—	Remparts
🚉	Gare ferroviaire
ℹ️	Information touristique
⊠	Bureau de poste
☪	Mosquée
🕌	Cimetière musulman

MEKNÈS D'UN COUP D'ŒIL

Quartiers, sites historiques
Bassin de l'Agdal ⓬
Haras ⓮
Souks et *kissaria* ❷

Monuments et édifices
Bab Mansour el-Aleuj
  et place El-Hedime ❻
Dar el-Ma et Heri es-Souani ⓭
Dar el-Makhzen ⓫
Grande Mosquée ❸
Koubbet el-Khiyatine
  et Habs Qara ❾
*Mausolée de Moulay Ismaïl
  p. 194-195* ❿
Medersa Bou Inania ❹
Mosquée Lalla Aouda ❽
Quartier Dar el-Kebira ❼
Remparts ❶

Musée
Musée Dar Jamaï p. 190-191 ❺

Bab el-Berdaïne, la « porte des Fabricants de bâts »

Remparts ❶

Protégée par trois murailles de remparts courant sur près de 40 km, la medina apparaît comme une robuste forteresse percée de portes élégantes. Au nord, **Bab el-Berdaïne** (la « porte des Fabricants de bâts ») fut édifiée par Moulay Ismaïl. Elle est flanquée de deux tours carrées en saillie et couronnée de merlons ; des fleurs stylisées en zelliges ornent sa face extérieure. À l'ouest de celle-ci, le cimetière renferme un des mausolées les plus vénérés du Maroc, celui de Sidi Mohammed ben Aïssa, patron de la confrérie des Aïssaoua *(voir encadré et p. 198).* Vers le sud, la porte **Bab el-Siba** (« la porte de l'Anarchie ») mène à **Bab el-Jedid** (« la porte Nouvelle », qui est pourtant l'une des plus anciennes de Meknès. En suivant la ligne des remparts, **Bab Berrima** conduit aux principaux souks. Vers l'ouest, **Bab el-Khemis** (« la porte du Jeudi ») ouvre sur l'ancien mellah, aujourd'hui disparu. Sa façade finement décorée rappelle Bab el-Berdaïne.

Identique à celui des autres cités impériales, le plan de la medina a conservé sa forme labyrinthique médiévale. Le tracé est constitué de quelques voies principales : la rue Karmouni qui parcourt la ville du nord au sud et relie Bab el-Berdaïne au centre spirituel et économique ; la rue des Souks qui part de Bab Berrima à l'ouest pour aboutir également au cœur de la cité. Plusieurs voies secondaires rayonnent à partir de ce centre occupé par la Grande Mosquée et la medersa Bou Inania formant un quadrillage irrégulier.

Souks et kissaria ❷

Rue des Souks. ⭘ *t.l.j.*

Avec leur réseau de ruelles couvertes ou découvertes où se succèdent échoppes et ateliers, les souks constituent un admirable exemple de l'urbanisme marocain des XVIIIe et XIXe siècles. À proximité de Bab Berrima, la rue est occupée par les quincailliers *(akarir),* les grainetiers *(bezzazine)* et les marchands d'étoffes *(serrayriya),* tandis que

Minaret de la mosquée En-Nejjarine

les forgerons *(haddadin)* se sont installés dans l'ancienne rue des Armuriers.

Depuis Bab Berrima, on atteint le souk En-Nejjarine, souk des menuisiers, jouxtant celui des dinandiers et des savetiers *(sebbat).* La **mosquée En-Nejjarine**, création almohade du XIIe siècle, a été restaurée par Mohammed ben Abdallah vers 1756, qui la dota d'un nouveau minaret. En retrait du souk En-Nejjarine, la *kissaria* Ed-Dlala accueille un souk berbère où des montagnards du Moyen Atlas vendent chaque jour aux enchères tapis et couvertures entre 15 h et 16 h.

Fontaine aux ablutions, Grande Mosquée de Meknès

Grande Mosquée ❸

Rue des Souks-es-Sebbat. ⭘ *t.l.j.* ⬤ aux non-musulmans.

À proximité des souks et de la medersa Bou Inania, la Grande Mosquée a été fondée au XIIe siècle sous le règne des Almoravides, puis remaniée au XIVe siècle. La façade principale est percée d'une porte imposante dont l'auvent est sculpté. Les tuiles vertes de la toiture et le minaret (XVIIIe siècle) en faïences presque translucides sous l'éclat du soleil retiennent l'attention.

Dans la rue Karmouni, le **palais El-Mansour**, résidence somptueuse du XIXe siècle, a été converti en bazar de tapis et de souvenirs.

Medersa Bou Inania ❹

Rue des Souks-es-Sebbat.
⬭ *t.l.j. 8h-12h, 15h-18h.* 📷

Faisant face à la Grande
Mosquée, cette école
coranique a été érigée
par les sultans mérinides
au XIVe siècle. Le bâtiment se
divise en deux parties inégales
que sépare un long couloir :
à l'est, la medersa proprement
dite et, à l'ouest, une annexe
réservée aux ablutions
(aujourd'hui délaissée).
L'entrée principale est coiffée
d'une coupole côtelée. Sur les
arcs outrepassés se déploie
une ornementation délicate
de stuc. Un couloir conduit
à une magnifique cour dotée
d'un bassin central où s'élève
une vasque circulaire. Une
galerie court sur trois côtés
tandis que le quatrième est
dévolu à la salle de prière.
Les auvents de tuiles vertes,
le décor raffiné de bois
ouvragé, de stuc et de zelliges
polychromes, le sol pavé
de marqueterie en
céramique, donnent
à l'ensemble un
charme évident.
La salle de prière
a gardé sa parure
originelle de plâtre
ciselé et son élégant
mihrab en arc
outrepassé. Au rez-
de-chaussée et
à l'étage se trouvent
les cellules des étudiants.
De la terrasse, on jouit d'une
belle vue sur la medina et
la Grande Mosquée voisine.

**Zelliges,
medersa
Bou Inania**

Musée Dar Jamaï ❺

Voir p. 190-191.

Bab Mansour el-Aleuj et place El-Hedime ❻

Au sud de la medina.

La « porte du Renégat » tire
son nom du chrétien qui en
aurait été l'architecte. Tel un
arc de triomphe vers la cité
impériale, elle perce les deux
premiers remparts de la

La place El-Hedime est dominée par Bab Mansour

kasbah pour conduire
à la place Lalla-Aouda et
au quartier de Dar el-Kebira
(p. 192). Monumentale par
ses proportions, remarquable
par son ornementation,
Bab Mansour el-Aleuj est
considérée comme la plus
belle porte de Meknès, voire
du Maroc ; elle accueille
des expositions
temporaires.
Sa construction fut
commencée par
Moulay Ismaïl vers
1672 et achevée
sous le règne de son
fils, Moulay Abdallah,
en 1732. Haute de
16 m environ, la baie
qui l'ouvre est large
de 8 m et couronnée
d'un arc brisé à peine
outrepassé. Un magnifique
réseau d'entrelacs se détache
en relief sur un fond de
mosaïques et de céramique

où le vert prédomine.
Le décor floral des écoinçons
a été réalisé selon la technique
de la céramique excisée sur
une matière émaillée foncée.
Deux tours saillantes flanquent
le corps central ; elles ont été
traitées à la manière des
loggias. Des expositions
temporaires s'y tiennent
parfois. Trait d'union entre
la medina et la kasbah, la
place El-Hedime ou « place
des Décombres » a été élevée
sur les ruines de la kasbah
des Mérinides que Moulay
Ismaïl rasa pour bâtir palais,
bassins, jardins, écuries,
arsenaux et fortins destinés
à sa garde. Réaménagée,
elle est maintenant entourée
de bâtiments modernes
en disharmonie avec
l'ensemble historique.
Non loin, à gauche, se trouve
un marché couvert
d'alimentation générale.

SERPENTS SACRÉS

Chassés de Meknès au XVIe siècle par le sultan, Sidi
Mohammed ben Aïssa et ses disciples, affamés dans le
désert, se nourrissent de tout ce qu'ils trouvent : serpents,
scorpions ou cactus. Depuis, le cobra est l'allié des
Aïssaoua. Jamais un membre
de la confrérie ne tue
l'animal capturé. Insensibles
à leur morsure, les Aïssaoua
sont souvent chargés de
débarrasser les villages des
reptiles indésirables.
Le mausolée de Sidi
Mohammed ben Aïssa s'élève
dans le cimetière de Bab
El-Berdaïne à Meknès.

Aïssaoua en transes

Musée Dar Jamaï ❺

Bois peint, porte du musée

Le musée des Arts marocains occupe une ravissante demeure bâtie vers 1882 par Mohammed Belarbi al-Jamaï, grand vizir de Moulay al-Hassan (1873-1874). Avec son patio orné de zelliges, embelli en son centre de deux bassins en étoiles, son jardin andalou planté de vieux cyprès, ses toits en tuiles vertes et corniches de bois peint, le palais présente une architecture raffinée. Très vaste (2845 m² environ), il compte plusieurs annexes et dépendances.

Le musée des Arts marocains est installé dans une demeure bourgeoise du XIXᵉ siècle.

À LA DÉCOUVERTE DU MUSÉE D'ART MAROCAIN

Avant d'être le musée régional d'ethnographie, le palais comprenait une mosquée, un jardin, un *menzah* ou pavillon d'agrément, une cour, une petite maison, une cuisine et un hammam.

Les collections du musée comptent 2 000 objets dont un tiers est exposé.

TRAVAIL DU BOIS

Au rez-de-chaussée, la salle 1 présente des pièces en bois sculpté ou peint qui servaient de matériaux de construction ou d'ornementation dans les demeures bourgeoises et les palais de Meknès. On peut admirer un *minbar* (chaire à prêcher) du XVIIᵉ siècle venant de la Grande Mosquée de la ville impériale.

CÉRAMIQUE

La salle 2 est consacrée aux céramiques de Fès et de Meknès. Les céramistes fassis ont atteint une renommée sans précédent par leur maîtrise du bleu dit « de Fès ». On distingue toutefois deux bleus : le bleu-gris pâle, qui serait antérieur au milieu du XIXᵉ siècle, et le bleu clair violacé, obtenu par des procédés industriels de purification plus récents.

Si la céramique de Fès remonte probablement au Xᵉ ou XIᵉ siècle, celle de Meknès est beaucoup plus récente, importée de Fès vers le XVIIIᵉ siècle.

Porte en bois peint provenant d'une demeure meknassie

Bouteille à parfum de Tamegroute, fin du XVIIIᵉ siècle

Trois couleurs étaient utilisées : le brun, le vert et le jaune. Avant d'être décoré, l'objet était auparavant cuit puis plongé dans un bain d'émail blanc. Sur cette surface, l'artisan dessinait des ornements épurés empruntés au répertoire arabo-andalou.

Coffret en cuivre et bois peint de Fès, XIXᵉ siècle

TAPIS

En salle 4, la section qui présente les tapis est la plus riche du musée. Les tapis et les kilims exposés proviennent essentiellement du Haut et du Moyen Atlas. Parmi ceux-ci, les pièces les plus remarquables sont des productions des tribus berbères zemmour et Beni M'Guild. Fait assez rare au Maroc, la tradition artisanale de ces tribus se perpétue et des tapis semblables sont encore fabriqués aujourd'hui. Les tapis de Meknès sont caractéristiques par leur association de couleurs vives formant des motifs géométriques. Cette section possède également une magnifique collection de broderies au fil d'or, autre spécialité ayant fait la renommée de la ville.

SUIVEZ LE GUIDE !

Les huit salles d'exposition du rez-de-chaussée sont réparties autour du jardin : la salle 1 présente l'artisanat du bois ; les salles 2 et 3 la céramique, la salle 4 les tapis et les broderies, la salle 5 les caftans et ceintures, la salle 6 les bijoux citadins et ruraux, les salles 7 et 8 les objets damasquinés. Au 1ᵉʳ étage, il ne faut pas manquer l'extraordinaire reconstitution d'un salon marocain traditionnel. Le musée a été rénové et les collections y ont gagné en présentation.

COSTUMES

La salle 5 est consacrée aux costumes de ville et surtout au caftan *(p. 36-37)*, une sorte de longue robe portée par les femmes pour les occasions exceptionnelles. Très coloré, ce vêtement, citadin par excellence, est souvent brodé de fils de soie, d'argent ou d'or, comme la ceinture qui le serre à la taille. Chez les femmes aisées, la ceinture *(mdamma)* peut être en argent ou en or massif. Elle fait couramment partie de la dot de la jeune mariée citadine.

BIJOUX

La salle 6 présente une collection de pièces provenant de plusieurs régions du Maroc, notamment des bijoux berbères. L'orfèvrerie est un art traditionnel largement répandu dans le pays, souvent réservé aux artisans juifs. Qu'ils soient en or ou en argent, sertis de pierres précieuses ou semi-précieuses, les bijoux font appel à des techniques séculaires et se rapportent aux différents costumes *(p. 36-37)*. Leur port ainsi que leur agencement sur le corps sont très codifiés. Autrefois, ils

Vase damasquiné

permettaient même de reconnaître l'origine géographique ou tribale de ceux qui les portaient. Vous trouverez aujourd'hui, dans les souks, des copies modernes de bijoux berbères.

TRAVAIL DU MÉTAL

Si la céramique atteint son apogée à Fès, les artisans meknassis se distinguent par leur maîtrise du damasquinage. Cette technique consiste à incruster sur une surface métallique un filet d'or, d'argent ou de cuivre formant un dessin. En salles 7 et 8, on peut notamment voir de beaux vases damasquinés. Cet artisanat est toujours très vivant à Meknès et vous trouverez dans les souks

MODE D'EMPLOI

Place El-Hedime.
Tél. *0535 53 08 63.*
⬜ *mer.-lun. 9h-13h, 15h-19h.*
⬛ *mar.* 🖼️

de la vieille ville des pièces incomparables. Cette section présente également une jolie collection de clés ornées du nom stylisé de leur ancien propriétaire.

SALON TRADITIONNEL

Au 1er étage, un salon traditionnel, aux murs tapissés de zelliges, a été reconstitué sous une koubba en cèdre ouvragé. Cette coupole repose sur une base carrée qui explique la forme inhabituelle des tapis. Les meubles et objets décoratifs proviennent de différentes demeures de Meknès.

Magnifique salon reconstitué, au 1er étage du musée

BRODERIE

La broderie est un art séculaire exercé au Maroc par les femmes citadines. Dès l'enfance, la jeune fille apprend l'art de broder chez elle ou dans un atelier, mais toujours encadrée par une monitrice *(maalma)*. Fès, Meknès, Marrakech, Rabat, Salé, Tétouan, Chefchaouen et Azemmour constituent les principaux centres de broderie. Chacune de ces villes a ses couleurs, ses points, son vocabulaire ornemental. La broderie de Fès se caractérise par des motifs arborescents, souvent monochromes ; celle de Salé alterne points de croix et points nattés pour former un dessin clair ; celle de Meknès *(terz el-meknassi)*, enfin, se reconnaît à sa disposition en semis et à ses couleurs vives qui rehaussent nappes et écharpes.

Broderie de Rabat en coton et en soie (XIXe siècle)

Broderie au fil d'or de Chefchaouen

La place Lalla-Aouda et le minaret
de la mosquée du même nom

Quartier
Dar el-Kebira ❼

*Derrière la place Lalla-Aouda (entre
Bab Moulay et la mosquée Lalla
Aouda.)*

Ce quartier fait partie de ce
qu'on appelle la **ville
impériale** ou encore la kasbah
de Moulay Ismaïl. L'ensemble
est à l'image du sultan
bâtisseur : sa superficie
représente plus de quatre fois
l'étendue de la medina. Avec
ses murailles doubles et ses
monumentales portes à
chicanes, la ville impériale
s'apparente davantage à un
formidable ksar fortifié, qui
comprend de larges avenues
et de vastes places, des palais
agrémentés de bassins et
d'immenses jardins ainsi que
des bâtiments officiels, eux-
mêmes protégés par des
remparts. Trois ensembles
palatiaux composent la cité :
Dar el-Kebira, Dar el-Medrasa
et Ksar el-Mhanncha.

Situé au sud-est de la
medina, Dar el-Kebira,
le « quartier de la Grande
Maison », fut le premier
complexe palatial de la cité
impériale que Moulay Ismaïl
fit bâtir vers 1672 à proximité
de la place Lalla-Aouda, sans
doute sur le site de l'ancienne
kasbah almohade. Ce secteur
était isolé de l'agitation
urbaine par une double
muraille et par la place
El-Hedime *(p. 189).* Chaque
palais de Dar el-Kebira
renfermait un harem, des
pièces de réception, des
hammams, des cuisines, des
magasins, des fours et des
mosquées, qu'un réseau de

ruelles à ciel ouvert ou
partiellement voûtées
desservait de manière un
peu anarchique. Aujourd'hui,
l'ancien noyau de la ville
impériale, en partie ruiné, est
devenu un quartier populaire
envahi par de modestes
masures. Le mausolée de
Moulay Ismaïl, la mosquée
Lalla Aouda et une porte
monumentale près de Bab
Bou Ameïr demeurent les
derniers vestiges du complexe
fastueux créé par le sultan.

Le second ensemble,
aujourd'hui en ruines, était
le palais Dar el-Medrasa. Il se
composait d'habitations dont
certaines étaient réservées au
souverain et à son harem.

Mosquée
Lalla Aouda ❽

Place Lalla-Aouda. ◯ *t.l.j.*
🚫 *aux non-musulmans.*

Premier grand sanctuaire
érigé par Moulay Ismaïl
en 1680, cette mosquée est
l'une des rares créations
du sultan à nous être
parvenue intacte. L'édifice
possède trois portes : deux
sur le côté nord-ouest ouvrent
sur l'ancien *mechouar* et
la troisième, plus petite,
du côté du mihrab, débouche
sur un couloir voûté derrière
la mosquée, qui était
probablement réservé
au sultan. Les toitures
en double bâtière sont
recouvertes de tuiles vertes.

Koubbet
el-Khiyatine et
Habs Qara ❾

Place Habs-Qara. ◯ *t.l.j. 9h-12h,*
15h-18h. ◯ *j.f.* 📷

Ce pavillon impérial,
connu aussi sous
le nom de « pavillon
des Ambassadeurs »,
servait à l'origine
de lieu de réception
des diplomates venus
négocier, entre autres,
le rachat des
prisonniers chrétiens.
Plus récemment,
le local servit aux

tailleurs *(khiyatine)* qui y
confectionnaient des tenues
militaires. L'édifice se
caractérise par une coupole
conique parée de motifs
géométriques et floraux.
En arrière du bâtiment,
la **prison des chrétiens**, ou
Habs Qara, occupe d'anciens
silos souterrains. Les captifs –
probablement des Européens
capturés par les corsaires
de Rabat – étaient utilisés par
le sultan dans ses chantiers
titanesques. D'après les
chroniqueurs, des milliers
de bagnards étaient enfermés
dans ces galeries souterraines,
aujourd'hui en partie détruites
par un tremblement de terre.

Mausolée de
Moulay Ismaïl ❿

Voir p. 194-195.

Palais Ksar
el-Mhanncha ou
Dar el-Makhzen ⓫

Place Bab-el-Mechouar. 🚫 *au public.*

Le « palais du Labyrinthe »
tire son nom d'un bassin
en marbre blanc aménagé
en labyrinthe. À l'inverse des
deux précédents ensembles,
ce complexe royal couvre
un espace bien organisé de
400 m sur 240 et fractionné
en huit parties que ceinture
un rempart renforcé de
bastions. Au centre se dresse

Porte de la kasbah Hedrach, ville impériale

Pour les hôtels et les restaurants de la région, voir p. 311-312 et p. 336-337

Le bassin de l'Agdal, créé par Moulay Ismaïl

Bab el-Makhzen, une porte monumentale abondamment ornementée, édifiée sous Moulay el-Hassan en 1888.

Le palais du Labyrinthe sert actuellement de palais royal. Au nord-ouest, une seconde porte, **Bab el-Jedid** (« la porte Nouvelle »), a été percée.

Bassin de l'Agdal **⓬**

Quartier de l'Agdal.

Destiné à assurer les besoins en eau du palais et de la ville, sans compter ses mosquées, ses hammams, ses jardins et ses vergers, ce bassin artificiel *(sahrij)* de 4 ha a été aménagé par Moulay Ismaïl à l'intérieur de la kasbah. Les femmes du harem, dit-on, s'y promenaient en embarcations de plaisance. Seules quelques murailles crénelées ont survécu. Des aménagements plutôt disgracieux ont été réalisés depuis pour en faire un lieu de promenade apprécié des Meknassis.

Dar el-Ma et Heri es-Souani **⓭**

Quartier de l'Agdal. ⌚ *t.l.j. 9h-12h, 15h-18h.*

Autre ouvrage grandiose de Moulay Ismaïl, la « maison de l'Eau » est un vaste bâtiment voûté qui constituait la réserve d'eau de la ville. Acheminée par des canalisations longues de plus de 15 km, l'eau était stockée dans des citernes profondes de 40 m et puisée grâce à des norias actionnées par des chevaux. Depuis Dar el-Ma, on pénètre dans Heri es-Souani, considéré comme l'une des plus belles créations du sultan. Cette construction monumentale était réservée

Cavaliers dans Heri es-Souani

au stockage du blé. L'épaisseur des murs, ainsi qu'un réseau des canalisations souterrain, assurait une température fraîche. Le bâtiment aurait aussi été une écurie d'une capacité supposée de 10 000 chevaux. Lors du tremblement de terre de 1755, les plafonds se sont effondrés.

Haras de Meknès **⓮**

Quartier Zitoune. *De Dar el-Ma, se rendre à Dar el-Beïda (1 km) ; 400 m après Dar el-Beïda, prendre à droite et continuer sur 2 km jusqu'aux haras.* ⌚ *lun.-ven. 9h-12h, 14h-17h.* ▨

Même s'ils ne peuvent rivaliser avec les haras modernes de Rabat et de Marrakech, le haras régional et la jumenterie de Meknès sont célèbres dans tout le Maroc. Créés en 1912, ils ont pour mission d'améliorer les productions chevalines et de promouvoir les différentes races marocaines au travers des courses, de l'équitation sportive et des fantasias. Le domaine s'étend sur une superficie de 67,5 ha et accueille 231 têtes : pur-sang arabes, barbes, pur-sang anglais, anglo-arabes, etc. On peut visiter librement les écuries et demander à voir évoluer un beau cheval de race.

VILLES ROYALES

La création des villes royales dans le monde islamique date de la fin du VIIIe siècle. Les Almohades, les Mérinides et Moulay Ismaïl pour les Alaouites sont les héritiers de cette tradition qui s'est propagée jusqu'au Maghreb et ce jusqu'à une époque récente. La ville royale est un complexe architectural destiné à abriter le roi et sa cour. Loger tout le personnel exigeait des palais et des dépendances. Les bassins avaient pour fonction d'irriguer les jardins innombrables et d'alimenter en eau bains et hammams du harem. À la fois conçue pour les réceptions du roi mais aussi pour sa vie intime, la ville royale renfermait derrière ses remparts les réalisations architecturales les plus abouties et les plus luxueuses de la cité.

Bab el-Makhzen (XIXe siècle), porte du palais royal de Meknès

Mausolée de Moulay Ismaïl ❿

Avec son enfilade de trois pièces, ses douze colonnes
et son espace central réservé au sultan, le mausolée
de Moulay Ismaïl rappelle les tombeaux saadiens
à Marrakech *(p. 238)*, eux-mêmes héritiers de
l'architecture arabo-andalouse. Le sanctuaire a été édifié
au XVIIe siècle, puis remanié aux XVIIIe et XXe siècles.
L'épouse de Moulay Ismaïl et leur fils, Moulay Ahmed
al-Dahbi, ainsi que le sultan Moulay Abderrahman
(1822-1859), reposent également dans la chambre
funéraire ornée de stucs et de mosaïques.

Vue générale de Meknès et du mauso

Mihrab
*Le mihrab du
mausolée est situé
dans le patio à ciel
ouvert, disposition
inhabituelle qui ne
reprend pas celle
des tombeaux
saadiens de
Marrakech
(p. 238-239).*

Jamours
*Le toit du mausolée
possède cinq boules de
cuivre qui signalent
aux fidèles la présence
d'un sanctuaire ou
d'un édifice sacré.*

Cimetière

Salle de prière
*Elle est couverte de nattes
qui permettent aux fidèles
de prier ou de se recueillir
avant de pénétrer dans la
salle du tombeau.*

Horloge comtoise
offerte par Louis XIV
(p. 54-55)

Tombeau
de Moulay Ismaïl

Porte ouvragée
*Cette porte en bois
ouvragé et peint, qui
sépare le faux patio
de la deuxième pièce
de la salle funéraire,
rappelle le style des
portes des palais et des
riches demeures
citadines meknassies.*

★ Salle funéraire
*Elle est constituée de trois pièces en enfilade :
la salle des ablutions (ci-dessus), suivie
d'une deuxième pièce et de la chambre
du cénotaphe, qui abrite le tombeau de
Moulay Ismaïl, de son épouse et de ses fils.*

Entrée du mausolée

Cette imposante porte en pierre sculptée, surmontée d'un auvent et d'un toit pyramidal, est la démonstration de l'importance de l'édifice royal auquel elle donne accès.

MODE D'EMPLOI

Rue Sarag.
t.l.j. 9h-12h, 15h-18h.

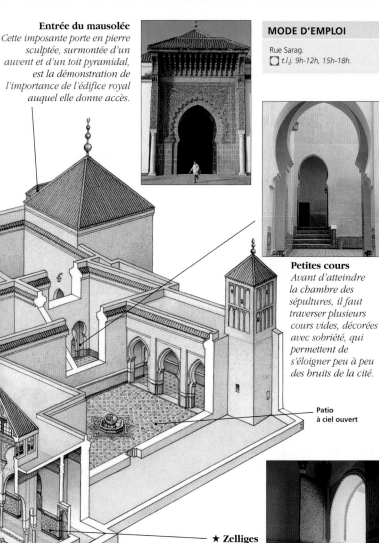

Petites cours

Avant d'atteindre la chambre des sépultures, il faut traverser plusieurs cours vides, décorées avec sobriété, qui permettent de s'éloigner peu à peu des bruits de la cité.

Patio
à ciel ouvert

★ Zelliges

La partie inférieure des murs des différentes salles d'accès au cénotaphe est recouverte de zelliges traditionnels, mosaïques de faïence émaillée polychrome.

À NE PAS MANQUER

★ Patio et fontaine
★ Salle funéraire
★ Zelliges

★ Patio et fontaine

La salle des ablutions, carrelée de faïence verte, est un faux patio carré agrémenté d'une fontaine au bassin en étoile. Ses douzes colonnes proviennent du palais El-Badi à Marrakech.

Ruines de Volubilis vues de l'arc de triomphe ▷

Saints et spiritualité au Maroc

Au Maroc, l'islam des juristes *(fkihs)* et des savants (oulémas) coexiste avec des formes de religiosité plus populaires, marquées par le culte des saints et le rôle des confréries, appelées *tariqas*, c'est-à-dire « voies ». Elles regroupent des fidèles, souvent des artisans ou des commerçants, qui se réunissent pour pratiquer en commun des exercices spirituels *(zikrs)*, faits de chants, de danse et de musique, suivant l'enseignement de leur fondateur. Elles se rattachent à des maîtres spirituels orientaux et rayonnent bien au-delà des frontières du pays. Cette forme mystique de l'islam est souvent appelée soufisme, par allusion à la bure de laine grossière *(souf)* que portent certains religieux.

Près d'Imilchil, *sur le territoire des Aït Haddidou, a lieu le pèlerinag à Sidi Ahmed Ou Mghanni, appe moussem des Fiancés, car de nombreux mariages y sont concl*

AÏSSAOUA

Cette confrérie apparaît au XVIᵉ siècle et se réclame de l'enseignement de Sidi Mohammed ben Aïssa, un maître spirituel du XVᵉ siècle. Elle se rattache, par le saint de Marrakech El-Jazouli, à la grande « voie » soufie appelée Chadhiliya, qui a rayonné dans tout le monde musulman. Les Aïssaoua sont présents à Meknès et à Fès, mais aussi en Algérie.

Le mausolée de Sidi Mohammed ben Aïssa, *à Meknès, abrite le tombeau du saint fondateur de la « voie » aïssaoua.*

Les spectaculaires cérémonies des Aïssaoua, accompagnées d'étendards, de percussions et d'encens, ont toujours frappé les étrangers qui visitaient le Maroc.

Les Aïssaoua v sont toujours v de blanc. Ils or la phobie du n

Comme les Hamadcha, les Aïssaoua *sont considérés comme une confrérie populaire à cause de certaines de leurs pratiques. Lors de leur* moussem, *ils pratiquent de longs rituels impressionnants, appelés* hadras, *accompagnés de chants, de danses et de percussions, qui peuvent aller jusqu'à la transe ou à des pratiques d'automutilation des fidèles.*

Le *moussem* de Moulay Abdallah, *près d'El-Jadida, compte parfois jusqu'à 150 000 visiteurs, venus assister, entre autres, à une fantasia.*

Le *moussem* de Guelmim, *vieille ville caravanière à la porte du Sahara, a lieu chaque année en juin en l'honneur du saint Sidi el-Ghazi. Fréquenté par les nomades reguibat, les « hommes bleus », il est l'occasion d'une importante foire aux dromadaires.*

Lors du *moussem* de Moulay Idriss II *à Fès, les différentes corporations d'artisans de la ville, tanneurs, cordonniers, forgerons ou, comme ici, les dinandiers défilent dans la medina. Ils apportent à la zaouïa de ce saint très vénéré leurs offrandes et sacrifices.*

TOMBEAUX DE SAINTS

Marabout de Sidi Ahmad Ou Mghanni

Les fidèles vont volontiers en pèlerinage sur les tombeaux des saints (marabouts), pour avoir leur bénédiction (baraka). On voit ces petits mausolées, souvent recouverts d'une coupole blanche appélée koubba, dans tout le pays. Certains sanctuaires plus importants, les zaouïas, sont le siège d'une confrérie religieuse, et comprennent, à côté du tombeau du saint, des bâtiments destinés à accueillir les fidèles et à dispenser un enseignement spirituel. Certains pèlerinages donnent lieu une fois l'an à des grands rassemblements, les *moussems*, qui sont à la fois des occasions de réjouissances, de spectacles traditionnels et de foires commerciales.

Moussem à Goulimine

Moulay Idriss ❶❺

Carte routière D2. 27 km au nord de Meknès. 🏠 12 600. 🚌 Meknès. 🛒 sam. ⚜ dern. jeu. août.

C'est par la route panoramique qui surplombe la route habituelle (N13) rejoignant Volubilis qu'il faut découvrir, dans un site superbe, cette ville toute blanche accrochée à deux pitons rocheux entre lesquels se dresse le tombeau au toit de tuiles vertes d'Idriss Ier. Fuyant les persécutions des califes abbassides de Bagdad, Idriss est accueilli à Oualili (Volubilis) ; descendant d'Ali, gendre du Prophète, il fonde la première dynastie arabo-musulmane au Maroc. En 791, il est enterré dans la ville qui porte aujourd'hui son nom. Ce n'est qu'au XVIe siècle que celle-ci semble s'être développée, mouvement encore accru au XVIIe siècle sous le règne de Moulay Ismaïl *(p. 54-55).* Ce dernier dote la cité d'une nouvelle coupole pour le mausolée, d'une enceinte avec une porte

Porte monumentale du tombeau d'Idriss Ier

monumentale, d'écoles coraniques et de fontaines.

Le tombeau lui-même n'est pas accessible aux non-musulmans ; une poutre en bois en barre l'entrée, indiquant le *horm,* territoire sacré. De la terrasse, proche de la mosquée de Sidi Abdallah el-Hajjam, perchée sur une hauteur de la ville, la vue sur l'ensemble du site, de la ville et du mausolée est splendide. Le minaret

cylindrique (1939), dont la forme est insolite au Maghreb, est doté de faïences vertes. Elles reproduisent en une écriture très stylisée des versets du Coran.

Massif du Zerhoun ❶❻

Carte routière D2. Environ 50 km au nord-ouest de Meknès.

Le massif du Zerhoun, qui culmine à 1 118 m, fait partie d'un vaste ensemble de monts et de collines bordant le sud du Rif, et que l'on suit de la région de Meknès jusqu'aux environs de Taza à l'est. De cet ensemble prérifain, composé surtout d'argiles et de marnes que l'érosion fluviale érode facilement, émergent quelques massifs plus résistants de calcaire et de grès, comme le Zerhoun, sculpté de gorges, pitons et falaises. L'eau y est abondante, et les Romains surent y capter des sources pour approvisionner Volubilis.

De gros villages se sont implantés à mi-pente, sur la ligne des sources, au contact des deux parties du terroir : figuiers, orangers et surtout oliviers y poussent sur les pentes les plus élevées, blé et orge dans les vallons et les bas des versants. Un enclos *(zriba)* de pierres sèches ou d'épineux, proche des villages, regroupe les petits troupeaux de bovins, de moutons et de chèvres.

Moulay Idriss, accrochée à une falaise

Le Zehroun est pour les Marocains une montagne sainte, terre de nombreux hommes pieux, source de contes et de légendes.

jbel Zerhoun, un massif rdoyant où l'eau est abondante

Sidi Kacem ⑰

Carte routière D2. 46 km au nord-ouest de Meknès. 🏠 *70 000.* 🚉 🚌 *Meknès.* 🎡 *jeu.*

D'un poste militaire créé en 1915 près d'une zaouïa et du souk de la tribu locale des Cherarda est né Sidi Kacem, centre agricole et industriel important de la plaine du Rharb oriental. Trois bâtiments émergent du paysage urbain et témoignent de l'histoire et de l'activité économique de la ville : la gare, à la jonction des voies ferrées Rabat-Fès et Tanger-Fès, la tour de raffinage de pétrole, d'abord local puis importé, les silos, au cœur d'une région bien irriguée et très productrice. Sidi Kacem est un centre d'industries agro-alimentaires important (minoteries, égrenage du coton, etc.) et un centre de briqueteries. Ces industries ont donné à Sidi Kacem un caractère nettement urbain avec une forte activité bancaire et commerciale.

Khemisset ⑱

Carte routière D2. 🏠 *90 000.* 🚌 *Meknès.* 🎡 *mar.*

La ville est née en 1924 d'un poste militaire sur la route de Rabat à Fès. Aujourd'hui chef-lieu de province, Khemisset est la « capitale »

Les tapis zemmour ont des motifs géométriques très graphiques

de la confédération des tribus zemmours berbérophones. Importante ville étape, car on y trouve de nombreux endroits pour se restaurer, la ville dispose aussi d'une coopérative artisanale qui expose les spécialités de la région : tapis et nattes en fibres de palmier nain ou en laine. Le mardi, Khemisset est le centre d'un des plus importants souks ruraux du Maroc avec près de 1 900 points de vente.

SOUKS RURAUX

À pied ou à dos d'âne, ou encore dans des camions chargés à ras bord, des centaines de paysans convergent dès l'aube vers un lieu où commencent à se dresser toiles et échoppes. Chaque semaine, 850 souks ruraux – qui portent le nom du jour où ils se tiennent – sont ainsi des lieux de rassemblement sur 5 à 10 km alentour. Sur une aire non bâtie, de véritables rues naissent selon un plan bien précis. Les étalages divers reproduisent quelque peu l'organisation économique de la ville : au centre, les commerces nobles, tissus et vêtements, puis vannerie, tapis, couvertures ; à la périphérie, brocante, ferraille, petits métiers, comme cordonniers ou coiffeurs, mais aussi les services de restauration. Au-delà, les divers marchés aux animaux se dispersent sur d'autres espaces. Grâce au souk, les citadins s'approvisionnent en produits agricoles et artisanaux apportés par les paysans qui, eux, se fournissent en épicerie, sucre, thé, fruits, etc. À tous, le souk fournit services et loisirs, échoppes de restauration mais aussi charlatans et conteurs ; l'administration y installe des bureaux temporaires pour l'état civil, le courrier, la santé, etc. Il arrive qu'à l'endroit d'un souk hebdomadaire, l'établissement de quelques boutiques en dur donne naissance à une nouvelle ville.

Retour du souk

Une ville de toile pour une journée

Volubilis ⑲

Adossé sur un éperon triangulaire du massif du Zerhoun, le site de Volubilis est urbanisé et prospère dès l'époque des rois maurétaniens, du IIIe siècle av. J.-C. à 40 apr. J.-C. Des temples datant de cette époque, ainsi qu'un curieux tumulus, ont été mis au jour. La Maurétanie ayant été annexée par l'empereur romain Claude en 45 apr. J.-C., Volubilis, élevée au rang de municipe, devint l'une des cités les plus importantes de la Tingitane. Les monuments publics du quartier nord-est datent du Ier siècle, ceux autour du forum du IIe siècle. Après l'ordre de repli donné au IIIe siècle, la cité se réduit. Elle héberge une population chrétienne, mais est cependant très islamisée à l'arrivée d'Idriss Ier en 788. Les fouilles ont montré également que le site est encore occupé à l'époque almoravide.

Mosaïque de la maison de Dyonisos et des Quatre Saisons

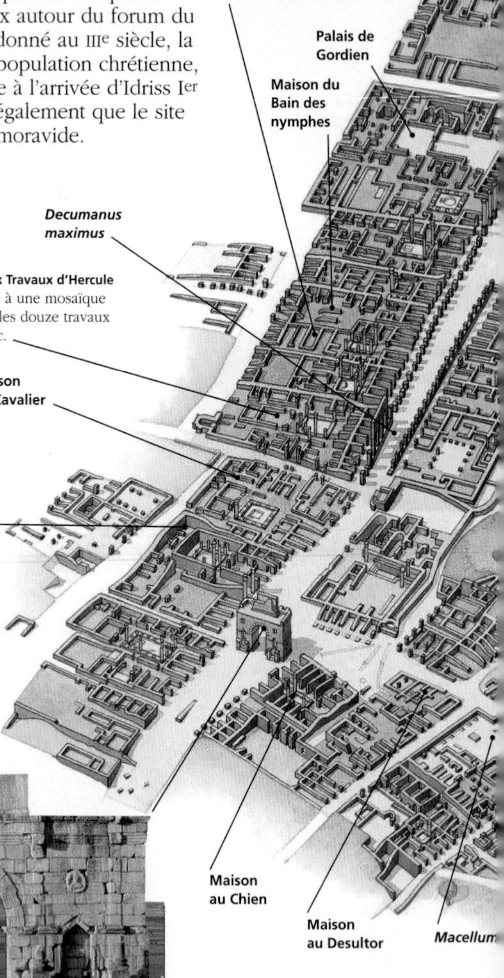

Palais de Gordien

Maison du Bain des nymphes

Decumanus maximus

La maison aux Travaux d'Hercule doit son nom à une mosaïque représentant les douze travaux du héros grec.

Maison au Cavalier

Maison aux Colonnes
Elle s'ordonne autour d'un très vaste péristyle orné d'un bassin central circulaire ; des colonnes aux cannelures torses et aux chapiteaux composites se dressent devant la grande pièce de réception.

Maison au Chien

Maison au Desultor

Macellum

★ Arc de triomphe
Enjambant le decumanus maximus, *l'arc de triomphe ouvre aujourd'hui vers l'ouest, sur la riche plaine de céréales et d'oliviers, grenier à blé et à huile depuis l'Antiquité.*

À NE PAS MANQUER

★ Arc de triomphe

★ Basilique

★ Diane et les nymphes au bain

Pour les hôtels et les restaurants de la région, voir p. 311-312 et p. 336-337

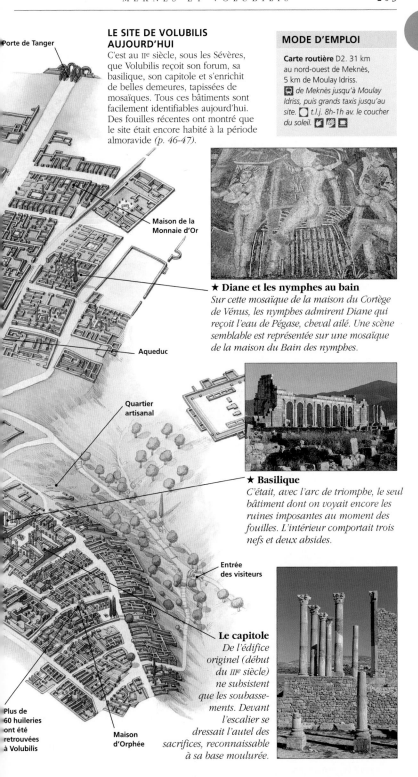

Porte de Tanger

LE SITE DE VOLUBILIS AUJOURD'HUI

C'est au IIᵉ siècle, sous les Sévères, que Volubilis reçoit son forum, sa basilique, son capitole et s'enrichit de belles demeures, tapissées de mosaïques. Tous ces bâtiments sont facilement identifiables aujourd'hui. Des fouilles récentes ont montré que le site était encore habité à la période almoravide (p. 46-47).

MODE D'EMPLOI

Carte routière D2. 31 km au nord-ouest de Meknès, 5 km de Moulay Idriss.
🚌 de Meknès jusqu'à Moulay Idriss, puis grands taxis jusqu'au site. 🕐 t.l.j. 8h-1h av. le coucher du soleil.

Maison de la Monnaie d'Or

★ **Diane et les nymphes au bain**
Sur cette mosaïque de la maison du Cortège de Vénus, les nymphes admirent Diane qui reçoit l'eau de Pégase, cheval ailé. Une scène semblable est représentée sur une mosaïque de la maison du Bain des nymphes.

Aqueduc

Quartier artisanal

★ **Basilique**
C'était, avec l'arc de triomphe, le seul bâtiment dont on voyait encore les ruines imposantes au moment des fouilles. L'intérieur comportait trois nefs et deux absides.

Entrée des visiteurs

Le capitole
De l'édifice originel (début du IIIᵉ siècle) ne subsistent que les soubassements. Devant l'escalier se dressait l'autel des sacrifices, reconnaissable à sa base moulurée.

Plus de 60 huileries ont été retrouvées à Volubilis

Maison d'Orphée

À la découverte de Volubilis

Connu dès le XVIIIe siècle, le site de Volubilis a été
fouillé à partir de la fin du XIXe siècle. Reprises en
1915, les fouilles n'ont guère cessé depuis et de larges
secteurs restent à inventorier. Si Volubilis n'a pas
l'ampleur de certaines autres villes du monde romain,
elle témoigne cependant, sur plus de 40 ha à l'intérieur
de son enceinte du IIe siècle, de la romanisation
très forte de la Maurétanie Tingitane. Ses monuments
publics et les demeures raffinées en sont la preuve
éclatante. Sur un site où les Romains ont su s'adapter
à une agglomération déjà existante se devine la vie
quotidienne des habitants, avec bains, huileries,
boulangeries, aqueducs et égouts, boutiques, etc.
Bien fléché, Volubilis se parcourt facilement, mais
il faudra compter au moins une demi-journée.

**La reconstitution du pressoir montre
les couffins que l'on pressurait**

Maison d'Orphée
Située dans le quartier sud,
la maison d'Orphée surprend
par ses dimensions et par
ses nombreux aménagements.
Face à l'entrée et légèrement
en contrebas, le bassin carré
de la grande cour à péristyle
est orné de tritons, de seiches,
de dauphins et autres
animaux marins.

Donnant sur la cour,
le *tablinum* est la principale
pièce de réception ; son
centre est occupé par la plus
grande des mosaïques
circulaires découvertes à
Volubilis, la mosaïque
d'Orphée. Richement vêtu,
Orphée y tient sous le charme
de sa lyre lion, éléphant et
autres animaux. La maison se
complète d'une huilerie avec
ses bassins de décantation,
ainsi que des parties privées
de la demeure avec de
nouvelles pièces décorées
de mosaïques à motifs
géométriques et les salles
de thermes sur hypocaustes.

Huilerie
Près de la maison d'Orphée,
une huilerie a été reconstruite
avec tout son mécanisme
d'époque. Une meule en
pierre, fixée à un axe vertical,
permettait de broyer les olives
dans une cuve cylindrique.
La pâte obtenue était déposée
dans des couffins de jonc
ou d'alfa placés sous des
montants de bois que l'on
pressurait à l'aide d'une poutre
faisant levier. L'huile s'écoulait
par des rigoles vers les bassins
de décantation installés à
l'extérieur de l'atelier.
De l'eau versée dans les
bassins permettait à la

RECONSTITUTION DE VOLUBILIS

La plupart des grands bâtiments
publics et privés datent des IIe et
IIIe siècles apr. J.-C., époque
du grand essor de la ville.
Seul le cœur de la cité a
été fouillé.

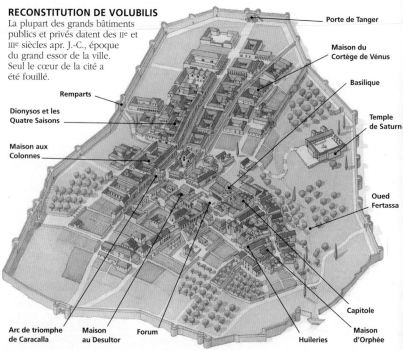

Porte de Tanger

Maison du
Cortège de Vénus

Basilique

Temple
de Saturn

Oued
Fertassa

Remparts

Dionysos et les
Quatre Saisons

Maison aux
Colonnes

Capitole

Arc de triomphe
de Caracalla

Maison
au Desultor

Forum

Huileries

Maison
d'Orphée

Pour les hôtels et les restaurants de la région, voir p. 311-312 et p. 336-337

meilleure huile d'arriver à la surface et de s'écouler ensuite vers des jarres pour la consommation locale et l'exportation.

Forum, basilique et capitole

Dans l'ensemble des grands bâtiments publics aménagés au début du IIIe siècle qui marquaient le cœur de la ville, le forum, de taille très modeste, était le lieu des échanges et des rencontres, le centre de la vie publique et administrative ; il se prolonge vers l'ouest par le *macellum*, marché autrefois couvert ; à l'entrée, à gauche, quand on vient de l'huilerie, la stèle bien conservée et lisible, dite « de Marcus Valerius Servus », évoque les terres que les habitants de Volubilis possédaient dans l'arrière-pays.

Le *decumanus*, de la porte de Tanger à l'arc de triomphe

Côté est, quelques marches et trois ouvertures en plein cintre introduisent à la basilique, lieu de réunion pour la curie (conseil municipal) et bourse de commerce, tribunal et zone de promenade. C'est au capitole, qui prolonge la basilique vers le sud, que se rendait le culte civique en l'honneur de Jupiter, Junon et Minerve.

Maison au Desultor

Le *desultor* est cet athlète d'une épreuve que les Grecs avaient inscrite aux Jeux olympiques et qui, en pleine course, devait sauter de son cheval ou de son char et y

Desultor, parodie de course de cheval

remonter aussitôt. Ici, la mosaïque représente le *desultor*, mais se veut parodique : l'athlète, nu, ne chevauche qu'un âne, et encore à l'envers, portant un canthare, vase à boire qu'il vient de recevoir en récompense ; un autre emblème de victoire, l'écharpe, flotte en arrière du cavalier.

Maisons au Chien et à l'Éphèbe

À l'arrière ouest de l'arc de triomphe, la maison au Chien présente le plan type de l'habitation romaine : une double entrée donne sur un vestibule qui conduit à l'atrium ; celui-ci, pourvu d'une colonnade sur trois côtés, renferme un bassin ; au fond s'ouvre la grande salle à manger ou *triclinium*. De part et d'autre se trouvent des pièces d'habitation dont celle où, en 1916, fut découverte la statue d'un chien en bronze *(p. 79)*. Face à la maison au Chien se dresse la maison à l'Éphèbe où fut trouvé en 1932 le bel éphèbe couronné de lierre, actuellement au Musée archéologique de Rabat *(p. 78-79)*.

Arc de triomphe et *decumanus maximus*

L'arc de triomphe, remonté en 1933, a été élevé, nous dit la dédicace qui le surmonte, en 217 par Marc Aurèle Sébastène, procurateur impérial, en l'honneur de Caracalla et de sa mère, Julia Domna. Des statues occupaient les niches de part et d'autre de l'arche, surmontées, dans les médaillons, des bustes de Caracalla et de sa mère.

Le monument portait, dans sa partie supérieure, au-dessus de l'inscription, une frise et un bandeau, le tout dominé par un char tiré par six chevaux. L'arche, de plus de 8 m de haut, ouvre à l'ouest sur la plaine et à l'est sur le *decumanus maximus*. Cette artère principale de la ville, de 400 m de long et de 12 m de large, débouche à l'est sur la porte dite « de Tanger ». Longeant le *decumanus maximus*, à quelques mètres côté sud, un aqueduc, dont subsistent d'importants vestiges, amenait l'eau depuis une source, Aïn Ferhana, à 1 km à l'est de Volubilis sur le flanc du Zerhoun, jusqu'aux thermes et fontaines de la ville ; la plus importante de ces fontaines s'élève toujours entre la basilique et l'arc de triomphe.

Quartier aristocratique

Le quartier aristocratique recélait de belles demeures, comme la maison aux Colonnes aux dimensions imposantes, la maison au Cavalier et la maison aux Travaux d'Hercule. La maison de Dionysos et des Quatre Saisons ou encore la maison du Bain des nymphes possèdent d'admirables mosaïques. Le palais de Gordien, du nom de l'empereur Gordien III (238–244), résidence probable du procurateur romain, retient surtout l'attention par son vaste péristyle à douze colonnes et son bassin en fer à cheval aux lobes presque semi-circulaires.

Mosaïque de L'Automne

Maison du Cortège de Vénus

Au sud du *decumanus* furent retrouvés les bustes de Caton d'Utique *(p. 79)* et de Juba II. La mosaïque de la *Navigation de Vénus* qui ornait le triclinium est exposée dans la cour intérieure du Musée archéologique de Tanger *(p. 132-133)*. Certaines mosaïques sont de véritables tapis aux motifs berbères toujours utilisés aujourd'hui.

MOYEN ATLAS

L e Moyen Atlas est une région sauvage, qui reste étonnamment peu visitée malgré son charme insolite. Sur ses pentes s'étalent à perte de vue d'immenses forêts de cèdres, entrecoupées de vallées profondes. Bordés par la riche plaine du Saïs et les cités de Fès et Meknès, les massifs montagneux du Moyen Atlas sont le fief de tribus berbères, à la population très clairsemée.

De Fès au Tafilalt *(p. 280)*, le massif du Moyen Atlas est traversé par l'une des principales routes d'accès au Sud marocain, et le visiteur pressé ne peut pas soupçonner la richesse et la quiétude de ses paysages. Située au nord-est de l'Atlas, cette chaîne montagneuse s'étend sur 350 km de long. Elle est fermée à l'est par le parc national du Tazzeka, aux paysages creusés de gorges et de grottes. Au sud de Sefrou, les forêts de cèdres, de chênes verts et de chênes-lièges alternent avec des plateaux volcaniques dénudés et de petits lacs poissonneux. Au cœur de ces montagnes, le plus long fleuve du Maroc, l'Oum er-Rbia, prend sa source, pour se jeter 600 km plus loin dans l'Atlantique. À l'ouest, le Moyen Atlas rejoint les premiers contreforts du Haut Atlas. Là, les cascades d'Ouzoud dévalent sur 100 m au fond d'un gouffre entouré d'une végétation luxuriante.

Parfois surnommé la « Suisse du Maroc », le Moyen Atlas abrite quelques petites villes de moyenne altitude, au cachet étonnant : Ifrane, avec ses chalets en pierre et ses toits de tuiles rouges ; Azrou, ancienne station de repos bâtie sur les pentes d'une cédraie ; et Imouzzer du Kandar. Toutes constituent les points de départ de magnifiques excursions, à faire à pied ou en voiture. Le circuit des lacs traverse des paysages de montagnes arides, territoires des bergers. D'autres routes passent par d'épaisses forêts de cèdres peuplées de singes peu farouches, les magots.

Nomade et son troupeau de moutons dans la région des lacs

◁ **Les cascades d'Ouzoud, site spectaculaire du Moyen Atlas**

À la découverte du Moyen Atlas

Le Moyen Atlas offre des paysages variés. La partie orientale est peu arrosée et pauvre en végétation, mais les vallées profondes sont dominées par les plus hauts sommets du Moyen Atlas, le *jbel* Bou Naceur (3 340 m) et le *jbel* Bou Iblane (3 190 m). Au centre, les hauts plateaux entre Azrou et Timhadit sont peu peuplés. Des lacs, *dayet* ou *aguelmame*, entourés de forêts, occupent les volcans éteints. Le versant occidental est le plus humide et les surfaces cultivables ont attiré davantage de populations. Plateaux et vallons sont couverts de forêts de cèdres, de chênes-lièges et de pins maritimes. À partir de décembre, les sommets au-dessus de 2 000 m sont enneigés. Le Moyen Atlas est le royaume des semi-nomades, les Bni M'Gild et les Zaïana. Sédentaires l'hiver, ils se déplacent au printemps, avec leurs troupeaux, vers les pâturages.

VOIR AUSSI

- *Hébergement* p. 312-313
- *Restaurants* p. 337-338

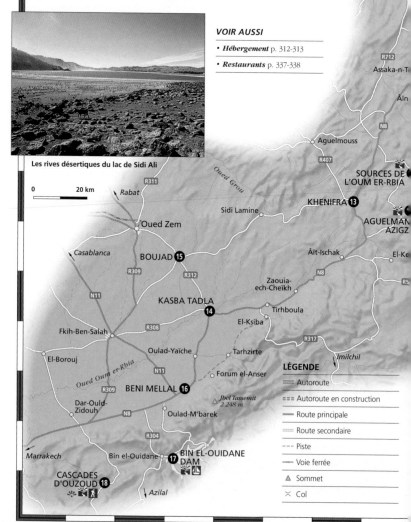

Les rives désertiques du lac de Sidi Ali

0   20 km

LÉGENDE

═══	Autoroute
≡≡≡	Autoroute en construction
━━━	Route principale
═══	Route secondaire
---	Piste
━━	Voie ferrée
△	Sommet
⤬	Col

Pour les autres symboles de la carte, *voir le rabat arrière de couverture*

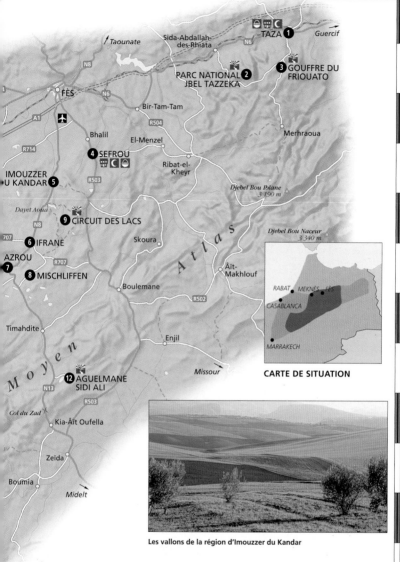

Les vallons de la région d'Imouzzer du Kandar

LA RÉGION D'UN COUP D'ŒIL

Aguelmame Azigza ⓫
Aguelmame de Sidi Ali ⓬
Azrou ❼
Beni Mellal ⓰
Bin el-Ouidane Dam ⓱
Boujad ⓯
Cascades d'Ouzoud ⓲
FÈS (p. 162-183)
Gouffre de Friouato ❸
Ifrane ❻
Imouzzer du Kandar ❺
Kasba Tadla ⓮

Khenifra ⓭
Massif du Mischliffen ❽
MEKNÈS (p. 184-195)
Parc national
  du *jbel* Tazzeka ❷
Sefrou ❹
Sources de
  l'Oum er-Rbia ❿
Taza ❶

Excursion
Circuit des lacs ❾

CIRCULER

Les routes principales entre Fès et Khenifra ou Fès et Midelt sont en assez bon état. En revanche, les routes secondaires sont étroites et les distances sont longues, car le relief est accidenté. Elles peuvent être impraticables en hiver, mais elles restent le seul moyen de sillonner le Moyen Atlas. Dans la partie orientale, de nombreuses pistes desservent de petits lacs sauvages.

Entre Rif et Moyen Atlas, Taza controlait le passage vers le Maroc oriental

Taza ❶

Carte routière E2. 🏛 *121 000.*
🛈 *56, av. Mohammed-V ou
av. de Tétouan dans la ville nouvelle.*
🚉 *Oujda, Fès et Meknès.*
🚌 *Nador, Al-Hoceima, Fès et Oujda.*
🎭 *moussem de Sidi Zerrouk (sept.).*

Située sur l'axe Fès-Oujda,
entre les derniers
contreforts du Rif et le Moyen
Atlas, Taza est une ville-étape
délaissée des circuits
touristiques. Son histoire en
fait pourtant l'une des plus
anciennes villes du Maroc.
Elle est fondée au VIIIᵉ siècle
par la tribu berbère des
Meknassa et fut régulièrement
occupée par les sultans qui
cherchaient à asseoir leur
autorité avant de progresser
vers Fès. La vieille ville, située
sur une colline rocheuse,
surplombe, à 3 km, la ville
moderne bâtie en 1920 par
les Français. Les remparts,
qui entourent la medina
sur trois kilomètres, datent
pour la plupart des
Almohades (XIIᵉ siècle) et
furent restaurés à plusieurs
reprises, notamment sous les
Mérinides (XIVᵉ siècle). Sous
les Alaouites, Moulay Ismaïl
embellit la ville et renforce
son rôle de place forte
militaire, aux portes des
régions orientales. À l'entrée
de la medina, la **mosquée des
Andalous** (son minaret date
du XIIᵉ siècle) est reliée
à la Grande Mosquée par
la rue principale. Fondée
par le sultan almohade Abd
el-Moumen en 1135, c'est
l'une des plus anciennes du

Maroc. Seuls les musulmans
peuvent admirer la superbe
coupole ajourée intérieure et
le splendide lustre de bronze.
Le cœur de la medina est
animé par un souk coloré.
Le curieux minaret, au
sommet plus large que la
base de la mosquée du
Marché, est à voir. La porte
Bab er-Rih, au nord de la ville,
offre une vue splendide sur
les vergers et les oliviers en
contrebas, ainsi que sur les
collines du Rif et les pentes
boisées du *jbel* Tazzeka.

Parc national du jbel Tazzeka ❷

Carte routière E2. 🥾 *circuit
de 76 km au départ de Taza.*
🚌 *dim. à Es-Sebt.*

Créé dès 1950 pour protéger
les cédraies du massif du
jbel Tazzeka, ce parc naturel
constitue une très belle

excursion au sud-ouest de
Taza. Ne manquez pas
le site des **cascades de Ras
el-Oued**, abondantes de
novembre à avril, au milieu
d'une vallée d'amandiers,
de cerisiers et de figuiers.
La route sinueuse longe
le *dayet* (lac) Chiker dont
l'alimentation (temporaire)
provient des eaux
souterraines. Après le col Bab
Taka (1 540 m), une piste
étroite de 9 km conduit au
sommet du massif du *jbel*
Tazzeka (1 980 m), où se
dresse un relais de télévision.
La vue porte au nord
sur les montagnes du Rif,
à l'ouest sur la plaine de Fès
et au sud sur les derniers
contreforts du Moyen Atlas
avec le *jbel* Boublane,
souvent enneigé.
La route s'engage ensuite
dans les gorges de l'oued
Zireg, encadrées de falaises
rouges, creusées de grottes
aménagées par les bergers.

Maison basse sur les contreforts du *jbel* Tazzeka

Pour les hôtels et les restaurants de la région, voir p. 312-313 et p. 337-338.

Gouffre du Friouato ❸

Carte routière E2. À 22 km au sud-ouest de Taza.

Le gouffre de Friouato, exploré pour la première fois en 1934 par le spéléologue français Norbert Casteret, est accessible avec de bonnes chaussures et une lampe. Après voir descendu 500 marches glissantes, on accède au gouffre, profond de 180 m, avec ses galeries et ses salles ornées de concrétions. À côté, les **grottes du Chiker** ne sont accessibles qu'aux professionnels.

Vue sur les canyons des gorges du Sebou

Sefrou ❹

Carte routière D2. 230 000. après le pont qui enjambe l'oued, à droite. Fès et Midelt. jeu. fête des Cerises (juin), moussem Sidi Lahcen Lyoussi (août).

Cette ancienne cité a toujours vécu à l'ombre de Fès, la capitale impériale. Elle doit son nom à la tribu berbère des Ahel Sefrou, convertie au judaïsme il y a vingt siècles, puis islamisée par Idriss Ier au VIIIe siècle. Au XIIe siècle, le commerce saharien en fit une ville prospère. Un siècle plus tard, elle devint le foyer d'une importante colonie juive réfugiée, venue du Tafilalt et du Sud de l'Algérie. En 1950, un tiers de la population était juif mais la plupart s'établit en Israël en 1967. Occupée aujourd'hui par une majorité de musulmans, Sefrou a conservé ses remparts à créneaux en pisé ocre percés de neuf portes, plusieurs fois restaurés. La ville est coupée en deux par l'oued Aggaï, qui irrigue toute la plaine fertile aux alentours. Quatre ponts relient les deux parties de la ville. Au sud de l'oued, se tient le mellah, ancien quartier juif aux maisons dotées de balcons ; au nord, la vieille médina et ses souks s'étendent autour de la Grande Mosquée et de la zaouia de Sidi Lahcen Lyoussi, patron de la ville au XVIIIe siècle. Au nord de la ville, au-delà des remparts, un ensemble artisanal fabrique du cuir, des poteries et du fer forgé. La fête des Cerises qui célèbre la fin de la cueillette en juin, constitue l'attraction annuelle de cette ville entourée de vergers. Un grand défilé marqué par le couronnement d'une « Miss Cerise », des troupes folkloriques du Moyen Atlas, de Fès et du Rif et parfois des fantasias animent les quelques jours de fête. Sur les collines environnantes, les **cascades de l'oued Aggaï** apportent un peu de fraîcheur. La **koubba de Sidi bou Ali Serghine**, au toit couvert de tuiles vertes, offre une jolie vue sur Sefrou et le massif du Kandar. Non loin de là, la source miraculeuse de Lalla Rekia guérirait la folie. À l'ouest de Sefrou, les **grottes** naturelles **de Kef el-Moumen**, dans la falaise, abritent des tombes vénérées par les musulmans et les juifs. L'une d'elles serait celle du prophète Daniel. D'après la légende, sept croyants et leur chien s'y seraient endormis des siècles durant. À 7 km au nord de Sefrou, le village de **Bhalil** possède des maisons troglodytiques. Sa population aurait été chrétienne à l'époque romaine, avant d'être convertie au IXe siècle à l'Islam par Idriss II. À l'est de Sefrou, une petite route mène au bourg d'El-Menzel, qui surplombe les **gorges du Sebou**, dont les falaises en à-pic offrent une vue vertigineuse.

Porte fortifiée ouvrant sur le mellah de Sefrou

Imouzzer du Kandar ❺

Carte routière D2. 12 000. lun. fête des Pommes (juil.)

Bâtie par les Français, Imouzzer du Kandar domine la plaine du Saïss, à la limite des plateaux du Moyen Atlas. À 1 345 m d'altitude, la petite ville bénéficie d'une agréable fraîcheur en été qui contraste avec la chaleur de Fès et de Meknès. De nombreux Marocains viennent y passer le week-end. La kasbah délabrée des Aït Serhouchène, où se tient le souk, contient d'anciennes habitations troglodytiques, caractéristiques de la région. Ces grottes creusées dans le sol protégeaient autrefois les Berbères des incursions ennemies. Certaines sont encore habitées. On y accède par des marches ou par une simple pente. Les ouvertures (une petite porte et des gaines d'aération) sont réduites pour se protéger du froid. L'intérieur n'a ni eau ni électricité.

Les habitations primitives de la kasbah d'Imouzzer du Kandar

Le palais royal d'Ifrane émerge d'une forêt de cèdres

Ifrane ❻

À 63 km au sud de Fès par la N8.
🏠 10 000. 🛈 av. Mohammed-V,
0535 56 68 21. 🚌 Fès et Azrou.

Fondée en 1929 sous le protectorat, Ifrane est une petite ville propre à l'allure plus européenne que marocaine avec ses chalets au toit pointu. Située à 1 650 m d'altitude, elle est fraîche en été. En descendant dans la vallée, on aperçoit un palais aux tuiles vertes, résidence d'été du roi. L'université Al-Akhawaya, inaugurée par Hassan II en 1995, a considérablement développé l'activité de la ville. Ifrane est un point de départ pour de nombreuses excursions : les **cascades des Vierges**, à 3 km à l'ouest (indications « source Vittel ») ou, au nord, la **zaouïa** d'Ifrane, entourée de grottes et de koubbas.

Aux environs : au départ d'Ifrane, la route R707 qui grimpe jusqu'au col Tizi-n-

Azrou est entourée de chênes verts et de cèdres

Chalet en bois à Ifrane

Tretten (1 934 m) conduit à la **forêt de Cèdres**, au sud-est de la ville. Après avoir longé le massif du Mischliffen et le *jbel* Hebri (2 104 m), on atteint le légendaire cèdre Gouraud, âgé de plus de neuf siècles.

Azrou ❼

À 48 km au sud d'Ifrane par la N8.
🏠 45 000. 🚌 Meknès, Marrakech,
Fès et Er-Rachidia. Grands taxis.
🛈 Ifrane : 0535 56 68 21. 🚌 mar.

Azrou – « le rocher » en berbère – tire son nom d'un gros piton volcanique, à l'entrée de la ville. Elle est située au carrefour des axes routiers Meknès-Erfoud et Fès-Marrakech, à 1 250 m d'altitude. Azrou occupe le centre d'une cuvette dominée par le *jbel* Hebri et environnée d'une incroyable ceinture de cèdres et de chênes verts, autrefois lieu d'estivage de la plus importante tribu berbère de la région, les Bni M'Gild. Ces éleveurs nomades, originaires du Sahara, se sédentarisèrent peu à peu et fondèrent la ville. Azrou a conservé sa vocation de marché régional, avec un souk hebdomadaire important. L'**ensemble artisanal** (face au commissariat de police) propose des objets en bois de cèdre, de thuya, de noyer ou de genévrier, ainsi que les très réputés tapis à motifs géométriques sur fond rouge des Bni M'Gild. La ville, aménagée en station de repos sous le protectorat français,

possède aux alentours quelques établissements de cure très prisés. Azrou est aussi le point de départ d'excursions dans les forêts de cèdres et sur les plateaux. Les lacs environnants permettent de pêcher la truite, le brochet ou le gardon (permis de pêche obligatoire).

Aux environs : au nord d'Azrou, la route d'El-Hajeb longe le plateau baptisé le **Balcon d'Ito**, offrant un splendide point de vue sur un paysage lunaire. À 32 km au sud d'Azrou, dans la montagne, le village berbère d'**Aïn Leuh** accueille le Festival des arts du Moyen Atlas en juillet. Le souk se tient le lundi et le jeudi.

La station de ski du Mischliffen est située sur un ancien cratère

Massif du Mischliffen ❽

Carte routière D2.

Le Mischliffen est l'ancien cratère d'un volcan éteint, encadré de forêts de cèdres. Les tentes des bergers en transhumance y sont plus nombreuses que les villages. Une petite station de sports d'hiver (Mischliffen), à 2 000 m d'altitude, aux équipements sommaires (deux téléskis) a été aménagée au cœur d'un sous-bois dégagé.

Circuit des lacs ❾

En remontant d'Ifrane vers Imouzzer du Kandar (N8), une bifurcation vers la droite conduit au *dayet* Aoua, un lac, parfois asséché, installé dans une dépression naturelle. Il est longé par une route étroite qui conduit au *dayet* Ifrah, entouré d'un beau cirque montagneux, puis au *dayet* Hachlaf. Après la maison forestière, une piste à droite conduit à la vallée des Roches. Canards, hérons cendrés, grues, aigrettes, rapaces et libellules survolent ces étendues arides.

Réserve d'oiseaux ②
Lorsque les lacs sont pleins, les échassiers – l'avocette élégante, le héron garde-bœufs, le héron cendré, le foulque à crête –, les gibiers d'eau, les rapaces – milan royal, faucon crécerelle – et les hirondelles trouvent refuge dans cette réserve naturelle.

Dayet Aoua ①
Ce lac aux eaux bleues, installé dans une dépression naturelle entourée de collines, est parfois asséché pendant plusieurs années consécutives. La sécheresse persistante et un pompage important de la nappe phréatique pour arroser les vergers des alentours en sont la cause.

IMOUZZER DU KANDAR, FES

N8

IFRANE

P5016

① ②

Maison forestière de Takelfount

SEFROU, FES

P7200

Dayat Iffer

P7231

IFRANE

Dayat Hachlaf

P7237

BOULEMANE, MIDELT

④

Maison forestière de Dayat el Hachlaf

③

IFRANE

⑤

P7231

R707

MISCHLIFFEN

Dayet Ifrah ③
Entouré d'un beau cirque montagneux, c'est l'un des plus grands lacs de la région. Sur ses rives, des bergers s'abritent sous des tentes noires, et deux hameaux se font face de chaque côté, leur blanche mosquée pointant vers le ciel.

0   5 km

Roches ruiniformes ⑤
En continuant sur la piste 7231 en direction d'Ifrane-Mischliffen, une autre piste assez mauvaise à droite permet de découvrir ce cirque rocheux aux formes curieuses.

Vallée des Roches ④
Après la maison forestière, une piste à droite conduit à cet étonnant site de roches calcaires façonnées par l'érosion et à des grottes, repaires de chauves-souris.

LÉGENDE

▪▪ Circuit (piste)

= Route

== Piste

CARNET DE ROUTE

Longueur : environ 60 km.
Départ : à 16 km au nord d'Ifrane par la N8, tourner vers la droite en direction du dayet Aaoua.
Durée : une journée.
Où faire une pause ? le Chalet du lac au bord du dayet Aoua.

Les sources de l'Oum er-Rbia, la « Mère du printemps »

Sources de l'Oum er-Rbia ⑩

160 km de Fès et de Beni Mellal. Attention ! il n'y a ni hôtel ni station-service sur la N8 entre Azrou et Khenifra.

La petite route sinueuse domine la vallée de l'Oum er-Rbia, puis descend vers l'oued. Un sentier conduit à pied aux sources. Une succession de cascades d'une force impressionnante dévale des falaises calcaires. Cette quarantaine de sources se rejoignent pour former l'Oum er-Rbia, le plus long fleuve du Maroc.

L'aguelmame Azigza est situé dans un site verdoyant

Aguelmame Azigza ⑪

À 12 km au sud des sources de l'Oum er-Rbia.

Les oueds qui prennent leur source au cœur du massif ont formé des dizaines de lacs au fond de cratères éteints. L'*aguelmame* Azigza, lac très poissonneux, est bordé de falaises rouges et de forêts de chênes verts et de cèdres.

Aguelmame de Sidi Ali ⑫

Bifurcation à droite à partir de la P21.

À 2 000 m d'altitude, l'*aguelmane* de Sidi Ali, qui s'étend sur 3 km, est connu pour sa profondeur et ses eaux poissonneuses. Dominé par le *jbel* Hayane (2 400 m), il est bordé de collines rocailleuses et de pâturages désolés qui sont fréquentés par les troupeaux des Bni M'Gild qui s'y installent pour l'été. En poursuivant vers Midelt, la route, superbe, s'élève jusqu'au col du Zad (2 178 m), le plus haut col du Moyen Atlas.

Khenifra ⑬

À 160 km de Fès, à 130 km de Beni Mellal. 🏠 *15 000.* 🚉 *Fès et Marrakech.* 🛒 *dim., mer.*

Au centre de collines arides et au bord de l'oued Oum er-Rbia, se dressent les maisons peintes en rouge carmin de Khenifra. Jusqu'au XVIIe siècle, la ville était le lieu de rassemblement de la tribu des Zaïane, rebelle à la pacification française. Le sultan Moulay Ismaïl assit son autorité en élevant des kasbahs imposantes abritant des garnisons armées. Le marché aux mulets, aux vaches, aux chevaux et aux moutons est un des seuls intérêts de la ville.

Élégante porte à Khenifra

LES LIONS DE L'ATLAS

Avant la Première Guerre mondiale, les visiteurs pouvaient entendre, au crépuscule et la nuit, les rugissements des lions dans l'Atlas marocain, où le dernier fut tué en 1922. Les lions étaient nombreux en Afrique du Nord à l'époque romaine. Ils pullulaient en Tunisie au XVIIe siècle, mais il n'y en avait plus aucun en 1891. En Algérie, le dernier fut abattu en 1893, à une centaine de kilomètres au sud de Constantine. Les lions de l'Atlas étaient de grande taille et avaient une crinière très fournie, de couleur foncée, presque noire. Grâce à la connaissance de son génome, une sélection en cours devrait permettre de recréer cette sous-espèce éteinte, à partir des lions élevés dans les cirques et les parcs, notamment au zoo de Rabat.

Le lion de l'Atlas vu par Eugène Delacroix, musée Bonnat à Bayonne

◁ **Splendide oliveraie de la région de Taza** *(p. 210)*

OLIVES ET HUILES D'OLIVES

Les oliveraies sont nombreuses dans les régions de Meknès, de Beni Mellal et du Rif. L'olivier, arbre au tronc noueux, se nourrit de peu et ancre ses racines dans les sols accidentés. L'huile d'olive est obtenue grâce à des méthodes de pression ancestrales. À l'automne, les olives vertes, noires et violines sont récoltées, leur mélange déterminant la saveur et le fruité de l'huile. Une lourde meule de pierre taillée, tournée par des ânes, écrase et broie olives, pulpe et noyaux. La pâte sombre obtenue est placée dans les scourtins (larges galettes poreuses), glissés sous la presse. L'huile dégorge et coule dans des cuves, où elle va décanter puis être récoltée à la surface : il faut 5 kg d'olives pour produire 1 l d'huile. Sur les éventaires colorés des souks, les olives sont présentées en pyramides, selon leurs spécialités : olives vertes aux herbes, olives violines au goût âpre, olives piquantes assaisonnées de piment rouge, olives confites aux oranges amères, olives noires fripées, séchées au soleil puis huilées, olives « cassées » pour tajine…

Pyramides d'olives au souk

Les meules à huile sont taillées dans la pierre

Aux environs : au sud-est de Khenifra, le village d'**El-Kebab** (souk le lundi) s'étage à flanc de colline. Des artisans y fabriquent poteries et tapis. Au-dessus se situe l'ermitage où vécut de 1928 à 1959 le père Albert Peyriguère – médecin et compagnon de Charles de Foucauld – très apprécié de la population.

Kasba Tadla ⓮

À 82 km au sud-ouest de Kénifra par la N8. 🏘 *36 000.* 🚌 *pour Beni Mellal et El-Ksiba.* 🛒 *lun.*

Cette ancienne ville de garnison est dominée par une kasbah du XVIᵉ siècle, bâtie par Moulay Ismaïl. Afin de maîtriser les tribus rebelles, il y nomma son fils gouverneur de la province. Celui-ci construisit une autre kasbah accolée à celle de son père. Une double enceinte de murs crénelés entoure et protège ainsi la ville. À l'intérieur se dressent deux mosquées délabrées, l'ancien palais du gouverneur et des greniers. En contrebas, un pont à dix arches franchit l'Oum er-Rbia.

Aux environs : entre Kasba Tadla et Khenifra, des plantations d'oliviers couvrent la plaine du Tadla. À **Tirhboula**, de traditionnels moulins à olives bordent la route. À l'automne, on peut assister au pressage et acheter l'huile d'olive, très utilisée dans la cuisine marocaine.

À 22 km à l'est de Kasba Tadla, **El Ksiba**, charmant village à l'orée de la forêt, possède un souk, très animé le dimanche. Après El-Ksiba, la route se transforme en piste et traverse tout le Haut Atlas par Imilchil pour redescendre à Tinerhir, sur les contreforts sud du Haut Atlas.

Pont à dix arches de Kasba Tadla

Pour les hôtels et les restaurants de la région, voir p. 312-313 et p. 337-338

Les montagnes du Maroc

Gypaète barbu

À partir de 600 m d'altitude et jusqu'aux plus hauts sommets, le climat est toujours humide et les précipitations annuelles sont comprises entre 650 mm dans le Grand Atlas oriental et plus de 2 m sur le Rif. L'enneigement y est souvent important. La végétation est particulièrement riche et les forêts nombreuses sont composées de cèdres, de chênes-lièges et zéens à feuilles caduques, de chênes verts à feuilles persistantes, ou encore de sapins du Maroc dans le Rif.

Les chênes verts *occupent au Maroc le quart de la superficie des forêts et se rencontrent de 600 à 2 700 m d'altitude.*

Les pins d'Alep, *qui croissent naturellement dans les montagnes, sont plantés un peu partout car leur bois est très utilisé.*

Les forêts de cèdres *de l'Atlas s'imposent par leur étendue, les arbres par leur beauté, leur port majestueux et leur hauteur, qui excède parfois 50 m.*

Cèdre de l'Atlas

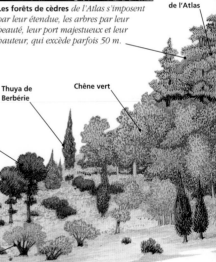

Thuya de Berbérie

Chêne vert

Le pin d'Alep peut atteindre 25 m de haut.

Le caroubier produit des gousses sucrées qui sont un aliment très riche pour l'homme et le bétail.

Arganier

Chêne kermès

L'olivier sauvage sert de porte-greffe. Son bois est utilisé en menuiserie et pour le chauffage.

L'arganier (p. 127) *est un per arbre endémique du Sud-Ouest du Maroc. Les noix d'argan sont appréciées par chèvres qui grimpent dans le arbres pour les trouver. L'hu extraite des noyaux est utilis pour l'alimentation, les cosmétiques et comme fortifia*

VÉGÉTATION D'ALTITUDE

Au-delà de 2 700 m d'altitude, les sommets sont occupés par des steppes froides et arides, souvent enneigées, où les arbres sont absents mais les ruisseaux fréquents. Les plantes basses, parmi lesquelles les espèces endémiques sont nombreuses, forment des coussinets épineux.

Du col de Tizi-n-Test, *on découvre les sommets enneigés de l'Atlas et la vallée du Sous, 2 000 m plus bas.*

Genévrier

ANIMAUX DE LA MONTAGNE

Les mouflons à manchettes, les seuls moutons sauvages d'Afrique, subsistent dans le Haut et le Moyen Atlas et il est possible de les observer dans le parc national du Toubkal, créé précisément pour assurer leur survie. Les trois quarts des magots, ou macaques de Berbérie, vivent dans les forêts de cèdres du Moyen Atlas. Le sanglier est généralement commun en montagne et le cerf de Berbérie a été réintroduit en 1990. Les oiseaux sont nombreux entre 2 200 et 3 600 m d'altitude : aigles royal et de Bonelli, vautour fauve, gypaète barbu, percnoptère, perdrix gambra, rubiette de Moussier et le rare bouvreuil à ailes roses, qui ne niche qu'au-dessus de 2 800 m.

Mouflon à manchettes

L'aigle botté élève deux petits, rarement trois

Nouveau-nés, les jeunes macaques sont portés par leur mère

Le massif du M'Goun *possède le deuxième plus haut sommet du Haut Atlas, qui culmine à plus de 4 000 m.*

Les sources d'Aïn-Asserdoun, ou « sources du Mulet »

Boujad **⑮**

À 24 km au nord de Kasba Tadla par la R312. 🏘 *15 000*. 🚌 *jeu.*

Ville sainte envahie de koubbas et de sanctuaires, Boujad est située dans la plaine du Tadla, sur le chemin de l'ancienne piste caravanière reliant Marrakech à Fès. Elle a été fondée au XVIᵉ siècle par Sidi Mohammed ech-Cherki, saint patron du Tadla, qui y construisit une importante zaouïa. Le saint et ses descendants, porteurs de baraka (bénédiction, chance ou destin favorable) d'une génération à l'autre, ont toujours été très respectés par les tribus berbères de la région, les Beni Meskin et les Seguibat. En 1785, le sultan Sidi Mohammed ben Abdallah prit ombrage de ce pouvoir et rasa la ville et la zaouïa. Celle-ci fut reconstruite au XIXᵉ siècle ; elle est toujours habitée par les descendants du saint. Au nord de la ville, autour de la place du marché, fleurissent les tombes de la dynastie. La plus large koubba, celle de Sidi Othman, se visite. La ville abrite d'autres mausolées, dont celui du cheik Mohammed ech-Cherki, mais l'entrée est interdite aux non-musulmans. À l'extérieur de Boujad, en arrivant d'oued Zem, au nord, se dressent, sur un promontoire, cinq koubbas blanches, où de nombreux pèlerins se pressent lors de rassemblements annuels.

Beni Mellal **⑯**

À 30 km au sud-ouest de Kasba Tadla par la N8. 🏘 *140 000*. 🛈 *av. Hassan-II, immeuble Chichaoui, 0523 48 78 29.* 🚌 *Khenifra, Marrakech et Demnate.* 🚌 *mar. ; dim. à Sebt-Oulad-Nemaa (35 km à l'ouest).*

Au pied du Moyen Atlas, aux abords de la grande plaine céréalière du Tadla, cette ville moderne est une étape accueillante. Le verger qui l'entoure bénéficie d'une irrigation exceptionnelle, grâce au barrage de Bin el-Ouidane *(voir plus bas)*. Habitée par les Berbères et les juifs bien avant l'arrivée de l'islam, la ville s'appela successivement Day, Kasba Belkouche, puis Beni Mellal. Au XIIIᵉ siècle, elle était située à la frontière entre les royaumes de Fès et de Marrakech, que se disputaient âprement les dynasties mérinides et almohades. En 1680, Moulay Ismaïl y édifia une kasbah qui fut restaurée à plusieurs reprises. La ville est entourée d'orangeraies (les oranges de Beni Mellal sont très réputées) et d'oliveraies à perte de vue. Les cultures de betteraves et de canne à sucre ont remplacé celles des bananiers. Au sud de la ville, sur les premiers contreforts du Moyen Atlas, une route indiquée « circuit touristique » conduit aux sources d'**Aïn-**

Le magot vit dans les cèdres

Asserdoun, qui coulent au milieu des arbres et de petits jardins aménagés. Un peu plus haut, le *borj* (tour) **Ras el-Aïn**, en pierre et en pisé, offre une jolie vue sur Beni Mellal et ses vergers, ce qui justifie de faire un petit détour.

Aux environs : la région de Beni Mellal est riche en cascades, en sources, en grottes et en gorges boisées où vivent de nombreux singes. À 10 km à l'est, une route conduit à **Foum el-Anser**, où de petites cascades se jettent dans un torrent au fond d'une gorge : la falaise abrite des grottes artificielles qui sont difficilement accessibles. Au sud de Beni Mellal, une piste à flanc de coteaux conduit au *jbel* **Tassemit** (2 248 m), point de départ de belles excursions à pied. Enfin, les amateurs de randonnée peuvent se rendre dans les **gorges de Tarhzirte** et dans la vallée de l'oued Derna, à 20 km au nord-est de Beni Mellal.

Bin el-Ouidane **⑰**

À 43 km au sud-ouest de Beni Mellal par la N8 puis à gauche par la R304. 🛈 *Beni Mellal (dim.).*

De Beni Mellal, la route grimpe dans les collines boisées pour atteindre le site grandiose du **lac artificiel de Bin el-Ouidane**, d'une

Le *borj* Ras el-Aïn offre une superbe vue sur la plaine du Tadla

Le lac de Bin el-Ouidane, au pied du Haut Atlas

superficie de 3 800 ha. Le plus grand barrage du Maroc retient les eaux de l'oued el-Abid et de l'oued Ahansal. Long de 285 m et haut de 133 m, il irrigue la plaine du Tadla et ses nombreuses cultures, tandis que sa centrale hydroélectrique fournit un quart de l'électricité du Maroc. Les eaux turquoise du lac sont environnées de montagnes arrondies aux versants couverts de terre rouge et comptent quelques îlots et presqu'îles. Sur les berges s'élèvent de rares maisons isolées. Les sports nautiques et la pêche sont autorisés sur le lac et on peut pratiquer le canoë-kayak ou le raft au printemps (en fonction du niveau de l'eau) sur l'oued el-Abid. Du lac, on peut rejoindre par la piste le lieu-dit La Cathédrale, imposant monolithe naturel entouré de pins d'Alep, bien connu des alpinistes passionnés de rappel. Depuis le lac de Bin el-Ouidane, on rejoint, par la R304, Azilal et la vallée des Aït Bouguemez (p. 254-257).

Cascades d'Ouzoud ⑱

À 65 km au sud-ouest de Bin el-Ouidane par la R304 ou à 156 km de Marrakech par Demnate. 🚌 pour Beni Mellal-Azilal puis grand taxi.

Classées parmi les plus beaux sites du Maroc, les cascades d'Ouzoud attirent beaucoup de visiteurs. Elles sont particulièrement impressionnantes au printemps. Du haut d'une falaise rougeâtre, les eaux se jettent en ressauts successifs d'une hauteur de 100 m dans le canyon de l'oued el-Abid. La route débouche au-dessus des cascades, accessibles par un sentier jalonné de marches en terre. Chaque palier permet d'admirer le rebond des cascades et l'arc-en-ciel permanent créé par les brumes de l'eau. D'anciens moulins à eau, matérialisés par de petites niches de terre rectangulaires, permettaient autrefois, à l'aide d'une meule, de broyer la farine de blé et d'orge. Les figuiers et les caroubiers qui jalonnent le chemin abritent des singes au poil beige et aux yeux cernés de noir. La baignade est autorisée dans les piscines naturelles. Une fois en bas du site, les visiteurs courageux et équipés de bonnes chaussures de marche peuvent poursuivre la randonnée pour atteindre les gorges de l'oued el-Abid.

Aux environs : le pont naturel d'**Imi-n-Ifri** (au sud-ouest par la R304), près de Demnate, est un bloc rocheux imposant entaillé de part en part par l'oued. Un chemin permet aux curieux de descendre au fond du gouffre.

Les cascades d'Ouzoud au printemps

MARRAKECH

Marrakech a donné son nom au Maroc, c'est dire l'importance de cette cité berbère, située à la croisée du Sahara, de l'Atlas et de l'Anti-Atlas. Derrière ses remparts en pisé, la capitale du Grand Sud conserve les traces de ses illustres bâtisseurs. Pendant plus de deux siècles, Marrakech fut à la tête d'un empire colossal. Même si elle n'est plus aujourd'hui que la troisième ville du pays après Casablanca et Rabat, ses palais fabuleux et sa palmeraie luxuriante exercent toujours la même fascination sur le visiteur.

Les Almoravides venus du Sahara fondent la cité en 1062. Très vite, ces moines guerriers se taillent un empire qui s'étend d'Alger à l'Espagne. En 1106, Ali ben Youssef fait appel aux artisans andalous pour doter la capitale d'un palais et d'une mosquée. Il élève des remparts et crée les *khettaras*, un ingénieux système d'irrigation qui alimente la palmeraie.

Partisans d'un islam rigoriste, les Almohades, assiègent la ville en 1147 et Abd el-Moumen érige la Koutoubia, fleuron de l'art arabo-andalou, tandis que son successeur entreprend la construction de la kasbah. Toutefois, la dynastie almohade périclite à son tour au profit des Mérinides, atttachés à Fès. Marrakech va alors sommeiller durant plus de 200 ans. Elle connaît un second souffle au XVIᵉ siècle avec l'avènement des Saadiens, notamment le richissime Ahmed el-Mansour. Les tombeaux saadiens, la medersa Ben Youssef et les vestiges du palais El-Badi témoignent de cet âge d'or.

En 1668, Marrakech passe aux mains des Alaouites qui transfèrent le pouvoir à Fès et à Meknès. Le XXᵉ siècle fait souffler sur la cité un vent de modernité avec la création du quartier du Guéliz, bâti sous le protectorat. Aujourd'hui, le tourisme tient une place essentielle dans son économie.

Femme quittant la zaouïa de Sidi bel Abbès

◁ Jardin de la villa Majorelle

À la découverte de Marrakech

Les différents quartiers de Marrakech témoignent de sa riche histoire. La medina, dominée par le minaret emblématique de la Koutoubia, correspond à la cité ancienne. La place Jemaa el-Fna, qui concentre toute l'animation, en constitue le cœur. À l'intérieur des remparts se trouvent les souks (au nord de la place Jemaa el-Fna), la kasbah et le quartier juif (mellah). Au nord-ouest, le Guéliz correspond à la ville nouvelle édifiée par Lyautey. Elle abrite un quartier résidentiel, des bureaux et des commerces à l'occidentale. L'avenue Mohammed-V constitue son axe majeur. Au sud-ouest, dans le prolongement du Guéliz, le quartier verdoyant de l'Hivernage, qui date aussi du protectorat, concentre un grand nombre d'hôtels. Il est délimité à l'ouest par les jardins de la Menara, à l'est par les remparts.

Gare ferroviaire 1 km

ZONE DE LA CARTE PRINCIPALE

0   2 km

LÉGENDE

	Medina
	Monument important
—	Remparts
	Gare routière
P	Parking
⊠	Poste
✚	Hôpital
C	Mosquée
⬝	Cimetière juif
¶¶	Cimetière musulman

0 m   400

BAB ER RHARAZA
BAB TAG
BAB DOUKKALA
BAB NKOB
BAB EL MAKHZEN
BAB EL JEDID
BAB ER ROBB
BAB KSIBA

RUE BOUTOUIL
AVENUE MOHAMMED V
AV. HOUMMAN EL FETOUAKI
BOULEVARD EL YARMOUK

VOIR AUSSI

• *Hébergement* p. 313-316

• *Restaurants* p. 338-340

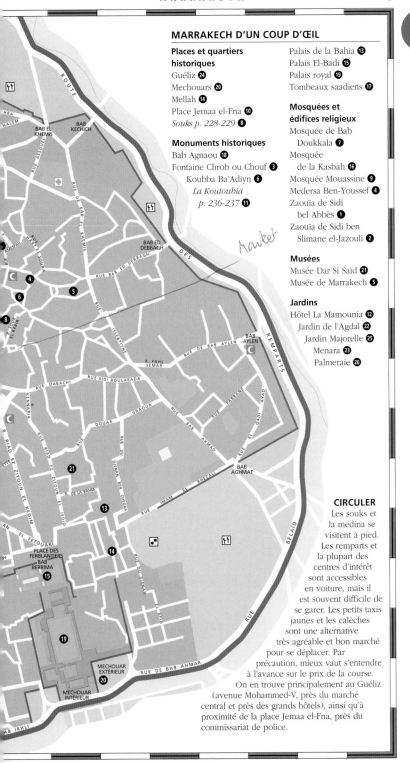

MARRAKECH D'UN COUP D'ŒIL

Places et quartiers historiques
Guéliz **24**
Mechouars **20**
Mellah **14**
Place Jemaa el-Fna **10**
Souks p. 228-229 **8**

Monuments historiques
Bab Agnaou **18**
Fontaine Chrob ou Chouf **3**
Koubba Ba'Adiyn **6**
La Koutoubia p. 236-237 **11**

Palais de la Bahia **13**
Palais El-Badi **15**
Palais royal **19**
Tombeaux saadiens **17**

Mosquées et édifices religieux
Mosquée de Bab Doukkala **7**
Mosquée de la Kasbah **16**
Mosquée Mouassine **9**
Medersa Ben-Youssef **4**
Zaouïa de Sidi bel Abbès **1**
Zaouïa de Sidi ben Slimane el-Jazouli **2**

Musées
Musée Dar Si Saïd **21**
Musée de Marrakech **5**

Jardins
Hôtel La Mamounia **12**
Jardin de l'Agdal **22**
Jardin Majorelle **25**
Menara **23**
Palmeraie **26**

CIRCULER

Les souks et la medina se visitent à pied. Les remparts et la plupart des centres d'intérêt sont accessibles en voiture, mais il est souvent difficile de se garer. Les petits taxis jaunes et les calèches sont une alternative très agréable et bon marché pour se déplacer. Par précaution, mieux vaut s'entendre à l'avance sur le prix de la course. On en trouve principalement au Guéliz (avenue Mohammed-V, près du marché central et près des grands hôtels), ainsi qu'à proximité de la place Jemaa el-Fna, près du commissariat de police.

Zaouïa de Sidi bel Abbès ❶

Quartier de Sidi bel Abbès (au nord de la medina). ◯ aux non-musulmans. Pèlerinage le jeu.

De Bab el-Khemis, la rue Sidi-Rhalem mène à la zaouïa de Sidi bel Abbès, qui fait partie du pèlerinage des Regraga (sept saints) institué par Moulay Ismaïl pour se faire pardonner ses déprédations dans Marrakech. Sidi bel Abbès (1130-1205) est le saint patron le plus vénéré de la ville. Disciple du célèbre Cadi Ayad, il passa sa vie à prêcher, soigner et défendre les faibles et les aveugles, au point que, dans tout le Maroc,

Porte d'entrée monumentale de la zaouïa de Sidi bel Abbès

on disait que Marrakech était la seule cité où un aveugle mangeait à sa faim ! Encore aujourd'hui, les offrandes des pèlerins sont distribuées le soir aux pauvres et aux aveugles. Il faut attendre 1605 pour que le sultan saadien Abou Faris fasse édifier un mausolée dans l'espoir de guérir son épilepsie. Moulay Ismaïl l'embellit d'une coupole au XVIIIe siècle.

Quelques années plus tard, Sidi Mohammed ben Abdallah lui donne sa forme actuelle. Outre le mausolée, le centre de cette confrérie religieuse comprend une mosquée, un hammam, un asile pour les aveugles, un petit marché, un abattoir et un cimetière.

Au sud du sanctuaire, se tient le **souk El-Mjadlia**, ou « souk des Passementiers », bâti dans un passage couvert sous le règne de Sidi Mohammed ben Abderrahman, à la fin du XIXe siècle. En direction du centre, on croise **Bab Taghzout**, ancienne porte almoravide intégrée désormais au tissu urbain.

Zaouïa de Sidi ben Slimane el-Jazouli ❷

Au nord de la medina (à proximité de la rue Dar-el-Glaoui). ◯ aux non-musulmans. Pèlerinage le ven.

Après Bab Taghzout, il faut prendre la rue de Bab Taghzout, tourner à droite à la première rue puis à droite pour découvrir cette zaouïa qui fait partie du *moussem des Regraga (p. 38)*. Autre mystique très vénéré, Sidi Mohammed ben Slimane el-Jazouli est, au XVe siècle, le fondateur du soufisme marocain, doctrine qui connaîtra une amplification sous les Wattassides pour toucher ensuite toutes les catégories de la population. Champion de la guerre sainte contre les Portugais et homme politique influent, le saint homme attira des milliers de fidèles ; son pouvoir réputé occulte effrayait même le sultan. Le mausolée date de l'époque saadienne. Il a été remanié à la fin du XVIIIe siècle au temps de Sidi Mohammed ben Abdallah.

Intérieur de la zaouïa de Sidi ben Slimane

Fontaine Chrob ou Chouf ❸

Rue Amesfah, près de la mosquée Ben-Youssef.

Comme l'illustre bien son nom qui signifie « Bois et admire », cette fontaine saadienne figure parmi les plus belles de la medina. Élevée sous Ahmed el-Mansour (1578-1603), sa façade protégée d'un auvent en cèdre sculpté marie à la fois les zelliges polychromes et les inscriptions cursives ou coufiques gravées dans le bois. Pour une ville comme Marrakech, située aux portes des vallées présahariennes, l'eau était un élément infiniment précieux. Un réseau souterrain de canalisations desservait les mosquées, les habitations et les fontaines. Se conformant aux préceptes du Coran qui recommande de procurer de l'eau aux assoiffés, les notables étaient nombreux à en faire bâtir.

Détail de l'auvent en cèdre de la fontaine Chrob ou Chouf

Remparts de Marrakech

À l'est des quartiers du Guéliz et de l'Hivernage, ils ceinturent toute la medina. Dès sa fondation, Marrakech est protégée par de robustes murailles flanquées de fortins. Si leur tracé n'a pas beaucoup changé depuis les Almoravides, elles ont été agrandies au sud par les Almohades et au nord par les Saadiens au XVIᵉ siècle. Longs de 19 km, ces remparts en pisé, aux chaudes tonalités, peuvent atteindre 9 m de haut et 2 m d'épaisseur à certains endroits. Ils sont percés de portes monumentales dont certaines sont de magnifiques exemples de l'art arabo-andalou. Le meilleur moment pour s'y promener est tôt le matin ou juste avant le coucher du soleil. La couleur ocre varie selon selon l'intensité de la lumière. Le soir, par exemple, les remparts prennent une teinte proche du rouille.

Bab el-Khemis, *remaniée depuis les Almoravides, accueille tous les jeudis, hors de l'enceinte, un marché en plein air très animé. Le tombeau des sept saints est un petit édifice à coupoles dédié à un marabout.*

Bab Agnaou (p. 239), *du berbère « bélier noir et sans corne », est une des plus belles portes de Marrakech, sculptée sur une pierre de couleur ocre et parfois ocre rose et rosâtre. C'est l'ancienne porte du palais almohade.*

ARCHITECTURE DES REMPARTS

À l'est, les portes Bab Aghmat et Bab Aylen, du XIIᵉ siècle, ont gardé leur aspect primitif. Datant de la même époque, Bab ed-Debbagh, dotée d'un passage à cinq coudes, ouvre sur le quartier des tanneurs. Au nord se trouve Bab el-Khemis, et au sud, Bab el-Robb (1308), qui doit son nom à une liqueur de raisin dont le commerce était prospère. À l'ouest, Bab el-Jedid mène au fameux hôtel La Mamounia *(p. 234)*.

Ce petit rempart en pisé, *qui pouvait protéger un harem d'une maison ou d'un jardin ou mettre un sanctuaire à l'abri des regards curieux, n'était pas un ouvrage militaire.*

Les remparts de Marrakech, *qui datent du XIIᵉ siècle, sont les plus majestueux du Maroc. Bien conservés jusqu'à aujourd'hui, ils ceignent élégamment la vieille ville, ses palais et ses jardins.*

Souks de Marrakech ❽

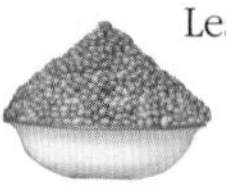

Olives

Les souks de Marrakech, parmi les plus fascinants du Maghreb, s'ordonnent en corps de métier dans les ruelles au nord et à l'est de la place Jemaa el-Fna. Sur le plan ci-contre, la zone ombrée en orangé indique le cœur historique des souks qui s'étend de la mosquée Ben Youssef, au nord, au souk de la laine, au sud. Les différents souks portent souvent le nom de ce que l'on y vendait à l'origine, mais aujourd'hui, on peut y trouver les produits les plus divers : étoffes, bijoux, babouches. La fabrication du cuir y occupe une superficie importante. Autour de cet axe économique sont installés les métiers plus traditionnellement réservés aux paysans : forgerons, bourreliers ou encore vanneurs. Pour éviter les odeurs nauséabondes, les tanneurs sont cantonnés aux portes de la cité.

LÉGENDE

- Souk historique
- Monument important

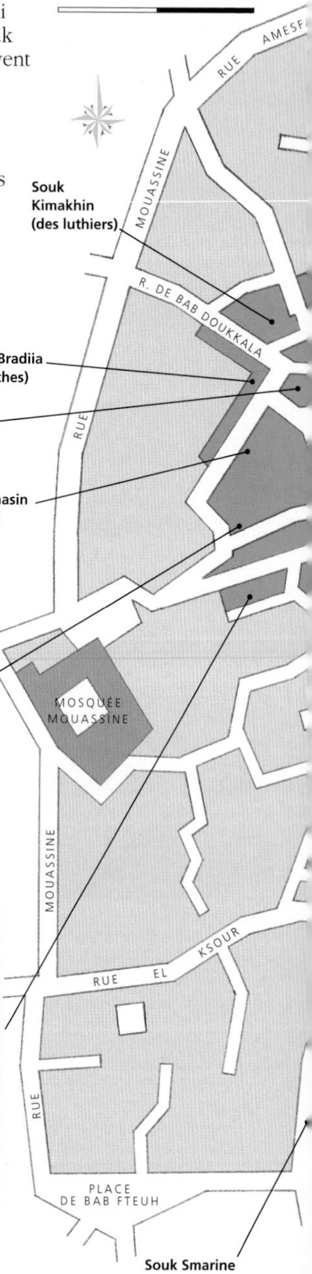

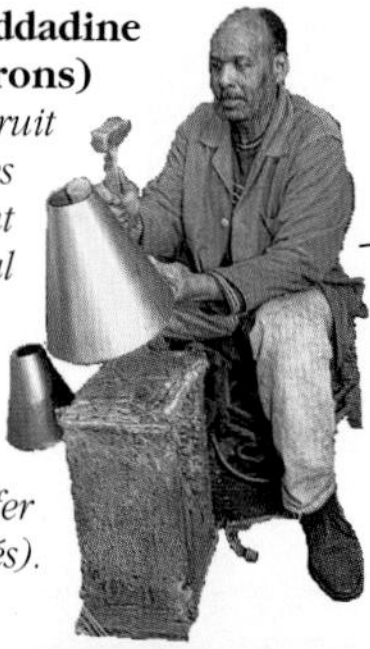

0
100 m
RUE AMESF
MOUASSINE
Souk Kimakhin (des luthiers)
R. DE BAB DOUKKALA
Souk El-Bradiia (des cruches)
RUE
Souk Nahhasin (du cuivre)
MOSQUÉE MOUASSINE
MOUASSINE
RUE EL KSOUR
RUE
PLACE DE BAB FTEUH
Souk Smarine (des vêtements)

Souk Addadine (des forgerons)
Dans un bruit assourdissant, les dinandiers frappent inlassablement le métal chaud pour sculpter les objets usuels de la vie quotidienne (plateaux, cendriers, lanternes, grilles de fer forgé, serrures ou clés).

Souk Chouari (des vanniers et des tourneurs sur bois)
« Chouari » *est le nom du couffin double posé sur le dos des ânes. C'est avec les fibres de palmier nain que sont tressés les paniers.*

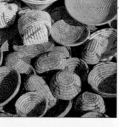

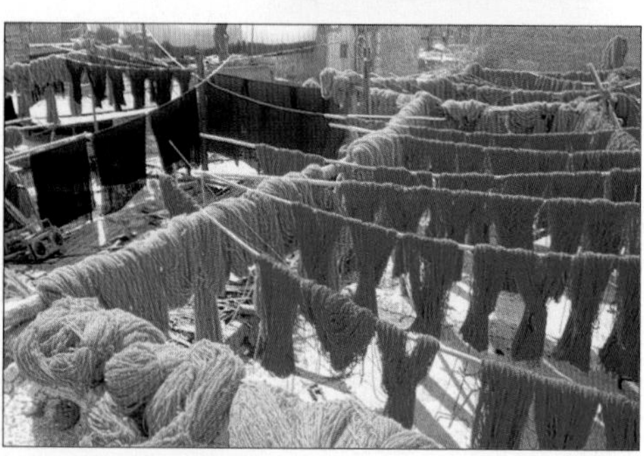

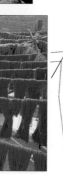

Souk des teinturiers
Les écheveaux de laine ou de soie, humides et fraîchement teints, sont suspendus à sécher au soleil et à l'air sec.

Pour les hôtels et les restaurants de la ville, voir p. 313-316 et p. 338-340

Souk Smata (des babouches et des ceintures)
Les artisans de Marrakech sont des maîtres dans la fabrication des produits en cuir. La maroquinerie serait, dit-on, originaire de Marrakech.

MODE D'EMPLOI

Place Jemaa el-Fna (par la rue du Souk-Smarine ou par Bab Doukkala). *Les petits taxis ou les calèches vous déposeront à l'entrée des souks. Les différents souks se visitent à pied.*
○ *t.l.j. 9h-19h.*
● *ven. 12h-16h.*

MOSQUÉE BEN YOUSSEF
MEDERSA BEN YOUSSEF
MUSÉE DE MARRAKECH
KOUBBA BA'ADIYN
Souk Cherratine
Souk Siyyaghin (des bijoutiers)
SOUK EL KEBIR
Souk Fakharina
Souk El-Kebir (des maroquineries)
Souk Zrabia (criée berbère, principal marché aux tapis)
Souk El-Maazi (des peaux de chèvres)
RAHBA KEDIMA
Ancien marché aux esclaves

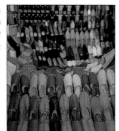

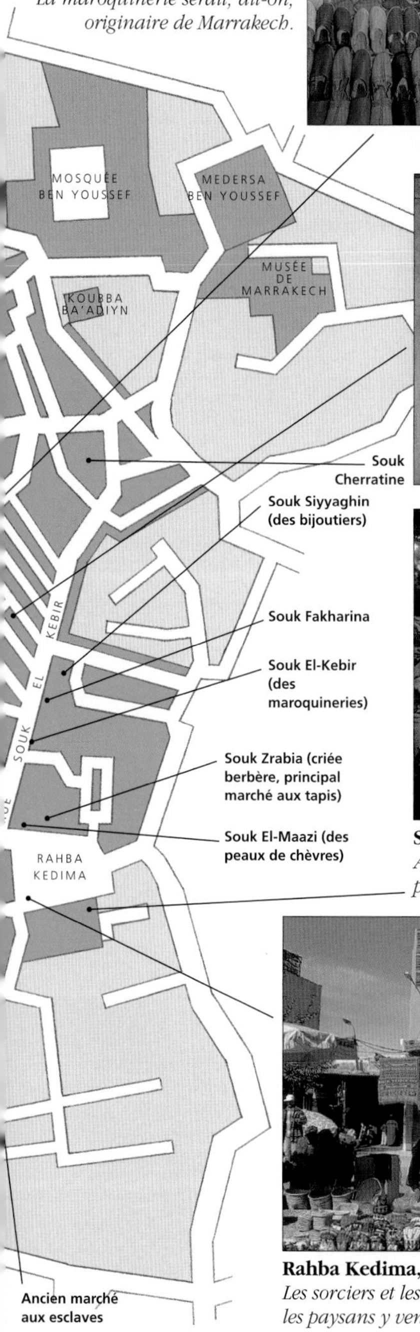

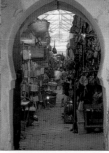

Kissarias,
Ces galeries couvertes éclairées proposent vêtements, tissus, objets en cuir et passementerie. À l'origine, on y vendait les marchandises les plus précieuses, souvent importées.

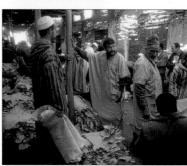

Souk el-Batna (des peaux de mouton)
Au souk des peaussiers, des milliers de peaux sont vendues pour la maroquinerie.

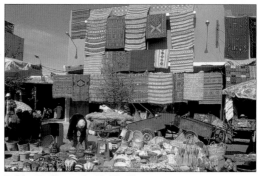

Rahba Kedima, « la Vieille Place »
Les sorciers et les guérisseurs s'y approvisionnent, et les paysans y vendent fruits, légumes et poulets vivants.

Zelliges de la medersa Ben-Youssef

Medersa Ben Youssef ❹

Place Ben-Youssef (dans la medina).
Tél. *0524 44 18 93.* ⬜ *t.l.j. 9h-18h.*
billet combiné avec le musée de Marrakech.

Cette école coranique, l'une des plus belles du pays, est aussi la plus grande du Maghreb, puisqu'elle pouvait accueillir jusqu'à 900 étudiants. Elle aurait été fondée par le sultan mérinide Abou el-Hassan au milieu du XIVᵉ siècle, puis reconstruite par le Saadien Moulay Abdallah au XVIᵉ siècle, comme l'attestent les inscriptions gravées sur le linteau de la porte d'entrée portant la date de 1564.
La medersa doit son nom à l'ancienne mosquée almoravide d'Ali ben Youssef qui lui était autrefois accolée. Sanctuaire central de la medina durant quatre siècles, cette dernière formait avec la medersa un important centre spirituel. L'édifice, par ses formes architecturales et son décor somptueux, s'apparente aux medersas mérinides, en particulier la Bou Inania de Fès *(p. 172-173).* En ce bâtisseur, Moulay Abdallah manifeste son désir de rendre à Marrakech son prestige de

capitale impériale et d'affirmer sa dévotion à Dieu.
Avec une superficie au sol de 1 720 m², la medersa, construite d'un seul jet, présente d'harmonieuses proportions. Elle est annoncée depuis la rue par une coupole dont le plafond est orné d'admirables stalactites. Après avoir franchi la porte principale en bronze surmontée d'un linteau en cèdre sculpté, un couloir orné de mosaïques permet d'aller dans la cour, pur chef-d'œuvre arabo-andalou. Pavée de marbre blanc, elle possède au centre un bassin à ablutions. Les murs sont ornés de zelliges dans la partie basse et lambrissés de plâtre ciselé dans la partie haute. Deux galeries soutenues par de massifs piliers courent le long des façades latérales. La centaine de cellules d'étudiants disposées autour de sept petits patios, ainsi que les fenêtres donnant sur la rue, confèrent à l'ensemble un caractère tout à fait exceptionnel. Un portail ouvragé permet d'accéder à la spacieuse salle de prière coiffée d'une coupole pyramidale en cèdre. Des colonnes en marbre, dont les chapiteaux célèbrent Moulay Abdallah, la scindent en trois

Porte en bronze de la medersa Ben-Youssef

parties. Vingt-quatre fenêtres en stuc ajouré éclairent le mihrab où sont calligraphiés des versets du Coran.

Musée de Marrakech ❺

Place Ben-Youssef.
Tél. *0524 44 18 93.* ⬜ *t.l.j. 9h-18h.*
billet combiné avec la Medersa Ben Youssef.

Ce musée occupe les 2 108 m² du palais Dar Menebhi, construit à la fin du XIXᵉ siècle par le grand vizir du sultan Moulay Medhi Hassan.
Une vaste cour, dont les dimensions témoignent du niveau social des habitants, précède la demeure privée qui ne doit jamais s'offrir aux regards de la rue. Les différentes pièces d'habitation qui s'agencent autour du patio central revêtu de zelliges abritent désormais les salles d'exposition. Parmi les superbes exemplaires de corans enluminés, un ouvrage chinois du XIIᵉ siècle et un livre de prières soufies du XIXᵉ siècle méritent une attention particulière. La collection numismatique rassemble des monnaies de toutes les dynasties depuis les Idrissides (IXᵉ siècle). À côté des bijoux berbères en argent, – signe d'appartenance tribale – et des bijoux citadins en or, on admirera aussi des parures tibétaines.
Des céramiques des XVIIᵉ et XVIIIᵉ siècles voisinent avec de belles portes berbères ouvragées. Une aile du musée est aussi consacrée à des expositions tournantes d'art contemporain.

Détail des zelliges, patio du musée de Marrakech

La koubba Ba'Adiyn, seul vestige de la mosquée almoravide

Koubba Ba'Adiyn ❻

Place Ben-Youssef. **Tél.** *0524 44 18 93.* ☐ *t.l.j. 9h-18h.* 🖼

Cette coupole en brique et en pierre constitue l'unique témoignage de l'art almoravide à Marrakech. Érigée par Ali ben Youssef en 1106, elle faisait partie d'une somptueuse mosquée démolie par les Almohades. Miraculeusement épargné, le kiosque rectangulaire a été exhumé en 1948. Il abritait un bassin d'ablutions alimenté par trois réservoirs. Les chevrons aux crêtes brisés en relief à l'extérieur, la diversité des arcs – polylobés ou en fer à cheval –, ainsi que les décorations florales à l'intérieur, dénotent de la créativité qui fera le génie de l'art musulman.

Mosquée de Bab Doukkala ❼

Rue de Bab-Doukkala. ⚫ *aux non-musulmans.*

Ce sanctuaire datant du milieu du XVIᵉ siècle est dû à la mère du Saadien Ahmed el-Mansour. Son minaret élancé, ses quatre *jamours* et son gracieux décor rappellent la mosquée de la Kasbah *(p. 238).* Le bâtiment est flanqué d'une remarquable fontaine avec un bassin que recouvrent trois coupoles.

En poursuivant la rue de Bab-Doukkala en direction du centre de la medina, on aperçoit **Dar el-Glaoui**, un palais construit par le fameux pacha El-Glaoui *(p. 57)*

AVERROÈS (IBN ROCHD)

Né à Cordoue en 1126, Averroès est l'un des savants musulmans le plus connu de son époque. Comme pour tout érudit de cette période, son savoir englobe la médecine, le droit, la philosophie, l'astronomie et la théologie. Issu d'une grande famille cordouane, petit-fils d'un imam de la grande mosquée de Grenade, Averroès reçoit la protection d'Abou Yacoub Youssef et vit entre Séville, Cordoue et Marrakech. Il remplace le célèbre médecin Ibn Tufayl, en latin *Abubacer*, dont il est le disciple et l'ami. S'appuyant sur ses propres commentaires d'Aristote, le penseur prône une lecture rationaliste du Coran plutôt que l'ésotérisme, ce qui lui vaut d'être condamné par des juges de Cordoue. Mais il est rapidement réhabilité par le souverain almohade Yacoub el-Mansour, qui le protège à Marrakech jusqu'à sa mort en décembre 1198.

Averroès, grand philosophe du XIIᵉ siècle

au début du XXᵉ siècle. Une partie de l'édifice abrite une bibliothèque, l'autre accueille les chefs d'État lors des visites officielles. Ce palais comporte plusieurs cours superbement ouvragées et entourées de pièces décorées de zelliges, de stucs, de bois peint et de *muqarnas*. Il possède également un très beau jardin andalou planté d'arbres fruitiers. La légende rapporte que le palais a été le théâtre de somptueuses et excentriques réceptions. Il n'est toutefois pas ouvert à la visite.

Souks ❽

Voir p. 228-229.

Mosquée Mouassine ❾

Quartier Mouassine. ⚫ *aux non-musulmans.*

C'est le Saadien Moulay Abdallah qui fit bâtir ce sanctuaire entre 1562 et 1573, à l'emplacement supposé d'un ancien quartier juif. Son agencement ainsi que sa décoration présentent des similitudes avec la Koutoubia *(p. 236-*

237) et la mosquée de la Kasbah *(p. 238).* Le minaret, surmonté d'une terrasse à merlons dentelés, étonne par sa simplicité. Le complexe abrite aussi une medersa, une bibliothèque et un hammam.

Accolée à l'édifice, la fontaine Mouassine comporte trois grands abreuvoirs destinés au bétail et un autre réservé à l'usage de la population. L'ensemble est protégé par trois arcades ornées de plâtre sculpté et aux linteaux en bois ouvragé.

Le palais Dar el-Glaoui, construit au début du XXᵉ siècle

Petits restaurants sur la place Jemaa el-Fna

Place Jemaa el-Fna ⑩

À l'est de Guéliz (dans le prolongement de l'av. Mohammed-V).

Unique dans le monde arabe, cette place constitue depuis des siècles le centre névralgique et le signe identitaire de Marrakech. Hérité de l'époque où l'on coupait ici les têtes des suppliciés avant de les saler et de les suspendre en avertissement aux portes de la cité, son nom signifie « assemblée des trépassés ». Esplanade irrégulière dénuée d'édifices harmonieux, la place, inscrite par l'Unesco au patrimoine mondial, est la scène d'innombrables traditions populaires.

Montreur de singe sur la place Jemaa el-Fna

Dès l'ouverture des souks, marchands d'agrumes pressés, d'amandes, de pistaches, de cacahuètes grillées, vendeurs de beignets, se disputent les faveurs des badauds. Mais l'animation atteint son comble au coucher du soleil lorsque la place devient le théâtre d'un gigantesque et fascinant spectacle en plein air où la fumée des grillades se mêle aux odeurs d'épices. Musiciens, danseurs, conteurs, saltimbanques, arracheurs de dents, guérisseurs, diseurs de bonne aventure, charmeurs de serpents prennent possession des lieux pour le plus grand bonheur des promeneurs.

La Koutoubia ⑪

Voir p. 236-237.

Hôtel La Mamounia ⑫

Avenue Bab el-Jedid. *Tél. 044 44 44 09. Voir aussi p. 316.*

Inauguré en 1923 et rénové en 1986, ce palace légendaire s'élève à l'emplacement d'un domaine qui appartenait au XVIIIe siècle au fils du sultan alaouite Sidi Mohammed. De cette propriété, il ne reste que le magnifique jardin de 13 ha, planté d'oliviers et d'orangers, ainsi qu'un joli pavillon, aménagé probablement par un souverain saadien au XVIe siècle. Le bâtiment, sobre et harmonieux, a été réalisé par les architectes Henri Prost et Antoine Marchisio qui ont su admirablement concilier l'Art déco et le style arabo-andalou. De nombreuses personnalités, parmi lesquelles Winston Churchill, Richard Nixon ou Orson Welles, y ont séjourné. Après rénovation, l'hôtel a rouvert ses portes en 2009.

Palais de la Bahia ⑬

Riad Zitoun Jedid (medina). **Tél.** 0524 38 91 79. ◯ t.l.j. 8h45-11h45, 14h45-17h45. 🖼

Édifié à la fin du XIXe siècle par Si Moussa, grand vizir du sultan Sidi Mohammed ben Abderrahman, puis par son fils Ba Ahmed, lui-même grand vizir de Moulay Abdelaziz, le palais de la Bahia est l'un des mieux conservés de Marrakech. Ainsi baptisé en l'honneur de la favorite alors surnommée « la Belle » ou encore « la Brillante », le palais, loin de suivre un plan d'ensemble, fut agrandi au fil des acquisitions successives des terrains alentours. Il en résulte un dédale de couloirs, d'appartements luxueux, de jardins et de patios plantés de cyprès, d'orangers et de jasmins, couvrant une surface globale de près de 8 ha. Pour faciliter les déplacements du maître de maison, gêné par son obésité, tous les appartements à l'exception du *minzeh* qui ne se visite pas, ont été conçus de plain-pied. Ba Ahmed, désireux d'habiter une des plus fastueuses demeures de

Entrée de l'hôtel La Mamounia *(p. 316)*

◁ Palmeraie de Marrakech avec, au fond, le Haut Atlas

Le salon de la cour d'honneur du palais de la Bahia, à l'ornementation raffinée

Marrakech, fit appel aux meilleurs artisans du royaume et ne lésina pas sur les matériaux précieux qu'il fit venir des quatre coins du pays. Rectangle long de 50 m et large de 30 m, la cour d'honneur, pavée de marbre de Meknès et de zelliges, est encadrée d'une galerie aux colonnes cannelées et dotée au centre de trois fontaines à vasques. Les patios fleuris jadis réservés aux quatre épouses et aux 24 concubines, les appartements de la Favorite, la salle du conseil aux murs recouverts de faïences de Tétouan et au somptueux plafond de cèdre sculpté et enluminé, n'ont rien perdu de leur charme. Le général Lyautey y fut à ce point sensible qu'il y élut domicile lors de ses séjours à Marrakech, durant le protectorat.

Non loin de là, le **musée Bert-Flint**, occupe la maison Tiskiwin, ravissante demeure marrakchie traditionnelle du XIXᵉ siècle. Après avoir restauré la maison, le professeur hollandais Bert Flint, amoureux du Maroc, y a réuni une collection d'art et traditions populaires de la vallée du Sous et de la région saharienne. On y verra des bijoux et des poignards de l'Anti-Atlas, des poteries du Rif et des tapis du Moyen

Atlas. L'occasion de compléter la visite du musée Dar Si Saïd *(p. 240-241).*

🏛 Musée Bert-Flint
8, rue de la Bahia, Riad Zitoun Jedid. **Tél.** 0524 38 91 92. ⬜ t.l.j. 9h30-12h30, 15h-18h30. 📷

Mellah ⑭

À l'est du palais El-Badi et au sud du palais de la Bahia.

Avec ses 16 000 habitants et une superficie de 18 ha environ, le quartier juif de Marrakech était le plus grand mellah du Maroc jusqu'à l'Indépendance. Réplique du mellah de Fès *(p. 182)* construit par les Mérinides, le quartier juif a été fondé au milieu du XVIᵉ siècle par le Saadien Moulay Abdallah (auparavant, l'ancien mellah se trouvait à l'emplacement actuel de la mosquée Mouassine). Jusqu'en 1936, il était protégé d'une muraille percée de deux portes, l'une donnant accès au cimetière à l'est et l'autre à la ville. En face du palais de la Bahia s'ouvre un souk des bijoutiers.

Palais El-Badi ⑮

Hay Salam, rue Berrima. ⬜ t.l.j. 8h45-11h45, 14h30-17h45. 📷

Cinq mois après sa succession au trône après la bataille des Trois Rois le 4 août 1578, Ahmed el-Mansour veut

asseoir son règne et faire oublier l'héritage des dynasties précédentes. Celui qu'on appelle le « Doré » fait élever, à proximité de ses appartements privés, un fastueux palais affecté aux réceptions et aux audiences des légats étrangers. Sa construction est financée par les Portugais vaincus à l'issue de la bataille. L'édification du palais se prolongera jusqu'à la mort du sultan en 1603.

El-Badi, « l'Incomparable », fait partie des 99 surnoms de Dieu. Le palais fut, en effet, considéré un temps comme la merveille du monde musulman. Marbres

Porte ouvrant sur une ruelle du mellah de Marrakech

d'Italie, granit d'Irlande, onyx d'Inde, revêtements de feuilles d'or ornaient les murs et les plafonds des 360 pièces. En 1683, Moulay Ismaïl démolit El-Badi et récupère les matériaux pour l'édification de sa propre ville impériale à Meknès *(p. 185).* Aujourd'hui, seules subsistent les structures du palais.

Vestiges du palais El-Badi, construit au XVIᵉ siècle.

La Koutoubia ⓫

Pour consacrer sa victoire sur les Almoravides, l'Almohade Abd el-Moumen entreprit la construction dès 1147 d'une des plus vastes mosquées de l'Occident. Fleuron de l'Islam occidental, le minaret, achevé sous Yacoub el-Mansour, le petit-fils d'Abd el-Moumen, servit par la suite de modèle à la Giralda de Séville ainsi qu'à la tour Hassan de Rabat *(p. 76)*. La « mosquée des Libraires » doit son nom au souk des manuscrits qui se tenait aux abords de l'édifice. L'intérieur du minaret comporte six salles superposées reliées par une rampe en pente douce. Magnifiquement restaurée au début du XXIᵉ siècle, elle a retrouvé sa couleur rose d'origine.

Quatre boules de cuivre doré couronnent le lanterneau.

Merlons en trapèze dentelés

★ Minaret
Splendide sentinelle de moellons roses du Guéliz postée à 70 m au-dessus de la ville, il répond, par l'harmonie de ses proportions, aux canons almohades : cinq hauteurs pour une largeur.

L'intérieur du minaret est formé de six salles superposées, autour desquelles tourne une rampe.

Entrée de la cour de la Koutoubia
Sobrement bâtie, elle est édifiée selon le modèle des portes de monuments marocains : arc outrepassé et festonné d'une arcature décorative moulurée.

Détail du minaret est
Le décor est différent sur chaque face, mais on retrouve, avec des variantes ornements floraux et épigraphiques, bandeaux de faïence et, ici, une fenêtre aux arcs festonnés richement décorés.

Vue générale de la façade ouest

Le minaret est le bâtiment le plus haut de la ville et il constitue un point de repère à des kilomètres à la ronde. Du sommet, la vue est inoubliable, mais ce plaisir est réservé aux musulmans.

MODE D'EMPLOI

Place de la Koutoubia.
📞 0524 43 61 31/79.
🚫 aux non-musulmans.

Entrée est de la salle de prière

C'est l'accès principal des fidèles. La porte est sobrement ouvragée et la façade peu ornementée.

Toit de tuiles vertes

Cour et bassin

La mosquée est composée de seize nefs parallèles d'égale largeur et d'une nef médiane, plus large.

Fondations
de l'ancienne mosquée dont le mur de la *qibla* avait été mal orienté. Le souverain almohade Abd el-Moumen a fait construire un nouveau sanctuaire contigu au premier pour corriger cette anomalie. Les fondations sont encore visibles aujourd'hui.

À NE PAS MANQUER

★ Minaret

★ Salle de prière

★ Salle de prière

Elle peut accueillir près de 20 000 fidèles. Les piliers blancs soutenant des arcs outrepassés et le parterre de nattes composent une perspective surprenante.

Détail du minaret de la mosquée de la Kasbah

Mosquée de la Kasbah ⑯

Rue de la Kasbah, à proximité de Bab Agnaou. ☐ *aux non-musulmans.*

Second témoignage almohade encore debout avec Bab Agnaou, la mosquée de la Kasbah se repère par son très beau minaret de moellons et de briques aux tons ocres qui servira de modèle aux bâtisseurs ultérieurs. Construction de Yacoub el-Mansour (1184-1199), la mosquée dite « aux Pommes d'or » a subi des remaniements successifs aux XVIᵉ et XVIIIᵉ siècles.

L'édifice, un rectangle de 77 m sur 71, comprend une salle de prière et cinq cours intérieures séparées par des arcades. Longue de 80 m, la façade est couronnée par une série de créneaux et de merlons dentelés. Suivant la tradition almohade, le minaret est dépouillé de tout ornement jusqu'à la hauteur des toits. Un magnifique réseau d'entrelacs losangés sur fond émaillé turquoise recouvre la plus grande partie des quatre faces, elles-mêmes couronnées d'une frise en faïence. Le lanternon occupe les deux cinquièmes de la tour. Trois boules de cuivre le surmontent. Selon la légende, elles auraient été réalisées grâce à l'or fondu des bijoux d'une épouse fautive de Yacoub el-Manssour.

Tombeaux saadiens ⑰

Rue de la Kasbah. ☐ *mer.-lun.* *9h-12h, 14h-18h.* 📷

Tombés dans l'oubli pendant plus deux siècles, les mausolées de la dynastie saadienne constituent l'un des plus illustres héritages du patrimoine architectural marocain. Loin de la sobriété almohade, les princes saadiens ont appliqué à l'art funéraire le faste et la magnificence de leurs autres constructions. Employés comme nécropoles dès l'époque almohade, mais également sous le règne du sultan mérinide Abou el-Hassan, les mausolées ont pris leur forme actuelle à la fin du XVIᵉ siècle. Par respect pour les morts, Moulay Ismaïl, qui s'était pourtant efforcé d'effacer toute trace de ses prédécesseurs, se contenta de murer l'entrée principale. Il faudra attendre 1917 pour que les tombeaux soient rendus accessibles au public. L'ensemble comprend deux mausolées environnés d'un jardin fleuri qui symbolise le

Mausolée d'El-Mansour au mihrab à colonnettes en marbre

paradis d'Allah. Le mausolée principal, celui d'El-Mansour, se compose de trois salles funéraires. Son plan rappelle celui de la Rawda de Grenade. La première salle est un oratoire divisé en trois nefs par des colonnes en marbre blanc. Elle se distingue par son mihrab décoré de stalactites dont l'arc brisé outrepassé est soutenu par des demi-colonnes en marbre gris. Un lanternon percé de trois fenêtres laisse filtrer la lumière ; il repose sur

Trois des douzes colonnes des tombeaux saadiens

Pour les hôtels et les restaurants de la ville, voir p. 313-316 et p. 338-340

une base en cèdre enjolivée d'inscriptions. Pur chef-d'œuvre de l'art hispano-mauresque, la salle centrale est coiffée d'une extraordinaire coupole à stalactites en cèdre sculpté rehaussé d'or, que supportent douze colonnes en marbre de Carrare. Les murs sont entièrement recouverts, sur leur partie inférieure, d'une magnifique faïence émaillée aux élégants entrelacs et, sur leur partie supérieure, d'une profusion d'ornements en plâtre ciselé. Au centre reposent Ahmed el-Mansour et ses successeurs. Les pierres tumulaires en marbre au ton ivoire sont tapissées d'arabesques et d'inscriptions qui courent sur deux niveaux : au-dessus, les versets du Coran, en-dessous une épitaphe en vers (encadré). La troisième salle, dite « des Trois Niches », elle aussi somptueusement décorée, renferme les sépultures des princes morts en bas âge.

De proportions plus modestes, le second mausolée au toit de tuiles vertes est constitué d'une salle pourvue de deux loggias et d'un oratoire de 4 m sur 4. Un linteau en cèdre épigraphié relie les colonnes des loggias. Dans l'oratoire, le dôme à stalactites force l'admiration. Le tombeau de Lalla Messaouda, mère d'Ahmed « le Doré », décédée en 1591, occupe une niche alvéolée.

Bab Agnaou ⑱

Rue de la Kasbah, face à la mosquée de la Kasbah.

Cette porte monumentale a été élevée par Yacoub el-Mansour, tout comme sa jumelle, la porte des Oudaïa de Rabat *(p. 68-69)*. Son nom signifie en berbère « bélier noir et sans corne ». Protégée par Bab el-Robb *(p. 227)* qui assurait sa défense, Bab Agnaou marquait l'entrée principale du palais almohade, et avait donc avant tout une fonction ornementale. Bien qu'amputée de ses deux tours, la façade présente

Bab Agnaou était la porte royale de l'ancien palais almohade

un beau décor sculpté dans le grès, une matière indocile où les nuances de rouges se mêlent à de surprenantes tonalités gris-bleu. Le volume taillé présente des strates alternées de pierre et de brique qui entourent une baie en plein cintre outrepassé. Les motifs floraux aux écoinçons et la frise en caractères coufiques sur l'encadrement sont d'une exceptionnelle délicatesse. Ici encore, on retrouve l'ornementation sobre et monochrome propre au style almohade qui confère à la porte toute sa majesté.

Palais royal ⑲

Au sud-est des tombeaux saadiens. 🔲 *au public.*

Lorsque Sidi Mohammed ben Abdallah arrive à Marrakech au XVIIIᵉ siècle, il trouve les palais almohades et saadiens ruinés. Sur un vaste périmètre de la kasbah qu'il enserre de murailles bastionnées, il fait bâtir un palais royal (Dar el-Makhzen), contre les ruines du palais El-Badi. L'œuvre architecturale de Sidi Mohammed est admirable, car elle prend en compte les perspectives et la profondeur de champ qui n'existent pas dans les autres palais marrakchis. Maintes fois restauré, le Dar el-Makhzen comprend plusieurs ensembles architecturaux : le palais Vert (El-Qasr el-Akhdar), le jardin du Nil (Gharsat el-Nil), la maison principale (El-Dar el-Kubra),

les dépendances et les pavillons de plaisance *(menzah)* qui parsèment le parc. Le palais sert toujours de résidence royale.

Mechouars ⑳

À proximité du palais royal.

Les *mechouars* sont de grandes esplanades où se tiennent les cérémonies royales. Le palais royal en possède trois : le *mechouar* intérieur (Bou-Hsisat), situé au sud du palais, est relié à celui-ci par Bab el-Akhdar et communique avec le jardin de l'Agdal ; le *mechouar* extérieur, à l'est du palais, relie le quartier de Berrima par Bab el-Harri ; et, enfin, le grand *mechouar*, au sud du *mechouar* intérieur, bordé d'une muraille à merlons.

Rassemblement sur un *mechouar* du palais royal actuel

Musée Dar Si Saïd ㉑

À deux pas du palais de la Bahia *(p. 234-235)*, dont il est contemporain, Dar Si Saïd est un ravissant palais de 4 400 m², édifié à la fin du XIXᵉ siècle par Si Saïd ben Moussa, frère de Ba Ahmed et ministre de Moulay Abdelaziz. Sa décoration, qui marie zelliges polychromes, plâtre finement ciselé, coupoles en bois peint ou sculpté, justifie à elle seule la visite.

Détail de la porte de la salle de réception

PALAIS

Suivant le modèle traditionnel arabo-musulman, le palais enserré de murs aveugles comprend un bâtiment central à deux étages réparti autour de patios aux fines arcades, ainsi qu'un jardin andalou ou *riad* doté en son centre d'un kiosque abritant un bassin. Au premier étage, la somptueuse **salle de réception** est un pur joyau arabo-andalou. La coupole en cèdre ainsi que les murs tapissés de zelliges et d'une frise de stuc suscitent l'admiration. La salle renferme un porte-cierge en bois, un fauteuil de mariée en cèdre et des banquettes couvertes de tissus de couleurs. Au dernier étage, la vue porte sur la medina et le Haut Atlas.

COLLECTIONS

Converti en musée en 1932, Dar Si Saïd abrite une admirable collection de tapis, de portes, de coffres, d'armes, de céramiques, de vêtements et de bijoux qui reflètent l'habileté des artisans du Sud marocain et plus particulièrement du Haut Atlas, du Tafilalt, de l'Anti-Atlas, du Sous et du Tensift. On y verra aussi quelques objets archéologiques et des fragments architecturaux provenant de Fès. Le tout est regroupé thématiquement sur trois niveaux.

PORTES ET BALANÇOIRES

On pénètre à l'intérieur du palais par une imposante porte cloutée garnie de ferrures. À l'entrée, une carte didactique permet de localiser les

Cuve de marbre destinée aux ablutions purificatrices

principaux centres d'artisanat du Sud marocain. Le long des murs, un coffre en cèdre et d'admirables portes anciennes provenant des kasbahs et des ksour de la région retiennent l'attention à la fois par leur originalité et leur qualité.

Ces portes se composent d'un vantail unique en bois de chêne, d'amandier, de peuplier ou de noyer. Certaines sont rehaussées de pièces de bois géométriques en relief, d'autres sont décorées de motifs incisés et parfois peints. Aucune n'est similaire à l'autre, car l'artisan, travaillant seul en milieu rural, crée des spécimens uniques.

Au fond du corridor se trouve une cuve splendide destinée aux ablutions purificatrices. Elle a été taillée dans un monolithe de marbre en Andalousie à la fin du Xᵉ ou au début du XIᵉ siècle. Le décor mêle trois registres : motifs floraux, quadrupèdes et aigles héraldiques.

Dans la salle suivante sont exposées d'anciennes nacelles de balançoires pour enfants.

BIJOUX

À gauche de l'entrée, la salle des bijoux rassemble des parures en argent typiques du Sud marocain : boucles d'oreilles, diadèmes, bagues, colliers, fibules, bracelets, anneaux de chevilles *(khelkhal)*… Ces bijoux sont ciselés, niellés ou émaillés et rehaussés par des cabochons, des coquillages, du corail,

Kiosque et fontaine du *riad*

Pour les hôtels et les restaurants de la ville, voir p. 313-316 et p. 338-340

de l'ambre ou des pièces de monnaie. Les figures géométriques – rectangle, triangle, losange, cercle, croix ou encore zigzag – constituent les principaux motifs berbères. Certaines ont une valeur symbolique : les ornements groupés par cinq se rapportent aux doigts de la main, symbole de vie, de créativité et porte-bonheur. Les arabesques et les motifs floraux appartiennent quant à eux à la tradition arabo-andalouse. En utilisant ces différentes techniques, les orfèvres juifs ont donné jour à des bijoux qui empruntent à la fois aux styles citadin et rural.

Plafond à coupole en cèdre de la salle de réception

POTERIE ET CÉRAMIQUE

À droite de l'entrée, la salle des objets usuels présente principalement des poteries en provenance d'Amizmiz, des lampes à huile en pierre de Taroudannt, des amphores, des cruches, des jarres, des barattes,

des marmites et des plats de toutes sortes. Ces objets en terre cuite sont pour la plupart enjolivés de motifs gravés, en relief ou peints. La salle des céramiques expose deux grands types régionaux : la céramique de Safi *(p. 118),* héritière de Fès, dont le décor sobre en émail polychrome s'inscrit souvent sur un fond blanc ; et celle de Tamegroute *(p. 269),* au sud de Zagora, une céramique vernissée monochrome où le vert reste la couleur la plus usitée.

Pendentif en argent du Tafilalt

TAPIS

Le deuxième étage est dédié aux tapis ruraux provenant notamment du Tensift et de Boujad. On verra en particulier des tapis anciens et d'épaisses couvertures *(hanbel)* à dominante rouge garance, tissées dans une laine lâche pour retenir davantage la chaleur. L'exposition se poursuit dans la deuxième cour avec des tapis du Haut Atlas. Les tapis glaoui et ouaouzguite, à la fois brodés, tissés et noués, présentent des tons vifs. Les tapis de Chichaoua, à fond rouge ou bois de rose, ont des motifs variés, qu'ils soient géométriques (zigzag, chevron, carré), animaliers (serpent, scorpion, chameau) ou qu'ils se rapportent à des objets usuels (théière, peigne). Certains motifs reprennent aussi des

tatouages tribaux. Plus inhabituelle, la figure du cavalier serait un héritage du Soudan véhiculé par les esclaves qui travaillaient jadis dans les plantations environnantes.

BOIS OUVRAGÉ

Dans la deuxième cour, la collection en bois ouvragé – porte extérieure, devanture, moucharabiehs parfois peints de belles couleurs vives – mérite qu'on s'y attarde. En cèdre pour la plupart, ces éléments proviennent d'anciennes maisons et boutiques de Marrakech. Les vestiges en bois ou en marbre de l'époque saadienne (XVIe siècle) sont à ne pas manquer.

Une des salles de l'ancien palais transformé en musée

COSTUMES

Dans le couloir menant à la sortie sont exposés des burnous et des bottes de bergers du massif du Siroua. Ces vêtements de laine noire, ornés de motifs tissés en coton ou en soie, sont encore portés de nos jours, même s'ils présentent moins de raffinement.

SUIVEZ LE GUIDE !

Le bâtiment comprend deux étages. Au rez-de-chaussée, les salles d'exposition s'ouvrent autour du riad. Juste après l'entrée, sont exposées les pièces volumineuses (portes en bois, coffres) ; à gauche de l'entrée on trouve la salle des bijoux, à droite les objets de la vie quotidienne (ustensiles, lampes) suivi par la salle des céramiques. Au fond du jardin, une salle est réservée à la dinanderie. La deuxième cour présente les objets en bois ouvragé. Au premier étage s'ouvre la salle de réception ; au deuxième étage sont exposés les tapis ruraux. Le couloir conduisant à la sortie expose des vêtements traditionnels de la tribu des Ouzguita.

Bassin et pavillon de la Menara

Jardin de l'Agdal ②

Rue Bab-Ahmar. Accès par le mechouar extérieur près de Bab Ighli. ☐ *t.l.j.*

Ce vaste enclos de 3 km de long et 1,5 km de large abrite un verger de 440 ha planté de citronniers, d'orangers, d'abricotiers et d'oliviers. Il est délimité par un mur d'enceinte percé de portes depuis le XIXᵉ siècle. Les jardins proprement historiques ont été fondés dans la seconde moitié du XIIᵉ siècle par les Almoravides qui le dotèrent de deux grands bassins d'irrigation reliés par des canalisations souterraines, les *khettaras (p. 276-277).* Agrandi et embelli sous

Le verger du jardin de l'Agdal compte de nombreux orangers

les Almohades, puis les Saadiens, l'Agdal est laissé à l'abandon jusqu'au XIXᵉ siècle, époque où les Alaouites Moulay Abderrahman et Sidi Mohammed ben Abdallah remettent en état jardin et maisons de plaisance. Pour assurer son irrigation, ils détournent les eaux de l'oued Ourika.

Au nord du jardin, les pavillons de plaisance sont réservés aux invités du roi. Au sud du jardin, le plus grand bassin, appelé Dar el-Hana, date des Almohades. Depuis la terrasse du petit pavillon saadien qui le borde, on jouit d'un splendide panorama : au nord, la vue franchit l'olivette et les terrasses de la ville jusqu'aux collines des Jbilet ; au sud, on aperçoit la chaîne enneigée du Haut Atlas.

Menara ㉓

Avenue de la Menara (à l'ouest de l'Hivernage). ☐ *t.l.j. 8h-12h, 14h-18h.*

Véritable havre de fraîcheur, ce jardin impérial de 90 ha, clôturé d'une enceinte en pisé, est principalement composé d'oliviers et d'arbres fruitiers. Au centre, l'immense bassin a été creusé au XIIᵉ siècle pour servir de réservoir d'eau aux sultans almohades. Moulay Abderrahman a réaménagé le parc au XIXᵉ siècle et fait bâtir le pavillon de plaisance au toit pyramidal en tuiles vertes. Ce charmant édifice était le rendez-vous galant des sultans, on raconte que l'un d'eux avait pour habitude de jeter chaque matin à l'eau l'élue de la nuit ! Le rez-de-chaussée, réservé aux tâches domestiques, est précédé d'un avant-corps de trois voûtes ouvrant sur le bassin. Le premier étage possède au nord un grand balcon à balustres. Si l'ornementation intérieure reste simple, l'édifice a été créé dans le cadre d'une composition d'ensemble tout à fait remarquable : où que l'on se tienne, la vue depuis le pavillon, avec les sommets de l'Atlas en toile de fond, est exceptionnelle.

Détail du pavillon

Guéliz ㉔

Au nord-ouest de la medina.

Édifié pendant le protectorat, Guéliz, qui doit son nom à la colline qui la domine, constitue la ville nouvelle de Marrakech. C'est avant tout un quartier commercial au tracé aéré, conforme aux principes modernes d'urbanisme, que l'on doit à Henry Prost.

Ses larges avenues, ses jardins municipaux, ses grands hôtels et ses cafés aux terrasses ombragées, en font un quartier agréable. L'avenue Mohammed-V, qui rejoint la medina, est bordée de boutiques de luxe, de bars, de restaurants et autres banques et bureaux.

Malgré la prédominance d'immeubles modernes, on y trouve quelques exemples de l'architecture européenne laissés par les Français. Sur la place Abdel Moumen ben Ali, Le **Café Renaissance** offre un bel exemple de style mauresque. À l'étage, la salle à manger, au décor typique des années 1950, offre une belle vue sur la place.

Chaque jour, la Place du 16 Novembre accueille un immense marché de fruits frais, de légumes, d'herbes aromatiques et d'épices, où l'on a plaisir à se mêler à la population locale.

🏠 Marché central
Av. Mohammed-V, au croisement avec la rue de la Liberté. 🕐 *t.l.j.*

Immeuble du Guéliz, la ville nouvelle de Marrakech

Jardin Majorelle ㉕

Avenue Yacoub-el-Mansour (près de la gare routière). **Tél.** *0524 31 30 47.* 🕐 *t.l.j. 8h-12h, 14h-18h.* 📷 **www.**jardinmajorelle.com

Ce merveilleux jardin est un petit éden au cœur de la ville moderne. En 1923, Jacques Majorelle *(voir encadré)*, tombé amoureux du Maroc, fait bâtir une superbe villa mauresque, Bou Safsaf. Il dessine les motifs des zelliges, peint la porte d'entrée, ainsi que l'intérieur, dans les tons bleu dur, vert et rouge sombre. Autour de sa maison, l'artiste aménage un jardin luxuriant. En 1931, à la demande de

La villa Majorelle, résidence du peintre à Marrakech

JACQUES MAJORELLE

Jacques Majorelle naît à Nancy en 1886. Fils du grand ébéniste Louis Majorelle, l'un des chefs de file de l'École de Nancy, le peintre grandit dans l'effervescence artistique de l'Art nouveau. Il accompagne son père dans ses ateliers et tout le destine à y prendre part. Après des études à l'École des beaux-arts, Majorelle affirme sa volonté de se consacrer à la peinture. Il voyage en Espagne, en Italie et en Égypte. Pour se remettre de la tuberculose, il se rend au Maroc en 1917 et tombe amoureux de sa lumière. Aidé par le maréchal Lyautey, il s'installe à Marrakech dans sa célèbre villa. Fasciné par les souks, les kasbahs et les villages du Haut Atlas, il demeurera au Maroc jusqu'à sa mort, en 1962.

Majorelle, l'architecte Sinoir construit un atelier Art déco avec pergolas et murs bleu vif. En 1947, le jardin, séparé de la villa, s'ouvre au public.

Admirablement restauré par le célèbre couturier Yves Saint-Laurent, qui a racheté la villa avec Pierre Bergé, le parc est structuré par quatre allées qui se croisent pour former des parterres de fleurs tropicales aux couleurs chatoyantes. Yuccas, bougainvillées, bambous, lauriers, géraniums, hibiscus, cyprès… le jardin ne compte pas moins de 400 variétés de palmiers et 1800 de cactées. Dans un bassin bordé de papyrus flottent des nymphéas. L'atelier abrite un petit musée qui présente quelques objets artisanaux marocains (tapis anciens, céramiques de Fès, portes berbères) et une quarantaine de gravures des villages et kasbahs de l'Atlas marocain réalisées par Jacques Majorelle lui-même.

Palmeraie ㉖

Route de Casablanca (22 km au nord de la ville). *Cette intéressante excursion de 22,5 km peut se faire en voiture ou en calèche.*

Une légende raconte qu'après avoir mangé des dattes rapportées du Sahara, les soldats almoravides de Youssef Ibn Tachfin recrachèrent les noyaux autour du campement. Ceux-ci auraient germé et donné naissance à la palmeraie de Marrakech. D'une superficie de 12000 ha, elle comprend des champs, des jardins et des vergers irrigués par des rigoles et des puits qu'alimentent les *khettaras*. Même si on dénombre encore 150000 arbres, la vocation agricole de la palmeraie tend à s'amenuiser face à l'urbanisation et l'appétit des promoteurs qui grignotent progressivement le terrain pour élever des demeures de standing.

La palmeraie de Marrakech compte 150 000 arbres

HAUT ATLAS

Méconnu car difficile d'accès, le Haut Atlas constitue le plus important massif de la chaîne des Atlas et le plus élevé de l'Afrique du Nord. De son isolement géographique sont nées l'identité et la culture berbère : au fil des siècles, les tribus y ont créé leur propre organisation économique et sociale, ainsi qu'une vie collective unique basée sur les liens du sang et la solidarité.

Des plaines atlantiques à la frontière maroco-algérienne, le Haut Atlas forme une barrière infranchissable de 800 km de long et de 100 km de large à certains endroits. Formé d'imposants massifs s'élevant entre 3 000 et 4 000 mètres d'altitude, de vallées encaissées, de plateaux rocailleux désolés et de canyons vertigineux, le Haut Atlas a souvent joué un rôle déterminant dans l'histoire du Maroc. Ces montagnes ont en effet toujours été le refuge de populations fuyant les envahisseurs. Les nomades sahariens, poussés vers le nord par la désertification du Sahara, se sont régulièrement confrontés aux tribus montagnardes sédentaires pour s'approprier les précieux pâturages. De ce tumultueux passé féodal, est née une architecture fortifiée de toute beauté. Aujourd'hui, si les Berbères ne craignent plus l'insécurité, ils s'abritent encore derrière les murs épais de leurs *tighremts*, anciennes maisons patriarcales. Les hameaux en pisé se blottissent à flanc de montagne, laissant la moindre parcelle de terre aux cultures qui résistent à l'altitude : l'orge, le blé, le maïs, les navets, la luzerne ou les pommes de terre. Les Berbères captent l'eau des rivières pour irriguer minutieusement les lopins de terre et font paître leurs troupeaux de moutons et de chèvres, indispensables pour le lait, le beurre et la laine. Parfois coupée du monde en hiver, la population du Haut Atlas vit au rythme des saisons et du labeur constant, égayé par les fêtes familiales, religieuses ou agricoles.

La kasbah de Télouèt, à l'abandon depuis 1956

◁ Muletier dans un village du Haut Atlas

À la découverte du Haut Atlas

Jalonnée de hauts sommets, la chaîne du Haut Atlas est dominée à l'ouest par le massif du Toubkal (4 167 m), point culminant de toute l'Afrique du Nord, autour duquel se nichent à mi-pente des villages de terre. Au centre, le *jbel* M'Goun (4 068 m) surplombe les vallées de la Tessaout, des Aït Bouguemez et des Aït Bou Oulli, ne communiquant entre elles que par des chemins muletiers et des cols élevés. Le long de l'oued qui serpente au fond des vallées, les villages s'assemblent autour des maisons fortes, dominant les terres cultivées. L'est du Haut Atlas, fermé par l'imposante masse du *jbel* Ayachi (3 737 m), offre à perte de vue des plateaux d'altitude désertiques, parcourus à la belle saison par de nombreux troupeaux de moutons en transhumance.

CARTE DE SITUATION

LÉGENDE

▬▬	Autoroute
▬▬	Route principale
▭▭	Route secondaire
- - -	Piste
⊶⊶	Voie ferrée
△	Sommet
✕	Col

VOIR AUSSI

- *Hébergement* p. 317
- *Restaurants* p. 340

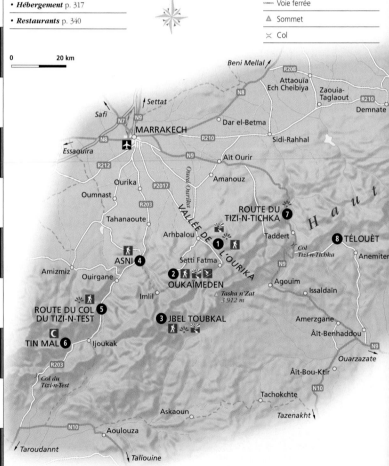

Pour les autres symboles de la carte, *voir le rabat arrière de couverture*.

LA RÉGION D'UN COUP D'ŒIL

Récolte de l'orge dans la vallée des Aït Bouguemez

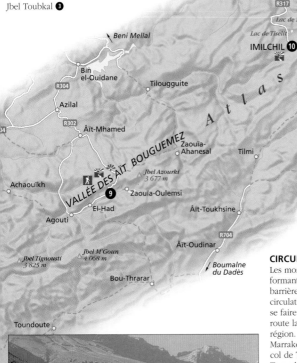

CIRCULER

Les montagnes du Haut Atlas formant d'est en ouest une barrière infranchissable, la circulation nord-sud ne peut se faire que par la R203, la route la plus à l'ouest de la région. Au départ de Marrakech, elle grimpe le col de Tizi-n-Test jusqu'à Taroudannt et Agadir. Au sud-est de Marrakech, la route N9 conduit à Ouarzazate, en passant par le col de Tizi-n-Tchika. Au centre, aucune route ne franchit l'Atlas central sur 200 km. Seule une piste, souvent impraticable en hiver, traverse le plateau des lacs et rejoint la ville de Dadès. À l'est, au départ de Fès, une route longe le Moyen Atlas puis le Haut Atlas jusqu'à la vallée du Tafilalt, par Midlet.

Le village de Dar Caïd Ouriki

L'oued Ourika arrose une vallée
bordée de cultures de palmiers

Vallée de l'Ourika ❶

Carte routière C4. À 68 km de
Marrakech par la P2017.
🚌 *Marrakech, taxis également.*
🛈 *Marrakech, 0524 43 61 31.* 🗓
moussem de Setti Fatma (mi-août).

À 68 km de Marrakech, la
vallée de l'Ourika est une
excursion reposante qui
permet de pénétrer dans les
premiers contreforts de
l'Atlas. Arrosée par l'oued
Ourika, la vallée offre un
paysage verdoyant dès le
village de **Tnine-de-l'Ourika**
où se tient chaque lundi le
souk le plus important de
toute la vallée. Tout au long
de la route qui longe l'oued,
de petites maisons, des cafés,
épiceries, boutiques et de
petits hôtels s'accrochent à
la pente. L'oued Ourika, si
paisible d'ordinaire, s'est fait
une sinistre réputation depuis

qu'une crue subite, en août
1995, a ravagé une grande
partie de la vallée. Ombragés
par de nombreux arbres
fruitiers, jardins et parcelles
cultivées se partagent le lit
de la vallée. Après **Arhbalou**,
situé à 1 500 mètres d'altitude,
la vallée se resserre tout en
s'élevant lentement. À **Setti
Fatma**, la route s'arrête et
les marcheurs peuvent partir
en excursion. Sur les sept
cascades qui descendent des
éboulis rocheux au-dessus du
village, la première est aisée
à atteindre en remontant le
cours de l'oued. Les autres,
au dénivelé plus important,
exigent de bonnes chaussures
de marche et un peu
d'escalade. De là-haut,
superbe vue sur Setti Fatma.
Le village peut aussi être le
point de départ de plus
longues expéditions vers le
jbel Toubkal ou le plateau du
Yagour, sommet célèbre pour
ses centaines de gravures
rupestres. Enfin, autour du
tombeau de Setti Fatma, un
moussem se tient à la mi-août,
pèlerinage religieux qui
donne l'occasion aux
Berbères de tous les
environs de se retrouver.

Oukaïmeden ❷

Carte routière C4. À 74 km de
Marrakech par la P2017.
🚌 *Marrakech puis taxi.*
🛈 *Marrakech, 0524 43 61 31.*

Station de ski l'hiver et
départ de randonnées
pédestres l'été, l'Oukaïmeden
est un havre de fraîcheur, à
une heure de Marrakech. On

atteint facilement la station
par une route qui bifurque à
droite, au niveau du village
d'Arhbalou, laissant la vallée
de l'Ourika sur la gauche.
Ombragée d'oliviers, de
chênes et de noyers, la route
s'élève en lacet au milieu d'un
décor aride et caillouteux.
Dans la station même, les
chalets et infrastructures
d'hiver sont installés au pied
d'un cirque de montagnes :
le *jbel* Oukaïmeden (3 273 m),
le *jbel* Ouhattar (3 258 m) et
le *jbel* Angour (3 614 m).
Le vaste plateau de
l'Oukaïmeden est tapissé de
pâturages, dont le libre accès
aux troupeaux est réglementé
par la tradition. De novembre
à avril, si l'enneigement est
suffisant, un télésiège – le
plus haut d'Afrique du Nord –
monte au sommet du *jbel*
Oukaïmeden, tandis que
plusieurs téléskis permettent
aux débutants de s'entraîner
sur des pistes plus faciles.
On peut également pratiquer
le ski de fond ou le ski de
randonnée. Dans le village et
sur le plateau, des peintures
rupestres, qui datent de l'âge
de bronze, représentent,
pour l'essentiel, des hommes
aux côtés de dagues, de
hallebardes et de boucliers.
À 2 km de la station, un relais
hertzien (2 740 m) offre
un magnifique point de vue
sur l'Atlas et la plaine de
Marrakech. L'Oukaïmeden
est aussi le point de départ,
l'été, de nombreuses
randonnées en montagne,
notamment vers le col
Tizi-n-Ouaddi, le beau village
de Tacheddirt et vers Imlil
et le Tizi-n-Test.

La station de ski de l'Oukaïmeden fut bâtie en 1950

Pour les hôtels et les restaurants de la région, voir p. 317 et p. 340

Excursion dans le massif du Toubkal ❸

Outre l'ascension du plus haut sommet de l'Atlas,
– le *jbel* Toubkal (4 167 m) –, le massif du Toubkal
regorge de balades à pied de plusieurs jours.
Gravir le Toubkal ne comporte pas de difficultés
particulières, mais l'altitude est élevée et le dénivelé
conséquent. Depuis le refuge du Toubkal, on atteint
le sommet en 4 h environ. Il est conseillé d'arriver
en fin de matinée pour apprécier le panorama
sur le Haut Atlas.

Tacheddirt ⑦
On accède à ce très beau
village (2 314 m), encadré de
montagnes grandioses, par le
Tizi-n-Tamaert, à l'est d'Imlil.

Refuge Lepiney ⑧
Au départ de
l'ascension de la
vallée de l'Azzaden
et du plateau de
Tazarhart, à
3 000 m, il est
fréquenté par des
randonneurs et
varappeurs
chevronnés.

Imlil ①
Ce petit village de montagne, entouré de
noyers et d'arbres fruitiers, est le point
de départ de l'ascension du Toubkal et
de nombreuses autres randonnées.

Jbel Angour
3 616 m

Ouaneskra

Aremd ②
Perchées à 1 900 m
d'altitude dans la vallée du
Mizane, ses maisons de
pierre s'accrochent à la
roche, environnées de
cultures en terrasse.

ASNI

Tamatert

Tizi
Oussem

Aksoual ▲
3 842 m

Sidi Chamharouch ③
Au fond d'une gorge
encaissée, la koubba de Sidi
Chamharouch, roi des
génies, attire de nombreux
pèlerins toute l'année.

Azib
Tamsoult

Tichki ▲
3 753 m

Refuge du Toubkal ④
Dernière étape à 3 200 m
avant l'ascension du
Toubkal, le refuge est
ouvert toute l'année.

Tazarhart
▲ *3 843 m*

Tizi-n-
Ouanoums

Ouanoukrim
▲ *4 088 m*

CARNET DE ROUTE

*À condition d'être un peu
entraîné à la marche, on peut
monter au Toubkal sans guide.*
Point de départ : *Imlil, à 17 km
d'Asni par la P2015 et à 1h30
de Marrakech.*
Quand y aller : *la meilleure
période est d'avril à octobre.*
Refuges : *Toubkal (à 5h d'Imlil),
Lépiney (pour atteindre le plateau
de la Tazarhart en 2 jours) et
Tachdirt (à 2h30 d'Imlil).*
Renseignements : *à Imlil,
le bureau des guides dispose
de nombreuses cartes détaillées
de la région et propose des
mulets pour les randonnées
de plusieurs jours.*

Lac d'Ifni ⑥
À 5 h de marche depuis
le refuge du Toubkal, le lac
d'Ifni repose dans un univers
minéral, bordé de quelques
huttes de berger.

LÉGENDE

-- Circuit (sentier)

== Piste

☆ Point de vue

Jbel Toubkal ⑤
Son ascension est faisable à
la fin de l'hiver. Du sommet,
très beaux panoramas sur
tout le Haut Atlas.

0 _____ 5 km

Perché à 1 150 m, le village d'Asni est au cœur du cirque de Tamaroute

Asni ❹

Carte routière C4. À 42 km de Marrakech par la R203. 🚌 *Marrakech puis taxi.* 🏠 *sam.*

Premier village important sur la route du Tizi-n-Test, Asni possède une intéressante kasbah aux murs rouges. De beaux vergers entourent le village et plusieurs sentiers muletiers grimpent sur les plateaux des alentours. De ce petit bourg, une piste conduit à Imlil, la base de départ des randonneurs vers le refuge et le *jbel* Toubkal *(p. 249).*

Aux environs : le *moussem* très populaire de **Moulay Brahim**, dans les gorges du même nom, à 5 km d'Asni, a lieu une à deux semaines après le Mouloud.

   Les Marocains reconnaissent au saint Moulay Brahim le pouvoir de guérir la stérilité des femmes. Les pèlerins viennent déposer leurs offrandes devant son tombeau et accrocher dans les arbustes de petits bouts de tissu. Lorsque l'un d'eux se détache, la femme qui l'a déposé peut espérer enfanter.

Route du Tizi-n-Test ❺

Carte routière B-C4. Accès de Marrakech par la R203.
🚌 *Marrakech ou Taroudannt.*
🏠 *Ouirgane : jeu. ; Ijoukak : mer.*

Au-delà d'Asni, la route franchit le Haut Atlas et relie Marrakech à la plaine du Souss, vers Taroudannt et Agadir à l'ouest, Taliouine à l'est. Cette route, en bon état mais très étroite et

vertigineuse par endroits, a été creusée par les Français dans les années 1930. Peu avant Ouirgane, une petite route à droite se dirige vers **Amizmiz**, joli village dominé par une kasbah en ruine, au milieu des oliveraies. Son souk est réputé pour les poteries berbères façonnées au village même. À **Ouirgane**, station de repos prisée par les Marrakchis pour sa fraîcheur l'été, quelques salines sont encore exploitées.
En s'élevant vers le Tizi-n-Test, le paysage devient sauvage, la route serpente au milieu de terres rouges, presque violettes. Les amateurs de randonnées peuvent se rendre, à partir d'**Ijoukak**, dans la vallée d'Agoundis, vers Taghbart et El-Maghzen, et marcher vers le massif du Toubkal. Au-delà d'Ijoukak, on aperçoit l'imposante mosquée de Tin Mal sur la droite. Avant le passage du Tizi-n-Test, d'imposantes kasbahs se dressent sur des promontoires arides. Toutes datent de la fin du XIXᵉ siècle et appartenaient aux Goundafa, puissante tribu berbère qui contrôlait l'accès au Tizi-n-Test. De novembre à avril, le col du Tizi-n-Test (2 093 m) peut être bloqué

Poterie du Tizi-n-Test

par la neige. Dans la descente du col, on découvre un très beau panorama sur la plaine du Souss et ses collines couvertes d'arganiers, qui s'étend 2 000 m plus bas.

Tin Mal ❻

Carte routière B4. À environ 25 km au sud d'Asni par la R203. 🎫 *pour visiter la mosquée, demander le gardien dans le village de Tin Mal.* 🕐 *t.l.j. sf ven. à l'heure de la prière.*

Isolée au pied de l'Atlas, 10 km après Ijoukak, sur la route du Tizi-n-Test, la mosquée de Tin Mal demeure le dernier témoin de la conquête almohade. Autrefois ville sainte fortifiée, Tin Mal fut fondée par le théologien Ibn Toumart en 1125, d'où il prêcha la guerre sainte contre les Almoravides et se fit reconnaître comme chef religieux par les tribus berbères du Haut Atlas. De la ville sainte, détruite et pillée en 1276 par la dynastie des Mérinides, il ne reste que cette somptueuse mosquée, élevée en 1153 par le sucesseur d'Ibn Toumart, Abd el-Moumen, premier souverain almohade.
   Inscrite au patrimoine mondial de l'Unesco depuis

La route aux lacets vertigineux du Tizi-n-Test

◁ **le village de Magdaz, bâti sur la roche**

Briques roses et stalactites de stuc ornent la mosquée de Tin Mal

sa restauration, c'est l'un des rares édifices religieux du Maroc ouverts aux non-musulmans. Ses hauts murs et ses tours épaisses lui donnent des allures de véritable forteresse.

Route du Tizi-n-Tichka ❼

Carte routière C4. De Marrakech ou de Ouarzazate par la N9.
🚌 Marrakech ou Ouarzazate.
🏨 Aït Ourir : mar.

Construite par les Français dans les années 1920, la route comporte une longue succession de virages et traverse tantôt des paysages arides dans un décor minéral, tantôt des vallées fertiles. Les villages de pisé aux tons rouges ou gris se blottissent au pied des pentes. Un premier col, à 1 470 m, le Tizi-n-Aït Imger, offre un bel aperçu sur la chaîne de l'Atlas. La route est bordée de vendeurs de poteries, de minéraux et de pierres aux couleurs un peu trop vives pour être naturelles. Les virages se resserrent jusqu'au Tizi-n-Tichka (2 260 m) passage routier le plus élevé du Maroc. Les cultures disparaissent peu à peu, laissant place à un paysage de terre rouge. Les montagnes s'arrondissent, les maisons sont plus hautes et décorées, annonçant déjà le Sud. À la sortie d'**Igherm-n-Ougdal**, on peut visiter un superbe grenier fortifié restauré. Après Agouim,

de l'autre côté de l'oued, la kasbah d'El-Mdint, aux tours ciselées de motifs en relief, a été restaurée. Les palmiers apparaissent, une large plaine désertique et caillouteuse aux couleurs rose et beige conduit jusqu'à Ouarzazate.

Intérieur du grenier fortifié d'Igherm-n-Ougdal

Télouèt ❽

Carte routière C4. Accès par la N9.
⭕ visite t.l.j. avec le gardien sur les lieux.

Cinq kilomètres après le passage du Tizi-n-Tichka vers Ouarzazate, une étroite petite route goudronnée descend sur la gauche vers une vallée encaissée et mène, à 20 km de là, à la kasbah de Télouèt. Celle-ci fut l'une des résidences principales d'Al-Thami el-Glaoui, pacha de Marrakech, dont le fief s'étendait à une grande partie du Haut Atlas. Al-Thami el-Glaoui fut tour à tour au service du sultan puis à celui des Français en 1912. Il paya cher son opposition au sultan Mohammed V car, à sa mort,

sa famille fut exilée et ses biens dispersés. Ainsi, Télouèt, au fastueux passé, est-elle laissée à l'abandon depuis 1956. La kasbah n'est plus qu'un enchevêtrement de toits de pierre et de pisé. Les tuiles vernissées s'effritent, les tours de guet sont décrépites, les pans de murs fissurés et les verrières détruites. On ne peut accéder à la plupart des pièces, dont le toit s'est effondré. Pourtant, un dédale de couloirs aux plafonds bas et aux murs nus conduit à deux salles de réception incroyablement épargnées par le temps, derniers témoins de l'opulence du Glaoui. D'inspiration andalouse, ces pièces sont richement décorées de stuc ciselé, de bois de cèdre peint sur les plafonds et les portes, et de zelliges colorés. La lumière du jour, diffusée par le dôme d'une verrière et une petite fenêtre encadrée de fer forgé ouvragé, éclaire les pièces à toute heure.

Aux environs : de Télouèt, on peut rejoindre **Aït Benhaddou** (p. 265) par une piste étroite bordant des paysages pittoresques. Dans cette vallée fertile, plantée de palmiers, de figuiers et d'oliviers, où court l'oued Ounila, des kasbahs témoignent de l'important fief du Glaoui. Le village d'**Anemiter**, à 11 km de Télouèt, est particulièrement préservé.

Plafond en bois peint dans la kasbah de Télouèt

Vallée des Aït Bouguemez ❾

Porte en bois de la vallée

Environée de cimes arides, cette vallée à large fond plat s'étire tout en longueur. Royaume de la tribu des Aït Bouguemez, cultivateurs sédentaires, elle est tapissée d'un damier de lopins de terre méticuleusement labourés et sertis de rigoles. Sous les frondaisons des noyers, les champs d'orge et de blé ondulent. Sur les versants arides, des hameaux en pisé se blottissent autour d'anciennes maisons fortes, les *tighremts*. La vallée des Aït Bouguemez est le point de départ de superbes randonnées vers le massif du M'Goun. Vingt-sept villages jalonnent la vallée entre Agouti et Zaouïa Oulemzi. La tribu des Aït Bouguemez est considérée comme la plus ancienne de la région.

Battage du blé
Attachés au pieu central de l'aire, les mulets tournent lentement, piétinant le blé, égrenant les épis pour séparer le grain de la paille.

★ Plafonds peints
Dans la tamsriyt, *pièce réservée aux hôtes de passage, les plafonds – en particulier à Agouti – s'ornent de motifs géométriques et de fils colorés savamment tracés au compas et à la main.*

La route directe pour Aït Mohammed est à éviter. À la place, prenez celle qui part d'Agouti.

LÉGENDE

▬▬ Route principale
══ Route secondaire
═ Piste
-- Sentier
☆ Point de vue
ℹ Information touristique
🅿 Parking

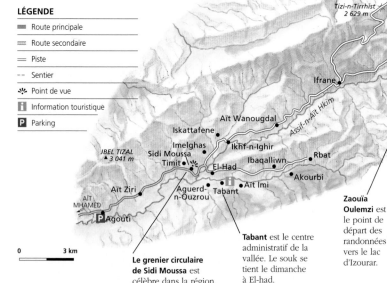

Tizi-n-Tirrhist 2 629 m

Ifrane

Aït Wanougdal

Iskattafene

Imelghas   Ikhf-n-Ighir

JBEL TIZAL   Sidi Moussa

▲ 3 041 m   Timit   El-Had   Ibaqalliwn   Rbat

Aït Imi   Akourbi

Aït Ziri   Aguerd-   Tabant
n-Ouzrou

AÏT
MHAMED   🅿 Agouti

Zaouïa Oulemzi est le point de départ des randonnées vers le lac d'Izourar.

0 _____ 3 km

Le grenier circulaire de Sidi Moussa est célèbre dans la région.

Tabant est le centre administratif de la vallée. Le souk se tient le dimanche à El-had.

Maïs séchant sur les toits
*À l'automne, des damiers de maïs sont
soigneusement disposés sur les toits en terrasses,
avant d'être égrenés au béton
et à la main.*

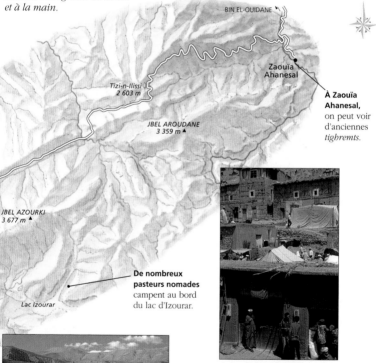

BIN EL-OUIDANE

Zaouïa
Ahanesal

Tizi-n-Ilissi
2 603 m

**À Zaouïa
Ahanesal,**
on peut voir
d'anciennes
tighremts.

JBEL AROUDANE
3 359 m

JBEL AZOURKI
3 677 m

**De nombreux
pasteurs nomades**
campent au bord
du lac d'Izourar.

Lac Izourar

★ **Souk de El-Had**
*Ravitaillé par camion chaque semaine,
le souk du dimanche procure aux
habitants les denrées qu'ils ne
produisent pas : thé, café, sucre,
allumettes, huile, ustensiles divers…*

Paysage de la vallée
*Peuple travailleur, les Berbères, attirés
par les pâturages, ont irrigué les terres,
les exploitant au mieux, et bâti des villages
fortifiés pour assurer leur sécurité.*

À NE PAS MANQUER

★ Plafonds peints

★ Souk de El-Had

À la découverte de la vallée des Aït Bouguemez

Adossés à la montagne, les hameaux de la vallée des Aït Bouguemez se fondent dans le relief, couleur de la terre qui les porte. Les maisons sont encastrées les unes dans les autres, chaque toit plat étant utilisé comme terrasse par les habitants de la maison du dessus. Surplombant la rivière et le champ familial, ces maisons cubiques sont exposées au soleil levant et adaptées aux rigueurs du climat. En bas de la vallée, elles sont toutes bâties en pisé, mélange de terre crue extraite sur le lieu même de la construction, d'eau et parfois de paille. Dans les villages au-dessus de 2 200 m, la pierre sèche s'impose, le pisé résistant mal à l'altitude, au froid et à l'humidité. Les toits sont l'objet de tous les soins.

Les beaux plafonds en bois peint sont typiques des Aït Bouguemez

Départ au souk dans un village en contrebas du *jbel* Ghat

Surplombant la vallée, le **jbel Ghat** est un sommet mythique pour les Berbères qui s'y rendent en pèlerinage les années de sécheresse.

À flanc de montagne, tout au fond de la vallée, **Abachkou** est réputé pour ses capes blanches tissées par les villageois et qu'on ne trouve nulle part ailleurs au Maroc.

Sidi Moussa
À l'est d'Agouti.
Posé au sommet d'une colline, au coeur de la vallée des Aït Bouguemez, le **grenier** de Sidi Moussa est inscrit au patrimoine mondial de l'Unesco depuis sa complète restauration. On s'y rend par un sentier escarpé, à la sortie du village de Timit. Ce grenier communal, l'un des trois de la région, est un édifice circulaire consolidé par des tours de gué.

L'intérieur, éclairé par de rares meurtrières, abrite un escalier en colimaçon qui dessert deux étages. Dans la pénombre, on distingue les cases creusées dans les murs où les habitants conservaient leurs biens.

Connu pour ses dons de guérisseur et ses bienfaits, le saint Sidi Moussa est enterré là. Pour voir leur vœu exaucé, les femmes stériles de la vallée des Aït Bouguemez et des vallées environnantes y passent la nuit et y sacrifient un poulet en offrande au saint. Du haut de Sidi Moussa, on aperçoit toute la vallée et les villages disséminés sur les collines voisines.

Agouti
Extrémité ouest de la vallée des Aït Bouguemez.
Premier des 27 villages qui jalonnent la vallée, Agouti s'élève à 1 800 m d'altitude. Poste avancé de la tribu des Aït Bouguemez, il défendait autrefois l'accès de la haute vallée contre les tribus rivales. Les ruines d'un *igherm* (un grenier communal fortifié) dominent le village du haut d'un promontoire rocheux escarpé. C'est ici que les villageois conservaient autrefois leurs récoltes et leurs biens. Dans la vallée, beaucoup de maisons ont l'électricité et une certaine forme d'eau courante. À Agouti et aussi dans d'autres villages de la vallée, on peut admirer, chez les familles aisées, de très beaux plafonds en bois peints par des artisans réputés, utilisant toutes les combinaisons de l'art géométrique.

Vallée des Aït Bou Oulli
À l'ouest d'Agouti.
D'Agouti, on peut se rendre pour la journée à dos de mulet ou en 4x4 dans la vallée des Aït Bou Oulli. Une piste à flanc abrupt descend dans la vallée, dont l'appellation signifie « les gens aux brebis ». Étroite vallée boisée, riche en noyers, elle serpente le long de l'oued qui arrose de parcelles de cultures.

Mulets dans la vallée des Aït Bou Oulli

Aït Ziri, Timit, Imelghas et Iskattafène

À l'est d'Agouti. 🚍 *El-Had : dim.*

Vingt-sept villages se succèdent le long de la piste. On découvre leurs particularités (portes en bois sculpté ou peintes de couleurs vives, fenêtres aux entrelacs de fer forgé ou moucharabiehs) en se promenant à pied dans chaque village. De très belles **tighremts**, datant du début du XXe siècle, sont encore habitées par les chefs de village et leur grande famille. Près de Tabant, le centre administratif de la vallée, **El-Had** est réputé pour son souk du dimanche, le seul endroit de la vallée où l'on puisse se ravitailler. El-Had est aussi le point de départ de randonnées dans le M'Goun ou vers les **traces des dinosaures**.

Zaouïa Oulemzi

En venant d'Agouti, sur une petite piste à droite de la piste 1809. Dominant la vallée à 2 150 m d'altitude, le dernier village des Aït Bouguemez est formé de maisons basses en pierre sèche et rouge, sur lesquelles la neige tombe tôt et en abondance. De Zaouïa Oulemzi, les randonneurs partent vers le **lac d'Izourar**, à 2 500 m d'altitude, au cœur des montagnes. De nombreux pasteurs nomades campent près du lac, souvent asséché l'été, mais couvert de

Cultures dans la vallée des Aït Bouguemez

pâturages dont l'accès est réglementé. L'été, parmi ces pasteurs, les Aït Bouguemez habitent dans des bergeries de pierre ; les Aït Atta, avec leurs troupeaux de moutons, de chèvres mais aussi de dromadaires, remontent du *jbel* Sarhro vers le Haut Atlas. Ils s'installent alors en fonction des

***Igherm* dans les Aït Bouguemez**

pâturages sur les versants du M'Goun, près du lac d'Izourar ou sur les plateaux d'Imilchil, transhumant en sens inverse vers le Sud, dès les premiers frimas.

Zaouïa Ahanesal

Sur la piste en dir. de Bin el-Ouidane. 🚍 *lun.*

Dans le prolongement de la vallée des Aït Bouguemez,

une piste grimpe vers le col de Tizi-n-Tirhist (2 629 m). La montagne est très austère et traverse une « forêt pétrifiée » de genévriers thurifères, aux troncs noueux et mourants, dont l'espèce est en voie de disparition.

La Zaouïa Ahanesal, composée d'anciennes **tighremts** et du tombeau de Saïd Ahanesal, son fondateur, date du XIVe siècle, époque où le mouvement maraboutique a dominé toute l'histoire de la montagne. Les zaouïas étaient alors des lieux saints protégés, où les pèlerins voyageurs et les plus démunis trouvaient refuge. En échange de la protection du marabout, saint personnage et chef d'une confrérie, les Berbères entretenaient la terre de la zaouïa et recevaient un enseignement de la langue arabe et du Coran. Sans se soucier du pouvoir des sultans, certaines zaouïas contrôlaient toute la vie des montagnards, arbitrant les conflits de partage de terres et imposant leurs décisions. La Zaouïa Ahanesal eut une influence notable sur les populations berbères, mais les descendants de Saïd Ahanesal se heurtèrent aux fiefs des caïds du Haut Atlas. Ils résistèrent jusqu'en 1934 aux forces françaises.

La piste se poursuit sur 40 km avant de rejoindre **La Cathédrale**, magnifique formation rocheuse, puis le lac de Bin el-Ouidane.

Animaux paissant autour du lac d'Izourar, en été

Le lac de Tiselit non loin d'Imilchil

Imilchil ⑩

Carte routière D3. Accès par Kasba Tadla N8, et El-Ksiba (par la R317). 🏠 *sam.*

Aux confins est, la chaîne du Haut Atlas semble s'écraser, formant un plateau désertique entouré de montagnes arrondies. Imilchil est au cœur de ce pays peu peuplé, celui des Aït Haddidou. Ils seraient originaires de Boulmane du Dadès, dans la haute vallée du Dadès, où certains résident encore.

Cheminée en « marmite » à Imilchil

Ce groupe de pasteurs semi-nomades serait arrivé au Maroc dans les premiers siècles de l'islam. Au XIᵉ siècle, on retrouve leurs traces dans la région de Boulmane du Dadès. Ils endurent plusieurs années de guerre contre la puissante tribu des Aït Atta, pour l'approbation des pâturages, avant de s'établir dans la vallée de l'assif Melloul au XVIIᵉ siècle.

On peut atteindre le plateau des lacs soit par une longue piste en provenance d'El-Ksiba, traversant d'étroits défilés et des cols sinueux, soit par Rich sur une route goudronnée, plus à l'est. Cet univers minéral parsemé de quelques *tighremts* solitaires est égayé par deux lacs aux eaux vertes, les lacs Tiselit et Iseli. Situé entre 2 000 et 3 500 m d'altitude, le plateau est peuplé l'été de troupeaux de moutons venus retrouver des pâturages verdoyants. Une somptueuse kasbah domine le village d'Imilchil. En haut des tours, certains créneaux sont coiffés à chaque angle de marmites à fond renversé, élément de décor mais aussi superstition, protection contre la foudre, contre le mauvais œil et symbole de prospérité.

Éloigné de tout, Imilchil est sorti de l'anonymat grâce au **moussem des Fiançailles**, qui, chaque année, réunit de nombreux pèlerins et commerçants montagnards. Il se tient fin septembre à une vingtaine de kilomètres de la petite ville, au lieu-dit Aït Haddou Ameur. À pied, en camion ou à dos de mulet, toutes les tribus des environs affluent à ce grand rassemblement annuel, à la fois commercial, social et religieux. Autour des murs de pisé du sanctuaire de Sidi Ahmed ou Mghanni, saint vénéré, les pèlerins se pressent pour faire leurs offrandes. C'est la légende des amoureux, Hadda et Moha, membres de tribus rivales, qui furent séparés par leurs parents, qui est à l'origine du *moussem* des Fiançailles. De leurs pleurs, naquirent deux lacs, Iseli, « le fiancé », et Tiselit, « la fiancée ». Depuis, les jeunes filles qui se rendent au *moussem* avec leur famille ont la possibilité de converser librement avec les hommes d'autres tribus, bien qu'accompagnées d'une sœur ou d'une amie. Les jeunes couples qui le souhaitent se rendent sous la tente des *adouls*, les notaires, et signent un acte de fiançailles.

Ces unions sont souvent programmées par les familles avant le *moussem*. Ce dernier, devenu très touristique depuis quelques années, perd un peu de son charme authentique. La présentation et le défilé des jeunes mariées et les soirées folkloriques ne sont que la façade d'un grand rassemblement commercial et religieux. Sur le vaste plateau, un immense souk déploie ses toiles colorées. Les commerçants vendent de la vannerie, des ustensiles de cuisine, des couvertures et des tapis artisanaux, de la ferronnerie, des vêtements, des produits alimentaires de base, etc. Sur les collines, les troupeaux de vaches, de moutons et de dromadaires attendent leurs acheteurs.

Couple au *moussem* des Fiançailles d'Imilchil

Berbères du Haut Atlas

Paysans sédentaires, les Berbères du Haut Atlas vivent encore, pour beaucoup, en complète autarcie. Certaines vallées ne sont reliées au monde extérieur que par des sentiers muletiers. Leurs habitants vivent au rythme des saisons et de la vie aux champs. À l'automne, les hommes labourent avec l'araire en bois et font des affaires au souk heb-

Main peinte au henné

domadaire. En hiver, les femmes puisent l'eau à la rivière et cherchent du bois, tout en tissant les lourdes couvertures de laine. Au printemps, les hommes creusent et entretiennent les précieux canaux d'irrigation ; en été, les femmes moissonnent et trient le grain, tandis que les hommes vannent l'orge sur les aires de battage.

Au *moussem* d'Imilchil, *le* raïs, *maître de la danse de cette troupe folklorique, donne le rythme en frappant son* bendir *avec la main droite.*

De nombreuses fêtes *familiales viennent égayer la vie des habitants. Les femmes, vêtues de robes éclatantes, dansent l'*ahwach *ou l'*ahidous *selon les régions, tandis que les hommes entonnent des mélopées en frappant leur* bendir *sur un rythme régulier.*

Femmes berbères *de la tribu des Aït Haddidou, dont les mantes rayées indiquent leur appartenance à un clan.*

Femme portant l'orge *encore verte sur son dos, avant de la déverser sur l'aire de battage.*

Cette tisseuse *d'Abachkou, dans la vallée des Aït Bou Oulli, lave, corde puis file la laine de mouton pour confectionner des capes blanches, agrémentées de pièces métalliques.*

Les hommes *viennent au souk d'Imilchil pour faire des affaires, acheter ou vendre du bétail et s'approvisionner pour l'hiver.*

OUARZAZATE ET LES OASIS DU SUD

Cette région fascinante commence dès le Sud du Haut Atlas, à quelque 300 km de l'Atlantique, là où le désert se heurte à la montagne. Ce désert de pierres est jalonné de vertes oasis, royaumes du palmier-dattier, et entrecoupé de canyons abrupts, de monts arides, à travers lesquels les oueds se sont tracé un chemin jusqu'au Sahara. La lumière y est intense et les couleurs somptueuses.

Ces contrées présahariennes sont le berceau des grandes dynasties marocaines. Au XIe siècle, les guerriers almoravides, originaires du Sahara, partent du Sud pour étendre leur empire du Sénégal à l'Espagne. Au XVIe siècle, les Saadiens, originaires d'Arabie, quittent la vallée du Draa pour conquérir le Maroc. Enfin, les Alaouites, toujours au pouvoir aujourd'hui, s'établissent dans la région du Tafilalt dès le XIIIe siècle. Le commerce de l'or, du sel et des esclaves entre Afrique noire et Maroc a brassé les populations : Arabes, Berbères et Harratines, descendants d'anciennes populations noires, cohabitent. La vie se concentre le long de trois grands oueds – Draa, Ziz et Dadès – qui ont façonné de somptueux paysages, creusant gorges et canyons dans les parois du Haut Atlas et de l'Anti-Atlas. Le palmier-dattier, qui protège les cultures d'orge ou de blé, demeure la richesse majeure de la région. Des centaines de kasbahs et de *ksour* jalonnent les palmeraies. Ces villages et maisons fortifiés de pisé ocre protégeaient jadis les populations des attaques des tribus nomades. Beaucoup, désormais inhabités, se délabrent lentement. Au sud des oasis, commence le désert, qui gagne tous les ans du terrain sur les terres arables.

Patio central de la kasbah Oulad Driss

◁ Marabout en pisé de la vallée du Draa

À la découverte de Ouarzazate et des oasis du Sud

La vallée du Draa, qui s'étend au sud de Ouarzazate, et la vallée du Tafilalt, au sud d'Er-Rachidia, sont les deux grands axes permettant d'atteindre le Sahara. Ces deux vallées sont reliées entre elles par la vallée du Dadès. De Ouarzazate à Boulmane du Dadès, cette dernière s'étire sur 120 km, parcourant un plateau désertique, à une altitude moyenne de 1 000 à 1 500 m, encadré au nord par le Haut Atlas et au sud par les contreforts du *jbel* Sarhro. La vallée du Dadès est entaillée de vallées adjacentes, alimentées en eau par les oueds de l'Atlas, qui permettent de se diriger, à pied ou en 4x4, vers l'intérieur du Haut Atlas. Une bonne semaine est nécessaire pour parcourir cette région, goûter aux charmes des oasis et visiter les ksour les plus remarquables.

CIRCULER

Des routes en bon état relient Ouarzazate à Zagora, à Er-Rachidia et à Erfoud. Mais les distances sont longues à parcourir, compte tenu des massifs et des cols à traverser. Si le 4x4 est indispensable pour explorer certaines pistes, une voiture de tourisme suffit pour circuler sur les grands axes. Un réseau de bus et de grands taxis, au départ de Ouarzazate, dessert toutes ces régions.

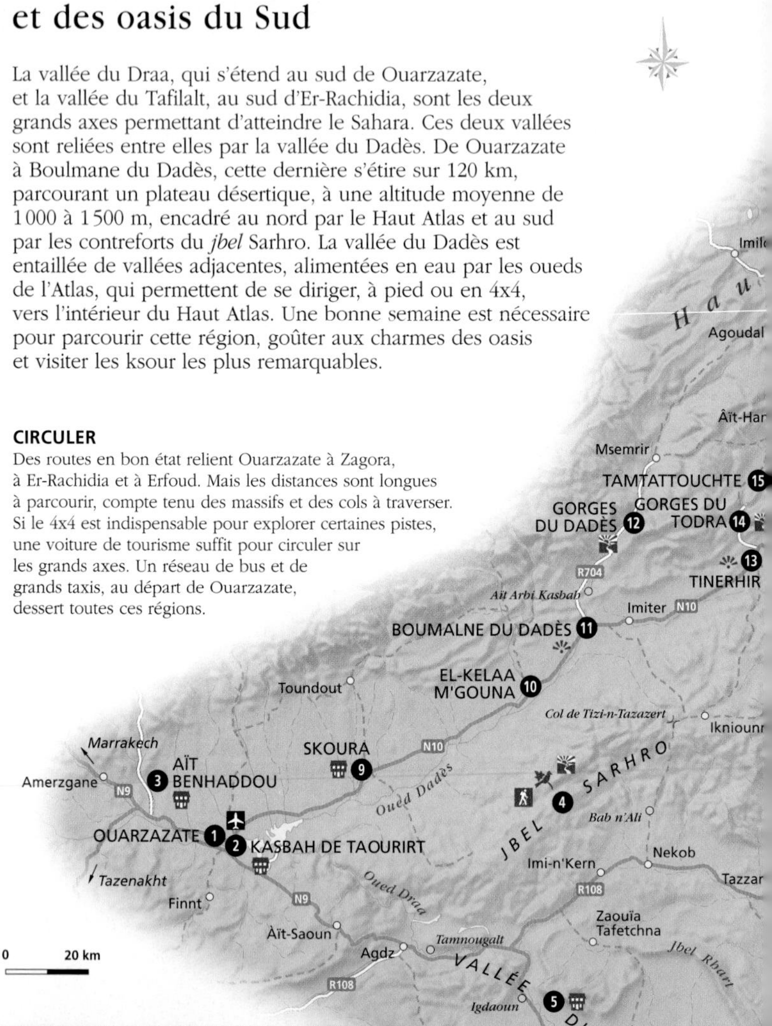

Imile

H a u

Agoudal

Aït-Har

Msemrir

TAMTATTOUCHE 15

GORGES DU DADÈS 12 GORGES DU TODRA 14

R704 13

Aït Arbi Kasbah TINERHIR

Imiter N10

BOUMALNE DU DADÈS 11

Toundout

EL-KELAA M'GOUNA 10

Col de Tizi-n-Tazazert Ikniounr

Marrakech

SKOURA 9 N10

Amerzgane N9 AÏT BENHADDOU 3

S A R H R O

Oued Dadès

4 Bab n'Ali

OUARZAZATE 1 J B E L

2 KASBAH DE TAOURIRT Imi-n'Kern Nekob

Tazenakht Tazzar

R108

Finnt *Oued Draa* Zaouïa Tafetchna

Àït-Saoun *Jbel Rhart*

Agdz *Tamnougalt* V A L L É E

0   20 km 5

Igdaoun D U D R A A

Jbel

Gorges d'Azlag

ZAGORA 6

Amazraou 7

TAMEGRO

Zaouia-el-Barrahnia

Jbel Beni Anagame

Dunes de Nesrate

Tagounite N9

MHAMID 8

Msemrir, village adossé au Haut Atlas

Pour les autres symboles de la carte, *voir le rabat arrière de couverture*

Porte de la zaouïa de Tamegroute

LA RÉGION D'UN COUP D'ŒIL

Aït Benhaddou ❸
Boumalne du Dadès ⓫
El-Kelaa M'Gouna ❿
Erfoud ㉑
Er-Rachidia ⓳
Gorges du Dadès ⓬
Gorges du Todra ⓮
Gorges du Ziz ⓲
Goulmima ⓰
Jbel Sarhro ❹
Kasbah de Taourirt ❷
Merzouga ㉔
Mhamid ❽
Midelt ⓱
Ouarzazate ❶
Palmeraie du Tafilalt ㉒
Rissani ㉓
Skoura ❾
Source bleue de Meski ⓴
Tamegroute ❼
Tamttatouchte ⓯
Tinerhir ⓭
Vallée du Draa ❺
Zagora ❻

VOIR AUSSI

• *Hébergement* p. 317-319

• *Restaurants* p. 341-342

Austère kasbah dans les gorges du Dadès

Boutique de l'ensemble artisanal face à la kasbah Taourirt

Ouarzazate ❶

Carte routière C4. 🏠 70 000.
ℹ️ *av. Mohammed-V, 0524 88 24
85. Grands taxis et location de 4x4 et
de VTT.* 🚌 *av. Mohammed-V (pour
Marrakech, Tinerhir, Taroudannt et
Zagora) ou grands taxis (mar., ven.-
dim.).* 🎪 *fête de l'Artisanat (mai),
moussem de Sidi Daoud (août).*

Ancienne garnison de la
Légion étrangère fondée en
1928, Ouarzazate fut choisie
comme place stratégique par
les Français pour pacifier le
Sud. Située à 1 160 m
d'altitude, au carrefour de la
vallée du Draa, de la vallée
du Dadès et, vers l'ouest, de
la région d'Agadir, Ouarzazate
est un lieu de passage quasi
obligatoire entre montagne et
désert. C'est aussi une bonne
étape pour visiter Aït
Benhaddou ou la palmeraie
de Skoura. Ses larges rues,
ses hôtels, ses jardins publics
en font une ville de province
paisible. Elle est traversée
par une seule grande rue,
l'avenue Mohammed-V, qui
conduit à la vallée du Dadès.
À 6 km avant l'entrée de la
ville, en venant de Marrakech,
les **studios de cinéma Atlas**
dressent leurs hauts remparts
de pisé, gardés par des
colosses hollywoodiens de
style pseudo-égyptien.
Installés sur 30 ha de désert,
ces studios font vivre une
partie de la population de
Ouarzazate. Depuis un siècle,
des centaines de films ont été
tournées dans la région,
notamment *Un Thé
au Sahara*
de Bertolucci
et *Kundun*
de Scorsese.
De l'autre côté
de la ville, face
à la kasbah
de Taourirt,
se trouvent les
studios italiens Andromeda.

🎬 **Studios de cinéma Atlas**
*Route N9, 6 km au nord-ouest de
Ouarzazate.* ⏰ *t.l.j. 8h30-11h30,
14h15-18h (sf pendant les
tournages).*

Aux environs : à 10 km vers
le sud, l'**oasis de Finnt** abrite
de beaux ksour en pisé.
Un peu plus loin, le **barrage**
d'**El-Mansour Eddahbi** reçoit
les eaux du Dadès et de
l'oued Ouarzazate, réunis
pour former l'oued Draa.
Le barrage permet d'irriguer
les palmeraies du Draa, le
golf et d'électrifier une grande
partie de la vallée. À 7 km
au nord-ouest de Ouarzazate,
la majestueuse **kasbah de
Tiffoultoute** offre une vue
magnifique sur toute
la vallée depuis sa terrasse.
Convertie en hôtel dans
les années 1960, pendant
le tournage de *Lawrence
d'Arabie*, elle a désormais été
transformée en restaurant.

Kasbah
de Taourirt ❷

Carte routière C4. À la sortie de
Ouarzazate vers la vallée du Dadès,
face à l'ensemble artisanal. 📷

Seul monument historique
de Ouarzazate, la kasbah de
Taourirt reste le symbole de
l'expansion des Glaoui.
Au début du XXe siècle, ces
derniers étaient les maîtres du
Sud et contrôlaient le passage
du Haut Atlas. Ils furent les
premiers à collaborer avec
les Français au moment
de la pacification. Née au
XVIIe siècle, remanié au XIXe,
la kasbah est toujours en
restauration depuis 1994. Elle
abritait la nombreuse famille
du Glaoui, ainsi que ses
domestiques. Sa façade,
composée de hauts murs de
terre lisse, est ponctuée de
décrochements et
creusée de
dessins
géométriques.
À l'intérieur, un
dédale d'escaliers
mène à des salles
aux dimensions
variées et aux
fenêtres basses.

**Kasbah de Taourirt,
détail d'une fenêtre**

Les plus grandes sont
décorées de stuc aux motifs
floraux et géométriques et
possèdent des plafonds en
bois peint polychromes.
De toutes petites pièces aux
plafonds bas couverts de
croisillons de roseaux ouvrent
par des arcs en plein cintre
sans porte. Le sol, pavé de
rouge, contraste avec les
murs blancs. Inscrite au

Aït Benhaddou a souvent servi de décor de cinéma

patrimoine mondial de l'Unesco, ce joyau est impressionnant par sa masse et par les détails pittoresques de son architecture. Accolé à la kasbah, un village berbère, sans doute antérieur, héberge une population active. Dans ses ruelles, le ksar abrite un « cyber thé », une ancienne synagogue dans laquelle s'est installé un marchand de tapis, et une herboristerie.

Aït Benhaddou ❸

Carte routière C4. 30 km au nord-ouest de Ouarzazate par la N9.
ℹ️ *Ouarzazate, 0524 88 24 85.*

Adossé à une colline de grès rosâtre, le ksar (*ighrem* en berbère) d'Aït Benhaddou se dresse sur la rive gauche de l'oued Mellah. On s'y rend à pied à partir du village installé de l'autre côté de la rive. L'oued est asséché la plupart du temps, sauf en hiver ou au printemps. Il est possible de flâner sans guide dans ce magnifique village autrefois fortifié, qui disposait de deux seules portes d'entrée. Bâti à proximité de l'eau et des terres arables, à l'abri des invasions étrangères, Aït Benhaddou regroupe un ensemble impressionnant de kasbahs en pisé ocre (*tighremt* en berbère). Certaines ont été restaurées dans leur partie supérieure depuis que le site a été classé au patrimoine mondial de l'Unesco. Les tours crénelées sont décorées d'arcatures et creusées de dessins géométriques où s'accrochent la lumière et les ombres ; un grenier collectif

domine tout le reste. Aït Benhaddou a souvent servi de décor de cinéma. Moins de dix familles habitent aujourd'hui le ksar. Au-delà d'Aït Benhaddou, la route conduit à l'impressionnante forteresse en ruine de **Tamdaght**, autrefois kasbah du Glaoui, aux tours peuplées de cigognes. La route se poursuit sur 20 km jusqu'à Teouet.

Jbel Sarhro ❹

Carte routière D4. 98 km au sud de Ouarzazate. *De Tansikht puis à Nekob route R108, ou de Boulmane du Dadès.*
🚌 *Nekob : dim. ; Iknioun : lun.*

Région âpre et sauvage, encore à l'écart des circuits touristiques, le *jbel* Sarhro s'étend sur plus de 100 km. Il est séparé de la principale chaîne de l'Anti-Atlas, à l'ouest, par la vallée du Draa, et du Haut Atlas au nord par l'oued Dadès. Le *jbel* Sarhro est le royaume des Aït Atta, qui formaient, entre le XVIIe et le XIXe siècle, la plus

importante tribu du Sud. Ces semi-nomades, qui ne se subordonnèrent jamais à aucun sultan, furent les derniers à résister aux Français lors de la célèbre bataille du Bou Gafer en 1933. Ils vivent tantôt sous la tente, en transhumance, tantôt dans leur ksar. Le *jbel* Sarhro est une région minérale composée de falaises abruptes, de plateaux arides et d'escarpements rocheux noirâtres. Ses reliefs tourmentés sont traversés du sud au nord par des pistes qu'il est préférable d'emprunter en 4x4

La kasbah Baha de Nekob, au pied du *jbel* Sarhro

(les directions ne sont pas très souvent signalées).

À Nekob, la **kasbah Baha** propose guides et randonnées à pied ou en 4x4. Entre Nekob et le col Tizi n'Tazazert (2 200 m), la montée est difficile. Au lieu-dit Bab N'Ali, de surprenantes aiguilles de roches volcaniques se dressent vers le ciel. La piste qui mène à Boulmane du Dadès traverse la **vallée des Oiseaux**, qui abrite plus de 150 espèces d'oiseaux.

Le paysage minéral du *jbel* Sarhro

Kasbah

Les kasbahs (*tighremt* en berbère) ont longtemps joué le rôle de châteaux forts, où hommes et bêtes trouvaient refuge en cas d'attaque, se protégeant du froid et de l'insécurité. Demeure seigneuriale ou maison familiale, la kasbah possède une architecture imposante et carrée. Trapue dans les vallées montagnardes de l'Atlas ou élancée dans les oasis du Sud, elle est flanquée, à chacun de ses angles, de quatre tours couronnées de merlons, qui dominent les murs d'enceinte.

Citadelles fortifiées
Les hautes murailles de terre légèrement obliques offrent des proportions parfaites.

Merlons dentelés en escalier.

Briques
À base de terre crue, d'eau et parfois de paille hachée, elles sont formées dans des moules en bois, puis séchées au soleil.

KASBAH TYPIQUE
Les pièces sont souvent plus longues que larges, car elles sont édifiées en fonction de la taille des poutres disposées horizontalement. La pièce de réception, souvent ornée d'un plafond peint et réservée aux hommes, est la plus spacieuse. Étable et bergerie sont situées au rez-de-chaussée.

Cruche à eau
On peut encore voir ces anciennes poteries en visitant les kasbahs restaurées.

Fenêtres
Les croisillons des moucharabiehs ou les grilles en fer forgé sans soudure permettent de surveiller l'extérieur sans être vu.

Murs d'enceinte
Dans leur partie supérieure, ils sont décorés de motifs géométriques, de dessins incisés et d'arcatures creusées dans le pisé.

Grenier fortifié
L'igherm ou agadir comporte, à l'intérieur, des cases où on entassait les récoltes de maïs, d'orge, de sucre ou la vaisselle.

Cuisine
Le pain rond, pétri tôt le matin par les femmes, est cuit dans un petit igloo de terre. Dans la cuisine souvent sombre et mal aérée, tout se fait directement sur le sol en terre battue.

Maïs séchant sur le toit

Plafonds peints
Ornés de volutes, rosaces ou entrelacs, ils sont peints à la main et au compas et ornent les pièces de réception des kasbahs ou des riches demeures.

Portes en bois cloutées
Elles ne se ferment que de l'intérieur.

Décor intérieur du ksar de Tamnougalt, vallée du Draa

Vallée du Draa ❺

Carte routière C-D4. 200 km entre Ouarzazate et Zagora par la N9.
🚌 *Agdz : jeu.*

Les sites de gravures rupestres retrouvés près de Tinzouline attestent que la vallée du Draa fut habitée par des guerriers dès la préhistoire. La vallée, très préservée, regorge de ksour et de kasbahs. De Ouarzazate à Agdz, la route traverse les plateaux désertiques du *jbel* Tifernine. Après Aït Saoun, les canyons abrupts remplacent les collines de roches noires, tandis que la route s'élève vers le col Tizi-n-Tinififft (1 660 m). Au nord apparaissent les contreforts du Haut Atlas, à l'est, le *jbel* Sarhro. **Agdz** est une simple ville-étape à l'orée de la palmeraie. D'Agdz à Zagora, la route serpente le long d'une succession d'oasis, dont la largeur varie de 500 m à quelques kilomètres. Autour d'anciennes kasbahs, des villages se sont regroupés, au bord de la route ou dans la palmeraie. À 6 km d'Agdz, une piste à gauche conduit au ksar majestueux de **Tamnougalt**, qui commandait l'accès des voies commerciales du Draa. À l'intérieur, vous découvrirez de surprenantes fresques délavées, peintes pour les besoins d'un tournage.

La piste continue sur la rive gauche du Draa, jusqu'au village en pisé de Tamnougalt. Avant de vous engager dans les ruelles étroites semi-couvertes, munissez-vous d'une lampe de poche afin de visiter l'ancienne kasbah aux superbes plafonds peints. Tamnougalt, toujours en cours de restauration, comporte également un mellah (quartier juif) avec une synagogue. De retour sur la route de la vallée du Draa, on aperçoit sur la rive gauche l'élégante **kasbah de Timiderte**, adossée au *jbel* Sarhro. Attention : les noms de village ou de ksar sont rarement signalés par un panneau. À Tansikht, une petite route bifurque sur la gauche vers Nekob, le *jbel* Sarhro et Rissani (233 km). Le pont qui enjambe l'oued rejoint une piste sablonneuse qui passe par des villages établis dans la palmeraie. Des gués plus ou moins aménagés permettent de traverser l'oued dans l'autre sens. Toujours en direction de Zagora, la **kasbah d'Igdaoun** se caractérise par ses tours en forme de pyramide tronquée. À Tin Zoulin, une piste de 7 km part sur la droite vers un site de gravures rupestres. La vallée se resserre pour traverser le défilé de l'Azlag, bordé à droite par une falaise haute et lisse. Peu après, une indication « circuit touristique de Binzouli » conduit à la palmeraie, qui, de l'autre côté de la rivière, rejoint Zagora. Les marabouts en pisé ocre jalonnent la vallée, tandis que les cimetières sont matérialisés par des champs de pierres plates hérissées à la verticale, typiques du Sud marocain. Entre Tissergate et Zagora, la palmeraie s'étend à perte de vue, au pied des contreforts du *jbel* Rhart.

Zagora ❻

Carte routière D4. 🚶 30 000. 🚕 *Ouarzazate ou grands taxis.* ℹ️ *0524 84 86 89.* 🏪 *mer. et dim.* 🎪 *moussem Moulay Abdelkader Jilali (pendant le Mouloud).*

Créée par les autorités françaises sous le protectorat, Zagora est une étape indispensable pour visiter la région. Le panneau « Tombouctou, 52 jours de chameau », rappelle l'époque des grandes caravanes transsahariennes, mais il a perdu de son charme depuis que se dresse, derrière, l'énorme bâtiment en béton

Randonnée à dos de dromadaire, Zagora

Poteries vertes typiques de Tamegroute

de la préfecture. Le village d'**Amazraou**, environné de citronniers, d'amandiers, d'oliviers et de jardins, accolé au sud de la ville, est un havre de paix aux portes du désert. Dans l'ancien mellah, la mosquée côtoie la synagogue délaissée. Amazraou est habité par des Arabes, des Harratines et des Berbères, qui perpétuent la tradition des juifs en travaillant les bijoux en argent. De l'hôtel La Fibule, un sentier mène à pied, en une heure, au sommet du *jbel* Zagora, coiffé d'un poste militaire : la vue sur la vallée y est superbe. Des vestiges d'enceintes témoignent de la présence des Almoravides au XIe siècle. Les hôtels Kasbah Asmaa et La Fibule proposent des excursions en 4x4 ou à dos de dromadaire d'une journée à deux semaines, vers les dunes de Chigaga au sud de Mhamid, ou vers Foum-Zguid à l'ouest de Zagora.

Tamegroute ❼

Carte routière D4. 🚌 *sam.*
🎭 *Moussem Sidi Ahmed ben Nasser (nov.)*

Entouré de remparts, le ksar de Tamegroute recèle une zaouïa et une bibliothèque. Fondé au XVIIe siècle par Mohammed Bou Naceur, ce grand centre d'études islamique rayonna dans tout le Grand Sud. Sous les arcades de la cour, près de la porte d'entrée du

Mulet de la vallée du Draa

tombeau de Mohammed Bou Nasri, malades et handicapés attendent la guérison. Les œuvres du saint homme ont constitué les premiers fonds de la bibliothèque coranique. Une pièce unique regroupe de précieux manuscrits : Coran du XIe siècle imprimé sur de la peau de gazelle, livres calligraphiés de poudre d'or et de safran ou traités d'algèbre, d'astronomie, de littérature arabe, etc. Malheureusement, ces prestigieux ouvrages, exposés à la lumière et à la chaleur, sont mal présentés.

À l'extérieur, dans l'atelier des potiers, sept familles réalisent selon les techniques traditionnelles des poteries utilitaires d'une couleur verte caractéristique.

Aux environs : à 5 km au sud de Tamegroute, sur la gauche,

s'élève le cordon de **dunes de Tinfou**, insolite tas de sable seul au milieu d'un désert de pierres. De Tagounite, une mauvaise piste rejoint, au pied du *jbel* Tadrart, les belles **dunes de Nesrate**.

Mhamid ❽

Carte routière D4. 🚶 *2 000.* 🚌 *lun.*

Poste-frontière et petit centre administratif, Mhamid est la dernière oasis avant les immensités sahariennes. Au sud s'étend la Hammada du Draa. De Mhamid, l'oued Draa s'enfonce sous les sables pour réapparaître dans l'Atlantique 800 km plus loin. Les ruines d'un ksar rappellent l'existence d'un grand centre caravanier, d'où partit au XVIe siècle l'armée d'Ahmed el-Mansour pour s'emparer de Tombouctou.

Aux environs : en venant de Zagora, le passage du col Tizi-Beni-Selmane (747 m) offre une vue superbe sur le *jbel* Bani et le désert, noir de pierres volcaniques. Peu après, sur la gauche, une piste conduit à l'une des plus importantes nécropoles protohistoriques du Maghreb, **Foum-Rjam**. Des tumuli tronconiques de dimensions variables abritent des milliers de sépultures familiales. À 45 km de Mhamid s'étendent à perte de vue les **dunes de Chigaga**, accessibles uniquement en 4x4.

Au sud de Tamegroute, sur les dunes de Tinfou

La palmeraie de Skoura

Skoura ❾

Carte routière C4. 🚌 *Ouarzazate et Tinerhir.* 🚌 *lun.*

Petite ville endormie, Skoura est entourée d'une superbe palmeraie s'étendant sur plusieurs kilomètres, qui abrite les plus belles kasbahs du Sud. Cette riche palmeraie aurait été fondée par Yacoub el-Mansour au XIIe siècle, sous la dynastie des Almohades. Certaines kasbahs sont encore partiellement habitées, parfois accolées à des maisons individuelles, mais nombreux sont les habitants qui ont préféré s'installer dans des villages en parpaing, en bordure de route.

Avant le village de Skoura, la **kasbah Ben Morro**, édifiée au XVIIIe siècle, se dresse à gauche en bordure de la route. Elle a été entièrement restaurée et transformée en maison d'hôte. Une fois franchi l'oued Amerhidil, on entre dans la palmeraie de Skoura, qui ne se parcourt qu'à pied, à vélo ou à dos de mulet. *Khettaras* (canalisations souterraines) et puits, creusés à intervalles réguliers, permettent d'irriguer les jardins. Palmiers, tamaris – dont les fleurs riches en tanin sont utilisées pour le tannage des peaux –, figuiers et bouleaux dissimulent les kasbahs en ruine.

La **kasbah Amerhidil**, la plus imposante, ancienne propriété du Glaoui, domine l'oued. L'intérieur restauré est aujourd'hui ouvert à la visite. Citons également les kasbahs d'Aït Sidi el-Mati, d'Aït Souss, d'El-Kebbaba ou de Dar Aïchil. Plus à l'est, la plus ancienne kasbah de la palmeraie (1863), **Aït Abou**, dresse de hauts murs (25 m) sur six étages. Un petit gîte d'étape est aménagé dans les dépendances attenantes. Un verger de grenadiers, de pommiers, de poiriers, de figuiers, de cognassiers et d'oliviers apporte l'ombre nécessaire aux cultures.

À 25 km au nord-ouest de Skoura se trouve le village de **Toundout**, aux multiples kasbahs très décorées. Allez voir le **marabout Sidi M'Barek**, où les semi-nomades plaçaient autrefois leurs récoltes sous la protection du saint.

Peu après Skoura, en direction d'El-Kelaa M'Gouna, de surprenantes plantations de graminées, importées d'Australie au cours des années 1990, donnent un peu d'humidité à la terre aride.

El-Kelaa M'Gouna ❿

Carte routière D4. 🛈 *bureau des guides, 0524 43 62 39/ 43 61 79.* 🚌 *mer.* 🎪 *fête des Roses (mai).*

À 1 450 m d'altitude, El-Kelaa M'Gouna, dont le nom signifie « la Forteresse », est le pays des roses. Ces fleurs au parfum poivré résistent au froid et à la sécheresse depuis plusieurs siècles. La *Rosa damascena* aurait été importée au Maroc au Xe siècle par des pèlerins de La Mecque. Chaque année, au printemps, a lieu la cueillette des roses

À l'entrée des gorges du M'Goun les paysages sont spectaculaires

(entre 3 000 et 4 000 tonnes). Celles-ci sont ensuite livrées aux deux usines de distillation de la région ; celle d'El-Kelaa M'Gouna, installée dans une kasbah, se trouve en avril et mai. Une partie des roses est transformée en eau de rose pour la production locale, le reste est exporté pour la parfumerie.

À la fin de la cueillette, la fête des Roses rassemble tous les habitants des hautes vallées du Dadès. Au son du *bendir*, les jeunes filles d'El-Kelaa M'Gouna dansent comme soudées l'une à l'autre, leurs longs cheveux tressés de laine multicolore. À la sortie de la ville se trouve une coopérative de poignards qui regroupe une trentaine d'ateliers. Les artisans y perpétuent une tradition juive en sculptant des fourreaux et des manches de poignards en bois de cèdre ou en os de dromadaire. Les lames en acier sont fabriquées au village d'Azlague, situé à quelques kilomètres dans la montagne.

La kasbah Amerhidil, dans la palmeraie de Skoura

◁ Le ksar d'Aït Benhaddou au soleil levant

Fête des Roses à El-Kelaa M'Gouna

Aux environs : entre Skoura et El-Kelaa M'Gouna, des kasbahs émergent de la verdure, au bord de l'oued Dadès. Le long des routes, des maisons modernes en béton tente d'imiter sans grâce les formes de ces habitats traditionnels. Mais les kasbahs en ruine continuent de faire partie du paysage. Au départ d'El-Kelaa M'Gouna, des excursions en 4x4 et à pied sont organisées, notamment vers la **vallée des Roses** et le ksar de **Bou Thrarar**, superbe itinéraire à flanc de montagne. En pénétrant dans le Haut Atlas, de formidables gorges mènent à la vallée isolée du M'Goun. Prenez un guide, car il n'y a aucune signalisation sur les pistes.

Boulmane du Dadès ⓫

Carte routière D4. 🏯 *13 000.* 🛈 *kasbah Tizzarouine, 0524 83 06 90/ 91.* 🛆 *mer.*

Ce centre administratif situé à l'entrée des gorges du Dadès est une halte agréable. Sur le rebord du plateau dominant la ville, la vue s'étend sur l'oasis fertile du Dadès. À la kasbah Tizzarouine, d'où la vue est superbe, des guides aguerris proposent circuits et bivouacs dans le Haut Atlas et dans le *jbel* Sarhro.

Gorges du Dadès ⓬

Carte routière D3. *Grand taxi de Boulmane du Dadès.* 🛆 *Msemrir : sam.*

La route qui s'enfonce dans les gorges au départ de Boulmane du Dadès est goudronnée sur 60 km

Kasbah d'Aït Mouted dans les gorges du Dadès

jusqu'à Msemrir. L'oued Dadès trace un chemin de verdure dans un décor rocailleux. Les cultures bordant l'oued sont entourées de figuiers, d'amandiers, de noyers, d'oliviers et de peupliers. À 2 km de Boulmane, dans un virage, se détache **Aït Mouted,** ancienne kasbah du Glaoui. Par endroits, de grosses bâtisses en parpaing couleur chocolat, bâties par les émigrés, abîment le paysage. En s'élevant, la route longe ou s'enfonce à travers d'imposantes falaises calcaires tourmentées et sculptées par l'érosion. Au pied de ces reliefs aux formes étranges, se fondent les ruines de la **kasbah d'Aït Arbi**. Plus loin, les **kasbahs de Tamnalt,** en pierre et en pisé, dressent leurs tours élancées sur fond de roches accolées, penchées et serrées comme des doigts humains.

Kasbah de Tamnalt et roches sculptées dans les gorges du Dadès

À partir d'Aït Oudinar, la route traverse l'oued Dadès et s'enfonce dans des gorges aux parois abruptes. Elle s'élève le long de canyons vertigineux aux plissements arrondis comme des dos de tortues. Dans les gorges ou les niches des canyons vivent des aigles royaux et de Bonelli ainsi que des gypaètes barbus. La dernière partie de la route vers Msemrir est beaucoup plus sauvage que le début des gorges, car la route goudronnée est encore récente.

À partir de Msemrir, une piste uniquement accessible aux 4x4 rejoint vers l'est les gorges du Todra et vers le nord, le Haut Atlas et Imilchil.

L'oasis de Tinerhir s'étend le long de l'oued Todra

Tinerhir ⑬

Carte routière D3-4. 🏔 *40 000.*
ℹ️ *hôtel Tombouctou, 0524 83 51
91.* 🚌 *Er-Rachidia et Ouarzazate ou
grands taxis.* 🛒 *lun.*

À mi-chemin entre la vallée
du Draa et le Tafilalt, Tinerhir,
centre administratif de la
région, est une ville étendue
et animée. Elle est bâtie sur
un piton rocheux et
environnée d'une des plus
belles palmeraies du Maroc,
bordée de ksour et de
kasbahs que l'on peut admirer
de la route des gorges.
Tinerhir est réputée pour ses
bijoux en argent. À l'ouest,
la ville est dominée par une
ancienne kasbah du Glaoui,
très délabrée. Au sud-est de
la ville, les maisons
de l'ancien mellah,
Aït el-Haj Ali,
présentent une
architecture
intéressante.
Au nord de la ville
s'étend une
palmeraie alimentée
par l'oued Todra.
À 2 km du pont
qui traverse l'oued,
sur la route des
gorges du Todra,
une plate-forme
offre une superbe vue.
Sur celle-ci, des guides
accompagnés de dromadaires
attendent les voyageurs.
Mais en réalité, les visiteurs
n'ont pas vraiment besoin
d'aide pour descendre dans
la palmeraie et suivre le
dédale des sentiers ombragés,
interrompus par les cultures,
les vergers et les canaux

d'irrigation. C'est une superbe
promenade, car la palmeraie
de Todra s'étend sur 12 km.
De l'autre côté de l'oued, de
nombreux ksour, où vivaient
autrefois 50 à 100 familles,
tombent en ruines. Les plus
remarquables et les plus
faciles d'accès sont le **ksar
d'Aït Boujane** et le **ksar
Asfalou.** Plus au nord, 5 km
avant l'entrée des gorges,
on peut se rendre dans la
palmeraie par la source
d'Imarighen ou « source
des Poissons sacrés ».

Aux environs : au sud
de Tinerhir, à **El-Hart-
n-Igouramene**, quelques
artisans modèlent une poterie
locale de couleur bronze,
vendue au souk. La boucle
El-Hart, Tadafalt,
Agoudim permet
d'apercevoir de
nombreux ksour,
dont certains sont
encore habités.
Des pistes
accessibles en
4x4 conduisent
à Arhbalou-
n-Kerdous,
au nord-est
de Tinerhir.

**Détail de la
kasbah de Tinerhir**

Gorges du Todra ⑭

Carte routière D3.

Les gorges du Todra sont
encadrées par deux falaises
en à-pic de 300 m de hauteur,
séparées par un étroit couloir.
Ces falaises, les plus
impressionnantes du Sud
marocain, sont bien connues

des alpinistes de bon niveau.
À travers cette gigantesque
faille, l'oued Todra se fraie
un chemin, débouchant
sur la palmeraie de Tinerhir
(voir plus haut). Deux hôtels
permettent de passer la nuit
dans les gorges du Todra.
Le matin, quand le soleil
réussit une percée entre
les deux falaises, est
le meilleur moment pour
se rendre dans les gorges.
Après quelques centaines
de mètres, celles-ci
s'élargissent, et une piste
rocailleuse rejoint
Tamttatouchte à 22 km.

Les gorges du Todra s'enfoncent
entre deux parois vertigineuses

Tamttatouchte ⑮

Carte routière D3. 36 km au nord
de Tinerhir.

Au sortir des gorges,
Tamttatouchte est un beau
village dont les maisons en
terre se fondent dans les
tonalités ocre-rouge des
montagnes. L'oued Todra
permet d'irriguer de parcelles
de cultures qui égaient
l'aridité rocailleuse du site.
Tamttatouchte est le point
de départ des pistes qui
conduisent aux gorges
du Dadès à l'ouest ou à
Imilchil au nord, par une
succession de cols, de gorges,
de plateaux et de montagnes.
Il est indispensable de se
renseigner sur l'état des pistes
praticables en 4x4,

Tamttatouchte, un beau village en terre paré de ksour

particulièrement après une période de pluie. De plus, sachez qu'aucune direction n'est signalée.

Goulmima ⑯

Carte routière D3. 🚌 *Er-Rachidia et Tinejdad.* 🚌 *lun., jeu.*

Malgré sa situation au cœur de l'oasis de Rheris, peuplée d'une vingtaine de ksour autour de l'oued Rheris, le village moderne ne présente pas vraiment d'intérêt. Les habitants des ksour environnants viennent s'y approvisionner. Ces ksour sont exceptionnels par la solidité de leurs fortifications. Leurs tours sont extraordinairement hautes et servaient du temps des guérillas à se défendre contre les attaques des Aït Atta qui venaient piller les récoltes. L'ancien village

Le ksar de Goulmima, dédale de ruelles et de passages couverts

fortifié de Goulmima, situé à 2 km sur la route d'Erfoud, mérite un détour. Encore habité, le **ksar de Goulmim**, offre un exemple de l'architecture défensive du Sud. Il est entouré d'une enceinte flanquée de deux tours massives. À l'extérieur, vaches et moutons sont enfermés

dans de petits enclos. Une porte en chicane ouvre sur une seconde porte. Sur une petite place s'élèvent une mosquée et le puits qui ravitaille le ksar en eau. Les ruelles couvertes par le premier étage de certaines maisons, offrent un étrange contraste entre zones d'ombres et puits de lumière.

PATRIMOINE ARCHITECTURAL

Témoin d'un passé révolu et de modes de vies uniques, l'architecture de terre – kasbahs, ksour et greniers – sombre aujourd'hui dans la ruine et l'oubli. Les kasbahs s'effondrent, les ruines d'anciennes habitations somptueuses sont abandonnées et les murs d'argile retournent lentement à la terre sans laisser de trace. La valeur exceptionnelle de ces édifices ne semble pas préoccuper l'État marocain. À l'exception de quelques réalisations sporadiques, il se disperse dans des inventaires de patrimoine et dans des

Détail de la kasbah de Taourirt, à Ouarzazate

programmes de sauvegarde attractifs mais qui n'aboutissent pas, faute d'actions concrètes. Seules des initiatives européennes travaillent sur le terrain. En dehors de la restauration inachevée du ksar d'Aït Benhaddou, financée par l'Unesco, de celle du grenier d'Igherm-n-Ougdal, sur la route du Tizi-n-Tichka ou de celle de la kasbah de Taourirt à Ouarzazate, les quelques kasbahs restaurées situées dans la vallée du Dadès sont dues à des initiatives privées. Ainsi, la kasbah Ben Morro et la kasbah Aït Abou à Skoura ou encore l'hôtel Tombouctou à Tinerhir ont été superbement restaurés. En revanche, les forteresses du Glaoui des vallées de l'Atlas sont pour la plupart laissées à l'abandon.

Oasis du Sud et de l'Est marocain

Gerboise du désert

Le Maroc compte de nombreuses oasis dans le Sud et l'Est du pays. Leur existence est liée à la présence de l'eau qui est amenée par les fleuves descendant des montagnes proches ou qui provient d'une nappe souterraine jaillissant naturellement à la base des dunes ou artificiellement grâce à des puits artésiens ou à des conduites, parfois très longues, appelées *foggaras* ou *khettaras*. Ainsi s'explique la disposition en chapelet des oasis le long des vallées asséchées du Dadès, du Draa et du Ziz.

La seguia *désigne l'un des nombreux canaux artisanaux qui parcourent l'oasis et amène l'eau aux diverses cultures. Des bouchons d'argiles servent parfois à dévier l'eau.*

IRRIGATION DES OASIS

Entouré d'un univers particulièrement hostile, l'oasis est un milieu écologique très fragile qui ne survit que grâce aux soins incessants prodigués par les hommes. De nombreux barrages sont construits pour réguler les eaux des oueds dont les crues peuvent dévaster en quelques heures les cultures des oasis. Les *khettaras* et les seguias doivent être curées régulièrement.

Bouchons d'argile destinés à détourner le courant vers d'autres secteurs.

Récipient en peau

Orge

Les palmiers-dattiers *sont à l'origine de plus de 200 variétés de dattes récoltées en automne. Un palmier peut en produire de 30 à 100 kg selon les années.*

Les cultures maraîchères *(tomates, carottes et salades), ainsi que les arbres fruitiers (oliviers, figuiers et abricotiers), croissent à l'ombre des palmiers.*

L'irrigation *est rendue possible par le conduit souterrain de la khettara qui amène l'eau jusqu'à l'oasis. Là, l'eau est puisée ou, plus simplement, jaillit en surface par gravitation. Les seguias apportent alors à chaque culture l'eau qui lui est nécessaire.*

Les travaux des champs *sont accomplis par les femmes qui effectuent les différentes étapes qu'exige la culture des céréales et des divers légumes.*

Seuls les orifices des puits *creusés pour forer et entretenir le canal souterrain de la* khettara *sont visibles en surface.*

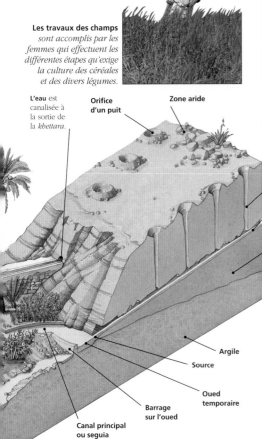

L'eau est canalisée à la sortie de la *khettara.*

Orifice d'un puit

Zone aride

Puits d'entretien

Le drain est à pente faible.

Couche imperméable

Argile

Source

Oued temporaire

Barrage sur l'oued

Canal principal ou seguia

Les oueds temporaires, *sur lesquels ont été établis des barrages, alimentent en eau les diverses seguias des oasis.*

À Tinerhir, *de nombreuses seguias conduisent l'eau de l'oued Todra à la belle palmeraie toute proche.*

ANIMAUX DE L'OASIS

Le bulbul, l'agrobate roux, le bruant striolé et les tourterelles figurent parmi les oiseaux les plus familiers. Les crapauds s'établissent près des canaux, les geckos et les tarentes se tiennent sur les murets et sur les troncs, les scorpions se cachent sous les pierres. La nuit, les chacals s'approchent parfois des lieux habités. Le fennec, la vipère cornue et le fouette-queue ne s'aventurent que rarement hors des dunes et des rochers qui les ont vu naître.

Fouette-queue

Vipère cornue

Fennec

L'imposant *jbel* Ayachi domine des plateaux désertiques à perte de vue

Midelt ⑰

Carte routière D3. 🏔 *20 000.*
ℹ️ *centre Timnay inter-culturel,
à 20 km au nord de Midelt, auberge,
guides et excursions en 4x4 (0535 36
01 88).* 🚍 *Meknès, Rabat, Erfoud,
Er-Rachidia et Azrou.* 🛒 *mer, dim.*
🍎 *fête des Pommes (oct.).*

Située à la frontière entre
le Haut Atlas et le Moyen
Atlas, Midelt est considérée
comme faisant partie du Sud
marocain. Les petits villages
qui jalonnent la route dès
la sortie de la ville présentent
une architecture traditionnelle
proche de celle du Sud.
Au début du XXᵉ siècle,
Midelt n'était qu'un modeste
ksar. Puis, sous le protectorat,
elle devint une ville de
garnison française.
    Située au pied du **jbel
Ayachi** (3737 m), elle est le
point de départ d'excursions.
Le climat de la ville, à 1 500 m
d'altitude, est continental –
très froid en hiver et très
chaud en été. Le souk Jedid
propose de beaux tapis du
Moyen Atlas, ainsi que des

fossiles et des minéraux.
La kasbah Myriem, située sur
la route de Tattiouine, abrite
un atelier de tissage où l'on
produit tapis, couvertures
et broderies de qualité. Ce
couvent était autrefois tenu
par des sœurs franciscaines
qui enseignaient leur artisanat
aux femmes berbères,
garantissant ainsi un petit
revenu à de nombreuses
familles des environs.

Aux environs : au départ de
Midelt, le **cirque de Jaffar** est
la plus intéressante excursion.
Toutefois, les pistes qui en
font le tour en 79 km ne sont
praticables que de mai à
octobre et nécessitent un 4x4.
La piste à flanc de colline
est bordée par la masse
imposante du *jbel* Ayachi,
dont l'ascension ne présente
pas de difficultés. Le cirque
de Jaffar offre un paysage
sauvage de cèdres, de chênes
et de genévriers poussant sur
un sol caillouteux. La piste
sinueuse traverse de petits
hameaux berbères isolés.
Une bifurcation à droite,

à la hauteur de la maison
forestière Mit Kane, rejoint
Midelt. La piste qui continue
vers l'ouest mène à Imilchil.
Les anciennes mines de
plomb et d'argent, dans les
gorges d'Aouli, à 25 km au
nord-est de Midelt, sont à
flanc de montagne. Elles sont
désertes depuis les années
1980, mais machines et
installations sont toujours là.

Gorges du Ziz ⑱

Carte routière D-E3. 13 km au sud
de Midelt par la N13.

L'oued Ziz, qui prend sa
source près d'Agoudal, au
cœur du Haut Atlas, s'écoule
vers l'est, puis oblique vers
le sud au niveau de Rich.
Il creuse alors des gorges
dans la montagne, arrose
le Tafilalt et se perd ensuite
dans les sables du Sahara.
    Au sud de Midelt, après le
col Tizi-n-Talrhemt (1 907 m),
les plaines désertiques
succèdent aux forêts boisées.
Les villages fortifiés de la tribu
des Aït Idzerg jalonnent
la route, ainsi que quelques
anciens forts de la Légion
française. Le **tunnel
de Foum-Zabel**,
ou tunnel du
Légionnaire, fut
percé dans le calcaire
par la Légion en 1927,
ouvrant ainsi la
route vers le Sud.
Il débouche dans
les gorges du Ziz,
impressionnantes
parois rocheuses
aux tons rouges,
qui entaillent l'Atlas.

Les femmes berbères apprenaient autrefois la broderie chez les sœurs de Midelt

Pour les hôtels et les restaurants de la région, voir p. 317-319 et p. 341-342

Séchage des dattes à l'automne, dans les gorges du Ziz

On découvre deux beaux ksour bordés de palmiers : Ifri et Amzrouf. Le barrage Hassan-Addakhil, bordé par une épaisse digue en terre rouge, marque les derniers contreforts de l'Atlas. Construit en 1970, il irrigue les vallées du Tafilalt et du Ziz et alimente en électricité la ville d'Er-Rachidia.

Er-Rachidia ⓳

Carte routière D3. 🏠 62 000.
ℹ️ *délégation du tourisme 0535 57 09 44.* 🚏 🚌 *Erfoud, Midelt, Ouarzazate et Figuig.*
🚌 *dim., mar., jeu.*

La ville permet de relier le Sud au Nord, mais aussi l'Atlantique à Figuig et la frontière algérienne. Sa situation géographique en a fait le chef-lieu de la province. Centre administratif et militaire, Er-Rachidia fut bâtie par les Français au début du XXᵉ siècle sous le nom de Ksar es-Souk. Son nom actuel date de 1979, en souvenir de Moulay Rachid, qui fut le premier des Alaouites à renverser le pouvoir saadien en 1666. Ses rues parfaitement rectilignes et quadrillées ont peu de charme malgré leur animation. Un ensemble artisanal présente une production locale de poteries, d'objets en bois et de paniers en osier. Cette ville-étape est le point de départ de la route du Sud, où commencent les vastes palmeraies du Ziz et du Tafilalt. Beaucoup de ksour ont été abandonnés après les terribles crues du Ziz en 1960, provoquant inondations et glissements de terrain.

KSOUR DES OASIS

La vallée du Ziz est le pays des ksour. Groupement communautaire, le ksar fut conçu à l'origine pour abriter les populations sédentaires et les protéger des tribus nomades et des bandits qui pillaient les oasis au moment des récoltes. L'architecture défensive de ces villages fortifiés est liée à cette tradition guerrière. Le ksar surplombe en général l'oasis. À l'origine, il ne comportait qu'une allée centrale bordée par les maisons familiales, mais il s'est agrandi avec le temps. Le ksar est devenu un village, avec sa mosquée, sa medersa et ses greniers. Bâti en pisé et en briques de terre dans sa partie supérieure, chaque ksar porte l'empreinte de ses maçons, dans la recherche élaborée de ses motifs géométriques.

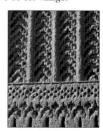

Détail du ksar Oulad Abdelhalim, à Rissani (p. 281)

Source bleue de Meski ⓴

Carte routière E3. 23 km au sud d'Er-Rachidia par la N13.

La source est située à 1 km de la route principale. Résurgence de l'oued Ziz, elle surgit au pied de la falaise dans une grotte et se répand dans un bassin construit et aménagé par la Légion étrangère. Cette eau de source renouvelée sert de piscine naturelle au camping de la palmeraie. Le sommet de la falaise offre un beau point de vue sur l'oasis et le ksar en ruine de Meski. La route vers Erfoud *(p. 280)* offre ensuite des vues magnifiques le long de l'oued Ziz sur les oasis des Oulad Chaker et d'Aourfous.

Er-Rachidia, ville-étape au carrefour des routes du Sud

Boutique d'artisanat à Erfoud

Erfoud ㉑

Carte routière E4. 🏠 *10 000.*
🚌 *Fès, Er-Rachidia, Midelt, Rissani et
Tinejdad et grands taxis.* 🏠 *t.l.j.*
🎉 *fête des Dattes (oct.).*

Avant le développement de
la ville en 1930, les Français
avaient installé à cet endroit
un poste militaire surveillant
la vallée du Tafilalt. Les tribus
berbères opposèrent en effet
une longue résistance à la
pacification française, et la
vallée fut l'une des dernières
régions à se rendre. De ce
passé militaire, Erfoud a
conservé un plan en damier.
Cette ville paisible, entourée
d'une palmeraie étendue,
est le point de départ
d'excursions vers les dunes
de l'erg Chebbi. Du haut du
borj est, modeste bastion à
3 km au sud-est d'Erfoud,
la vue embrasse le désert et
la palmeraie. En octobre,
le souk d'Erfoud regorge de
dattes de toutes variétés.
La fête des Dattes célèbre
la fin de la récolte durant trois
jours. Cette fête, sacrée et
profane à la fois, réunit
les tribus des environs.
Elle débute par une prière
au mausolée de Moulay Ali
Cherif à Rissani, et se poursuit
par des défilés en costumes
traditionnels, des processions
et des danses folkloriques.
    Le marbre noir poli incrusté
de coquillages fossilisés est
l'autre production locale, que
vous pourrez découvrir à
l'**usine de Marma**. La route est
aussi jalonnée de petits
cratères de forme conique, les
khettaras, puits reliant des
canaux souterrains drainant
l'eau de la nappe phréatique.

Usine de Marma
Route de Tinejad R702.
⭕ *lun.-sam. 8h30-11h30, 14h-16h.*

Palmeraie du Tafilalt ㉒

Carte routière E4. Au sud d'Erfoud
par la N13.

Le long des méandres des
oueds Rheris et Ziz, qui
s'écoulent en parallèle depuis
Erfoud, l'oasis du Tafilalt se
niche au creux d'une longue
coulée verte, s'étendant
au-delà de Rissani. Autrefois
escale des caravanes fourbues
après des semaines entières
passées dans le désert,
cette oasis, dont les 800 000
palmiers-dattiers sont réputés
pour la qualité de leurs fruits,
demeure la seule richesse des
habitants du Tafilalt.

Cueillette des dattes dans la
palmeraie du Tafilalt

Malheureusement, les arbres,
malgré des soins attentifs,
sont victimes depuis un siècle
de la maladie du bayoud – un
champignon microscopique et
mortel –, et de la trop grande
sécheresse. À la fin de l'été,
la récolte des dattes est un
spectacle superbe. Chaque
propriétaire grimpe au
sommet de son palmier, et les
coups de machettes résonnent
d'arbre en arbre, tandis que
les grappes tombent sur de
grandes bâches en monceaux
orange (elles deviennent
marron en mûrissant).
Symboles de prospérité et de
bonheur, les dattes font partie
de tous les rituels, naissances,
mariages et funérailles.

Rissani ㉓

Carte routière E4. 🏠 *15 000.*
🚌 *Meknès, Erfoud et Er-Rachidia et
grands taxis.* 🏠 *dim., mar., jeu.*

Ce petit village à l'orée du
Sahara marque la fin de la
route et le début des pistes
vers le désert. À l'est, la
Hammada du Guir est un
désert rocailleux réputé pour
ses violents vents de sable.
    Bâti près des ruines de
Sijilmassa, c'était autrefois
la capitale du Tafilalt.
Le royaume indépendant
de Sijilmassa aurait été fondé
vers 757-758, devenant une
étape majeure sur la route des
caravanes transsahariennes.
Durant des siècles, elle
prospéra grâce au commerce
de l'or, de l'ivoire, du sel,
des épices, des armes, et
des esclaves, jusqu'à son

apogée aux XIIIe et XIVe siècles. Les dissensions religieuses et l'instabilité des tribus rivales qui l'assaillaient régulièrement entraînèrent sa destruction. Bâti sur des fondations en pierre, un mur en pisé percé de huit portes protégeait autrefois un palais, de jolies maisons, des bains publics et de nombreux jardins, dont il reste quelques vestiges au milieu des sables à l'ouest de Rissani.

Le **souk de Rissani** est l'un des plus célèbres de la région. Des enclos regroupent ânes, mulets, chèvres et moutons. Des pyramides de dattes luisantes ornent les étals aux côtés des légumes et des épices. À l'ombre des arcades en pisé et des toits de feuilles de palmiers tressés, bijoux, poignards, tapis, paniers de palme tressée et poteries attendent les acheteurs.

Au sud de Rissani, un circuit d'une vingtaine de kilomètres jalonné de nombreux ksour traverse la palmeraie.

À 2,5 km se dresse le **mausolée de Moulay Ali Cherif**, où repose le père de Moulay er-Rachid, fondateur de la dynastie des Alaouites. Le mausolée a été reconstruit en 1955, après sa destruction lors d'une terrible crue du Ziz. Un patio conduit à la chambre funéraire, mais l'accès à celle-ci est interdit aux non-musulmans. Derrière le mausolée s'étendent les ruines du **ksar Abbar**, bâti au XIXe siècle. Cette ancienne résidence abritait les princes

Puits du ksar Oulad-Abdelhalim

alaouites exilés, les veuves des sultans disparus et, derrière un double rempart de terre, une partie du trésor royal. À 2 km du mausolée de Moulay Ali Cherif se dresse le **ksar Oulad Abdelhalim**. Il fut construit en 1900 pour le frère aîné du sultan Moulay Hassan, nommé gouverneur du Tafilalt. Sa porte monumentale, très décorée dans sa partie supérieure, ouvre sur un labyrinthe de salles délabrées. Deux belles salles recèlent encore des plafonds peints. Le circuit longe de nombreux autres ksour, Asserhine, Zaouïa el-Maati, Irara, Gaouz, Tabassamt ou Ouirhlane. On aperçoit aussi le ksar de Tinrheras, perché sur un promontoire. La route qui rejoint la vallée du Draa par Tazzarine et Tansikht part de Rissani.

Erg Chebbi : des pluies soudaines ont rempli le *dayet* Srji

Merzouga ㉔

Carte routière E4. 53 km au sud-est d'Erfoud. ⬚ sam.

Célèbre pour sa situation au pied des **dunes de l'erg Chebbi**, la petite oasis saharienne de Merzouga a beaucoup souffert des inondations en 2006. Formées d'un cordon de 30 km de long, ces dunes qui peuvent atteindre 250 m de haut surgissent au milieu d'un désert de pierres et de sable. Au lever et au coucher du soleil, le sable se pare de nuances qui fascinent les photographes. Même si elles sont plus proches de Rissani, les dunes sont plus facilement accessibles à partir d'Erfoud. Un guide n'est pas nécessaire, excepté les jours de vent de sable. En suivant la direction Taouz à partir d'Erfoud, la route goudronnée se transforme en piste au bout de 16 km. Après l'auberge Derkaoua, suivez la ligne de poteaux téléphoniques : les dunes apparaissent sur la gauche. À Merzouga, des chameliers proposent des circuits d'une heure à deux jours dans les dunes. À l'ouest du village, un petit lac, le **dayet Srji**, se remplit parfois l'hiver au gré de pluies soudaines. Il attire des centaines de flamants roses, des cigognes et autres oiseaux migrateurs.

Défilé au pied des dunes de l'erg Chebbi, lors de la fête des Dattes

SUD ET
SAHARA OCCIDENTAL

L es vastes régions du Sud-Ouest marocain traversent une multitude de paysages variés et spectaculaires. La fertile plaine du Souss est bordée par les montagnes tourmentées de l'Anti-Atlas, entrecoupées d'oasis et de vastes déserts rocailleux. Sur la côte atlantique sud, des kilomètres de dunes succèdent aux falaises abruptes, reliant le Maroc au Sahara occidental et à la Mauritanie.

Il y a 6 000 ans, des chasseurs, poussés au nord par l'assèchement du Sahara, parcouraient le Sud-Ouest du Maroc, comme l'attestent les milliers de gravures rupestres découvertes dans l'Anti-Atlas. La conquête arabe, au VIIe siècle, marque les débuts des royaumes indépendants. Relais important du commerce transsaharien entre le Maroc et Tombouctou, la côte atlantique est convoitée dès le XVe siècle par les Portugais et les Espagnols. Colonisé par ces derniers à la fin du XIXe siècle et rebaptisé Rio de Oro, le Sahara occidental, immense étendue entre Tarfaya et Nouadihbou, est évacué après la « Marche verte », marche pacifique lancée par Hassan II en 1975. Aujourd'hui, le Maroc en réclame la souveraineté, mais sa frontière est toujours disputée et continue de faire l'objet de troubles politiques.

La plaine du Souss, à l'est d'Agadir, est la richesse de cette région. Cultures maraîchères et fruitières sont arrosées par les eaux souterraines du Souss et parsemées d'arganiers, qui nourrissent les chèvres noires. Au sud, l'Anti-Atlas est l'ultime barrière montagneuse avant le Sahara. Ses formes sculptées par l'érosion alternent avec les oasis. Des villages en pierre se regroupent autour d'un oued ou au pied des montagnes, souvent couronnés d'un *agadir,* grenier fortifié. En descendant vers le Grand Sud atlantique, les plages désertes sont parfois coupées de lagunes où s'ébattent les oiseaux migrateurs.

Dromadaire dans le désert du Sud saharien

◁ Impressionnante végétation des jardins du musée municipal du Patrimoine amazighe à Agadir

À la découverte du Sud et des provinces sahariennes

C'est d'Agadir, la plus grande station balnéaire du Maroc, que partent toutes les routes du Sud. À l'est, la grande plaine du Souss est dominée au nord par le Haut Atlas et au sud par l'Anti-Atlas. Cette chaîne de crêtes rocheuses et de plateaux pierreux est coupée à l'est par le *jbel* Siroua (3 304 m), étonnant massif volcanique, pour sombrer à l'ouest, dans l'océan Atlantique. L'Anti-Atlas est entaillé de vallées qui ne se rejoignent pas entre elles. Au sud-est, Agadir est reliée à Tafraoute et aux nombreuses oasis du versant saharien de l'Anti-Atlas. Enfin, la route du Sud relie la station balnéaire aux provinces sahariennes, qui débutent au sud de Tarfaya. Quelques grosses villes concentrent la vie saharienne, entourées de cordons de dunes à l'infini.

CARTE DE SITUATION

LA RÉGION D'UN COUP D'ŒIL

Dunes sur la côte entre Tan Tan Plage et Tarfaya

OCÉAN
ATLANTIQUE

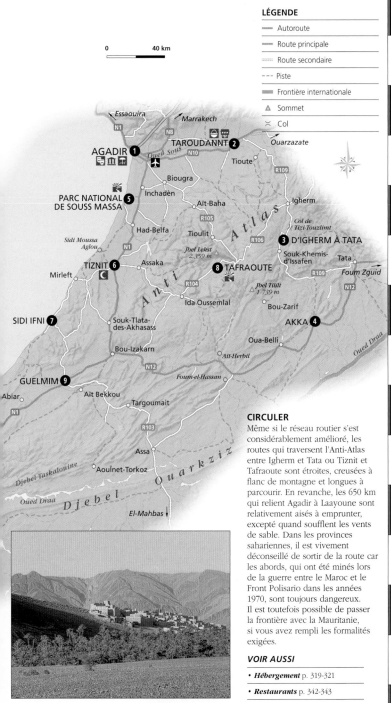

LÉGENDE

▬▬	Autoroute
▬▬	Route principale
▭▭	Route secondaire
---	Piste
▬▬	Frontière internationale
△	Sommet
✕	Col

0   40 km

Essaouira

Marrakech

AGADIR ❶

Ouazarzate

TAROUDANNT ❷

Oued Souss

Tioute

Biougra

Inchadèn

R109

Igherm

PARC NATIONAL DE SOUSS MASSA ❺

Aït-Baha

Col de l'Tizi-Touzlimt

R105

Sidi Moussa Aglou

Had-Belfa

Tioulit

R106

D'IGHERM À TATA ❸

Jbel Lekst 2 359 m

Souk-Khemis-d'Issafen

Tata

TIZNIT ❻

Assaka

❽ **TAFRAOUTE**

R109

Foum Zguid

Mirleft

N1

R104

Jbel Tilfit 1 739 m

N12

Ida Oussemlal

Bou-Zarif

SIDI IFNI ❼

Souk-Tlata-des-Akhasass

AKKA ❹

Oua-Belli

Bou-Izakárn

Aït-Herbil

Oued Drâa

GUELMIM ❾

N12

Foum-el-Hassan

Abíar

Aït Bekkou

Targoumait

N1

R103

Assa

Djebel Taskalouine

Aoulnet-Torkoz

Ouarkziz

Djebel

Oued Drâa

El-Mahbas

CIRCULER

Même si le réseau routier s'est considérablement amélioré, les routes qui traversent l'Anti-Atlas entre Igherm et Tata ou Tiznit et Tafraoute sont étroites, creusées à flanc de montagne et longues à parcourir. En revanche, les 650 km qui relient Agadir à Laayoune sont relativement aisés à emprunter, excepté quand soufflent les vents de sable. Dans les provinces sahariennes, il est vivement déconseillé de sortir de la route car les abords, qui ont été minés lors de la guerre entre le Maroc et le Front Polisario dans les années 1970, sont toujours dangereux. Il est toutefois possible de passer la frontière avec la Mauritanie, si vous avez rempli les formalités exigées.

VOIR AUSSI

- **Hébergement** p. 319-321

- **Restaurants** p. 342-343

La palmeraie de Tata, riche de nombreuses kasbahs

Agadir ❶

Capitale régionale du sud de l'Atlas, Agadir attire chaque année plusieurs milliers de visiteurs, séduits par la douceur de son climat – entre 7 et 20 °C en janvier –, sa plage abritée, ses hôtels et ses clubs de vacances. Ses infrastructures développées en font la deuxième ville touristique du Maroc après Marrakech. Entièrement rebâtie dans les années 1960 après le terrible séisme qui détruisit la ville, Agadir n'offre pas le charme des cités marocaines traditionnelles, mais ses espaces aérés et son modernisme séduisent de nombreux vacanciers. Son quartier industriel concentre des réservoirs de pétrole, des cimenteries et des conserveries de poissons (Agadir est le premier port de pêche du pays) et de fruits en provenance de la fertile plaine du Souss.

Nouveau Talborj

Entièrement rasé après le séisme de 1960, le centre d'Agadir, appelé « Nouveau Talborj », a été reconstruit au sud de l'ancienne ville. Les zones piétonnes, bordées de restaurants et de boutiques d'artisanat, sont concentrées autour du boulevard Hassan-II et de l'avenue du Prince-Moulay-Abdallah, parallèles à la plage. Des architectes renommés, Zevaco et Azagury, sont les auteurs des dessins de belles réalisations contemporaines, telles que la poste, l'hôtel de ville ou encore l'élégant tribunal. De nombreux jardins aèrent la ville blanche.

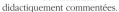

Porte traditionnelle

🏛 Musée municipal du Patrimoine amazighe

Av. Hassan-II, passage Aït Souss. **Tél.** 0528 82 16 32. ◯ lun.-sam. 9h30-17h30. 🖼
Inauguré le 29 février 2000 pour la commémoration de la reconstruction d'Agadir, 40 ans après le séisme destructeur qui a rasé la ville, le musée présente des objets de la vie quotidienne du Souss et des régions présahariennes. De toute beauté, la riche collection de bijoux berbères est particulièrement mise en valeur et les techniques de fabrication didactiquement commentées.

🎭 Théâtre en plein air

Bd 20-août.
Ce théâtre en plein air propose spectacles et concerts toute l'année.

🐦 La vallée des Oiseaux

Av. Hassan-II. ◯ mar. apr.-m.-dim. 9h-12h, 15h-18h.
Cet bel espace au cœur de la ville, bâti sur une étroite bande de verdure, abrite dans des volières une multitude d'oiseaux exotiques. Un petit zoo rassemble quelques mouflons et des singes magots. Les enfants apprécieront les aires de jeux.

🏖 Plage

La plage abritée de 9 km de sable fin est la principale attraction d'Agadir. Malgré les 300 jours d'ensoleillement dont bénéficie la ville, elle est toutefois souvent embrumée le matin. On peut y louer planches à voiles, jet-skis et scooters des mers. Des promenades à cheval ou à dos de dromadaire sont organisées. La plage est bordée de nombreux cafés, hôtels et restaurants.

Promenade à dromadaire sur la plage d'Agadir

🏰 Ancienne kasbah

Sur une colline au nord du Nouveau Taborj. *Accès par les bd Mohammed-V ou Hassan-II.*
Le sommet de la colline (236 m) où se dressent les ruines de la kasbah (l'ancien Talborj), entourées de remparts restaurés, offre une vue imprenable sur Agadir et sa baie. Édifiée en 1540 par Mohammed ech-Cheikh pour surveiller la forteresse portugaise, la kasbah fut restaurée en 1752 par Moulay Abdallah et abrita une garnison de chrétiens renégats et de mercenaires turcs.

Port

Aux abords de la ville, le port abrite un complexe d'une vingtaine de conserveries et d'usines frigorifiques traitant les produits de la mer. Une vente à la criée a lieu chaque après-midi à la halle aux poissons. Agadir exporte également des agrumes, des primeurs, des conserves et du minerai.

Les blanches villas d'Agadir

Pour les hôtels et les restaurants de la région, voir p. 319-321 et p. 342-343

Le croiseur allemand *Le Berlin* devant Agadir en 1911

UN PEU D'HISTOIRE

Les origines d'Agadir ont méconnues. En 1505, un marchand portugais construit un fortin au nord de la ville, que Manuel Ier, roi du Portugal, rachète et convertit en garnison. Agadir devient une étape sur les routes maritimes et terrestres vers le Soudan et la Guinée. En 1541, les Saadiens prennent de la ville et chassent les Portugais. Un siècle de prospérité commence. Au XVIIe siècle, un royaume berbère s'empare du Souss. Moulay Ismaïl reconquiert la région et, en 1760, Sidi Mohammed ben Abdallah porte un coup fatal à Agadir en fermant son port et en en fondant un autre à Essaouira. En 1911 a lieu un différent franco-allemand relatif à la position stratégique d'Agadir. Le 29 février 1960, un séisme détruit la ville en quelques minutes.

MODE D'EMPLOI

🏠 609 000. ✈ Agadir El-Massira, à 22 km sur la route de Taroudannt. 🚌 Casablanca, Essaouira, Marrakech et Tiznit. ℹ Immeuble Ignouan, bd Mohammed-V, (0528 84 63 77). 🚢 mar.-dim.

L'industrieux port d'Agadir

🏛 Medina Polizzi

Ben-Sergaou. À 10 km au sud en direction d'Inezgane. ***Tél.** 0528 28 02 53.* 🕐 *t.l.j. 8h-17h30.* 📷
Un architecte italien, Coco Polizzi, a créé une medina sur 4 ha, en respectant les techniques traditionnelles d'architecture. La medina Polizzi accueille aujourd'hui habitations, ateliers artisanaux et restaurants.

CENTRE D'AGADIR

Plage ⑤
Musée municipal du Patrimoine amazighe ②
Nouveau Talborj ①
Théâtre en plein air ③
Vallée des Oiseaux ④

Légende des symboles, voir le rabat arrière de couverture

Les imposants remparts de Taroudannt

Taroudannt ❷

À 80 km à l'est d'Agadir. 🏛 *36 000*.
🚌 *Casablanca, Agadir, Marrakech
et Ouarzazate ou grands taxis ;
jeu. et dim.* 🛒 *souk berbère t.l.j.*
🎪 *moussem (août).*

Entourée de remparts ocre-
rouge, cernée de vergers,
d'orangeraies et d'oliviers,
Taroudannt a le charme des
cités marocaines d'autrefois.
Occupée par les Almoravides
en 1056, elle fut la capitale
des Saadiens au XVIᵉ siècle,
qui en firent leur base pour
attaquer les Portugais à
Agadir. Si, par la suite, les
Saadiens choisirent Marrakech
comme capitale, ils firent
profiter Taroudannt des
richesses du Souss : canne
à sucre, coton, riz et indigo.
Sous les Alaouites, la ville
résista à l'autorité royale,
en se rangeant aux côtés
d'Ahmed ibn Mahrez, neveu
dissident de Moulay Ismaïl.

**Le marché berbère de Taroudannt
est quotidien**

Toutefois, celui-ci rétablit son
autorité sur la région en
massacrant les habitants.

Dominée au nord par
les crêtes du Haut Atlas,
Taroudannt est une cité
paisible. Sur les deux places
principales, place Assarag
et place Talmoklate, des
calèches attendent les
visiteurs pour faire le tour
des **remparts**, longs de 7 km.
Ponctués de bastions et
percés de cinq portes, ils
sont très bien préservés ; une
partie daterait du XVIIIᵉ siècle.

Les **souks**, insérés entre
les deux places de la ville,
sont l'attraction essentielle.
Le marché berbère, quotidien,
vend des épices, des légumes
mais aussi des vêtements,
des produits ménagers, des
poteries, etc. Le souk arabe
est davantage artisanal :
objets en terre cuite, en fer
forgé, en cuivre, poteries,
articles de cuir, tapis et bijoux
berbères, autrefois travaillés
par les juifs. Le travail de cette
pierre blanche à l'aspect
crayeux est une spécialité
de Taroudannt. À l'extérieur
des remparts, on peut visiter
la petite tannerie ; une
boutique attenante vend
des sandales en cuir de
dromadaire ou de chèvre,
des tapis de peau d'agneau,
des sacs et des ceintures en
cuir souple et des babouches.

Aux environs : les sommets
du Haut Atlas occidental –
en particulier le *jbel* Aouline
(3 555 m) –, sont accessibles
par la 7020, au nord de la
cité. À 37 km au sud-est de
Taroudannt, l'imposante
kasbah de Tioute domine
la palmeraie. Elle servit de

décor au tournage d'*Ali Baba
et les 40 voleurs,* film de
Jacques Becker de 1954.
Un restaurant accolé à la
kasbah dénature un peu le
site. Au bord de l'oued Souss,
refuge de nombreux oiseaux
migrateurs, la kasbah de
Freija, aujourd'hui inhabitée,
est plus ancienne.

De Taroudannt à
Ouarzazate, la route (N10)
d'une beauté sauvage traverse
des plaines couvertes
d'arganiers, puis le massif
volcanique du *jbel* Siroua,
hérissé de pics et enrobé de
plissements géologiques
alternant avec les plateaux
rocailleux. Située entre deux
chaînes de montagne, à
1 180 m d'altitude, **Taliouine**
est dominée par une
majestueuse kasbah du
El-Glaoui (*p. 57*), assez
délabrée mais encore habitée
par quelques familles. La ville
est réputée pour son safran
d'excellente qualité, que l'on
peut acheter à la coopérative
du safran. À **Tazenakht**
(à 85 km au sud de
Taliouine), aux portes du *jbel*
Siroua, on peut admirer des
tapis à trame orange, tissés
par les tribus Ouaouzguite.

Paysage désertique de l'Anti-Atlas

D'Igherm à Tata ❸

*N10 de Taroudannt, puis 7025 et
R109 jusqu'à Tata.* ℹ *0548 80 20
75.* 🚌 *Taroudannt, Tiznit, Agadir et
Bouizarkane.* 🛒 *Igherm : mer. ;
Tata : jeu.*

Cette route franchit l'Anti-
Atlas en traversant des
paysages extraordinaires.
De Taroudannt à Igherm,
les champs d'arganiers
alternent avec des villages
en pierre sèche dominant
des cultures en terrasses.

Fleurs de safran

LE SAFRAN DE TALIOUINE

Le safran (*Crocus sativus*), est une plante herbacée bulbeuse de la famille des iridacées qui pousse en altitude – entre 1 200 et 2 000 m – sur un sol légèrement calcaire. 570 ha de safranières sont cultivés autour de Taliouine par des familles qui cultivent chacune leur lopin de terre. Les bulbes sont plantés en septembre (75 000 par ha). La fleur de safran, de couleur violette, fleurit fin octobre. La cueillette est délicate : il faut séparer les stigmates rouges qui renferment le colorant (la crocine) des fleurs, opération qui dure entre 15 et 20 jours et se fait avant le lever du soleil. Après séchage, on obtient 1 kg de safran avec environ 100 000 fleurs. On place ensuite la précieuse poudre (1 g suffit à teinter 7 l d'eau) dans des boîtes étanches à l'abri de la lumière pour qu'elle conserve son goût. Le safran de bonne qualité est présenté sous forme de filaments entiers. Si le safran colore les tapis, les poteries, teint les cheveux ou le corps de la mariée, cette plante médicinale est aussi réputée contre les problèmes de digestion ou les rages de dents.

bien irrigués. Une trentaine de ksour peuplent l'immense **palmeraie de Tata**, arrosée par l'oued Tata, où l'on parle le berbère et l'arabe. En la traversant, on atteint Agadir-Lehne, où un marabout en pierre se dresse au pied d'une source. À 4 km, les grottes de Messalite sont parfois habitées par des bergers.

Akka ❹

À 62 km au sud-ouest de Tata par la N12. 🏛 6 500. 🛒 souk jeu., dim.

La palmeraie d'Akka s'étend au nord du village : une dizaine de *ksour* surgissent entre les palmiers-dattiers, les grenadiers, les figuiers, les pêchers, les abricotiers et les noisetiers. Sur une colline, s'étend un ancien *mellah* en ruine, Tagadirt, où naquit le rabbin Mardochée, en 1883. Il découvrit les premières gravures rupestres de la région et accompagna Charles de Foucauld, déguisé en juif, dans ses pérégrinations (*p. 217*). Dans la palmeraie, les sources d'Aït Rahal

Grenier troglodytique d'Aït-Herbil encore en activité

alimentent l'oasis. On y découvre aussi un curieux minaret en briques, qui daterait de l'époque almohade. Il faut se faire accompagner par un guide si l'on souhaite découvrir les gravures rupestres.

Aux environs : la région est riche en gravures rupestres, notamment à **Foum-el-Hassan**, à 90 km au sud-ouest d'Akka sur la route de Bouizarkane (N12), ou à **Aït-Herbil**. Elle recèle aussi de nombreux greniers collectifs, parfois encastrés dans la falaise.

Fief de la tribu des Ida Oukensous, réputée pour ses poignards et ses fusils, **Igherm**, à 94 km au sud-est de Taroudannt, est un gros village de montagne situé à 1 800 m d'altitude. Ses maisons aux pierres rosées construites sur la roche sont percées de fenêtres soulignées de bleu. Les femmes en noir portent des bandeaux multicolores et, sur le dos, le *situle,* pichet haut en cuivre grâce auquel elles transportent l'eau. D'Igherm à Tata, la route parcourt une plaine désertique, parée de reliefs tourmentés, de montagnes plissées en strates géologiques ocre, jaunes, voire violettes. Après le col Tizi-Touzlimt (1 692 m), les oasis se succèdent. Dans la palmeraie de Souk-Khemis-d'Issafen (souk le jeudi), les femmes en bleu indigo circulent parmi des jardins

Le marabout d'Agadir-Lehne, dans la palmeraie de Tata

Flamants roses en vol dans le parc de Souss Massa

Parc national de Souss Massa ❺

À 65 km au sud d'Agadir par la N1, à 50 km au nord de Tiznit par la N1.

Créé en 1991, le parc national s'étire le long de l'oued Massa, qui, avant de se jeter dans l'Atlantique, irrigue une importante palmeraie. La rencontre des eaux de rivière et des eaux de mer, le rythme des marées, ainsi que les douces températures d'hiver rassemblent là des centaines d'oiseaux migrateurs. Près de l'oued, les roselières poussant sur les bancs de sable abritent les flamants roses originaires de Camargue et d'Espagne, les foulques macroules, les canards fuligule milouin, les balbuzards pêcheurs, les hérons cendrés, etc. Mais le parc avait pour but premier la protection de l'ibis chauve, espèce en voie de disparition. Le pays abriterait la moitié de la population mondiale de ce drôle d'oiseau au crâne rose dégarni. Habitant permanent, il s'abrite dans les creux des falaises. On ne visite que certaines parties du parc. Pour voir les oiseaux, il faut s'approcher de l'oued en partant du lieu-dit Sidi Rbat et y aller entre mars et avril, ou bien octobre et novembre, tôt le matin.

Tiznit ❻

À 91 km au sud d'Agadir par la N1. 🕌 45 000. 🛈 ONMT Agadir. 🚌 Agadir, Safi, Goulimine et Tafraoute ou grands taxis. 🛒 souk mer., jeu. 🎪 moussem de Sidi Ahmed ou Moussa (août, 35 km à l'est de Tiznit).

Petite ville à l'intérieur des terres non loin de la mer, Tiznit subit l'influence à la fois de l'Atlantique et du désert. En 1881, le sultan Moulay Hassan (1873-1894) s'y installe pour mieux contrôler les tribus berbères dissidentes du Sous. En 1912, la ville se rend célèbre, lorsque El-Hiba, chef rebelle populaire, se fait proclamer sultan de Tiznit dans la mosquée. Protestant contre l'instauration du protectorat français au Maroc, El-Hiba conquiert le Souss en ralliant les tribus de l'Anti-Atlas et les Touaregs. Il s'attaque à Marrakech où il est repoussé par les troupes françaises.

Il est possible de faire le tour des 5 km de remparts de pisé rose qui encerclent la ville. Le *mechouar*, esplanade rectangulaire, jadis cour de réception du palais, est bordé d'arcades sous lesquelles s'alignent cafés et boutiques diverses. Les artisans de Tiznit, réputés, travaillent l'argent comme les juifs autrefois : lourds bijoux berbères, poignards et sabres aux manches incrustés. Les perches qui hérissent les murs d'argile sur le minaret de la Grande Mosquée aideraient les âmes défuntes à accéder au paradis.

Aux environs : à 15 km au nord-ouest de Tiznit, **Sidi Moussa Aglou** est une belle plage fréquentée par les surfeurs. Des grottes, occupées par des pêcheurs, sont creusées dans la falaise.

Sidi Ifni ❼

À 75 km au sud de Tiznit. 🕌 20 000. 🛈 ONMT Agadir, 0528 84 63 77. 🚌 Tiznit ou grands taxis. 🛒 souk dim. 🎪 moussem (fin juin).

De Tiznit, une jolie route secondaire rejoint la côte que l'on longe jusqu'à Sidi Ifni. Enclave côtière autrefois espagnole, la ville, sur la crête d'un plateau rocheux surplombant l'océan, est balayée par le vent et souvent prise dans les brumes de

Femmes faisant sécher le linge dans la région de l'oued Massa

◁ **Les maisons cubiques enduites de rose de Tafraoute (Anti-Atlas)**

l'Atlantique. Le style colonial de certains bâtiments – l'ancien consulat espagnol et l'église de style Art déco hispano-berbère, transformée en palais de justice – crée une atmosphère particulière.

Tafraoute ❽

À 143 km au sud d'Agadir. *N1 d'Agadir puis R105, R104 de Tiznit.* 🏠 *1 700.* 🛈 *ONMT Agadir, 0528 84 63 77.* 🚌 *Tiznit et Agadir ou grands taxis.* 🛒 *souk mar., mer. Location de VTT dans le centre-ville.*

À 1 200 m d'altitude, Tafraoute est bâtie au cœur d'une étonnante vallée de l'Anti-Atlas, dans un cirque de montagnes de granit, dont les couleurs en fin de journée virent de l'ocre au rose. Les palmeraies sont exubérantes et les amandiers se couvrent d'une nuée de fleurs blanches et roses lors d'une éphémère floraison de 15 jours en février. Les maisons en pierre sèche, carrées, comportent une cour centrale et une tour d'angle.

Village fortifié de Tioulit

Elles sont badigeonnées d'un enduit rose pastel et leurs fenêtres sont soulignées à la chaux blanche. Tafraoute est le pays des Ameln, la plus connue des six tribus de l'Anti-Atlas, réputés pour leur sens du commerce. Excellents

Maisons de Tafraoute

PHOQUE MOINE

La plus importante colonie de phoque moine de la Méditerranée se trouve sur les côtes atlantiques, à l'extrême sud du Maroc. En 1995, 200 phoques y vivaient encore, mais la moitié de la colonie a été emportée en 1998 par une maladie et son avenir reste très menacé. Ce phoque brun qui peut atteindre 3 m de long et peser près de 300 kg, a disparu de l'archipel des Canaries, de Madère et de la plupart des îles de la Méditerranée au cours du XXe siècle. De nos jours, il subsiste encore en mer Noire, sur les côtes de la Bulgarie et de la Turquie et peut-être en Sicile et en Sardaigne.

Le phoque moine a un avenir menacé au Maroc

épiciers, ils sont dispersés dans tout le Maroc et à l'étranger. Contraints de s'expatrier en raison des ressources limitées de leur terre, leurs villages ne sont peuplés aujourd'hui que d'enfants, de vieillards et de femmes voilées de noir. Mais les émigrés rentrent au pays dès qu'ils le peuvent pour construire une maison cossue. Tafraoute est également spécialisée dans la fabrication artisanale de babouches en cuir naturel, rouges, jaunes ou brodées, au bout arrondi.

Aux environs : à 3 km au nord, les **rochers peints** par le Belge Jean Vérame en 1984 se dressent en chaos dans un décor naturel lunaire. Les couleurs des roches lisses et rondes – rouge, mauve, bleu – ont pâli, mais l'ensemble reste surréaliste. À 4 km au nord, s'étend la fertile **vallée des Ameln** couverte de vergers, d'oliviers et d'amandiers. Jalonnée par 26 villages berbères accrochés à la montagne, elle est dominée par une chaîne de montagnes escarpées, où culmine le *jbel* Lekst (2 359 m). Le plus haut village, **Taghdichte**, est le point de départ pour l'ascension du sommet. Au nord de Tafraoute, sur la route d'Agadir, surgit au sommet d'une colline le grenier collectif d'Ida ou Gnidif. Un peu plus loin, perché lui aussi, le village fortifié de **Tioulit** surplombe la vallée. À 3 km au sud de Tafraoute, le chapeau de Napoléon, amas de rochers géants aux formes étranges, domine le village d'Agard Oudad. Plus au sud, une excursion d'une journée conduit à l'**oasis d'Afella Ighir**. Étroite et envahie de minuscules jardins, d'amandiers accrochés aux falaises et de palmiers, elle suit le cours sinueux de l'oued. Lorsque la route se transforme en une piste difficile, un 4x4 s'impose.

Pêcheur des falaises près de Tan Tan Plage

Guelmim ⑨

À 56 km au sud de Sidi Ifni par la 7129. 🏠 *38 000.* ℹ️ *0528 87 29 11.* 🚌 *Agadir, Marrakech, Laayoune et Tan Tan ou grands taxis.* 🛍️ *souk sam.* 🎪 *moussem d'Asrir (juil.).*

Appelée aussi Goulimine, cette petite ville rouge aux volets bleus, important centre caravanier du XIe au XIXe siècle, est réputée pour son souk aux dromadaires. À la fin du mois de juin, le *moussem* d'Asrir, à 6 km au sud-est de Guelmim réunit les « hommes bleus », Sahraouis accompagnés de leurs troupeaux de dromadaires.

Aux environs : à 14 km au nord, les sources d'eau chaude d'**Abeino** alimentent deux bassins, l'un pour les hommes, l'autre pour les femmes. À 60 km à l'ouest de Guelmim, la **plage Blanche** est accessible par des pistes.

Le souk aux dromadaires de Guelmin peut être très animé

Au sud-est (17 km), la très belle oasis d'**Aït Bekkou** est la plus grande de la région.

Tan Tan et Tan Tan Plage ⑩

À 125 km au sud-ouest de Guelmim par la N1. 🏠 *50 000.* 🛬 🚌 *Agadir, Tarfaya et Laayoune ou grands taxis.* 🎪 *moussem Sidi Mohammed Laghdal (juil.).*

Peu fréquentée, la province de Tan Tan est peuplée de bergers nomades et de pêcheurs. La route de Guelmin est bonne, mais les contrôles de police sont fréquents dans cette zone encore militarisée. Tan Tan ne manque pas de charme avec ses échoppes, ses mosquées et ses petits taxis peints en bleu ou en jaune moutarde. La medina accueille un bazar saharien, véritable bric-à-brac, et un marché coloré le dimanche. En mai ou juin, un *moussem* en hommage au Cheikh Ma el-Ainin, héros local, est l'occasion d'un vaste marché aux dromadaires. Le soir, les femmes dansent la *guedra* sous les tentes. À 25 km de là, la plage de Tan Tan connaît un timide développement touristique.

Aux environs : la route R101 traverse le désert jusqu'à **Smara**, à 245 km au sud de Tan Tan. Désormais simple garnison, cette ville légendaire résista fièrement à la colonisation française.

Tarfaya ⑪

À 235 km au sud de Tan Tan. 🚌 *Tan Tan ou grands taxis.*

Entre Tan Tan et Tarfaya, une belle route longe la mer, bordée de falaises, puis de dunes de sable blanc.

Port de pêche en plein essor, Tarfaya fut dans les années 1920 et 1930 une escale de l'Aéropostale – une statue de Saint-Exupéry s'y dresse. La ville accueillit surtout le grand rassemblement de la « Marche verte » en 1975 (*p. 58*). 350 000 Marocains se rendirent à pied jusqu'à la frontière du Sahara espagnol, et obtinrent la libération d'u territoire depuis longtemps revendiqué par le Maroc.

Immensités désertiques aux environs de Laayoune

Laayoune ⑫

À 117 km au sud de Tarfaya. 🏠 *100 000.* 🛬 *Agadir, Dakhla et Tan Tan.* 🚌 *Agadir, Dakhla et Tan Tan.* ℹ️ *av. de l'Islam (0528 99 52 83).*

Cette ancienne grande oasis sur l'oued Sagia el-Hamra, qui traverse le Sahara marocain, est la capitale économique des provinces sahariennes. Après le départ des Espagnols en 1976, le Maroc a beaucoup investi pour faire de Laayoune une ville moderne.

À 540 km plus au sud, **Dakhla** est bâtie au bout d'une presqu'île de 40 km de long. La baie est l'un des plus beaux sites naturels du pays. Dernière ville avant la Mauritanie, Dakhla est située à 350 km de la frontière. La région est à peu près sûre et l'on peut passer la frontière sans trop de problèmes.

Habitat nomade

Sur les plateaux désertiques du Haut Atlas, aux portes de Zagora ou de Goulimine, la tente nomade, *khaïma*, est la demeure du nomade, pasteur transhumant. Facile à monter, la tente marron tissée en poils de chèvre ou de dromadaire, est solide et protège de la chaleur. Elle est constituée de bandes de 40 à 60 cm de large, les *flijs,* cousues bord

Détail de tapis

à bord et reposant sur une faîtière s'appuyant sur deux montants en bois. À l'intérieur, les piquets de soutènement partagent la tente en deux. D'un côté, on trouve le royaume des femmes – le foyer de la cuisine, quelques ustensiles rudimentaires et le métier à tisser –, de l'autre, séparé par un tissu, le coin des hommes et des hôtes éventuels.

Les nomades *sont difficiles à rencontrer car installés sur des terres montagneuses ou désertiques, loin de la civilisation. Cependant, une partie d'entre eux se fixe quelques semaines de l'année dans une oasis. À l'intérieur de la tente, le mobilier est sommaire : tapis lourds et épais et coffres en bois où les femmes conservent leurs richesses. L'hospitalité des « hommes bleus » est légendaire.*

La tente nomade *est dressée sur un terrain plat. La toile de tente est tendue de manière à laisser circuler l'air en été. L'hiver, les côtés sont fermés et renforcés de longues couvertures et tapis de laine.*

Berbère nomade *qui corde la laine avant de la filer. Sur un métier archaïque, elle tisse des couvertures et des bandes de tissus.*

Ces nomades d'un autre siècle *semblent sortis d'un tableau de Delacroix. Aujourd'hui encore, les nomades errent d'un point d'eau à l'autre selon les pluies.*

La transhumance *s'accomplit au rythme des saisons. Accompagnés de leurs troupeaux, les nomades remontent l'été vers l'Atlas et ses pâturages, pour se replier l'hiver dans le Sud.*

LES BONNES
ADRESSES

HÉBERGEMENT

Au Maroc, le choix d'un hôtel dépend avant tout de son emplacement et des services que vous souhaitez y trouver selon le type de séjour. S'il existe une classification officielle qui pourra vous aider à juger de la qualité d'un établissement, gardez à l'esprit qu'elle peut parfois être fantaisiste et éloignée des critères européens. Il existe une large gamme de prix et vous trouverez sans difficulté un hébergement adapté à votre budget. Toutefois, les hôtels de luxe sont de plus en plus nombreux, ainsi que les maisons d'hôtes de charme, souvent situées dans des *riads*. Pendant la basse saison, les prix sont souvent négociables, même dans les établissements les plus chic. Attention toutefois aux réservations faites sur place, car, à certaines périodes, le pays connaît une véritable crise du logement. Pour les budgets plus modestes, les auberges de jeunesse et le logement chez l'habitant sontdes alternatives intéressantes si on en connaît les règles de base.

Portier d'hôtel

L'hôtel des Mérinides *(p. 310)* offre une vue splendide sur Fès

CHOISIR UN HÔTEL

L'emplacement de l'hôtel, dans les grandes villes, est un critère de choix important. Mieux vaut, en général, être proche de la vieille ville, où se concentrent souvent les sites à visiter. Sachez cependant qu'un établissement situé en centre-ville dispose rarement de places de stationnement.

Si vous souhaitez plus d'espace, ou bien un jardin – qui va souvent de pair avec une piscine – préférez un hôtel situé en périphérie ou dans les quartiers récents. Dans les petites villes, il est rare de trouver une hôtellerie de qualité, notamment dans le Sud. Le critère principal doit être celui de vos étapes.

Dans le Sud marocain, la majorité des sites se trouvent sur les routes entre les villes. Réservez donc votre hôtel en fonction du kilométrage journalier que vous souhaitez effectuer, plutôt que de l'intérêt de l'hébergement.

CLASSEMENT DES HÔTELS ET SERVICES

Il existe un classement officiel des hôtels établi par le ministère du Tourisme marocain. Les hôtels sont classés de 1 à 5 étoiles, avec des sous-catégories A et B. Chaque niveau de classement correspond, en principe, à certains équipements de confort ainsi qu'à certaines normes, entre autres de superficie. Autrefois très fantaisiste, l'attribution des étoiles a été revue et, même s'il reste quelques bizarreries, beaucoup d'hôtels ont été reclassés vers des catégories plus en rapport avec les prestations proposées.

En règle générale, les hôtels de 4 ou 5 étoiles disposent d'un grand nombre d'équipement : TV satellite, téléphone, salle de bains, service en chambre, ainsi que de restaurants, piscine, installations sportives et hammams…

Les hôtels classés de 2 à 3 étoiles restent confortables et très propres, avec salle de bains individuelle ou douche.

Les petits hôtels 1 étoile ou non classés offrent souvent un confort assez rudimentaire et manquent parfois d'hygiène. Il est conseillé de visiter votre chambre avant de vous y installer.

Si les hôtels non classés ne méritent en général pas d'être répertoriés par le ministère du Tourisme, il existe en revanche quelques établissements confortables qui, en raison de la lourdeur administrative, n'ont pas voulu entrer dans le jeu de la classification.

L'hôtel Anezi à Agadir offre une belle vue sur la baie *(p. 319)*

◁ **Étal de babouches multicolores**

L'auberge Kasbah Derkaoua *(p. 318)* sur la piste de Merzouga

PRIX

La législation, qui impose que les tarifs soient affichés à la réception ainsi que dans les chambres, est en général bien respectée. Attention, les prix affichés ne tiennent que rarement compte des taxes de séjour exigibles (de 1 à 25 Dh selon les villes et les hôtels) et n'incluent pas le petit déjeuner. Comptez moins de 150 Dh pour un petit hôtel 1 étoile ou non classé. Un établissement de 2 à 3 étoiles demandera entre 250 et 400 Dh pour une chambre, tandis qu'il vous en coûtera de 400 à 1000 Dh pour un 3 étoiles A ou un 4 étoiles. Les nombreux 5 étoiles affichent des tarifs de 1200 Dh à plus de 2000 Dh pour certains d'entre eux, et il n'existe pas de plafond officiel.

Les tarifs varient en fonction des saisons, et il n'est pas rare de voir les prix doubler lors des congés de fin d'année ou de printemps, ou encore en été dans les stations balnéaires. Ils varient également selon le nombre de personnes occupant la chambre. Ainsi, pour un enfant ou un troisième adulte partageant une chambre, il faudra payer un supplément, mais le plus souvent avec une réduction de 5 à 50 %.

La chaîne des hôtels **Kenzi**, très sérieuse, qui possède des établissements dans tout le pays, propose des conditions avantageuses si vous réservez dans plusieurs de leurs hôtels, ou en basse saison. Renseignez-vous sur les hôtels auprès de la **Fédération nationale de l'industrie hôtelière** à Casablanca.

MARCHANDAGE

Cette pratique est assez courante dans les hôtels, et elle marche… Cependant, il est inutile de négocier durant les très hautes saisons ou dans les très grands hôtels, comme La Mamounia à Marrakech. Lors des périodes creuses, il est possible d'obtenir jusqu'à 30 % de rabais.

RÉSERVATIONS

Pendant les hautes saisons, vacances de printemps et de fin d'année en particulier, mais aussi en été pour les villes balnéaires, le Maroc connaît une fréquentation extraordinaire, et il n'est pas rare de ne plus trouver une seule chambre dans des petites villes à la capacité hôtelière restreinte (dans le Grand Sud notamment). Mais cela peut arriver aussi dans des villes, comme à Marrakech, où le nombre d'hôtels est impressionnant. Il vaut donc mieux réserver, que ce soit auprès d'une agence de voyages, d'un tour-opérateur programmant le Maroc ou directement auprès des hôtels. Dans ce dernier cas, il vous sera demandé un numéro de carte bancaire afin de garantir la réservation. Cette pratique est en général peu risquée, même s'il vaut mieux préférer les grands hôtels ou les chaînes hôtelières bien établies.

Conséquence du management des hôtels à l'européenne, on peut être parfois victime de sur-réservation : l'hotelier vend plus de chambres qu'il n'en possède en anticipant sur les annulations probables ! Malheureusement, si cela vous arrive, il n'y a que peu de recours et les solutions tiennent alors plutôt du bricolage. La meilleure protection contre ce genre de pratique reste de payer intégralement son séjour à l'avance.

L'hôtel Kasbah Asmaa dispose d'un très beau restaurant sous les tentes berbères et d'une piscine agréable *(p. 319)*

La mirifique piscine de La Mamounia au sein d'un luxuriant jardin *(p. 316)*

HÔTELS DE CHAÎNE ET HÔTELS DE LUXE

Les grandes chaînes comme Hyatt ou Le Méridien comptent de nombreuses succursales dans le pays. Le groupe **Accor** gère un très grand nombre d'établissements sous les enseignes Ibis, Novotel, Sofitel, Mercure, Coralia... Plus confidentielle, la chaîne **Mahd Salam** possède des hôtels à l'architecture traditionnelle à travers tout le pays et propose des prix avantageux si vous réservez à l'avance. Il en est de même pour les onze hôtels **Kenzi**.

Il existe de nombreux établissements très luxueux au Maroc. Si certains sont assez récents, il existe aussi de vieux hôtels mythiques, comme La Mamounia à Marrakech *(p. 316)*, qui, bien qu'ayant perdu un peu de son lustre lors de sa dernière rénovation, reste légendaire. À Fès, le Sofitel Palais Jamaï *(p. 310)*, ancien palais transformé en hôtel, jouit d'une architecture splendide et d'un site exceptionnel en surplomb de la medina. À Tanger, l'hôtel El-Minzah *(p. 308)* semble sorti d'un décor de film et, bien que vieillissant, il demeure une référence absolue.

CAMPINGS

On en trouve dans chaque grande ville et ils sont très nombreux sur les littoraux atlantique et méditerranéen. En règle générale, leur propreté laisse à désirer, ainsi que la sécurité des objets laissés dans les tentes. Les campings sont également assez onéreux au Maroc, alors ne choisissez ce mode d'hébergement que si vous êtes un inconditionnel.

Le camping sauvage n'est pas formellement interdit, mais vivement déconseillé pour des raisons de sécurité et de rapport avec les autorités qui aiment assez peu voir des voyageurs installés où bon leur semble.

LOGEMENT CHEZ L'HABITANT

Dans les petits villages au bord de la mer, il est parfois très difficile de trouver un hébergement, si bien que de nombreux Marocains ont aménagé leur maison de manière à proposer quelques chambres à louer. Le confort peut être rudimentaire et il vaut mieux s'assurer de la propreté des couchages ainsi que du bon fonctionnement des installations sanitaires. Toutefois, cela peut être une bonne alternative pour loger quelques jours loin de la foule drainée par les centres touristiques balnéaires.

Il arrive souvent, lors d'excursions dans l'Atlas, que l'on vous propose de vous héberger plutôt que de camper. Vous serez alors logés le plus souvent dans un des salons ou, expérience souvent magique, sur les toits des maisons en pisé. Les propriétaires, souvent chefs du village, refuseront de parler de prix avec vous et vous inviterons à partager leur dîner. Il est toujours possible de leur offrir un cadeau ou de s'arranger avec les femmes de la maison qui accepteront souvent une rétribution ou un cadeau pour les enfants.

AUBERGES DE JEUNESSE

Il existe beaucoup d'auberges de jeunesse au Maroc, bon moyen de séjourner à moindre frais. Toutefois, la plupart sont assez excentrées et proposent un confort plutôt sommaire, mais elles sont en général propres. Elles demandent la carte de membre du réseau international des auberges de jeunesse. Pour obtenir celle-ci, le mieux est d'adhérer à la fédération des auberges de jeunesse de votre pays, comme la **FUAJ** ou la **LFAJ** en France. Au Maroc, vous pourrez vous renseigner auprès de **Fédération royale marocaine des Auberges de jeunes** à Casablanca.

COUPLES NON MARIÉS

Sachez qu'au Maroc, la législation est très stricte sur l'hébergement des couples. Un musulman, par exemple, ne peut pas dormir avec une

Salle de restaurant de l'hôtel Kasbah Asmaa à Zagora *(p. 319)*

femme si le couple n'est pas marié. Certains hôteliers respectent cette règle scrupuleusement, mais les couples occidentaux ne sont pas concernés, à moins de tomber sur un hôtelier particulièrement tatillon.

VOYAGEURS HANDICAPÉS

Mis à part certains hôtels, aucun établissement ne prévoit d'infrastructure pour les voyageurs handicapés. En revanche, les personnes handicapées seront étonnés du nombre de Marocains de bonne volonté qui pourront les aider en cas de difficulté.

RIADS

Riad signifie littéralement « jardin » en arabe, et un *riad* doit donc comporter théoriquement un jardin planté de plusieurs arbres. Toutefois, par extension, le terme *riad* recouvre toutes les demeures anciennes comportant au moins un patio. Ces vieilles habitations marocaines situées dans les medinas ont poussé comme des champignons, entre autre à Marrakech, Fès ou Essaouira. Ces maisons traditionnelles

Beaucoup de *riads* d'Essaouira sont aménagés en chambres d'hôtes

possèdent une architecture originale et ont en général été superbement restaurées avant d'être aménagées en chambres d'hôtes. Il est très agréable d'y séjourner, en particulier pour leur calme et leur emplacement souvent exceptionnel.

Il est possible soit de louer une chambre dans un *riad*, soit de louer celui-ci dans son intégralité. La plupart propose le petit déjeuner et le dîner. Il n'existe pas de classement officiel pour ce type d'hébergement, et la qualité, le service et le prix peuvent différer considérablement en fonction du *riad*. Certains sont tenus

par des personnes n'ayant que peu d'idée de l'hôtellerie. D'autres, comme La Villa des Orangers ou La Maison Arabe à Marrakech, sont bien gérés et sont des lieux d'exception qui satisferont les amoureux de vieilles pierres tout autant que les voyageurs les plus exigeants en terme de services. On peut réserver un *riad* par des agences comme **Riads au Maroc** ou **Marrakech Medina.** Certaines agences ne sont pas d'un sérieux exemplaire, mais, en règle générale, un séjour dans un *riad* reste un moment hors du temps qui vous dépaysera pleinement, à l'inverse des grands hôtels internationaux.

ADRESSES

INFORMATION TOURISTIQUE

Fédération nationale de l'industrie hôtelière
320, Bd Zerktouni,
20000 Casablanca.
Tél. *0522 26 73 13/14.*
www.fnih.ma

AUBERGES DE JEUNESSE

Maroc : FRMAJ
(Fédération royale marocaine des
Auberges de jeunes)
BP 15998, casa Principale,
parc de la Ligue-Arabe,
21000 Casablanca.
www.hihostels.com

France : FUAJ
(Fédération unie des
Auberges de jeunesse)

27, rue Pajol, 75018 Paris.
Tél. *01 44 89 87 27.*
www.fuaj.org

France : LFAJ
(Ligue française pour les
auberges de la jeunesse)
67, rue Vergniaud,
Bâtiment K, 75013 Paris.
Tél. *01 44 16 78 78.*
www.auberges-de-
jeunesses.com

Belgique : LAJ
(Les Auberges de jeunesse)
Rue de la Sablonnière, 28,
Bruxelles 1000.
Tél. *219 56 76.*
www.laj.be

Suisse : Schweizer Jugendherbergen
Schasfhauserstr. 14,
Postfach 161,
8042 Zurich.
Tél. *(1) 360 14 14.*
www.youthhostel.ch

Canada : Auberges de jeunesse du saint Laurent
3514 Av. Lacombe, H3T-
1M1, Montréal.
Tél. *(514) 731 10 15.*
www.bits-int.org

RIADS

Riads au Maroc
1, rue Mahjoub-Rmiza,
Menara Guéliz,
Marrakech 40000.
Tél. *0524 43 19 00.*
www.riadomaroc.com

Marrakech Medina
102, rue Dar el-Bach,
Souika sidi abd al Aziz,
Medina-Marrakech 40000.
Tél. *526 10 04 93*
ou 524 29 07 07.
www.marrakech-
medina.com

CHAÎNES HÔTELIÈRES

Hôtels Kenzi
Résidences Hivernage,
av. Mohammed-VI,
40000 Marrakech.
Tél. *0524 33 95 00.*
www.kenzi-hotels.com.

Groupe Accor
Tél. *0825 012 011*
(de France).
Tél. *02 643 5002*
(de Belgique).
Tél. *800 221 4542*
(du Canada).
www.accorhotels.com

Mahd Salam Hotels
Hôtel Riad Salam,
Corniche d'Aïn Diab,
Casablanca.
Tél. *0522 39 13 13*

Choisir un hôtel

Les hôtels de cette sélection ont été choisis dans une large gamme de prix en fonction de leur rapport qualité/prix, de leur emplacement ou de leur charme. L'ordre utilisé est celui des chapitres du guide, et chaque partie est rangée par ordre alphabétique et catégories de prix. Pour les restaurants, rendez-vous pages 328-343.

CATÉGORIES DE PRIX
Les prix correspondent à une nuit en chambre double standard en haute saison, taxes et service compris.
ⓓ moins de 600 dirhams
ⓓⓓ de 600 à 1 000 dirhams
ⓓⓓⓓ de 1 000 à 1 500 dirhams
ⓓⓓⓓⓓ de 1 500 à 2 000 dirhams
ⓓⓓⓓⓓⓓ plus de 2 000 dirhams

RABAT

AGDAL Ibis Moussafir
Gare Oncf Agdal **Tél.** *0537 77 49 19* **Fax** *0537 77 49 03* **Chambres** *95*   ⓓⓓ
Carte routière *C2*

Situé dans le paisible quartier d'Agdal, près de la gare ferroviaire de Rabat, l'Ibis Moussafir est un hôtel récent qui ne manque pas de caractère malgré son architecture moderne. Vous serez reçu dans un cadre accueillant, baigné de lumière. Le bar et le restaurant offrent, quant à eux, un décor d'inspiration marocaine. **www.ibishotels.com**

CENTRE-VILLE Hôtel Balima
Avenue Mohammed-V **Tél.** *0537 70 77 55* **Fax** *0537 70 74 50* **Chambres** *71*   ⓓ
Carte routière *C2*

Situé en face du parlement, dans l'un des quartiers les plus intéressants de Rabat, voici un établissement agréable où se loger à un prix très raisonnable. Aménagé sur plusieurs étages dans un cadre marocain traditionnel, il possède un restaurant et un bar en terrasse, entouré de palmiers. Parking à disposition.

CENTRE-VILLE Hôtel de la Paix
2, rue de Ghazzah **Tél.** *0537 72 29 26* **Fax** *0537 73 20 31* **Chambres** *45*   ⓓ
Carte routière *C2*

L'hôtel de la Paix est un établissement modeste offrant le nécessaire sans le superflu. On apprécie cependant son personnel chaleureux et son emplacement proche des principales attractions touristiques et de la medina. Les chambres sont propres et claires. Le restaurant confortable propose une bonne cuisine marocaine.

CENTRE-VILLE Hôtel Terminus
384, avenue Mohammed-V **Tél.** *0537 70 06 16* **Fax** *0537 70 19 26* **Chambres** *134*   ⓓ
Carte routière *C2*

Le Terminus est l'adresse idéale pour les visiteurs. Situé près des remparts de la ville, il n'est qu'à quelques pas du Musée archéologique et de Bab er-Rouah, la porte des Vents. Lumineux et aménagé avec goût, il dispose de plusieurs catégories de chambres et d'un restaurant où l'on sert des plats marocains traditionnels.

CENTRE-VILLE Hôtel Bélère
33, avenue Moulay Youssef **Tél.** *0537 20 33 02* **Fax** *0537 70 98 01* **Chambres** *99*   ⓓⓓ
Carte routière *C2*

L'ambiance est garantie dans cet hôtel qui abrite sa propre discothèque où se presse une foule de jeunes branchés et de touristes. Les chambres insonorisées offrent tout le confort d'un hôtel moderne. Le restaurant et le bar en terrasse sont plus contemporains. L'hôtel Bélère offre un bon rapport qualité/prix. **www.belerehotels.com**

CENTRE-VILLE Hôtel Majliss
6, rue Zahla **Tél.** *0537 73 37 26* **Fax** *0537 73 37 31* **Chambres** *65*   ⓓⓓ
Carte routière *C2*

Bien situé, avec une boîte de nuit, un parking et une salle de conférence, l'Hôtel Majliss reçoit une clientèle d'affaires et de voyageurs. C'est un établissement accueillant et confortable, au décor marocain traditionnel. Le restaurant propose des spécialités européennes et régionales présentées avec soin. **www.majlisshotel.ma**

CENTRE-VILLE Hôtel Chellah
2, rue d'Ifni **Tél.** *0537 66 83 00* **Fax** *0537 70 63 54* **Chambres** *120*   ⓓⓓ
Carte routière *C2*

En plein centre-ville, cet établissement au cadre marocain contemporain est apprécié des voyageurs et d'une clientèle d'affaires. Élégantes, les chambres sont dotées de tous les équipements modernes, dont la TV par satellite. L'hôtel dispose entre autres d'une salle de remise en forme et d'un bar installé sur le toit-terrasse. **www.helnan.com**

CENTRE-VILLE Hôtel Mercure Shéhérazade
21, rue de Tunis **Tél.** *0537 72 22 26* **Fax** *0537 72 45 27* **Chambres** *77*   ⓓⓓ
Carte routière *C2*

Voici un charmant petit hôtel situé près de plusieurs monuments, parmi lesquels le mausolée de Mohammed-V et la tour Hassan. Le personnel très sympathique vous accueillera avec un large sourire. L'intérieur moderne s'orne des couleurs traditionnelles du Maroc. Les chambres spacieuses sont inondées de lumière. **www.accorhotels.com**

CENTRE-VILLE Hôtel Soundouss
10, place Talha Agdal **Tél.** *0537 28 88 88* **Fax** *0537 67 58 68* **Chambres** *50*   ⓓⓓ
Carte routière *C2*

Implanté près de l'aéroport et des terrains de golf, à quelques minutes à pied des principaux monuments de la ville, le Soundouss est une excellente adresse pour les visiteurs. Les chambres bien équipées disposent d'une connexion Wi-Fi. L'hôtel propose aussi deux restaurants, un piano-bar ainsi qu'un parking. **www.soundousshotel.ma**

Légende des symboles *voir le rabat arrière de couverture*

CENTRE-VILLE Riad El Batoul

7 Derb Jirari Rabat **Tél.** *0537 72 72 50* **Fax** *0537 72 73 16* **Chambres** *9*   *Carte routière* C2

Entrer dans ce petit palais mauresque niché dans la medina, c'est en quelque sorte remonter le temps. Détendez-vous sur des sofas aux étoffes tissées d'or en sirotant un thé vert et appréciez la cuisine locale servie dans le patio à colonnade. Les chambres ont beaucoup de charme et disposent d'une salle de bains. **www.riadbatoul.com**

CENTRE-VILLE Hôtel Rabat

Rue Chellah **Tél.** *0537 73 47 47* **Fax** *0537 70 00 71* **Chambres** *114*   *Carte routière* C2

Ce bâtiment en forme de bateau est situé près des ambassades, des monuments historiques et de la medina. Les chambres Art Déco sont dotées de tout le confort. L'hôtel dispose d'une piscine, d'une salle de remise en forme et d'un Spa avec soins de beauté, ainsi que de plusieurs restaurants. **www.hotelrabat.com**

CENTRE-VILLE Golden Tulip Farah

Place Sidi Makhlouf **Tél.** *0537 23 74 00* **Fax** *0537 72 21 55* **Chambres** *193*   *Carte routière* C2

À quelques minutes à pied du littoral, cet hôtel qui donne sur l'océan Atlantique est aussi à deux pas de nombreuses attractions touristiques. C'est un établissement luxueux aux chambres extrêmement confortables. On y trouve un club de remise en forme, une piscine, une boutique et plusieurs restaurants. **www.goldentulipfarahrabat.com**

CENTRE-VILLE La Tour Hassan

26, rue Chellah **Tél.** *0537 23 90 00* **Fax** *0537 72 54 08* **Chambres** *140*   *Carte routière* C2

Ce petit bijou a su préserver l'âme du Maroc tout en gardant une tonalité très européenne. Les terrasses, qui donnent sur un jardin luxuriant et sur la piscine, sont d'une extrême élégance. Les chambres aménagées avec soin ont tout le confort. L'hôtel abrite aussi plusieurs restaurants *(p. 328)*. **www.palaces-traditions.ma**

CENTRE-VILLE Sofitel Diwan Rabat

Place de l'Unité Africaine **Tél.** *0537 26 27 27* **Fax** *0537 26 24 24* **Chambres** *94*   *Carte routière* C2

Près de la tour Hassan et de la mosquée d'Hassan-II, le Sofitel Diwan ne manque pas d'élégance. Les chambres, somptueuses, disposent de tous les équipements d'un Sofitel. Les hôtes profiteront d'un bon restaurant français *(p. 328)* et d'un Spa avec soins orientaux. Le Royal Golf de Dar Es-Salaam est tout près. **www.accorhotels.com**

SKHIRAT PLAGE Hôtel L'Amphitrite Palace

Skhirat Plage **Tél.** *et Fax 0537 62 10 10* **Chambres** *178*   *Carte routière* C2

Synonyme de luxe et d'élégance, l'Amphitrite Palace, situé juste à côté de la résidence d'été du roi, donne sur la place de Skhirat. Outres des chambres et des suites bien équipées et aménagées avec goût, l'hôtel dispose d'un centre de bien-être et de thalassothérapie, d'un restaurant, de jardins et d'un accès à la plage. **www.starwoodhotels.com**

SOUISSI Sofitel Rabat Jardin des Roses

Aviation Souissi **Tél.** *0537 67 56 56* **Fax** *0537 67 14 92* **Chambres** *229*   *Carte routière* C2

Niché au milieu de palmiers et de jardins exotiques, ce Sofitel est un établissement haut de gamme où se mêlent visiteurs et clientèle d'affaires séduits par la qualité de ses services (Spa, gymnase, plusieurs restaurants marocains et internationaux) et par ses chambres dotées de toutes les commodités. **www.sofitel.com/rabat**

CÔTE NORD-ATLANTIQUE

ASILAH Hôtel Mansour

Corniche Asilah **Tél.** *et Fax 0539 41 73 90* **Chambres** *24*   *Carte routière* D1

À proximité de la porte Bab el-Bahr et de la porte Bab Homar, deux des principaux sites touristiques d'Asilah, l'hôtel Mansour est une bonne adresse pour découvrir cette ville pittoresque. C'est un établissement sans prétention en terme de confort et d'installations, mais accueillant et d'un bon rapport qualité/prix.

ASILAH Hôtel Oued Makhazine

Rue Melilia **Tél.** *0539 41 70 90* **Fax** *0539 41 75 00* **Chambres** *41*   *Carte routière* D1

Situé dans le centre animé de la ville fortifiée d'Asilah, près de la porte Bab el-Bahr, cet établissement deux-étoiles de style andalou est une bonne étape pour les voyageurs. La modestie de ses installations est compensée par un accueil chaleureux et un intérieur agréablement aménagé. Parking à disposition.

ASILAH Hôtel El'Khaima

Corniche Asilah **Tél.** *0539 41 74 28* **Fax** *0539 41 75 66* **Chambres** *113*   *Carte routière* D1

La façade du bâtiment contemporain qu'il occupe contredit l'ambiance chaleureuse de l'hôtel El'Khaima. Cette atmosphère n'est pas pour déplaire aux peintres et aux écrivains de la ville qui y séjournent volontiers. El'Khaima propose des chambres bien aménagées, ainsi qu'une piscine, plusieurs courts de tennis et une boîte de nuit.

ASILAH Hôtel Zelis

10, avenue Mansour-Eddhabi **Tél.** *0539 41 70 29* **Fax** *0539 41 70 98* **Chambres** *55*   *Carte routière* D1

Situé à quelques minutes du Centre Hassan-II des Rencontres internationales qui accueille des manifestations culturelles pendant les mois d'été, l'Hôtel Zelis offre des chambres aussi luxueuses que confortables, pour certaines avec vue l'océan, ainsi que de multiples installations, dont un restaurant et une piscine.

KENITRA Hôtel d'Europe

63, avenue Mohammed Diouri **Tél.** *0537 37 14 50* **Chambres** *24*　　　**Carte routière** *C2*

L'hôtel d'Europe est un charmant petit établissement à quelques minutes du centre de Kenitra. Il ne possède pas une infrastructure sophistiquée, mais le personnel accueillant veillera sur votre confort. Les chambres sont propres et fraîches et le restaurant au cadre intimiste propose de délicieuses spécialités marocaines.

KENITRA Hôtel Mamora

Avenue Hassan-II **Tél.** *0537 37 17 75* **Fax** *0537 37 14 46* **Chambres** *69*　　　**Carte routière** *C2*

Logé dans un immeuble Art Déco rénové dans les années 1990, l'hôtel Mamora séduit une clientèle familiale avec son aire de jeu et sa jolie piscine entourée de terrasses et de jardins. Propres et très bien aménagées, les chambres ont toutes une salle de bains. L'hôtel abrite aussi un restaurant *(p. 329)*. **www.hotelmamora.ma**

KENITRA Hôtel Jacaranda

Place Administrative **Tél.** *0537 37 30 30* **Fax** *0537 37 19 26* **Chambres** *86*　　　**Carte routière** *C2*

Cet établissement, qui occupe un bâtiment inspiré de l'architecture coloniale, bénéficie d'un bon emplacement en centre-ville. À quelques minutes de là, le port de Kenitra et l'oued Sebou seront l'occasion d'agréables promenades. L'hôtel Jacaranda possède un bon restaurant, une piscine et bien d'autres installations.

LARACHE Hôtel España

2, av. Hassan-II, pl. de la Libération **Tél.** *0539 91 31 95* **Fax** *0539 91 56 28* **Chambres** *43*　　**Carte routière** *D1*

Voici l'adresse idéale pour une courte étape à Larache. Installé dans un immeuble inspiré de l'art arabo-andalou, non loin de la medina, l'hôtel España dispose de 4 suites et 39 chambres climatisées, avec accès Wi-Fi, d'un bon rapport qualité/prix pour sa situation centrale. Places de parking à disposition. **hotelespana2@yahoo.fr**

LARACHE Hôtel Riad

Avenue Mohammed Ben-Abdellah **Tél.** *et* **Fax** *0539 91 26 26* **Chambres** *22*　　　**Carte routière** *D1*

Considéré comme l'une des meilleures options de la région, cet établissement s'étend dans un immense parc, près du Musée archéologique. Ses installations combleront tous les membres de la famille, grands et petits. Son restaurant sert une cuisine marocaine traditionnelle. Des bungalows sont également disponibles dans le parc.

SALÉ Le Dawliz Hôtel

Avenue de Bouregreg **Tél.** *0537 88 32 77* **Fax** *0537 88 32 79* **Chambres** *40*　　　**Carte routière** *C2*

Le Dawliz se dresse au cœur d'un luxueux complexe touristique, au bord du fleuve, juste en face de Rabat. Avec sa piscine, ses nombreuses installations sportives et ses restaurants à thème, c'est l'endroit idéal pour des vacances en famille. Les chambres modernes offrent tout le confort. **www.ledawliz.com**

SALÉ Hôtel Dar el Mouhit

Rue Sidi Mohammed Lemfedel **Tél.** *0537 84 08 04* **Chambres** *4*　　　**Carte routière** *C2*

Dans le quartier historique de la medina de Salé, Dar el Mouhit occupe une demeure traditionnelle pleine de charme. Le restaurant propose des spécialités marocaines et du poisson, selon la pêche du jour. Très spacieuses, les chambres, qui ont toutes une salle de bains, s'ornent de mosaïques et de riches étoffes. **www.dar-el-mouhit.com**

CASABLANCA

CENTRE-VILLE Hôtel Majestic

55, boulevard Lalla Yacout **Tél.** *0522 31 09 51* **Fax** *0522 44 62 85* **Chambres** *88*　　　**Carte routière** *C2*

Situé entre la place des Victoires et la célèbre place Mohammed-V, l'hôtel Majestic jouit d'une situation idéale pour rayonner dans la ville. Logé dans une demeure impressionnante, c'est un établissement qui ne manque pas de caractère malgré la simplicité du mobilier. Il abrite en outre un bon restaurant marocain.

CENTRE-VILLE Hôtel Plaza

18, boulevard Félix Houphouët-Boigny **Tél.** *0522 26 90 19* **Fax** *0522 27 64 39* **Chambres** *27* **Carte routière** *C2*

Avec un nom pareil, on imagine facilement un hôtel très luxueux. L'hôtel Plaza est en réalité un établissement plus modeste mais joliment aménagé, aux chambres assez spacieuses. Sa situation centrale en fait une bonne adresse pour découvrir la ville. Le Plaza ne possède pas de restaurant, mais le quartier offre l'embarras du choix en la matière.

CENTRE-VILLE Hôtel Suisse

Boulevard de la Corniche **Tél.** *0522 36 02 02* **Fax** *0522 36 77 58* **Chambres** *192*　　　**Carte routière** *C2*

Voici un établissement quatre-étoiles, à la fois au bord de l'océan et près du centre, où se mêle une clientèle d'affaires et de voyageurs. L'hôtel Suisse dispose d'un restaurant international, d'un bar installé dans le patio et d'une piscine, sans parler d'une boîte de nuit où l'on pourra danser jusqu'à l'aube.

CENTRE-VILLE Ibis Moussafir

Angle Zaid Ouhmad et due Sidi Belyout **Tél.** *0522 46 65 60* **Fax** *0522 46 65 61* **Ch.** *266*　　**Carte routière** *C2*

À proximité de la grande mosquée Hassan-II, l'hôtel Ibis Moussafir est un établissement moderne aux chambres spacieuses, bien équipées, avec l'air conditionné et la télévision par satellite. Il abrite un bar et un restaurant où l'on sert de délicieux plats à la carte, ainsi que deux salles de réunion. **www.ibishotel.com**

Légende des prix *voir p. 302 ;* **légende des symboles** *voir le rabat arrière de couverture*

CENTRE-VILLE Best Western Toubkal Hôtel

9, rue Sidi Belyout **Tél.** *0522 31 14 14* **Fax** *0522 31 11 46* **Chambres** *67*   *Carte routière C2*

Les fidèles de la chaîne Best Western apprécient cet établissement en plein centre, proche des principales attractions touristiques. Luxueuses, les chambres sont aménagées comme il se doit. On y trouve un Spa, des terrains de squash et de tennis, plusieurs restaurants et une boîte de nuit. **www.hoteltoubkal.com**

CENTRE-VILLE Hôtel Kenzi Basma

35, avenue Hassan-I **Tél.** *0522 22 33 23* **Fax** *0522 26 89 36* **Chambres** *113*   *Carte routière C2*

Situé près de l'ancienne medina et de la côte, l'hôtel propose plusieurs chambres avec vue sur l'océan, les autres donnant sur l'imposante mosquée Hassan-II. Spacieuses et lumineuses, les parties communes sont décorées avec goût. Le restaurant et le *lounge* bar offrent un cadre plus intimiste, propice à la détente. **www.kenzi-hotels.com**

CENTRE-VILLE Hôtel Les Saisons

19, rue Oraibi Jilali **Tél.** *0522 49 09 01* **Fax** *0522 48 16 97* **Chambres** *48*   *Carte routière C2*

Voici un établissement luxueux aux chambres climatisées particulièrement spacieuses, disposant d'une connexion Internet et de la télévision par satellite. La plupart ménagent de jolies vues sur la ville. Une salle de sport est à la disposition des clients. L'hôtel abrite aussi une grande salle de séminaire. Parking à disposition.

CENTRE-VILLE Barcelo Casablanca

139, boulevard d'Anfa **Tél.** *0522 20 80 00* **Fax** *0522 20 70 20* **Chambres** *85*   *Carte routière C2*

À quelques minutes du centre commercial Maarif, voici un établissement ultramoderne. Les chambres de la catégorie Deluxe offrent une vue imprenable sur la mosquée Hassan-II. Son restaurant, le Tubkal, affiche une carte raffinée mêlant spécialités marocaines et espagnoles. L'hôtel abrite aussi un salon de thé et un snack-bar.

CENTRE-VILLE Novotel Casablanca

Angle rue Zaid Ouhmad et rue Sidi Belyout **Tél.** *0522 46 65 00* **Fax** *0522 46 65 01* **Ch.** *281*   *Carte routière C2*

Installé sur 17 étages, cet hôtel propose des chambres modernes et vastes dotées de toutes les commodités, ménageant de superbes vues sur le port et la mosquée Hassan-II. Son menu enfant et ses aires de jeux séduisent une clientèle familiale. L'hôtel se situe près de la gare Casa Port et de l'ancienne medina. **www.accorhotels.com**

CENTRE-VILLE Golden Tulip Farah Casablanca

160, avenue des FAR **Tél.** *0522 31 12 12* **Fax** *0522 37 65 14* **Chambres** *294*   *Carte routière C2*

À proximité des principales attractions touristiques et à quelques jets de pierre de l'ancienne medina, voici un établissement qui s'orne d'une palette de brun et de crème à l'élégance toute contemporaine. Très bien agencées, les suites et les chambres sont climatisées. Le restaurant de l'hôtel est spécialisé dans la cuisine marocaine.

CENTRE-VILLE Hôtel Hyatt Regency

Place des Nations-Unies **Tél.** *0522 43 12 34* **Fax** *0522 43 13 34* **Chambres** *255*   *Carte routière C2*

Dans cet hôtel de luxe, les chambres somptueuses ont un accès Internet haut débit. Parmi les installations, citons les terrains de squash, la piscine, une salle de conférence, le Dar Beida, son restaurant marocain et le Café M *(p. 330)* qui met à l'honneur la gastronomie française. Service de baby-sitting. **www.hyatt.com**

CENTRE-VILLE Hôtel Royal Mansour Méridien

27, avenue des FAR **Tél.** *0522 31 30 11* **Fax** *0522 31 25 83* **Chambres** *182*   *Carte routière C2*

Difficile de partir quand on a goûté au luxe des chambres de cet hôtel. Spacieuses et élégantes, elles offrent tous les équipements attendus dans cette catégorie, dont un service en chambre. L'hôtel dispose de plusieurs restaurants aux spécialités marocaines et méditerranéennes, d'un piano bar et d'un centre de bien-être. **www.lemeridien.com**

CENTRE-VILLE Les Almohades

Avenue Hassan-I **Tél.** *0522 22 05 05* **Fax** *0522 26 02 42* **Chambres** *138*   *Carte routière C2*

L'hôtel Les Almohades est un établissement moderne qui ne manque pas de caractère malgré sa taille imposante. Vous goûterez ici le luxe d'un cinq-étoiles, qu'il s'agisse des chambres, des restaurants, des installations de loisirs ou de l'espace séminaire, sans parler de sa situation près de la mosquée Hassan-II.

CENTRE-VILLE Palace d'Anfa

171, boulevard d'Anfa **Tél.** *0522 95 42 00* **Fax** *0522 36 61 35* **Chambres** *156*   *Carte routière C2*

À proximité des principaux centres d'intérêt de Casablanca, voici un hôtel aux chambres très chic avec entre autres un minibar et l'accès Internet Wi-Fi. On y trouve une salle de remise en forme aux équipements performants, une piscine, un Spa doublé d'un salon de beauté et un restaurant raffiné. **www.lepalacedanfa.ma**

CENTRE-VILLE Sheraton Casablanca Hôtel et Towers

100, avenue des FAR **Tél.** *0522 43 94 94* **Fax** *0522 31 51 37* **Chambres** *286*   *Carte routière C2*

Ce Sheraton est une institution au cœur de la ville. Proche de toutes les attractions touristiques, c'est l'adresse idéale pour un séjour luxueux à Casablanca. Les chambres, qui donnent sur la piscine ou sur la ville, offrent des installations de toute première catégorie. La cuisine marocaine est à l'honneur dans son restaurant. **www.sheraton.com**

CORNICHE Hôtel Bellerive

38, boulevard de la Corniche **Tél.** *0522 79 75 16* **Fax** *0522 79 76 39* **Chambres** *200*   *Carte routière C2*

Face à l'océan, l'hôtel Bellerive offre un excellent rapport qualité/prix. Propres et bien équipées, les chambres sont confortables et décorées simplement. La plupart donnent sur l'Atlantique. L'hôtel abrite un café-salon, un restaurant, une cafétéria sur la terrasse panoramique, une piscine découverte et un grand jardin. **www.belleriv.com**

CORNICHE Hôtel Tropicana
Boulevard de la Corniche **Tél.** *0522 79 75 95* **Fax** *0522 79 76 16* **Chambres** *62* — *Carte routière C2*

Conçu comme un hôtel familial de bord de mer, le Tropicana possède cinq piscines découvertes auxquelles s'ajoutent une piscine intérieure chauffée et la plage privée. Il abrite un centre de remise en forme avec divers équipements et plusieurs restaurants. Toutes les chambres ont vue sur l'océan. **www.hoteltropicanacasablanca.com**

CORNICHE Riad Salam
Boulevard de la Corniche **Tél.** *0522 95 25 80* **Fax** *0522 39 66 39* **Chambres** *187* — *Carte routière C2*

Le Riad Salam est un complexe hôtelier proche de la plage. Ses jolis appartements sont lumineux et confortables. Avec plusieurs bars et un restaurant *(p. 331)* où la cuisine internationale s'imprègne des saveurs marocaines, un centre de bien-être avec sauna, piscine et salle de sport, cet hôtel comblera les vacanciers. **www.riadsalam.ma**

MARJAN Le Zenith Hôtel
Route d'El-Jadida Lissasfa **Tél.** *0522 89 49 49* **Fax** *0522 89 49 50* **Chambres** *120* — *Carte routière C2*

Situé dans un quartier commerçant de la ville, Le Zenith occupe cinq étages d'un immeuble moderne, dont l'intérieur ne manque pas de charme. Deux restaurants élégants servent de la cuisine marocaine et internationale, et les chambres disposent d'Internet haut débit. C'est une étape idéale pour la clientèle d'affaires. **www.zenithhotel.net**

MOHAMMEDIA Hôtel Tager
Avenue Ferhat-Hachad **Tél.** *0523 32 59 21* **Fax** *0523 32 59 29* **Chambres** *18* — *Carte routière C2*

Dès le salon-réception coloré de cet établissement, on découvre l'hospitalité marocaine. Le personnel accueillant veille au confort de ses hôtes. Les chambres, dont certaines avec vue sur l'océan, sont bien aménagées. Le restaurant sert de délicieux plats traditionnels préparés avec les produits régionaux.

NOUASSER Atlas Airport Hôtel
Aéroport Mohammed V **Tél.** *0522 53 62 00* **Fax** *0522 53 62 01* **Chambres** *185* — *Carte routière C2*

Si l'Atlas Airport accueille surtout une clientèle d'affaires et de passagers en transit, c'est aussi un établissement agréable pour une pause loisirs. Piscine, salle de sport, chambres avec connexion Internet et télévision par satellite sont parmi ses atouts, sans parler de son restaurant marocain superbement décoré. **www.hotelsatlas.com**

CÔTE SUD-ATLANTIQUE

EL-JADIDA Le Palais Andalous
Rue Docteur Delamoe **Tél.** *0523 34 37 45* **Fax** *0523 35 16 90* **Chambres** *28* — *Carte routière B2*

Comme son nom l'indique, cet établissement occupe un ancien palais superbement reconverti en un petit hôtel de caractère. Les parties communes arborent un décor typiquement marocain, tout comme les chambres qui offrent le nécessaire sans le superflu. Le restaurant donne sur une très belle cour intérieure à colonnades.

EL-JADIDA Pullman Mazagan Royal Golf
Route de Casablanca Km 7 **Tél.** *0523 35 41 41* **Fax** *0523 35 54 44* **Chambres** *117* — *Carte routière B2*

Installé sur le domaine du célèbre parcours de 18 trous d'El-Jadida, le Royal Golf propose un hébergement luxueux apprécié des golfeurs et de leur famille. Après l'effort, le piano-bar et le Spa doublé d'un hammam sont une invite à la détente. L'hôtel n'est qu'à quelques jets de pierre des anciens remparts de la ville. **www.accorhotels.com**

ESSAOUIRA Maison des Artistes
19, rue Laalouj, Skala du Port **Tél.** *0524 47 57 99* **Fax** *0524 47 57 00* **Chambres** *8* — *Carte routière B4*

Avec sept chambres et une suite, aménagés avec art et raffinement, cette adresse sort de l'ordinaire. Située non loin de la medina, son toit-terrasse ménage de superbes vues sur la baie. La carte du restaurant présente des classiques raffinés de la cuisine française et des pâtisseries qui ont fait sa réputation. **www.lamaisondesartistes.com**

ESSAOUIRA Riad Al-Madina
9, rue El-Attarine **Tél.** *0524 47 59 07* **Fax** *0524 47 57 27* **Chambres** *55* — *Carte routière B4*

Au cœur de la medina, cette maison souriie construite au XIXᵉ siècle a reçu des écrivains et artistes célèbres séduits par la somptuosité du lieu et son opulence typiquement marocaine. Outre des chambres confortables, elle abrite un excellent restaurant, un jardin-terrasse et un hammam, ainsi qu'une salle de conférences. **www.riadalmadina.com**

ESSAOUIRA Villa Maroc
10, rue Abdellah Ben Yacine **Tél.** *0524 47 61 47* **Fax** *0524 47 58 06* **Chambres** *21* — *Carte routière B4*

Cette villa du XVIIIᵉ siècle bénéficie d'une situation enviable dans l'enceinte des remparts de la ville, au cœur de la medina. Les chambres affichent un décor rural traditionnel. Le restaurant gastronomique *(p. 333)* propose des mets raffinés dans un cadre intimiste plus opulent. Un hammam complète ce tableau idyllique. **www.villa-maroc.com**

ESSAOUIRA Ryad Mogador
368, route de Marrakech **Tél.** *et Fax* *0524 78 35 55* **Chambres** *156* — *Carte routière B4*

Situé en front de mer, cette maison d'hôtes incarne l'âme du Maroc par son atmosphère et son décor magnifique. Très luxueuses, les chambres et les suites possèdent toutes les installations attendues dans un établissement de cette catégorie. Le restaurant et le Spa sont grandioses. Bref, le luxe à l'état pur. **www.ryadmogador.com**

Légende des prix *voir p. 302 ;* **légende des symboles** *voir le rabat arrière de couverture*

ESSAOUIRA Villa Quieta

86, boulevard Mohammed-V **Tél.** *0524 78 50 04* **Fax** *0524 78 50 06* **Chambres** *13* **Carte routière** *B4*

Voici une belle occasion de passer ses vacances dans une demeure marocaine traditionnelle entourée de luxuriants jardins fleuris tout en étant à proximité de la plage. Les chambres et les salons s'ornent de mobilier artisanal en bois et de mosaïques. Les repas sont servis dans le grand salon ou sur la jolie terrasse. **www.villa-quieta.com**

ESSAOUIRA Les Terrasses d'Essaouira

2, rue Mohammed-Douri **Tél.** *0524 47 51 14* **Fax** *0524 47 51 23* **Chambres** *15* **Carte routière** *B4*

Au cœur de la medina, à quelques pas de l'océan, cet hôtel de luxe est une excellente adresse pour découvrir la vieille ville et apprécier la vue sur l'Atlantique qu'offrent certaines de ses chambres. L'intérieur affiche un décor marocain contemporain. On y trouve, entre autres, un centre de bien-être. **www.les-terrasses-essaouira.com**

ESSAOUIRA MGallery Thalassa

Avenue Mohammed-V **Tél.** *0524 47 90 00* **Fax** *0524 47 90 30* **Chambres** *117* **Carte routière** *B4*

Murs blancs, architecture marocaine et jardins luxuriants donnent le ton de cet hôtel de luxe. On apprécie son atmosphère paisible et le Spa, véritable centre de thalassothérapie, qui offre une multitude de soins. Le restaurant international *(p. 333)* propose une cuisine saine et fraîche, dont de délicieux fruits de mer. **www.accorhotels.com**

IMOUZZER DES IDA OUATANANE Hôtel des Cascades

Imouzzer des Ida Outanane **Tél.** *0528 82 60 16/23* **Fax** *0528 82 60 24* **Chambres** *27* **Carte routière** *B4*

Au bout d'une route de montagne, à 48 km d'Agadir, cet hôtel rustique offre des chambres confortables et de beaux jardins en terrasse qui descendent vers la piscine et les sentiers menant dans la campagne. Par beau temps, on admirera le coucher de soleil sur l'Atlantique. Le propriétaire organise des randonnées aux alentours. **www.cascades–hotel.net**

OUALIDIA Hôtel Hippocampe

Route du Palais **Tél.** *0523 36 61 08* **Fax** *0523 36 64 61* **Chambres** *24* **Carte routière** *B3*

Ce petit hôtel, joliment aménagé et qui donne sur la lagune d'Oualidia, accueille une clientèle familiale et beaucoup de couples qui aspirent à une pause détente. Les chambres sont de confortables petits bungalows disséminés dans des jardins entretenus avec soin. Des spécialités régionales sont servies au restaurant ou sur la terrasse.

OUALIDIA La Sultana Hôtel et Spa

Route du Palais **Tél.** *0524 36 65 90* **Fax** *0524 38 98 09* **Chambres** *11* **Carte routière** *B3*

Le centre de bien-être et de remise en forme où rien n'y manque est l'un des premiers critères de choix des clients de cet hôtel ultraluxueux, situé au bord de la lagune. Le restaurant de fruits de mer *(p. 333)* et les chambres rivalisent de luxe et d'élégance. **www.lasultanaoualidia.com**

SAFI Hôtel Assif

Avenue de la Liberté **Tél.** *0524 62 29 40* **Fax** *0524 62 18 62* **Chambres** *64* **Carte routière** *B3*

Au centre de la ville nouvelle, dans un quartier calme de Safi, l'Assif propose des chambres confortables au mobilier traditionnel. Toutes ont une salle de bains, le téléphone et la télévision. Clair et spacieux, le restaurant propose une cuisine marocaine et orientale. Le personnel est souriant et serviable. **www.hotel-assif.ma**

SAFI Hôtel Atlantide

Rue Chaouki **Tél.** *0524 46 21 60* **Fax** *0524 46 45 95* **Chambres** *47* **Carte routière** *B3*

À quelques enjambées de la plage, l'Atlantide est un endroit charmant qui se dresse dans des jardins soigneusement entretenus, près du centre-ville. Les chambres avec salle de bains sont confortables et donnent toutes sur l'océan. Le restaurant sert de succulents plats marocains traditionnels. **www.hotelatlantide-safi.ma**

TANGER

CENTRE-VILLE Hôtel Tarik

Route de Malabata **Tél.** *0539 34 19 13* **Fax** *0539 34 19 15* **Chambres** *154* **Carte routière** *D1*

Entourés de pelouses et de jardins, cet hôtel-club aux murs blanchis à la chaux donne sur la baie de Tanger, à Malabata. On y trouve des chambres tout confort et des installations de loisirs : piscines, solarium, terrain de golf, ainsi qu'une boîte de nuit. Bref, de quoi séduire tous les membres de la famille. **www.hoteltarik-tanger.com**

CENTRE-VILLE Hôtel Rembrandt

Angle bd Pasteur et bd Mohammed-V **Tél.** *0539 93 78 70* **Fax** *0539 93 04 43* **Ch.** *70* **Carte routière** *D1*

Dans le centre, tout en étant à proximité de la côte, l'hôtel Rembrandt est un bel immeuble propice à la détente, bénéficiant d'une situation idéale. Spacieuses et contemporaines, les chambres ont la télévision et l'accès Internet Wi-Fi. La plupart ont vue sur l'océan. De jolis jardins entoure la piscine. **www.hotel-rembrandt.com**

CENTRE-VILLE Hôtel Tanjah Flandria

6, bd Mohammed-V **Tél.** *0539 93 30 00* **Fax** *0539 93 43 47* **Chambres** *150* **Carte routière** *D1*

Implanté sur l'une des places principales de Tanger, cet établissement se situe à proximité des principales attractions touristiques, comme le Fondouk Chejra, et d'une multitude de restaurants, bars et boîtes de nuit qui en font une base idéale. Il abrite un restaurant et un bar, ainsi qu'un Spa avec sauna et solarium.

CENTRE-VILLE Hôtel El Oumnia Puerto

Avenue Beethoven **Tél.** *0539 94 03 67* **Fax** *0539 94 23 02* **Chambres** *90*   *Carte routière D1*

Près de la marina et de la plage, non loin de la medina et des principaux sites de la ville, El Oumnia Puerto est une bonne adresse pour visiter Tanger. Il dispose d'une piscine et d'un centre d'affaires. Les chambres climatisées sont bien équipées. Le restaurant propose de délicieuses spécialités marocaines. **www.eloumniapuerto.com**

CENTRE-VILLE Hôtel Intercontinental

Park Brooks, bd Sidi M. Ben Abdellah **Tél.** *0539 93 01 50* **Fax** *0539 93 79 45* **Chambres** *115*   *Carte routière D1*

Considéré comme l'un des meilleurs hôtels de Tanger, l'Intercontinental offre un bon rapport qualité/prix. Un peu excentré, il est paisiblement installé au cœur d'un vaste parc. Outre des chambres dotées de toutes les installations attendues, les clients apprécieront le restaurant et le centre de loisirs. **www.intercontinental-tanger.com**

CENTRE-VILLE Rif et Spa

152, avenue Mohammed-VI **Tél.** *0539 34 93 00* **Fax** *0539 94 45 69* **Chambres** *127*   *Carte routière D1*

Le bâtiment se distingue de ses voisins par des courbes et d'innombrables vitres qui en font un établissement très lumineux. Sa situation au bord de l'eau et proche des remparts, conjuguée à de belles infrastructures, dont un Spa, un hammam et plusieurs restaurants *(p. 334)*, en font une base idéale à Tanger. **www.hotelsatlas.com**

CENTRE-VILLE Hôtel El-Minzah

85, rue de la Liberté **Tél.** *0539 93 58 85* **Fax** *0539 33 39 99* **Chambres** *140*   *Carte routière D1*

L'architecture hispano-marocaine et l'intérieur luxueux de cet établissement lui valent une réputation non usurpée. Les chambres et les suites décorées dans la pure tradition marocaine sont dotées du plus grand confort et donnent sur la baie ou sur un grand patio. L'hôtel abrite un centre de bien-être et un restaurant *(p. 333)*. **www.elminzah.com**

CENTRE-VILLE Mövenpick Hôtel et Casino Malabata

22, rue Malabata Bella Vista **Tél.** *0539 32 93 00/50* **Fax** *0539 94 19 09* **Chambres** *240*   *Carte routière D1*

Installé dans l'un des plus grands casinos d'Afrique du Nord (200 machines à sous), le Mövenpick s'adresse à une clientèle chic. Incarnation du luxe, c'est l'un des plus beaux cinq-étoiles de la ville. Il possède plusieurs restaurants raffinés ou décontractés, et de nombreuses installations de loisirs. **www.movenpick-hotels.com**

ENVIRONS Ibis Moussafir Tangier

Route Nationale 1 **Tél.** *0539 39 39 30* **Fax** *0539 39 39 31* **Chambres** *104*   *Carte routière D1*

Situé près de l'aéroport Boukhalef à la sortie de Tanger, l'Ibis Moussafir est un hôtel moderne idéal pour une courte halte. Il propose une piscine, un terrain de tennis, et un restaurant, La Table, où la cuisine internationale est présentée sous forme de buffet. Les chambres climatisées sont dotées de tout le confort nécessaire. **www.ibishotel.com**

ENVIRONS Villa Josephine

231, route de la Vieille Montagne **Tél.** *0539 33 45 35* **Fax** *0539 33 45 38* **Chambres** *10*   *Carte routière D1*

La Villa Joséphine a reçu des hôtes illustres en son temps. Dominant le détroit de Gibraltar, du haut de son promontoire, elle arbore une architecture élégante, au cœur de jolis jardins tropicaux. C'est une adresse idéale pour se détendre loin de l'agitation de la ville qui reste cependant facile d'accès. **www.villajosephine-tanger.com**

RIF ET CÔTE MÉDITERRANÉENNE

AL-HOCEIMA Hôtel National

23, rue de Tetouan **Tél.** *0539 98 21 41* **Fax** *0539 98 86 81* **Chambres** *16*   *Carte routière E1*

Parmi les jolies maisons blanchies à la chaux qui bordent la mer méditerranée, le National est un charmant petit hôtel au décor d'inspiration traditionnelle. Les chambres, spacieuses, sont propres et lumineuses. Sa terrasse verdoyante et ombragée est une invite à la détente. L'endroit est simple mais accueillant.

AL-HOCEIMA Hôtel Quemado Mohammed V

Place de la Marche Verte **Tél.** *0539 98 22 33* **Fax** *0539 98 33 14* **Chambres** *38*   *Carte routière E1*

Dans un grand jardin tropical en terrasses, l'hôtel ménage une jolie vue sur la baie, l'île de Peñon de Alhucemas et la falaise. La plupart des chambres logées dans de petits bungalows bénéficient de ce beau spectacle. Cet établissement relativement petit est une bonne base pour découvrir la région. **www.quemando.ma**

CABO NEGRO Le Petit Mérou

Plage Cabo Negro **Tél.** *0539 97 80 76* **Fax** *0539 97 80 65* **Chambres** *23*   *Carte routière D1*

Le Petit Mérou est un hôtel sans prétention qui donne directement sur la plage, idéal pour une courte halte ou des vacances reposantes. Il propose des chambres agréables et lumineuses, et une terrasse verdoyante donnant sur la piscine. L'animation de la jolie station balnéaire de Cabo Negro n'est pas bien loin. **www.lepetitmerou.com**

CAP SPARTEL Le Mirage

Rue Cap Spartel **Tél.** *0539 33 33 32* **Fax** *0539 33 34 92* **Chambres** *30*   *Carte routière D1*

Avec de luxeux bungalows perchés sur une falaise qui dominent les eaux où se rejoignent la Méditerranée et l'Atlantique, Le Mirage offre un moment de détente inoubliable. Le restaurant *(p. 334)* arbore lui aussi un joli décor qui n'a rien à envier à celui du piano-bar et du centre de bien-être. **www.lemirage-tanger.com**

Légende des prix *voir p. 302 ;* **légende des symboles** *voir le rabat arrière de couverture*

CHEFCHAOUEN Hôtel Parador

Place El-Mahzien **Tél.** *0539 98 63 24* **Fax** *0539 98 70 33* **Chambres** *55*   **Carte routière** *D1*

Les montagnes dominent la piscine et la terrasse panoramique. Installé juste en face de l'entrée de la medina, le Parador est une excellente adresse pour découvrir la ville. Les chambres, simples, ont néanmoins tout le confort, et l'hôtel abrite un bon restaurant de cuisine marocaine et internationale.

CHEFCHAOUEN Casa Hassan

22, rue Targui **Tél.** *et* **Fax** *0539 98 61 53* **Chambres** *30*   **Carte routière** *D1*

La Casa Hassan n'est pas une adresse comme les autres. Au cœur de l'ancienne medina, dans le centre de Chefchaouen, elle arbore une architecture et un mobilier authentiques. Son petit restaurant sera l'occasion de goûter la cuisine régionale. Certaines chambres donnent sur les ruelles animées de la medina. **www.casahassan.com**

OUJDA El-Manar

50, boulevard Zerktouni **Tél.** *0536 68 83 15* **Fax** *0536 69 02 44* **Chambres** *46*   **Carte routière** *F2*

Voici un établissement bien placé pour la visite des sites touristiques. En centre-ville, à proximité du souk El-Ma (le marché de l'eau, *p. 161*) et du quartier animé des boutiques et des restaurants, El-Manar offre un cadre marocain traditionnel à l'intérieur comme à l'extérieur. Les chambres sont spacieuses et confortables.

OUJDA Ibis Moussafir Oujda

Boulevard Abdellah **Tél.** *0536 68 82 02* **Fax** *0536 68 82 08* **Chambres** *74*   **Carte routière** *F2*

Dans le centre, à proximité des principaux centres d'intérêt d'Oujda, comme la kissaria (*p. 160*) et la rue el-Mazouzi, l'Ibis Moussafir occupe un bâtiment blanchi à la chaux qui ne manque pas de charme. Les chambres sont bien équipées. L'hôtel abrite un restaurant (*p. 334*), un bar, une piscine et des installations sportives. **www.ibishotel.com**

SAÏDIA Barceló Mediterránea Saïdia

Zona Turistica Saïdia **Tél.** *0536 63 00 63* **Fax** *0536 63 01 00* **Chambres** *420*   **Carte routière** *F1*

Entouré de jardins luxuriants au centre de Saïdia, le Barceló ressemble à une petite medina, accessible uniquement en formule tout-inclus. Entre autres infrastructures, l'hôtel propose trois restaurants, six piscines dont une avec un snack, un terrain de golf et un centre de bien-être. Fermé de novembre à mai. **www.barcelomediterraneasaidia.com**

TÉTOUAN Hôtel Oumaima

Avenue du 10-Mai **Tél.** *et* **Fax** *0539 96 34 73* **Chambres** *33*   **Carte routière** *D1*

Cet établissement est certainement l'une des meilleures adresses pour séjourner à Tétouan sans trop se ruiner. Les installations sont simples et le décor est loin d'être luxueux, mais les chambres sont confortables et possèdent toutes une salle de bains. Il est situé en centre-ville et l'on peut se garer facilement.

TÉTOUAN Hôtel Chams

Route de Martil **Tél.** *0539 99 09 01* **Fax** *0539 99 09 07* **Chambres** *76*   **Carte routière** *D1*

D'un très bon rapport qualité/prix, l'hôtel Chams compte sans aucun doute parmi les meilleurs de la ville sans pour autant être l'un des plus chers. Sa jolie piscine et ses terrasses verdoyantes offrent un cadre paisible propice à la détente. Les chambres climatisées sont aménagées avec goût.

TÉTOUAN Barcelo Marina Smir

Route de Sebta **Tél.** *0539 97 12 34* **Fax** *0539 97 12 35* **Chambres** *119*   **Carte routière** *D1*

Les bâtiments blancs de ce vaste hôtel s'étalent parmi de jolies plantes exotiques entretenues avec soins. Situé près de la marina, c'est sans conteste l'un des plus luxueux de la ville. Comme le reste, le restaurant (*p. 335*) et le centre de thalassothérapie, sont à la hauteur de ce cinq-étoiles. **www.barcelomarinasmir.com**

FÈS

CENTRE-VILLE Hôtel Errabie

Route de Sefrou **Tél.** *0535 64 10 75* **Fax** *0535 65 91 63* **Chambres** *29*   **Carte routière** *D2*

Bien situé, près de la place Allal Al-Fassi, l'hôtel Errabie est une adresse confortable appréciée des visiteurs séduits par son bon rapport qualité/prix. Les installations sont simples, mais chambres sont propres et spacieuses, avec de jolies salles de bains et le personnel très accueillant.

CENTRE-VILLE Hôtel Mounia

60, boulevard Zerktouni **Tél.** *0535 65 07 71* **Fax** *0535 65 07 73* **Chambres** *93*   **Carte routière** *D2*

Le Mounia propose des suites et des chambres doubles avec salle de bains, dotées de tout le confort. Avec deux restaurants, un bar à l'anglaise, un salon de beauté, une boîte de nuit et une jolie une terrasse où on s'attardera volontiers le soir, le Mounia vous garantit un séjour agréable à un prix raisonnable. **www.hotelmouniafes.ma**

CENTRE-VILLE Hôtel Ibis Moussafir

Avenue des Almodhades **Tél.** *et* **Fax** *0535 65 19 02* **Chambres** *123*   **Carte routière** *D2*

Voici un hôtel moderne apprécié de nombreux touristes pour la qualité de son infrastructure et ses chambres climatisées. L'Ibis Moussafir propose à ses clients une piscine, un jardin et un restaurant international à la carte. Il n'est qu'à quelques jets de pierre de l'ancienne medina. **www.ibishotel.com**

CENTRE-VILLE Palais de Fès Dar Tazi

15, rue Makhfia **Tél.** *0535 76 15 90* **Fax** *0535 64 98 56* **Chambres** *8*   *Carte routière D2*

Cette demeure traditionnelle promet un séjour agréable dans un cadre luxueux. Sa situation lui vaut une clientèle de touristes et d'hommes d'affaires qui apprécient le service de transfert de l'aéroport et de la gare. Les chambres sont spacieuses. La terrasse et le grand salon donnent sur la medina. **www.palaisdefes.com**

CENTRE-VILLE Hôtel Framissima Volubilis

Avenue Allal Ben Abdellah **Tél.** *0535 62 11 26* **Fax** *0535 62 11 25* **Chambres** *130*   *Carte routière D2*

Installé dans de petits bâtiments disposés autour de la piscine, au milieu de jolis jardins, le Framissima Volubilis accueille une clientèle familiale et d'affaires. Les chambres climatisées sont aménagées avec goût. Les deux restaurants servent des spécialités régionales. Diverses animations sont proposées aux vacanciers. **www.fram.fr**

CENTRE-VILLE Ramada Fès

85, avenue des Far **Tél.** *0535 94 80 00* **Fax** *0535 94 25 04* **Chambres** *133*   *Carte routière D2*

À quelques minutes de la medina et des principaux sites touristiques de Fès, le Ramada Fès affiche le cadre somptueux d'un hôtel de luxe. Les chambres offrent tout ce que l'on peut attendre d'un établissement cinq-étoiles. Les restaurants gastronomiques, le Spa et le hammam sont eux aussi à la hauteur. **www.ramadafes.ma**

CENTRE-VILLE Riad Ibn Battouta

Avenue Allal El Fassi **Tél.** *et* **Fax** *0535 63 71 91* **Chambres** *7*   *Carte routière D2*

Cette maison d'hôtes au cœur de Fès se trouve près du musée Dar el-Batha et de la medina. Les clients adorent ses innombrables terrasses qui donnent sur la ville, le hammam traditionnel et le restaurant d'une grande élégance. Ses sept suites offrent un décor unique mêlant l'Orient et l'Occident. **www.riadibnbattouta.com**

CENTRE-VILLE Royal Mirage

Avenue des Far **Tél.** *0535 93 09 09* **Fax** *0535 62 04 86* **Chambres** *271*   *Carte routière D2*

Dans un cadre d'inspiration marocaine, la réception et les salons affichent un luxe incroyable que l'on retrouve dans tout l'établissement. Le restaurant propose des classiques de la cuisine française et marocaine. Les chambres ont tout le confort que l'on peut souhaiter. **www.royalmiragehotels.com**

CENTRE-VILLE Zalagh Parc Palace

Lotissement Oued **Tél.** *0535 75 54 54* **Fax** *0535 75 54 91* **Chambres** *473*   *Carte routière D2*

Sans conteste le plus spacieux des hôtels de Fès, il propose des chambres et des suites à thème, un restaurant au 5e étage avec vue panoramique, un centre de massage et de remise en forme, une piscine, un tennis, un bowling, des aires de jeux pour enfants et un service de baby-sitting. **www.zalagh-palace.ma**

MEDINA Hôtel Batha

Place L'Istiqlal, Rue de L'Unesco **Tél.** *0535 74 10 77* **Fax** *0535 74 10 78* **Chambres** *62*   *Carte routière D2*

Ancienne résidence du consul britannique à proximité des principaux sites touristiques, le Batha est une demeure traditionnelle entourée de jardins qui ne manque pas de charme, qu'il s'agisse des fresques murales du restaurant, des tapis aux riches couleurs du salon ou des chambres très bien aménagées qui donnent sur le patio.

MEDINA Dar El Ghalia

15, Ross Rhi Medina **Tél.** *0535 63 41 67* **Fax** *0535 63 63 93* **Chambres** *14*   *Carte routière D2*

Caché dans une petite ruelle au cœur de la medina, ce riad du XVIIe siècle est un petit bijou qui vous fera remonter le temps. Les chambres et les suites avec salle de bains affichent un somptueux décor ancestral. La cuisine raffinée du restaurant est à la hauteur du palais des *Mille et une nuits*. **www.riadelghalia.com**

MEDINA Ryad Mabrouka

Talaa K'bira Derb el Miter **Tél.** *0535 63 63 45* **Fax** *0535 63 63 10* **Chambres** *8*   *Carte routière D2*

Avec ses zelliges, son intérieur à colonnades, son patio et ses portes en cèdre sculptées, cette maison d'hôtes vous accueillera dans un cadre authentique. La plupart des chambres et des suites offrent le spectacle enchanteur de la medina. Chose rare pour un riad, celui-ci possède aussi une piscine. **www.ryadmabrouka.com**

MEDINA Hôtel Les Mérinides

Avenue Borj du Nord **Tél.** *0535 64 52 26* **Fax** *0535 64 52 25* **Chambres** *106*   *Carte routière D2*

Logé dans un bâtiment moderne, Les Mérinides affiche un intérieur très luxueux. Surplombant la vieille ville et la medina, il offre tout le confort d'un grand hôtel, y compris un restaurant gastronomique (*p. 336*) et une piscine. C'est une belle adresse pour se détendre après une journée touristique. **www.lesmerinides.com**

MEDINA Sofitel Palais Jamaï

Bab El Guissa **Tél.** *0535 63 43 31* **Fax** *0535 63 50 96* **Chambres** *133*   *Carte routière D2*

Cet ancien palais du XIXe siècle de style mauresque est un hôtel luxueux qui mérite sans conteste ses cinq étoiles pour la beauté du cadre et l'excellence du service. Il dispose de chambres somptueuses, de plusieurs restaurants, dont un restaurant gastronomique (*p. 336*), d'un Spa et d'installations sportives. Une merveille ! **www.sofitel.com**

VILLE NOUVELLE Hôtel de la Paix

44, avenue Hassan-II **Tél.** *0535 62 50 72* **Fax** *0535 62 68 80* **Chambres** *42*   *Carte routière D2*

Voici un établissement agréable qu'on aime pour son personnel accueillant, sa fraîcheur et sa clarté. Les chambres spacieuses ont toutes une salle de bains et la climatisation. Son emplacement dans la ville nouvelle offre un calme bienvenu après une journée passée dans les rues agitées du centre. **www.hotellapaixfez.com**

Légende des prix *voir p. 302 ;* **légende des symboles** *voir le rabat arrière de couverture*

VILLE NOUVELLE Hôtel Menzeh Zalagh

10, rue Mohammed Diouri **Tél.** *0535 62 55 31* **Fax** *0535 65 19 95* **Chambres** *150* **Carte routière** *D2*

Le Menzeh Zalagh est installé dans un quartier où les bâtiments modernes se noient dans la verdure des parcs. Cet hôtel quatre-étoiles disposent de chambres spacieuses, équipées entre autres de la télévision par satellite. On y trouve aussi une piscine, une salle de gym et un restaurant de cuisine régionale. **www.zalaghpalace.com**

VILLE NOUVELLE Hôtel Wassim

Angle av. Hassan-II et rue du Liban **Tél.** *0535 65 49 39* **Fax** *0535 93 02 20* **Chambres** *104* **Carte routière** *D2*

Au croisement de deux artères principales, à quelques minutes des grands sites touristiques, le Wassim est un hôtel moderne offrant un excellent confort. Les chambres à l'atmosphère accueillante sont joliment agencées. La terrasse sur le toit garantit un beau moment de détente sous le soleil ou les étoiles.

VILLE NOUVELLE Riyad Shéhérazade

23, Arsat Bennis Douh Medina **Tél.** *0535 74 16 42* **Fax** *0535 74 16 45* **Chambres** *14* **Carte routière** *D2*

Cette maison d'hôtes promet une expérience unique. Encadrée de palmiers géants, elle occupe un palais du xixe siècle. Les chambres somptueuses s'ornent de portes en cèdre sculpté et de tissus d'ameublement en soie Shantung. Ses salons, terrasses et restaurants rivalisent de luxe et de raffinement. **www.sheheraz.com**

VILLE NOUVELLE Hôtel Jnan Palace

Avenue Ahmed Chaouki **Tél.** *0535 65 22 30* **Fax** *0535 62 35 16* **Chambres** *195* **Carte routière** *D2*

Caché dans un parc de 3 ha en plein centre de la ville nouvelle, Jnan Palace est un havre de paix, à proximité des cafés et des boutiques. Joliment décorées, les chambres offrent toutes les commodités d'un hôtel de luxe dont un centre de remise en forme, un Spa et une piscine découverte en saison. **www.sogatour.ma/jnanpalace.html**

MEKNÈS ET VOLUBILIS

MEKNÈS Hôtel Majestic

19, avenue Mohammed-V **Tél.** *0535 52 20 35* **Fax** *0535 52 74 27* **Chambres** *47* **Carte routière** *D2*

Nous vous conseillons vivement de réserver si vous souhaitez séjourner dans cet établissement bon marché réputé pour sa propreté et la chaleur de son accueil. Son décor traditionnel s'orne de jolis meubles anciens qui ajoutent à l'atmosphère sympathique du lieu. Sa situation centrale est un autre atout de taille.

MEKNÈS Hôtel de Nice

10, rue d'Accra **Tél.** *0535 52 03 18* **Fax** *0535 40 21 04* **Chambres** *46* **Carte routière** *D2*

Si votre premier critère de choix est la présence de jardins, dans ce cas, l'hôtel de Nice et son petit jardin-terrasse sont pour vous. Situé dans un quartier résidentiel de la ville, il n'est qu'à quelques minutes des principaux sites, non loin d'un marché animé. Les chambres sont propres et bien décorées. **www.hoteldenice-meknes.com**

MEKNÈS Hôtel Ouislane

54, avenue Allal Ben Abdellah **Tél.** *0535 52 17 43* **Fax** *0535 52 70 58* **Chambres** *30* **Carte routière** *D2*

Mêlant modernité et tradition, cet hôtel accueillant et bon marché est l'une des meilleures options de la ville, malgré son infrastructure limitée. Les chambres, climatisées, sont dotées de la télévision par satellite. Situé à proximité des sites touristiques, des boutiques et des restaurants, il offre de jolies vues sur la vallée. **www.hotellouislane.com**

MEKNÈS Hôtel Akouas

Rue Emir Abdelkader **Tél.** *0535 51 59 67* **Fax** *0535 51 59 94* **Chambres** *60* **Carte routière** *D2*

Derrière la façade sans caractère qui abrite l'hôtel Akouas se cache un intérieur au décor traditionnel plein de charme. Une connexion Internet Wi-Fi gratuite est disponible dans les chambres, dotées de tout le confort. Le personnel aimable pourra organiser pour vous des excursions dans la région. **www.hotelakouas.com**

MEKNÈS Hôtel Bassatine

Avenue des Far **Tél.** *0535 52 04 63* **Fax** *0535 52 05 67* **Chambres** *96* **Carte routière** *D2*

Si vous nourrissez une passion pour la cuisine régionale et que vous avez envie de découvrir Meknès et la vallée de l'oued Boufakrane, l'hôtel Bassatine est l'adresse qu'il vous faut. Situé en plein centre-ville, cet établissement sans prétention dispose de chambres confortables. Toutes ont une salle de bains.

MEKNÈS Hôtel Menzah Dalia

Quartier Marjane **Tél.** *0535 46 85 78* **Fax** *0535 46 87 53* **Chambres** *142* **Carte routière** *D2*

Voici l'un des meilleurs hôtels de Meknès. Le Menzah Dalia est réputé pour son restaurant où l'on propose une cuisine marocaine et internationale raffinée, et une carte des vins. Les vues sur la ville et sur la vallée sont vraiment superbes. L'hôtel possède aussi une piscine et une boîte de nuit. **www.hotelmenzehdalia.com**

MEKNÈS Hôtel Rif

Zankat d'Accra **Tél.** *0535 52 25 91* **Fax** *0535 52 44 28* **Chambres** *113* **Carte routière** *D2*

Le Dar el-Makhzen, la mosquée Lalla Aouda et le mausolée de Moulay Ismail ne sont que quelques-uns des sites à proximité de cet établissement qui séduit ainsi une clientèle touristique. Ses chambres sont confortables, le personnel est agréable et le restaurant, les salons et la terrasse sont une invite à la détente. **www.hotel-rif.com**

MEKNÈS Hôtel Transatlantique

Rue El-Meriniyine **Tél.** *0535 52 50 50* **Fax** *0535 52 00 57* **Chambres** *120*   **Carte routière** *D2*

Le Transatlantique est un hôtel moderne et spacieux. Son personnel serviable et accueillant veillera à votre confort. Situé dans un cadre verdoyant, près du centre-ville et des quartiers commerçants, il dispose d'une piscine, d'un court de tennis et d'un restaurant spécialisé dans la cuisine européenne.

MEKNÈS Ibis Moussafir

Avenue des Far **Tél.** *0535 40 41 41* **Fax** *0535 40 42 42* **Chambres** *104*   **Carte routière** *D2*

Apprécié d'une clientèle d'affaires et de voyageurs, cet hôtel à l'architecture contemporaine se situe près du centre-ville et la plupart des attractions touristiques sont accessibles à pied. L'Ibis Moussafir abrite plusieurs restaurants internationaux, une salle de sport et des chambres bien équipées. **www.ibishotels.com**

MEKNÈS Hôtel Zaki

Boulevard Al Massira **Tél.** *0535 51 41 46* **Fax** *0535 52 48 36* **Chambres** *163*   **Carte routière** *D2*

Le parc et les jardins luxuriants qui l'entourent, ainsi que la vue sur la vallée de l'oued Boufakrane que ménagent la plupart de ses chambres, font de cet hôtel une adresse à part, et sans doute l'une des meilleures de Meknès. Le Zaki possède aussi un Spa. **www.hotelzaki.com**

VOLUBILIS Volubilis Inn

Ruines de Volubilis **Tél.** *0535 54 44 08* **Fax** *0535 54 42 80* **Chambres** *54*   **Carte routière** *D2*

Ce petit hôtel à l'atmosphère chaleureuse est une invite à la détente. La vue sur la vallée et les ruines de Volubilis est à couper le souffle, un spectacle dont on profitera de sa chaise longue, au bord de la piscine. Le Volubilis Inn est aussi réputé pour son restaurant marocain. Les villes de Fès et Meknès sont toutes proches. **www.hotelvolubilis.com**

MOYEN-ATLAS

AFOURER Hôtel Le Tazarkount

Province d'Azilai **Tél.** *0523 44 01 01* **Fax** *0523 44 00 94* **Chambres** *135*   **Carte routière** *D2*

Situé entre Fès et Marrakech, Le Tazarkhount est un bon point de départ pour visiter cette région. C'est un hôtel au personnel accueillant disposant d'une infrastructure de qualité, dont plusieurs piscines et un restaurant. Il se situe dans l'une des rues principales, offrant ainsi l'occasion de s'imprégner de l'ambiance locale. **www.tazarkount.com**

AZROU Hôtel du Panorama

Azrou **Tél.** *0535 56 20 10* **Fax** *0535 56 18 04* **Chambres** *38*   **Carte routière** *D2*

L'hôtel du Panorama vous promet un séjour mémorable, entre autre parce qu'il ressemble à un chalet de montagne installé sur le site d'une ancienne auberge. Perché sur les hauteurs, il surplombe la jolie ville d'Azrou. Contrairement à ce que l'extérieur laisse supposer, l'intérieur affiche un décor marocain traditionnel. **www.hotelpanorama.com**

BENI MELLAL Hôtel Gharnata

Boulevard Mohammed-V **Tél.** *0523 48 34 82* **Fax** *0523 42 24 27* **Chambres** *14*   **Carte routière** *D3*

Décoré avec goût et à l'évidence entretenu avec soin, ce petit hôtel bon marché donne sur les toits de la ville et les orangeraies qui entourent Beni Mallal. Les chambres sont joliment aménagées. Au restaurant, ne manquez pas les spécialités régionales préparées à partir de recettes transmises de génération en génération.

BENI MELLAL Hôtel de Paris

Nouvelle Medina **Tél.** *0523 48 22 45* **Fax** *0523 48 42 27* **Chambres** *9*   **Carte routière** *D3*

Installé dans le quartier de la nouvelle medina de Beni Mellal, voici un petit hôtel deux-étoiles à l'atmosphère chaleureuse qui ne manque pas de charme, malgré son infrastructure limitée. C'est une bonne base pour profiter des boutiques et des attractions de cette ville moderne au bord de la plaine de Tadla.

BENI MELLAL Vieux Moulin

Boulevard Mohammed-V **Tél.** *0523 48 57 33* **Fax** *0523 48 81 42* **Chambres** *9*   **Carte routière** *D3*

Apprécié d'une clientèle d'affaires et de touristes, ce petit hôtel se situe dans l'une des rues principales de Beni Mellal, près de la mosquée Si-Salem. Il ne dispose pas des installations d'un grand hôtel, mais ne manque pas de charme. Le barrage et le superbe lac de Bin el-Ouidane sont proches en voiture. **www.hotelvieuxmoulin.com**

BENI MELLAL Hôtel Al Bassatine

Quartier Oulad Hamdane **Tél.** *0523 48 22 47* **Fax** *0523 48 68 06* **Chambres** *92*   **Carte routière** *D3*

L'hôtel Al Bassatine reçoit surtout une clientèle d'affaires, ce qui est un gage de qualité. Joliment aménagé, il offre un service et des installations d'excellente qualité pour son prix, parmi lesquelles un restaurant où l'on sert des plats méditerranéens et marocains très raffinés, ainsi qu'une salle de conférence. **www.hotelbassatine.com**

BENI MELLAL Hôtel Chems

Route de Marrakech Km 2 **Tél.** *0523 48 34 60* **Fax** *0523 48 39 87* **Chambres** *80*   **Carte routière** *D3*

Situé à quelques jets de pierre du centre-ville, sur la route qui mène aux sources d'Aïn Asserdoun, l'hôtel Chems bénéficie d'un emplacement idéal pour découvrir la région. Les chambres sont agencées avec goût. La piscine, le terrain de tennis et la boîte de nuit promettent un séjour agréable. **www.hotelchems.com**

Légende des prix *voir p. 302 ;* **légende des symboles** *voir le rabat arrière de couverture*

BENI MELLAL Hôtel Ouzoud

Route de Marrakech, Km 3 **Tél.** *0523 48 37 52* **Fax** *0523 48 85 30* **Chambres** *58* **Carte routière** *D3*

L'hôtel Ouzoud affiche un intérieur marocain traditionnel qui surprend agréablement. Il possède une belle piscine devant les collines et les palmiers, plusieurs courts de tennis, et des jardins luxuriants. Le restaurant propose des spécialités régionales dans une ambiance chaleureuse. **www.sogatours.ma/ouzoud.html**

BENI MELLAL Hôtel Zidania

Boulevard des Far **Tél.** *0523 48 18 98* **Fax** *0523 48 12 21* **Chambres** *44* **Carte routière** *D3*

Installé en plein centre-ville, voici un établissement bien entretenu et plein de charme. Le Zidania propose des chambres bien aménagées ainsi qu'un restaurant où l'on sert de délicieuses spécialités marocaines, à accompagner d'une boisson locale. Les superbes gorges, gouffres et cascades d'Ouzoud sont tout proches.

IFRANE Hôtel Le Chamonix

Avenue de la Marche Verte **Tél.** *0535 56 60 28* **Fax** *0535 56 68 26* **Chambres** *64* **Carte routière** *D2*

Cet hôtel semble agir comme un aimant sur les voyageurs. Surplombant la vallée du haut des montagnes, sa situation isolée en fait un endroit reposant et agréable. Le soir, on appréciera la cuisine traditionnelle servie dans ses différents restaurants. Les chambres sont simples, mais elles ont toutes une salle de bains.

IFRANE Hôtel des Perce-Neige

Rue de Asphodèles Hay Riad **Tél.** *0535 56 62 10* **Fax** *0535 56 77 46* **Chambres** *27* **Carte routière** *D2*

L'hôtel des Perce-Neige a quelques atouts qui ont fait sa réputation. Son restaurant de cuisine marocaine *(p. 337)*, qui est certainement l'une des meilleures tables d'Ifrane, séduit aussi la clientèle locale. Sa piscine est un autre motif de satisfaction. Confortable et agréable, c'est sans doute la meilleure option à Ifrane.

IFRANE Hôtel Tilleuls

Rue des Tilleuls **Tél.** *0535 56 66 58* **Fax** *0535 56 60 79* **Chambres** *44* **Carte routière** *D2*

À proximité du centre-ville, cet établissement de catégorie intermédiaire offre de jolies vues sur la campagne environnante. Les chambres sont décorées simplement, mais elles sont propres et ont toutes une salle de bains et la télévision. Son petit restaurant sert des plats marocains traditionnels.

KHENIFRA Hôtel Najah

Boulevard Zerktouni **Tél.** *0535 58 83 31* **Fax** *0535 58 78 74* **Chambres** *21* **Carte routière** *D3*

Voici un petit hôtel traditionnel plein de charme au cœur de Khenifra. Il propose des chambres confortables avec la télévision et une salle de bains. Certaines ont même une petite terrasse. L'infrastructure est limitée, mais le personnel est serviable et l'atmosphère est chaleureuse, propice à la détente.

KHENIFRA Hôtel Atlas Zayan

Cité El-Amal **Tél.** *0535 58 60 20* **Fax** *0535 58 61 37* **Chambres** *60* **Carte routière** *D3*

Situé au cœur du Moyen-Atlas, le petit hôtel Atlas Zayan, sans prétention, offre un calme et une vue exceptionnels. Il abrite des chambres avec l'air conditionné, un restaurant, une piscine, ainsi qu'un court de tennis. Apprécié des éco-touristes, c'est une bonne base pour partir en randonnées. **www.hotelatlas.com**

KHOURIBGA Hôtel Golden Tulip Farah

Boulevard My Youssef **Tél.** *0523 56 23 50* **Fax** *0523 56 10 40* **Chambres** *76* **Carte routière** *D3*

Parmi les hôtels-club les plus populaires de la région, le Golden Tulip Farah est un cinq-étoiles niché dans des jardins entretenus avec soin. Les touristes se mêlent ici à une clientèle locale familiale séduite par ses chambres élégantes et son infrastructure. Piscine, tennis, centre de remise en forme, rien ne manque.

ZAOUIA AIT ISHAQ Hôtel Transatlas

Route Nationale 8, Ait Ishaq Khenifra **Tél.** *0535 39 90 30* **Fax** *0535 39 93 82* **Ch.** *25* **Carte routière** *D3*

Cet hôtel de catégorie intermédiaire aux murs blanchis à la chaux se tient légèrement en surplomb de Zaoui Ait Ihsaq. C'est une adresse très réputée de la région. Son restaurant, particulièrement bien décoré, propose des classiques de la cuisine marocaine comme la soupe *harira* accompagnée de pain *kesra*, et des boissons locales.

MARRAKECH

GUÉLIZ Hôtel Les Ambassadeurs

Avenue Mohammed-V **Tél.** *et* **Fax** *0524 44 87 93* **Chambres** *25* **Carte routière** *C3*

Voici un charmant petit hôtel à l'architecture traditionnelle, très bien placé dans le centre animé de Marrakech, ce qui en fait une bonne base pour les visiteurs. On y trouve une piscine, un jardin terrasse et un restaurant *(p. 338)* réputé pour ses spécialités marocaines préparées avec les produits régionaux.

GUÉLIZ Hôtel Pacha

33, rue de la Liberté **Tél.** *0524 43 13 27* **Fax** *0524 43 17 26* **Chambres** *37* **Carte routière** *C3*

Franchir le seuil du Pacha est un peu comme entrer dans un film, tant son décor est authentique. Dans ses chambres élégantes et ses salons qui s'ornent de zelliges et de boiseries, c'est toute l'âme du Maroc qui s'exprime. Situé à quelques minutes à pied du centre, l'hôtel abrite aussi un restaurant de cuisine marocaine. **www.hotelpacha.net**

GUÉLIZ Hôtel Oudaya

147, rue Mohammed el-Bequal **Tél.** *0524 44 85 12* **Fax** *0524 43 54 00* **Chambres** *160*   **Carte routière** *C3*

Installé dans un joli cadre verdoyant, cet établissement accueille une clientèle touristique et familiale. Les chambres réparties dans trois bâtiments de quatre à six étages sont décorées dans le style marocain. Entre autres installations, l'Oudaya propose deux restaurants, une grande piscine découverte, un sauna et un hammam. **www.oudaya.ma**

GUÉLIZ Moroccan House

3, rue Loubnane Guéliz **Tél.** *0524 42 03 06* **Fax** *0524 42 03 02* **Chambres** *50*   **Carte routière** *C3*

Avec ses murs rose délavé et son style *riad*, le Moroccan House ne manque pas de charme. Proche des principaux sites touristiques, il abrite des chambres confortables avec télévision par satellite qui s'ornent de tissus marocains, ainsi qu'un restaurant, un Spa et une terrasse panoramique. **www.moroccanhousehotels.com**

GUÉLIZ Hôtel Meriem

154, rue Mohammed El-Bekkal **Tél.** *0524 43 70 62* **Fax** *0524 43 70 66* **Chambres** *181*   **Carte routière** *C3*

Très bien situé, avec des chambres dotées de tout le confort, le Meryem compte parmi les hôtels quatre-étoiles les plus fréquentés de Marrakech. À proximité des centres commerciaux et des sites touristiques, cet établissement entièrement climatisé possède un restaurant réputé et deux piscines. **www.hotelmeriem-marrakech.com**

GUÉLIZ Villa Hélène

89, boulevard Moulay Rachid **Tél. et Fax** *0524 43 16 81* **Chambres** *3*   **Carte routière** *C3*

Cette villa de style colonial construite dans les années 1930 est l'un des trésors les mieux cachés de la ville. Elle ne compte que trois chambres, toutes merveilleuses disposées autour de la piscine bordée de palmiers, à quelques pas du restaurant. Étant donné sa capacité limitée et sa réputation, il est indispensable de réserver.

HIVERNAGE Hôtel Imperial Borj

Avenue Echouhada **Tél.** *0524 44 73 22* **Fax** *0524 44 62 06* **Chambres** *207*   **Carte routière** *C3*

Cet hôtel d'architecture traditionnelle abrite un intérieur mêlant l'Orient et l'Occident. Situé au cœur du quartier résidentiel, à quelques minutes de la medina et du centre-ville, il met à disposition des chambres décorées avec goût, une piscine, un restaurant, un centre de remise en forme et une boîte de nuit.

HIVERNAGE Ryad Mogador Menara

Avenue Mohammed-VI **Tél.** *0524 33 93 30* **Fax** *0524 33 93 33* **Chambres** *244*   **Carte routière** *C3*

Le Ryad Mogador Menara est confortable et son atmosphère chaleureuse séduira une clientèle d'affaires et touristique recherchant le calme et le luxe dans ce quartier résidentiel de Marrakech. Il dispose de toutes les installations d'un cinq-étoiles. Son restaurant sert une cuisine marocaine. **www.ryadmogador.com**

HIVERNAGE Hivernage Hôtel et Spa

Avenue Echouhada **Tél.** *0524 42 41 00* **Fax** *0524 42 12 12* **Chambres** *85*   **Carte routière** *C3*

Situé au croisement de deux artères principales, cet hôtel imposant est calme et reposant. Soigneusement aménagées, les chambres climatisées offrent une vue panoramique sur les remparts de Bab el Jedid ou sur les montagnes de l'Atlas. Son restaurant, Les Terrasses *(p. 339)*, mêle saveurs françaises et marocaines. **www.hivernage-hotel.com**

HIVERNAGE Hôtel Atlas Medina et Spa

Avenue Hassan-I **Tél.** *0524 33 99 99* **Fax** *0524 42 00 05* **Chambres** *224*   **Carte routière** *C3*

Dans de vastes jardins face au palais des Congrès, l'Atlas Medina occupe une demeure conjuguant l'architecture mauresque et celle des années 1930. Il met à disposition les installations d'un hôtel de luxe, dont un Spa, un restaurant et un piano-bar. Le décor des chambres s'inspire de la tradition marocaine. **www.hotelsatlas.com**

HIVERNAGE Hôtel Es Saadi

Rue Brahim el-Mazini **Tél.** *0524 44 88 11* **Fax** *0524 44 76 44* **Chambres** *150*   **Carte routière** *C3*

Niché dans l'un des plus grands parcs de la ville, voici un hôtel de luxe dont la réputation n'est plus à faire. À quelques minutes de l'entrée de la medina, il offre le calme de jardins luxuriants et un intérieur où le raffinement s'affiche dans les moindres détails. Le casino logé dans ses murs est un plus. **www.essaadi.com**

HIVERNAGE Hôtel Mansour Eddahbi

Boulevard Mohammed-VI **Tél.** *0524 33 91 00* **Fax** *0524 33 91 20* **Chambres** *441*   **Carte routière** *C3*

Logé dans un superbe parc, cet établissement luxueux offre le calme dans un décor somptueux. Il dispose de nombreuses installations sportives, d'un Spa, de plusieurs piscines, de restaurants gastronomiques et d'une boîte de nuit. Les chambres sont à la hauteur de ses cinq étoiles. **www.mansoureddahbi.com**

HIVERNAGE Pickalbatros Garden Club

Avenue de la Menara **Tél.** *0524 35 10 00* **Fax** *0524 43 78 43* **Chambres** *649*   **Carte routière** *C3*

À quelques minutes de la medina et des remparts de la ville, l'hôtel ménage de superbes vues sur les montagnes de l'Atlas. Il reçoit une clientèle d'affaires et de touristes séduits par son atmosphère chaleureuse, malgré sa taille. On y trouve aussi un restaurant raffiné *(p. 338)*. **www.pickalbatros-morocco.com**

HIVERNAGE Kenzi Farah

Avenue du Président Kennedy **Tél.** *0524 44 74 00* **Fax** *0524 43 82 16* **Chambres** *387*   **Carte routière** *C3*

L'hôtel Kenzi Farah est luxueux et propose des chambres dotées de toutes les installations modernes, un restaurant haut de gamme, une piscine et un Spa impressionnant qui promettent un séjour agréable. Son emplacement en fait une des adresses préférées de la clientèle d'affaires et des touristes. **www.kenzi-hotels.com**

Légende des prix *voir p. 302 ;* **légende des symboles** *voir le rabat arrière de couverture*

HIVERNAGE Sofitel Marrakech

Avenue Harroun Errachid **Tél.** *0524 42 56 00* **Fax** *0524 43 71 33* **Chambres** *360*   **Carte routière** *C3*

Le Sofitel Marrakech mérite ses cinq étoiles. Qu'il s'agisse de son mobilier ancien, des lustres en cristal de son restaurant ou des riches soieries de ses chambres, il est l'incarnation même du luxe. À quelques minutes à pied de la medina, dans un quartier résidentiel, il promet un séjour inoubliable au calme. **www.accor-hotels.com**

LA PALMERAIE Hôtel Les Deux Tours

Douar Abiad **Tél.** *0524 32 95 27* **Fax** *0524 32 95 23* **Chambres** *39*   **Carte routière** *C3*

Arborant un intérieur marocain confié aux artisans de la région, l'hôtel Les Deux Tours est une adresse de choix qui restera gravée dans votre mémoire. Il met à votre disposition six villas dans lesquelles se répartissent les chambres, une piscine, un hammam et un restaurant où l'on sert une cuisine raffinée. **www.les-deux-tours.com**

LA PALMERAIE Hôtel Melia Tichka Salam

Semlalia Route de Casa **Tél.** *0524 44 87 10* **Fax** *0524 44 86 91* **Chambres** *138*   **Carte routière** *C3*

Installé dans un cadre verdoyant, le Melia Tichka Salam est l'un des plus beaux hôtels contemporains de ce quartier. Aménagé avec soin, il affiche un intérieur design élégant. Entre autres installations, on y trouve une piscine avec terrasses et deux restaurants où l'on sert des spécialités françaises et marocaines.

LA PALMERAIE Hôtel Tikida Gardens

Circuit de la Palmeraie **Tél.** *0524 32 95 95* **Fax** *0524 32 95 99* **Chambres** *255*   **Carte routière** *C3*

À dix minutes du centre-ville, cet établissement au cadre agréable propose des chambres qui donnent sur son immense piscine et ses jardins. Entièrement climatisé, il abrite aussi un Spa, une boîte de nuit et plusieurs restaurants où l'on sert des spécialités régionales et des classiques de la cuisine internationale. **www.marrakech-tikida.com**

LA PALMERAIE Dar Ayniwen

Tafrata, La Palmeraie **Tél.** *0524 32 96 84* **Fax** *0524 32 96 86* **Chambres** *8*   **Carte routière** *C3*

À mi-chemin entre la maison d'hôtes et l'hôtel de luxe, Dar Ayniwen se cache dans la Palmeraie. C'est une adresse agréable pour se reposer au calme et profiter d'installations qui n'ont rien à envier à un cinq-étoiles. Les chambres, les salons et les restaurants sont somptueusement décorés. Le personnel est très discret. **www.dar-ayniwen.com**

LA PALMERAIE Hôtel Jnane Tamsna

Douar Abiad **Tél.** *0524 32 91 35* **Chambres** *17*   **Carte routière** *C3*

Entre jardins, vergers et oliviers, voici un endroit accueillant à l'atmosphère chaleureuse où l'on revient volontiers. Logé dans une demeure d'architecture mauresque, il offre des chambres joliment agencées dotées d'équipements luxueux, un restaurant, un terrain de tennis et une piscine, ainsi qu'un parking privé gratuit. **www.jnanetamsa.com**

LA PALMERAIE Hôtel Octogone Terre

Wahat Sidi Brahim, Circuit de la Palmeraie **Tél.** *0524 33 40 60* **Fax** *0524 33 11 78* **Ch.** *26*   **Carte routière** *C3*

Situé au cœur de la palmeraie, ce complexe hôtelier de luxe abrite des chambres et des suites très élégantes et dotées de tout le confort. Pour la détente, l'hôtel possède un Spa, une piscine, un cours de tennis et un mini-golf. Le restaurant principal, Milagros, sert une cuisine internationale et marocaine. **www.octogonehotels.com**

LA PALMERAIE Hôtel Palmeraie Golf Palace

Circuit de la Palmeraie **Tél.** *0524 30 10 10* **Fax** *0524 30 20 20* **Chambres** *314*   **Carte routière** *C3*

Au sein d'un domaine qui accueille un golf de 18 trous, neuf piscines, un Spa, et d'autres installations sportives dont un centre équestre, l'hôtel Palmeraie Golf Palace est la promesse d'un séjour inoubliable. Les chambres offrent le luxe et les installations attendues dans un cinq-étoiles. **www.pgpmarrakech.com**

MEDINA Grand Hôtel Tazi

Rue Bab Agnaou Place Oqba **Tél.** *0524 44 27 87* **Fax** *0524 44 21 52* **Chambres** *61*   **Carte routière** *C3*

Le Grand Hôtel Tazi est une adresse sans prétention pour se détendre et se reposer dans un cadre plaisant. On y trouve des chambres bien aménagées, un jardin terrasse et un restaurant. Son meilleur atout demeure cependant sa proximité avec les sites touristiques du centre-ville et le parking voisin.

MEDINA Hôtel Foucauld

Avenue Al Mouahidane **Tél.** *0524 44 54 99* **Fax** *0524 44 13 44* **Chambres** *35*   **Carte routière** *C3*

L'hôtel Foucauld n'offre peut-être pas autant d'options qu'un hôtel de catégorie supérieure, mais le personnel est accueillant et l'atmosphère chaleureuse. Son restaurant, en salle ou en terrasse, sera l'occasion de déguster de bonnes spécialités marocaines ou internationales. La proximité des sites touristiques est un plus.

MEDINA Hôtel Gallia

30, rue de la Recette **Tél.** *0524 44 59 13* **Fax** *0524 44 48 53* **Chambres** *17*   **Carte routière** *C3*

Dans le centre de Marrakech, au pied de la mosquée Koutoubia, bâtie au XIIe siècle, l'hôtel Gallia est un charmant *riad*, idéalement situé pour découvrir la medina. Les chambres sont simples mais charmantes, à l'image de son restaurant où l'on sert des spécialités régionales. Le patio est les terrasses sont très agréables.

MEDINA Hôtel Redouane

92, avenue Allal El Fassi **Tél.** *0524 30 76 77* **Fax** *0524 30 11 36* **Chambres** *40*   **Carte routière** *C3*

Bien connu des tours-opérateurs, cet établissement relativement moderne accueille les touristes en groupes ou en individuels. Il se situe dans le quartier Daoudiat, juste au nord du merveilleux jardin Majorelle *(p. 243)*. Les chambres sont propres et confortables. Certaines sont climatisées.

MEDINA Hôtel Dar Les Cigognes

108, rue de Berima **Tél.** *0524 38 27 40* **Fax** *0524 38 47 67* **Chambres** *11*   **Carte routière** *C3*

La façade plutôt discrète de cet hôtel qui se situe dans l'une des rues principales de la medina réserve une surprise de taille. Dar Les Cigognes se compose, en effet, de deux anciens *riads* convertis en un hôtel-boutique où l'élégance et le raffinement sont les maîtres mots, en particulier dans les chambres et à la réception. **www.lescigognes.com**

MEDINA Hôtel Les Almoravides

Arset Djebel Lakdar **Tél.** *0524 38 69 42* **Fax** *0524 38 69 33* **Chambres** *167*   **Carte routière** *C3*

Malgré sa taille imposante, Les Almoravides est un établissement accueillant sans prétention. La décoration intérieure est fidèle à son architecture marocaine. Les chambres sont spacieuses et ont toutes une salle de bains. Son emplacement près de la célèbre mosquée Koutoubia séduit une clientèle touristique.

MEDINA La Maison Arabe

1 Derb Assehbe **Tél.** *0524 38 70 10* **Fax** *0524 38 72 21* **Chambres** *26*   **Carte routière** *C3*

Voici un hôtel de caractère aux chambres et aux suites luxueuses. Restaurant réputé dans les années 1940, La Maison Arabe s'est converti en hôtel au milieu des années 1990. Situé près de la mosquée Bab Doukkala, il abrite un Spa, une piscine et un restaurant à ne manquer sous aucun prétexte. **www.lamaisonarabe.com**

MEDINA Riad Kaiss

65 Derb Jdid Zitoune Kedim **Tél.** *et* **Fax** *0524 44 01 41* **Chambres** *9*   **Carte routière** *C3*

À quelques minutes à pied de la célèbre place Jemaa el-Fna, voici un *riad* aménagé avec beaucoup de goût. Lanternes, bougies, tentures et draperies participent au décor authentique de cette charmante maison d'hôtes, à l'image des chambres qui s'ornent de mobilier ancien. Les repas sont servis dans le patio ou sur le toit terrasse.

MEDINA Hôtel Les Jardins de la Medina

21, rue Derb Chtouka **Tél.** *0524 38 18 51* **Fax** *0524 38 53 85* **Chambres** *36*   **Carte routière** *C3*

Cachés derrière de hauts murs, au cœur de jardins luxuriants, en pleine kasbah, Les Jardins de la Medina est un charmant petit hôtel d'architecture marocaine qui porte bien son nom. Très spacieuses, les chambres allient élégance et raffinement. Le restaurant propose des spécialités marocaines et thaïlandaises. **www.lesjardinsdelamedina.com**

MEDINA Riad El Ouarda

5 Derb That Sour Lakbir **Tél.** *0524 38 57 14* **Fax** *0524 38 57 10* **Chambres** *9*   **Carte routière** *C3*

Actuellement en travaux, ce *riad* du XVIIe siècle se situe au nord de la medina, loin de la foule. Chaque chambre affiche un style et un charme particulier. L'une des suites arbore un plafond peint étonnant. Avec vue sur la medina ou sur Sidi Bel Abbès, la terrasse de cette maison d'hôtes est l'une des plus belles de la ville. **www.riadelouarda.com**

MEDINA Riad 72

72 Arset Awsel, Bab Doukkala **Tél.** *0524 38 76 29* **Fax** *0524 38 47 18* **Chambres** *4*   **Carte routière** *C3*

L'élégance milanaise rejoint ici la tradition marocaine. L'intérieur au mobilier contemporain se décline dans une palette de noir et blanc, tandis que dans le patio, palmiers et bananiers rivalisent de hauteur. Riad 72 propose une immense suite et trois chambres doubles plus petites. Il possède aussi son propre hammam. **www.riad72.com**

MEDINA La Mamounia

Avenue Bab el-Jedid **Tél.** *0524 38 86 00* **Fax** *0524 44 40 44* **Chambres** *236*   **Carte routière** *C3*

Caché derrière les murs d'un immense parc, à proximité du centre, cet hôtel mythique allie architecture mauresque et style Art déco des années 1920. Entièrement rénové, il met à disposition quatre restaurants d'égale qualité (*p. 339*), cinq bars, un Spa et d'innombrables installations de loisirs. Le luxe à l'état pur. **www.mamounia.com**

MEDINA Le Méridien N'Fis

Avenue Mohammed-VI **Tél.** *0524 33 94 00* **Fax** *0524 33 94 05* **Chambres** *277*   **Carte routière** *C3*

Cet établissement grandiose s'étend au milieu de palmiers, de jardins et de terrasses de style andalou. À proximité de la medina, c'est une adresse raffinée pour découvrir la ville. Les chambres, spacieuses, sont extrêmement luxueuses. Entre autres atouts, citons le Spa et plusieurs restaurants haut de gamme. **www.lemeridiennfis.com**

MEDINA Riad Al Moussika

62 Derb Boutouil, Kennara **Tél.** *0524 38 90 67* **Fax** *0524 37 76 53* **Chambres** *5*   **Carte routière** *C3*

Autrefois demeure du pacha de Marrakech, cette maison d'hôtes a été superbement restaurée par son propriétaire italien dans le pur respect de la tradition marocaine. Elle est particulièrement réputée pour sa cuisine raffinée et son énorme petit déjeuner avec œufs, pancakes, fruits et pâtisseries. **www.riyad-al-moussika.com**

MEDINA Riad Hayati

27 Derb Bouderba, rue Riad Zitoun El Jedid **Tél.** *(44) 7770 431 194 (R.U.)* **Chambres** *4*   **Carte routière** *C3*

Le décor mauresque de ce charmant petit *riad* s'enrichit de somptueux tapis ottomans, de *kilims* antiques et autres souvenirs d'Arabie, de Turquie et de Perse, évoquant les voyages de son propriétaire britannique. Bordée de palmiers et de citronniers, la cour intérieure à colonnades s'orne d'une belle fontaine damascène. **www.riadhayati.com**

MEDINA Villa des Orangers

6, rue Sidi Mimoun **Tél.** *0524 38 46 38* **Fax** *0524 38 51 23* **Chambres** *27*   **Carte routière** *C3*

Du haut de sa terrasse sur le toit, cette luxueuse maison d'hôtes ménage de superbes vues sur la Koutoubia. Son restaurant élégant sert des spécialités méditerranéennes. Pour la détente et le bien-être, vous trouverez une cave à cigares et un espace beauté avec hammam digne de ses cinq étoiles. **www.villadesorangers.com**

Légende des prix *voir p. 302 ;* **légende des symboles** *voir le rabat arrière de couverture*

HAUT ATLAS

IMLIL Hôtel Kasbah du Toubkal

Imlil **Tél.** et **Fax** 0524 48 56 11 **Chambres** 17   **Carte routière** C4

À 60 km de Marrakech, cette demeure magnifique bénéficie d'un superbe environnement, au pied du *jbel* Toubkal. Autrefois la propriété d'un seigneur féodal, elle a été convertie en un établissement confortable et accueillant, idéal pour les balades en montagne. Organisation de randonnées sur place. **www.kasbahdutoubkal.com**

OUIRGANE Hôtel La Bergerie

Asni village **Tél.** 0524 48 57 17 **Fax** 0524 48 57 18 **Chambres** 18   **Carte routière** C4

Voici l'un des secrets les mieux gardés de la région. Niché au bas d'un petit sentier, juste avant l'entrée d'Ouirgane, sur la route de Marrakech, cette charmante petite auberge est un véritable havre de paix. Les hôtes pourront profiter de la piscine et du restaurant qui offre le spectacle reposant de la campagne. **www.labergerie-maroc.com**

OUIRGANE Hôtel La Roseraie

Route de Taroudannt, Km 60, vallée d'Ouirgane **Tél.** 0524 43 91 28 **Fax** 0524 43 91 30 **Ch.** 45   **Carte routière** C4

En pleine campagne, au cœur de la vallée d'Ouirgane, le domaine de la Roseraie et son parc floral promettent un séjour agréable et reposant. Il possède trois piscines (dont une couverte) et un restaurant de caractère. Dotées de tout le confort, les chambres et les suites sont réparties dans des bungalows. **www.laroseraiehotel.com**

OUKAÏMEDEN Hôtel L'Angour

Au sud d'Oukaïmeden **Tél.** 0524 31 90 05 **Fax** 0254 31 90 06 **Chambres** 18   **Carte routière** C4

Surnommée familièrement Chez Juju, cette petite auberge de montagne est l'une des plus vieille d'Oukaïmeden. Situé au pied de l'Atlas, c'est le point de départ idéal pour découvrir les environs. Vous serez accueilli chaleureusement et apprécierez la cuisine française traditionnelle qui a fait sa réputation.

VALLÉE DE L'OURIKA Hôtel Auberge de Ramuntcho

Centre de l'Ourika **Tél.** 0524 48 45 21 **Fax** 0524 48 45 22 **Chambres** 14   **Carte routière** C4

L'Auberge de Ramuntcho est pleine de charme, nichée dans ses propres jardins, au cœur de la vallée de l'Ourika. C'est l'adresse idéale pour visiter la région, ou aller passer la journée à Marrakech. Avant ou après avoir dégusté les spécialités locales de son restaurant élégant *(p. 340)*, les hôtes pourront se détendre sur la terrasse.

VALLÉE DE L'OURIKA Auberge Le Maquis

45 Aghbalou Ourika **Tél.** 0524 48 45 31 **Fax** 0524 48 45 61 **Chambres** 6   **Carte routière** C4

Voici une petite auberge qui ne manque pas de caractère. Malgré des installations rudimentaires, elle offre un hébergement confortable. Attentif et accueillant, le personnel fera tout pour rendre votre séjour agréable. C'est une très bonne adresse pour partir à la découverte de la région, à pied ou en 4x4. **www.le-maquis.com**

OUARZAZATE ET OASIS DU SUD

AÏT BENHADDOU Hôtel Auberge Étoile Filante d'Or

Centre d'Aït Benhaddou **Tél.** 0524 89 03 22 **Fax** 0524 88 61 13 **Chambres** 22   **Carte routière** C4

Cette auberge fut construite pour se fondre dans son environnement, et elle y réussit parfaitement. De ses terrasses, on découvre le village fortifié d'Aït Benhaddou au coeur duquel elle s'est installée. Les chambres sont aménagées et équipées simplement, c'est vrai, mais le petit restaurant sert de délicieuses spécialités locales.

AÏT BENHADDOU Hôtel de la Kasbah

Centre d'Aït Benhaddou **Tél.** 0524 89 03 02 **Fax** 0524 89 03 08 **Chambres** 83   **Carte routière** C4

L'hôtel de la Kasbah est une véritable légende de ce village du Haut Atlas. C'était au départ un café animé qui s'est peu à peu transformé pour devenir l'un des rares hôtels de la région. Situé face à l'ancienne kasbah, de l'autre côté de l'oued, il propose des chambres confortables et un restaurant de cuisine marocaine. Le personnel est accueillant.

ERFOUD Hôtel Salam

Route de Rissani **Tél.** 0535 57 66 65 **Fax** 0535 57 64 26 **Chambres** 156   **Carte routière** E4

Cet hôtel confortable bénéficie d'une situation de choix qui en fait une adresse bien connue des tours-opérateurs. C'est un bon point de départ pour se rendre dans le centre d'Erfoud ou à Rissani, une ville impériale du Sud. Les chambres sont joliment décorées et dotées de tout le confort. On apprécie aussi la grande piscine.

ERFOUD Kasbah Tizimi

Route de Jorf **Tél.** 0535 57 61 79 **Fax** 0535 57 73 75 **Chambres** 72   **Carte routière** E4

À la sortie d'Erfoud, cet hôtel de charme loge dans une demeure traditionnelle en pisé convertie pour accueillir de nombreuses chambres et suites. Les propriétaires en personne vous serviront de la bonne cuisine marocaine dans son petit restaurant *(p. 341)* installé au bord d'une cour intérieure verdoyante. **www.kasbahtizimi.com**

ERFOUD Palm's Hôtel

Route de Rissani **Tél.** *0535 57 61 44* **Fax** *0535 57 61 70* **Chambres** *108*   ***Carte routière*** *E4*

Difficile de trouver meilleure adresse que le Palm's Hôtel pour s'échapper et goûter à l'hospitalité marocaine. Niché parmi les palmiers et les sables du désert, il propose des chambres de première catégorie, un restaurant de cuisine raffinée, une piscine et un centre de remise en forme aux équipements performants. **www.palmhotel.com**

ERFOUD Hôtel Bélère

Route de Rissani **Tél.** *0535 57 81 90* **Fax** *0535 57 81 92* **Chambres** *150*   ***Carte routière*** *E4*

Cet établissement entouré de jardins offre des chambres et des suites climatisées dotées de la télévision par satellite, réparties autour de la piscine. Il possède plusieurs bars et quatre restaurants (*p. 341*) où l'on pourra goûter des spécialités italiennes, asiatiques ou de bons plats de poisson. **www.belerehotels.ma**

ERFOUD Hôtel El Ati

Route de Rissani **Tél.** *0535 57 73 73* **Fax** *0535 57 70 86* **Chambres** *182*   ***Carte routière*** *E4*

Avec un décor marocain à l'intérieur comme à l'extérieur, l'hôtel El Ati est un établissement relativement grand aux jardins soigneusement entretenus, propice au repos et à la détente. Son restaurant de spécialités régionales offre aux convives de jolies vue sur le désert. Ses prix raisonnables ne gâchent rien. **www.hotel-elati.ma**

ERFOUD Hôtel Xaluca

Vers Erfoud **Tél.** *0535 57 84 50* **Fax** *0535 57 84 49* **Chambres** *110*   ***Carte routière*** *E4*

Proche de l'aéroport, ce trois-étoiles est l'endroit idéal pour se relaxer, que l'on soit en vacances ou en voyage d'affaires. C'est un véritable palais du désert qui s'étend dans de vastes jardins. Ses installations, dont un restaurant de caractère (*p. 341*), une grande piscine et de jolies chambres, promettent un séjour agréable. **www.xaluca.com**

MERZOUGA Auberge Kasbah Derkaoua

Route de Merzouga **Tél.** *0535 57 71 40* **Chambres** *22*   ***Carte routière*** *D4*

Les propriétaires de cette petite kasbah nourrissent à l'évidence une véritable passion pour elle, à en juger par son bel aspect. Elle possède un petit restaurant plein de charme où l'on sert de délicieuses spécialités régionales, ainsi qu'une piscine. Située en plein désert, c'est un véritable havre de paix. **www.aubergederkaoua.com**

OUARZAZATE Hôtel La Gazelle

Avenue Mohammed-V **Tél.** *0524 88 21 51* **Fax** *0524 88 47 27* **Chambres** *50*   ***Carte routière*** *C4*

Installé à la sortie de la ville, sur l'artère principale de Ouarzazate, l'hôtel La Gazelle n'est pas très grand, mais c'est un bon point de départ pour visiter la région. L'endroit est simple, mais les chambres confortables et le personnel accueillant. Le restaurant agréable (*p. 341*) attire une clientèle locale.

OUARZAZATE Hôtel Hanane Club

227 Avenue Erraha **Tél.** *0524 88 25 55* **Fax** *0524 88 57 37* **Chambres** *117*   ***Carte routière*** *C4*

Cet établissement particulièrement confortable est doté d'une bonne infrastructure, dont une grande piscine avec une terrasse arborée où lézarder au soleil, et un restaurant de cuisine marocaine au cadre somptueux. L'hôtel Hanane Club reçoit des groupes touristiques, séduits par son bon rapport qualité/prix. **www.clubhanane.com**

OUARZAZATE Hôtel Ibis Moussafir

Boulevard Moulay Rachid **Tél.** *0524 89 91 10* **Fax** *0524 89 91 11* **Chambres** *104*   ***Carte routière*** *C4*

L'Ibis Moussafir est l'un des bons hôtels du pays. Vous serez accueilli dans un cadre typiquement marocain. Les chambres sont agréables et certaines équipées pour les personnes handicapées. L'Ibis Moussafir dispose d'une piscine, de plusieurs courts de tennis et d'un restaurant (*p. 342*). **www.accorhotels.com**

OUARZAZATE Hôtel Karam Palace

Avenue Moulay Rachid **Tél.** *0524 88 22 25* **Fax** *0524 88 26 42* **Chambres** *147*   ***Carte routière*** *C4*

Proche du centre-ville, le Karam Palace s'étend au milieu de jardins luxuriants dans des bâtiments s'inspirant de l'architecture locale. Les parties communes et les chambres sont décorées dans la tradition marocaine. On y trouve une belle piscine et un bon restaurant de cuisine internationale et marocaine. **www.fram.fr**

OUARZAZATE Hôtel Kenzi Bélère

Avenue Moulay Rachid **Tél.** *0524 88 28 03* **Fax** *0524 88 31 45* **Chambres** *264*   ***Carte routière*** *C4*

Situé dans la vieille ville, ce grand complexe d'inspiration marocaine est très réussi, à l'intérieur comme à l'extérieur. Parmi ses nombreuses installations, il abrite un restaurant et une boîte de nuit. Très spacieuses, les chambres, dont certaines avec vue panoramique, possèdent tous les équipements nécessaires. **www.belerehotels.com**

OUARZAZATE Hôtel Mercure

Boulevard Moulay Rachid **Tél.** *0524 89 91 00* **Fax** *0524 89 91 01* **Chambres** *68*   ***Carte routière*** *C4*

Excellente base pour une excursion dans le désert ou dans la vallée du Dadès, ce quatre-étoiles est une adresse confortable, dans le centre de Ouarzazate. Les chambres joliment aménagées offrent de bons équipements. Le Mercure possède plusieurs restaurants et de nombreuses installations sportives. **www.accorhotels.com**

OUARZAZATE Riad Salam Tichka

Boulevard Mohammed-V **Tél.** *0524 88 33 35* **Fax** *0524 88 27 66* **Chambres** *62*   ***Carte routière*** *C4*

Difficile d'être mieux situé que cette maison d'hôtes, excellent point de départ pour la découverte de la région. Tenu par une famille, on s'y sent comme chez soi, dans un cadre charmant. Le personnel est particulièrement accueillant et attentif. Les chambres décorées avec goût donnent sur la piscine, la kasbah ou la vallée.

Légende des prix *voir p. 302 ;* **légende des symboles** *voir le rabat arrière de couverture*

OUARZAZATE Hôtel Kenzi Azghor

Avenue Moulay Rachid **Tél.** *0524 88 65 03* **Fax** *0524 88 63 53* **Chambres** *106*   *Carte routière C4*

Que l'on profite des salons de la réception, du bar, de la piscine, des courts de tennis, du restaurant ou tout simplement de l'intimité de ses chambres, l'hôtel Kenzi Azghor offre une atmosphère paisible. Situé dans le centre, il est à quelques minutes à pied des principaux centres d'intérêt de la ville. **www.kenzi-hotels.com**

OUARZAZATE Le Berbère Palace

Quartier Mansour Eddahbi **Tél.** *0524 88 31 05* **Fax** *0524 88 30 71* **Chambres** *222*   *Carte routière C4*

Au cœur de Ouarzazate, le Berbère Palace offre un hébergement de prestige. Sa clientèle avisée apprécie la sérénité du lieu et son infrastructure luxueuse dont un centre de bien-être et de remise en forme. Les chambres, avec patio ou terrasse, sont réparties dans des bungalows disséminés dans les jardins. **www.palaces-traditions.ma**

ZAGORA Hôtel Reda Framotel

Route de Mhamid **Tél.** *0524 84 70 79* **Fax** *0524 84 70 12* **Chambres** *155*   *Carte routière D4*

Situé au milieu d'une oasis entourée de montagnes et de désert, ce quatre-étoiles s'inspire de la tradition marocaine à l'extérieur comme à l'intérieur. La réception et les salons sont décorés avec goût. Les chambres sont bien équipées. La piscine et ses abords s'égayent d'arbustes et de plantes en pot.

ZAGORA Kasbah Asmaa

1,5 km du centre-ville **Tél.** *0524 84 75 99* **Fax** *0524 84 75 27* **Chambres** *33*   *Carte routière D4*

Cet établissement d'un bon rapport qualité/prix loge dans des bâtiments en pisé. Le soir, vous pourrez dîner en plein air au bord de la piscine, à moins que vous ne préfériez l'atmosphère authentique d'une tente berbère. Kasbah Asmaa organise aussi des excursions dans le désert en 4x4 ou à dos de dromadaire. **www.asmaa-zagora.com**

ZAGORA Hôtel Riad Salam

Route de Mohammed **Tél.** *0524 84 74 00* **Fax** *0524 84 75 51* **Chambres** *120*   *Carte routière D4*

Cet établissement, l'un des meilleurs de Zagora, ne manque pas de cachet. Les hôtes apprécient sa piscine entourée d'une immense terrasse à la végétation luxuriante, son superbe patio et ses deux restaurants *(p. 342)*. Les chambres parfaitement équipées ménagent de superbes vues sur le désert. **www.mahdsalam.com**

SUD ET SAHARA OCCIDENTAL

AGADIR Hôtel de Paris

Avenue Président Kennedy **Tél.** *0528 82 26 94* **Fax** *0528 82 48 46* **Chambres** *29*   *Carte routière B4*

Malgré sa taille modeste, l'hôtel de Paris est joliment aménagé, bien situé pour aller à la plage ou se rendre dans le quartier des affaires d'Agadir, et d'un bon rapport qualité/prix. Les chambres ont toutes le téléphone et la télévision par satellite. Le restaurant sert surtout des plats internationaux.

AGADIR Hôtel Sindibad

Place Ibrahim Tamri **Tél.** *0528 82 34 77* **Fax** *0528 84 24 74* **Chambres** *50*   *Carte routière B4*

Vous serez accueilli ici avec le sourire par une équipe qui se fera un plaisir d'organiser votre séjour. À la fois près du centre et à quelques jets de pierre de la plage, c'est l'adresse idéale pour découvrir les deux visages d'Agadir. Son infrastructure est celle d'un hôtel de catégorie intermédiaire. Les chambres sont agréables.

AGADIR Hôtel Sud Bahia

Avenue des Administrations Publiques **Tél.** *0528 84 07 82* **Fax** *0528 84 63 86* **Chambres** *246*   *Carte routière B4*

L'hôtel bénéficie de vues sur la plage et sur l'océan Atlantique. Il accueille une clientèle d'affaires et de touristes séduits par son bon rapport qualité/prix, sa piscine et ses chambres agréables, dotées de toutes les installations nécessaires. Son restaurant met l'accent sur la cuisine internationale. **www.sudbahiahotel.ma**

AGADIR Ramada Resort Les Almohades

Boulevard du 20-Août **Tél.** *0528 84 02 33* **Fax** *0528 84 01 30* **Chambres** *321*   *Carte routière B4*

Ce complexe quatre-étoiles de style mauresque s'étend dans de beaux jardins exotiques qui surplombent l'océan. Climatisées et très confortables, la plupart des chambres ont un balcon-terrasse, certaines donnent sur la piscine-lagon. L'hôtel propose aussi des courts de tennis, une salle de musculation et un hammam. **www.ramada.com**

AGADIR Hôtel Ibis Moussafir

Avenue Abderrahim Bouabid **Tél.** *0528 23 28 42* **Fax** *0528 23 28 49* **Chambres** *104*   *Carte routière B4*

À proximité du souk el Had, au croisement de deux grandes artères, cet hôtel de centre-ville est parfait pour ceux qui veulent se tenir à l'écart des quartiers des plages et de la foule. Il offre des chambres avec tout le nécessaire, une petite piscine dans le jardin intérieur et deux restaurants. **www.accorhotels.com**

AGADIR Hôtel Anezi

Boulevard Mohammed-V **Tél.** *0528 84 09 40* **Fax** *0528 84 07 13* **Chambres** *376*   *Carte routière B4*

Avec plusieurs piscines, un sauna, un centre de remise en forme et de nombreuses autres activités sportives, l'hôtel Anezi s'apparente à un complexe hôtelier de bord de mer. Les chambres sont dotées de la télévision par satellite. Un grand nombre d'entre elles ménagent de jolies vues sur la baie d'Agadir. **www.hotelanezi.com**

AGADIR Hôtel Argana

Boulevard Mohammed-V **Tél.** *0528 84 83 04* **Fax** *0528 84 05 56* **Chambres** *238*   **Carte routière** *B4*

Courts de tennis, piscines, sports nautiques, tout est fait ici pour passer des vacances en famille. À 300 m de la plage, dans un secteur où les complexes hôteliers ne se comptent plus, ce quatre-étoiles offrent des chambres aménagées avec soin, plusieurs restaurants et une boîte de nuit. **www.hotelargana.com**

AGADIR Hôtel Tikida Beach

Chemin des Dunes **Tél.** *0528 84 54 00* **Fax** *0528 84 54 88* **Chambres** *233*   **Carte routière** *B4*

Au pied de la plage, l'hôtel Tikida Beach se compose de bâtiments disséminés au sein de jardins exotiques luxuriants. On y trouve des chambres spacieuses et confortables avec terrasse ou balcon. Piscine, courts de tennis, atelier de cuisine… tout est fait pour passer un séjour agréable. **www.agadirtikida.com**

AGADIR Hôtel Le Tivoli

Secteur Balnéaire **Tél.** *0528 84 76 40* **Fax** *0528 84 76 46* **Chambres** *280*   **Carte routière** *B4*

Voici une excellente adresse pour profiter des joies de la plage ou se plonger dans l'ambiance du centre-ville. D'architecture moderne, le Tivoli est un quatre-étoiles soigneusement aménagé avec des chambres confortables. Il abrite plusieurs restaurants. Son jardin terrasse est particulièrement agréable.

AGADIR Hôtel Amadil Beach

Route de Oued Souss **Tél.** *0528 82 93 00* **Fax** *0528 84 22 48* **Chambres** *326*   **Carte routière** *B4*

L'Amadil Beach est un complexe quatre-étoiles parfait en groupe ou en famille. Avec entre autres plusieurs restaurants de cuisine marocaine et internationale, une vaste piscine et une salle de fitness, il offre tout ce que l'on peut attendre pour se distraire. La majorité des chambres donnent sur l'océan. **www.hotelsatlas.com**

AGADIR Hôtel Beach Club

Rue de Oued Souss **Tél.** *0528 84 43 43* **Fax** *0528 84 08 63* **Chambres** *450*   **Carte routière** *B4*

Idéal en famille, le Beach Club est l'une des adresses préférées des touristes. Confortables et spacieuses, les chambres ont pour la plupart un balcon ou une terrasse avec vue sur l'océan. On y trouve aussi un centre de bien-être et de remise en forme, un centre d'affaires et plusieurs restaurants. **www.agadir-beach-club.net**

AGADIR Hôtel Kenzi Farah Europa

Boulevard du 20-Août **Tél.** *0528 82 12 12* **Fax** *0528 82 34 35* **Chambres** *236*   **Carte routière** *B4*

Non loin de la plage, le Kenzi Farah Europa est une bonne adresse que l'on soit en vacances ou en voyage d'affaires. C'est un établissement somptueux au sein de luxuriants jardins exotiques. Il met à votre disposition un centre de bien-être avec un Spa et un hammam, plusieurs restaurants et de jolies chambres. **www.kenzi-hotels.com**

AGADIR Hôtel Odyssée Park

Boulevard Mohammed-V **Tél.** *0528 84 33 26* **Fax** *0528 84 12 47* **Chambres** *209*   **Carte routière** *B4*

Si vous cherchez une atmosphère intime dans un cadre marocain, le Transatlantique est l'adresse qu'il vous faut. Malgré ses 209 chambres, il offre un cadre paisible et confortable. On y trouve un centre de bien-être, une piscine, des chambres agréables et plusieurs restaurants de cuisine marocaine. **www.hotel-odyssee-park.com**

AGADIR Dorint Atlantic Palace

Secteur balnéaire et touristique **Tél.** *0528 82 41 46* **Fax** *0528 84 43 92* **Chambres** *332*   **Carte routière** *B4*

Aussi spacieux que luxueux, le Dorint Atlantic Palace est l'un des meilleurs cinq-étoiles de la ville. Qu'il s'agisse du Spa, de ses restaurants raffinés offrant le choix entre la cuisine marocaine ou internationale, de la piscine ou des installations sportives, tous vos désirs seront comblés. **www.atlanticpalaceresort.com**

AGADIR Hôtel Palais des Roses

Secteur balnéaire Founty **Tél.** *0528 84 94 00* **Fax** *0528 82 72 75* **Chambres** *405*   **Carte routière** *B4*

Le Palais des Roses est un immense complexe respirant le luxe dans ses moindres détails. L'intérieur abrite plusieurs restaurants gastronomiques, un Spa avec un hammam et un bassin à colonnades, ainsi que de superbes chambres avec balcon ou terrasse. Sa piscine est digne d'un lac. **www.palaisdesroses.com**

AGADIR Hôtel Royal Mirage

Boulevard Mohammed-V **Tél.** *0528 84 32 32* **Fax** *0528 84 26 51* **Chambres** *183*   **Carte routière** *B4*

Installé au bord de l'océan Atlantique, le Royal Mirage bénéficie d'une vue imprenable sur la baie d'Agadir. Superbement aménagé, il propose des chambres aux murs blanchis à la chaux qui encadrent une jolie piscine lagon. Ses installations de loisirs feront la joie de tous les membres de la famille. **www.royalmiragehotels.com**

AGADIR Hôtel Sofitel Royal Bay Resort

Cité Founty Baie des Palmiers **Tél.** *0528 82 00 88* **Fax** *0528 82 00 33* **Chambres** *273*   **Carte routière** *B4*

En face de l'océan Atlantique, dans la baie des Palmiers, ce cinq-étoiles conjugue une architecture marocaine et des infrastructures contemporaines. Son atmosphère est paisible malgré sa taille qui lui permet d'accueillir une immense piscine, quatre restaurants, plusieurs bars et des chambres de première catégorie. **www.sofitel.com**

AGADIR Sahara Hôtel

Boulevard Mohammed-V **Tél.** *0528 84 06 60* **Fax** *0528 84 07 38* **Chambres** *268*   **Carte routière** *B4*

Le Sahara Hôtel est un cinq-étoiles qui reçoit aussi bien des groupes que des individuels. Joliment aménagées, la plupart des chambres donnent sur l'océan. Avec quatre restaurants qui vont de la cuisine marocaine aux spécialités italiennes, sans parler des barbecues organisés en été, tous les goûts seront comblés. **www.saharaagadir.com**

Légende des prix *voir p. 302 ;* **légende des symboles** *voir le rabat arrière de couverture*

GUELMIM Hôtel Bahich

31 Avenue Abaynou **Tél.** *0528 77 21 78* **Fax** *0528 77 04 49* **Chambres** *37*   **Carte routière** *B5*

Ce petit hôtel familial et bon marché ne possède peut-être pas de nombreuses installations, mais il ne manque pas de personnalité. Remarquablement propre et accueillant, il abrite un restaurant et des chambres où l'on trouvera tout le nécessaire dans un cadre traditionnel rehaussé de jolies étoffes marocaines.

GUELMIM Hôtel Salam

Route de Tan Tan **Tél.** *et Fax 0528 87 20 57 8* **Chambres** *14*   **Carte routière** *B5*

Cet établissement ne prétend pas être luxueux, mais il est bon marché, propre et bien situé dans le centre de Goulimine. C'est une bonne adresse pour les routards et les groupes partant en excursions dans le Sahara. L'air conditionné dans les chambres est un plus aux heures où le soleil du désert est au zénith.

SIDI IFNI Hôtel Bellevue

Place Hassan-II **Tél.** *0528 87 50 72* **Fax** *0528 78 04 99* **Chambres** *50*   **Carte routière** *B5*

Du haut de sa colline, l'hôtel Bellevue ménage une vue imprenable sur l'Atlantique. On y trouve des chambres joliment présentées et très bien entretenues, ainsi qu'une charmante terrasse et un excellent restaurant de poisson *(p. 343)* d'où les convives profiteront du somptueux spectacle de l'océan.

TAFRAOUTE Hôtel des Amandiers

Centre de Tafraoute **Tél.** *0528 80 00 08* **Fax** *0528 80 03 43* **Chambres** *58*   **Carte routière** *B5*

Dans une demeure traditionnelle, au sommet d'une colline, l'hôtel des Amandiers ne manque pas de charme. Sa situation centrale en fait une bonne base pour découvrir la région. Le personnel est serviable et accueillant. Simples mais propres, les chambres donnent sur le paysage désertique alentour. **www.hotel-lesamandiers.com**

TALIOUINE Hôtel Ibn Toumert

Centre de Taliouine **Tél.** *0528 53 43 33* **Fax** *0528 53 41 26* **Chambres** *100*   **Carte routière** *B5*

Typiquement marocain, cet hôtel spacieux accueille essentiellement des groupes. Les chambres sont agréables bien qu'un peu spartiates. La plupart donnent sur la kasbah historique, réputée pour sa production de safran (l'or berbère). L'hôtel Ibn Toumert propose une piscine et un restaurant où l'on dînera en salle ou en terrasse.

TAN TAN Hôtel Les Sables d'Or

Boulevard Hassan-II **Tél.** *et Fax 0528 87 80 69* **Chambres** *17*   **Carte routière** *A5*

Si vous recherchez un établissement sans prétention en centre-ville de Tan Tan, Les Sables d'Or est l'adresse qu'il vous faut. Ses chambres modernes, avec salle de bains, sont étonnamment confortables pour un hôtel de ce prix. Les hôtes apprécieront aussi sa jolie terrasse verdoyante.

TAROUDANNT Hôtel Tiout

Avenue du Prince Héritier Sidi Mohammed **Tél.** *0528 85 03 41* **Fax** *0528 85 44 80* **Ch.** *52*   **Carte routière** *B4*

En dépit de sa façade, cet hôtel possède un intérieur marocain classique avec beaucoup de charme. Ses chambres sont simples et propres, avec de belles vues sur les environs. Son petit restaurant-bar installé dans le jardin offre un mélange de cuisine locale et internationale. **www.hoteltiout.com**

TAROUDANNT Hôtel Palais Salam

Remparts de Taroudannt **Tél.** *0528 85 25 01* **Fax** *0528 85 26 54* **Chambres** *143*   **Carte routière** *B4*

L'avantage de réserver ici une chambre à l'avance est que l'on est quasiment assuré d'avoir une vue sur les remparts. Bâti dans l'enceinte de la vieille ville, c'est un véritable labyrinthe aux chambres luxueuses. Ses deux piscines, les jardins et le restaurant *(p. 343)* rivalisent de charme, sans parler du hammam, du sauna et du centre de remise en forme.

TAROUDANNT Hôtel La Gazelle d'Or

Centre de Taroudannt **Tél.** *0528 85 20 39* **Fax** *0528 85 27 37* **Chambres** *30*   **Carte routière** *B4*

Fréquenté par les grands de ce monde, cet établissement mythique est l'un des plus luxueux de la région et comblera tous vos désirs. On y loge dans de petits pavillons nichés dans de paisibles jardins. Son restaurant *(p. 343)* propose une cuisine raffinée préparée avec les produits bio cultivés sur son domaine. **www.gazelledor.com**

TATA Hôtel Le Relais des Sables

Route de Akka **Tél.** *0528 80 23 01* **Fax** *0528 80 23 00* **Chambres** *56*   **Carte routière** *C5*

Vu de l'extérieur, Le Relais des Sables n'a rien d'exceptionnel, mais franchissez le seuil et vous serez surpris par le charme de son intérieur traditionnel. Situé près du centre, cet hôtel de catégorie intermédiaire est un point de départ parfait pour découvrir la région. Les chambres sont bien équipées. Certaines d'entre elles sont climatisées.

TIZNIT Hôtel Tiznit

Rue Bir Inzaran **Tél.** *0528 86 24 11* **Fax** *0528 86 21 19* **Chambres** *36*   **Carte routière** *B5*

Cet établissement traditionnel reçoit régulièrement des groupes touristiques, ce qui est bon signe. Simple mais propre, il dispose de bonnes infrastructures, dont un charmant restaurant de spécialités marocaines et internationales, une piscine et une jolie terrasse verdoyante propice à la détente.

TIZNIT Kerdous Hôtel

Col du Kerdous **Tél.** *0528 86 20 63* **Fax** *0528 60 03 15* **Chambres** *35*   **Carte routière** *B5*

Au cœur de l'Atlas, à quelques kilomètres de la côte, cet hôtel de style kasbah propose des chambres modernes aménagées avec goût, en parfaite harmonie avec son architecture. Le Kerdous possède aussi deux restaurants *(p. 343)* et une piscine. **http://hotel-kerdous.com/site**

RESTAURANTS

La cuisine est un véritable art de vivre au Maroc, et vous aurez l'embarras du choix, car les restaurants y sont très nombreux. Les prix varient toutefois selon les lieux et d'une ville à l'autre, et le pourboire reste une tradition. Si les horaires sont semblables à ceux de l'Occident, ils peuvent varier pendant la période du ramadan. Les impératifs religieux font également que les établissements servant de l'alcool

Les huîtres sont la spécialité de Oualidia

sont relativement rares et très contrôlés. On trouve des restaurants de tous types, des plus chic, proposant des spécialités du monde entier, aux plus modestes, permettant de goûter la délicieuse cuisine marocaine. Enfin, comment ne pas évoquer les petites échoppes que l'on trouve à chaque coin de rue ou directement sur le quai d'un port, qui vous réservent parfois des surprises gustatives.

Le Chalet de la plage à Essaouira *(p 332)*

TYPES DE RESTAURANT

Dans les grandes villes du Maroc, vous trouverez toutes sortes de restaurants et vous pourrez déguster des spécialités du monde entier : simples échoppes de rue, petits bistrots, restaurants plus classiques ou encore grands restaurants gastronomiques. Dans les villes moyennes, vous aurez un choix plus restreint, souvent des établissements assez simples proposant des spécialités de leur région. Ainsi, dans les petites cités de bord de mer, trouve-t-on surtout des restaurants de poisson.

Les restaurants typiquement marocains sont en fait plus rares et se repartissent en gros en deux catégories : les restaurants « touristiques », qui accueillent des groupes et proposent parfois des spectacles comme des fantasias *(p. 34-35),* et les restaurants plus raffinés, comme on en trouve à Fès

ou à Marrakech, qui sont plus des tables d'hôtes installées dans de vieilles demeures traditionnelles. Leur prix sont plus élevés (entre 400 et 600 Dh pour les plus réputés), mais leur gastronomie plus fine et leur ambiance plus authentique. Les fast-foods commencent à pousser un peu partout, mais on en trouve principalement dans le centres de plus grandes villes. Vue la clémence du temps au Maroc,

beaucoup de restaurants s'efforcent de vous faire profiter d'une cour, d'un coin de jardin ou de trottoir en installant quelques tables en extérieur.

SPÉCIALITÉS MAROCAINES

Même si on trouve des restaurants proposant des spécialités de tous les pays, avec une prépondérance de restaurants français et italiens, il faut absolument goûter à la cuisine marocaine *(p. 324-325),* qui reste de loin la meilleure que l'on puisse trouver dans le pays.

Un repas marocain traditionnel se compose d'un grand nombre d'entrées à base de salades, de légumes et d'épices variés. Vient ensuite le plat principal, souvent couscous ou tajine. Il existe une grande variété de tajines selon les régions, qui ont toutefois en commun d'être préparés et servis dans un plat en terre cuite au couvercle conique, appelé lui

Restaurant-boutique sur la route du Tizi-n-Test

Échoppes sur la place Jemaa el-Fna (Marrakech) à la tombée de la nuit

aussi tajine. Au poisson ou à l'agneau, aux pruneaux ou aux amandes, il existe presque autant de tajines que de cuisinières.

Les desserts marocains sont succulents, notamment la *pastilla* au lait. Les plats sont habituellement consommés avec du thé à la menthe, même si de plus en plus de restaurants proposent du vin.

HORAIRES ET RÉSERVATIONS

Dans la majeure partie des restaurants, le déjeuner est servi entre 12 h et 15 h et le dîner entre 19 h et 22 h 30. Toutefois, pendant le mois de jeûne du ramadan, beaucoup de restaurants, notamment les plus populaires, peuvent être fermés au déjeuner.

Dans les restaurants très à la mode, notamment ceux situés au centre des plus grandes villes, il est conseillé de réserver si vous êtes nombreux, surtout les vendredi et samedi soirs. Il est absolument impératif de réserver les tables d'hôtes que l'on trouve à Marrakech ou à Fès, souvent plusieurs jours à l'avance, car leur capacité est parfois limitée, de même que le nombre de services dans la même soirée.

PRIX ET POURBOIRES

Les prix varient beaucoup selon le standing du restaurant, de 60 Dh pour un repas populaire, 200 Dh environ pour un repas dans un restaurant classique, vin compris, à 250 à 600 Dh dans un excellent restaurant. Les prix sont plus élevés

dans les grandes villes et les endroits accueillant des visiteurs étrangers, comme Casablanca, Agadir ou Marrakech. Les prix indiqués sur les cartes sont en général services et taxes compris, et il est très rare d'avoir de mauvaises surprises.

Le pourboire est une tradition largement respectée au Maroc. Il est d'usage de donner de 5 à 10 % du montant de la note. Ce pourboire doit être laissé sur la table en espèces lorsque vous quittez le restaurant : ne le rajoutez pas au montant d'un paiement par carte bancaire ou par chèque, car les serveurs n'en verraient pas la couleur.

BOISSONS ALCOOLISÉES

Le Maroc est un pays musulman appliquant une législation contraignante sur la vente d'alcool. Toutefois, la majorité des restaurants à partir d'un certain standing en propose. C'est le cas également des restaurants marocains s'adressant à une clientèle occidentale.

Les restaurants n'ayant pas de licence peuvent éventuellement servir du vin discrètement, mais n'insistez-pas lorsqu'on vous annonce que le restaurant n'a pas de licence, car c'est peut-être un choix délibéré du gérant. Pendant le ramadan, certains restaurants servant de l'alcool ferment ou n'en servent pas.

TENUE VESTIMENTAIRE

Lorsqu'ils dînent à l'extérieur, les Marocains sont en général assez habillés. Les restaurants n'exigent jamais de tenues particulières, à l'exception de rares établissements très haut de gamme qui demandent le port de la cravate, et ils seront de toute façon en mesure de vous en fournir une. Évitez toutefois les tenues trop décontractées ou trop légères, comme les vêtements de plage.

MANGER DANS LA RUE

Partout au Maroc, on trouve de simples échoppes vendant des plats typiques à bas prix : soupes, escargots, brochettes ou simples sandwichs. La place Jemaa el-Fna à Marrakech devient ainsi au coucher du soleil un immense restaurant à ciel ouvert. Des tréteaux sont souvent installés à l'arrivée des bateaux sur les quais des ports. Si les produits sont en général frais, dirigez-vous vers les échoppes ayant le plus de succès auprès des Marocains, c'est assurément le meilleur gage de qualité.

Salle à manger traditionnelle d'un restaurant d'Agadir

Saveurs du Maroc

Si le Maroc doit aux Berbères des plats simples comme
le couscous, la cuisine marocaine est aussi riche des
influences de ses voisins. Au VIIᵉ siècle, les Arabes
introduisirent le pain, les légumes secs, les épices
dont les pois chiches, la cannelle, le gingembre,
le safran, le curcuma, et d'autres saveurs de leur empire
d'Orient. Au XIᵉ siècle, les tribus bédouines apportèrent
les dattes et le lait de leurs troupeaux nomades.
De retour d'Andalousie, les Arabes firent connaître
les olives et les citrons, et plus tard les tomates
et les poivrons du continent américain.

Graine de couscous séchée

Étal de viandes et de produits
traditionnels sur un marché marocain

VIANDES

L'agneau est omniprésent
dans la cuisine marocaine :
grillée, en merguez, en
brochettes, dans un tajine
ou un couscous, sans parler
du méchoui où l'animal
parfumé d'arômes est rôti
entier à la broche. Souvent
servi en kebabs, le bœuf est

aussi très présent, ainsi que
le lapin préparé en tajines
ou dans le couscous.
Si le poulet et la dinde sont
monnaie courante, le pigeon
se fait plus rare, sauf dans la
pastilla. Spécialité de Fès,
cette tourte délicieuse est
préparée avec de la pâte
à *ouarka*, une pâte extra-fine
proche de la feuille de brick.
La cervelle, le cœur, le foie
et les tripes sont des abats
très appréciés.

Clous de girofle — Gingembre — Safran — Ras el hanout — Canelle — Graines de coriandre — Pétales de rose séchés — Cumin

Quelques épices marocaines traditionnelles

POISSONS ET FRUITS DE MER

Les côtes atlantiques et
méditérranéennes fournissent
un grand choix de poissons
et de fruits de mer. Daurade
et bar se cuisent en général
entiers, après avoir marinés
dans la *chermoula*, un
mélange d'épices aillé.
Le poisson est aussi servi
farci en croûte d'amandes,
en darne, en brochette, ou

SPÉCIALITÉS MAROCAINES

Au restaurant, on commence en
général par une soupe parfumée,
comme la *harira* composée
d'agneau hâché, de lentilles et
de pois chiches, rehaussée de
tomate, d'oignon, de coriandre et
de persil, ou par un assortiment
de salades aux belles couleurs.
Vient ensuite un tajine, dont la
viande et les légumes sont
parfumés de safran, d'ail, de
coriandre et de cumin. Olives, œufs
durs, menthe, citrons confits au sel et
matloub, un pain plat, l'accompagnent. Autre plat principal,
le couscous comprend des légumes, du poulet, de l'agneau,
des merguez, du lapin, ou même du poisson. On le sert
généralement avec de l'*harissa* et une purée de tomates.

Menthe et citrons confits au sel

L'harira *est une soupe
traditionnelle à la viande
servie au coucher du soleil
pendant le Ramadan.*

Échoppes à la nuit tombante sur la Place Jemaa el-Fna, à Marrakech

sous forme de boulettes avec une sauce tomate épicée. Les crevettes, les huîtres, les moules et le calamar sont eux aussi au menu.

LÉGUMES

Rafraîchissantes et variées, les salades comme le *mezgaldi*, une salade d'oignons rehaussée de safran, de gingembre, de cannelle, de sucre et de céleri, sont souvent proposées en entrée. Les aubergines se préparent en salades, frites ou farcies. Seuls ou mélangés, tomates, poivrons verts, poivrons rouges, piments et oignons rouges composent des bouquets de saveur colorés sur la table. Les olives et leur huile sont très présentes, de même que l'huile d'argan, au goût de noisette.

Les chèvres, qui l'adorent, grapillent directement les fruits sur l'arganier !

FRUITS

Le repas marocain s'achève souvent par un dessert de

Assortiments de douceur dans une pâtisserie de Fès

fruits. Ce peut être une simple salade d'orange à la cannelle et à la fleur d'oranger, ou encore des dattes émincées.

ÉPICES ET CONDIMENTS

Graines d'anis, poivre noir ou de Cayenne, cardamome, cannelle, coriandre, cumin, gingembre, paprika, persil, safran et curcuma : telles sont les principales épices au Maroc. Trois mélanges sont très souvent utilisés dans la cuisine : le *ras el hanout* composé de plus de 20 épices pour les tagines, la *chermoula* pour les marinades et l'*harissa*, une purée de piments rouge.

PÂTISSERIES

Briouat Pâte à *ouarka* pliée en triangle, fourrée aux amandes et à la cannelle.

Ghoriba Macaron à base de sucre, d'amandes, de citron, de vanille et de cannelle.

Corne de gazelle Douceur à base de pâte d'amande et d'eau de fleur d'oranger, saupoudrée de sucre glace.

M'hancha Feuille de brique roulée en serpent, fourrée aux amandes et saupoudrée de sucre glace et de cannelle.

Sfenj Beignet en forme d'anneau.

Chebakya Spirale de pâte frite nappée de miel, enrobée de graines de sésame.

La pastilla *est un feuilleté à base de pigeons, œufs, amandes et raisins secs, garni de sucre, safran et cannelle.*

Le tajine *porte le nom du plat au couvercle conique ouvert en haut pour cuire les aliments à l'étouffée.*

Le couscous *est un plat national à base de semoule, de viandes et de légumes, qui se décline à l'infini.*

Que boire au Maroc

Servi plusieurs fois par jour dans les foyers, les bureaux, les boutiques ou aux terrasses de café, le thé vert à la menthe est la boisson nationale. Les Marocains apprécient aussi beaucoup le café, servi avec du lait ou parfois parfumé à la cannelle, à l'eau de fleur d'oranger ou de quelques grains de poivre. Le jus d'orange fraîchement pressé est un régal, ainsi que toutes les boissons à base de fruits : cerises, raisins, grenades. Bien que le Coran interdise la consommation d'alcool, le Maroc produit des vins d'assez bonne qualité que l'on peut acheter dans certains magasins.

Le cérémonial du thé se fait devant les invités

THÉ

Connu depuis trois millénaires en Chine, le thé vert aux grains fins et allongés a fait son apparition au Maroc en 1854. Introduit par les Anglais, il fut aussitôt adopté par tous les foyers marocains. De la maison *rbati* à l'ombre d'une tente nomade, le thé vert à la menthe est devenu la boisson nationale.

Le thé, plus ou moins sucré, plus ou moins mêlé de menthe, désaltérant, est un symbole d'hospitalité qu'il est fort impoli de refuser. Le cérémonial du thé se déroule presque toujours devant les invités, selon d'immuables règles. Toujours servi dans d'étroits petits verres décorés de dessins dorés ou colorés en filigrane, le thé est rincé dans la théière ébouillantée, afin de lui enlever son trop plein d'amertume.

Verre de thé à la menthe

Les feuilles de menthe sont ajoutées dans la théière, entières, avec tiges et feuilles. De gros morceaux de sucre posés sur la menthe empêchent celle-ci de remonter à la surface. Après quelques minutes d'infusion, le thé est versé dans un verre puis remis dans la théière. L'opération est renouvelée plusieurs fois. Le thé est enfin goûté par l'hôte, qui ne le servira à ses invités que lorsqu'il le jugera parfait.

Thé à la menthe traditionnel

CAFÉ

Moins répandu que le thé, le café est toutefois apprécié par les Marocains, qui l'aiment fort. Vous pouvez demander à l'allonger avec de l'eau bouillante. Si vous ne précisez pas la nature de votre café, celui-ci sera automatiquement servi avec du lait. Un café noir se dit *qahwa kahla*, un café moitié lait, moitié noir se dit *noss noss*, un café cassé signifie qu'il y a davantage de café que de lait.

**Café au lait
(noss noss)**   **Café noir
(qahwa kahla)**

BOISSONS FRAÎCHES

Limonades et coca sont vendus à tous les coins de rue, mais la spécialité du Maroc est le jus d'orange pressé, délicieux à condition qu'il ne soit pas coupé avec de l'eau. Juteuses et sucrées, réputées pour leur saveur, les oranges du Maroc se dressent partout en somptueuses pyramides sur des chariots ambulants ou sur les étals de marchés, qui constituent un véritable spectacle sur la place Jemaa el-Fna à Marrakech. Le lait d'amandes ou de bananes, le jus de pommes ou de grenades sont également des boissons très appréciées.

Jus d'orange

Lait d'amandes

ALCOOLS ET BIÈRES

On trouve un alcool de figues à 40°, la *mahia*. Les grandes surfaces proposent également toutes sortes d'alcools importés. La Flag spécial est une bière blonde brassée à Tanger et à Casablanca. La Stork est brassée à Casablanca. La vente de vins et d'alcool est interdite aux musulmans en période de ramadan et après 19 h 30.

Bière de Casablanca

Flag spéciale brassée à Tanger

EAUX MINÉRALES

L'eau est potable dans les villes, mais son goût est fortement chloré. Préférez-lui les eaux minérales plates Sidi Ali ou Sidi Harazem ou les eaux gazeuses Oulmès ou San Pelegrino.

Eau minérale Sidi Ali

Eau minérale Sidi Harazem

Eau minérale Oulmès

VINS MAROCAINS

Le Maroc produisait du vin dès l'époque romaine. Le protectorat encouragea la production de vins locaux. Le pays comprend trois grandes zones viticoles : au nord-ouest, autour d'Oujda ; dans la région de Fès et Meknès ; et enfin à l'est, dans la région de Rabat à Casablanca. Parmi les vins les plus appréciés, citons le Médaillon, blanc ou rouge, le Siroua rouge, blanc ou rosé, les vins de cépage produits par les *Celliers de Meknès* : le merlot et le cabernet sauvignon ; le Sémillant, vin blanc sec et fruité, le gris de Guerouane et le gris de Boulaouane. Viennent ensuite l'Aït Soual, le Vieux-Papes, l'Oustalet, le Valpierre, le Chaud-Soleil et le Spécial coquillages pour

Vignoble de Boulaouane

accompagner poissons et fruits de mer. Il faut savoir que la qualité des vins varie beaucoup d'une année à l'autre et parfois même d'une bouteille à l'autre.

Amazir rouge

Cabernet rouge

Siroua rouge

Guerrouane rouge

Oustalet rouge

Guerrouane gris

Cabernet rosé

Choisir un restaurant

Classés par région en commençant par Rabat, les
restaurants de cette sélection ont été choisis dans une
large gamme de prix pour la qualité de leur cuisine, leur
rapport qualité/prix ou leur emplacement exceptionnel.
Ils reprennent les différentes régions évoquées dans le
guide, facilement repérables pour les onglets de couleur.

CATÉGORIES DE PRIX
Les prix correspondent au prix moyen
d'un repas, taxes et service compris,
mais sans alcool.

ⓓ moins de 150 dirhams
ⓓⓓ de 150 à 250 dirhams
ⓓⓓⓓ de 250 à 350 dirhams
ⓓⓓⓓⓓ de 350 à 450 dirhams
ⓓⓓⓓⓓⓓ plus de 450 dirhams

RABAT

AGDAL L'Entrecôte
74 Charia Al-Amir-Fal-Ould-Oumeir **Tél.** *0537 67 11 08*   **Carte routière** *C2*

Orné de voiles et de photos qui rappellent les brasseries parisiennes, ce restaurant superbement décoré a pour
spécialités de bonnes viandes cuisinées à la française et des poissons en sauce. Situé près du centre commercial
de Rabat, L'Entrecôte attire aussi bien les visiteurs qu'une clientèle d'affaires et de jeunes branchés.

CENTRE-VILLE Pizzeria Reggio
Place Ibn Yassine **Tél.** *0537 77 69 99*   **Carte routière** *C2*

Offrant un vaste choix de pâtes fraîches, de pizzas, de salades et de repas légers préparés selon les recettes d'autrefois
avec des produits frais venant de toute l'Italie, Pizzeria Reggio est l'adresse idéale pour un repas sur le pouce ou un
dîner détendu entre amis. L'endroit est à la fois accueillant et décontracté sans pour autant perdre de son chic.

CENTRE-VILLE Chellah
Hôtel Chellah, 2 rue d'Ifni **Tél.** *0537 66 83 00*   **Carte routière** *C2*

Tout comme son homologue le Kanoun, Chellah est installé dans l'hôtel du même nom *(p. 302)*, au cœur de la ville.
Les deux établissements se complètent et proposent de délicieux petits déjeuners, un assortiment de thés verts et
des pâtisseries à savourer dans la matinée ou l'après-midi, ainsi qu'une carte appétissante au déjeuner et au dîner.

CENTRE-VILLE L'Eperon
8, avenue d'Alger **Tél.** *0537 72 59 01*   **Carte routière** *C2*

Ce restaurant traditionnel doit sa réputation à sa cuisine française. Ses prix raisonnables lui valent une clientèle
d'affaires au déjeuner, qui laisse la place aux touristes et aux habitués du quartier au dîner. La carte affiche un vaste
choix de viandes, comme le veau et le bœuf mijotés aux herbes et aux épices, à accompagner de vins français.

CENTRE-VILLE Le Puzzle
79, avenue Ibn Sina Agdal **Tél.** *0537 67 00 30*   **Carte routière** *C2*

Clair et aéré, le Puzzle est un petit restaurant à l'intérieur design décontracté qui conjugue une architecture
marocaine et française. Poulet, kebabs, mézés, poissons et légumes farcis sont à l'honneur de cet établissement
spécialisé dans la cuisine méditéranéenne, qui propose aussi un bel assortiment de fruits.

CENTRE-VILLE La Brasserie
Sofitel Diwan Rabat, place de l'Unité Africaine **Tél.** *0537 26 27 27*   **Carte routière** *C2*

Voici un établissement rondement mené. Gérée par le groupe Sofitel, La Brasserie est installée dans le Sofitel Diwan
(p. 303), près de la tour Hassan et des vestiges de sa mosquée. Elle accueille surtout les groupes logeant au Sofitel,
mais pas exclusivement. La carte met l'accent sur les classiques de la cuisine française.

CENTRE-VILLE Le Grand Comptoir
279, avenue Mohammed-V **Tél.** *0537 20 15 14*   **Carte routière** *C2*

Avec ses candélabres, ses miroirs dorés rutilants et le son du piano en musique de fond, le Grand Comptoir offre
l'image parfaite d'une brasserie parisienne des années 1930. Steaks juteux, canard, homard grillé et crêpes suzette :
la carte est à la hauteur avec des classiques français. L'endroit est bien situé et le bar reste ouvert jusqu'à 1 h.

CENTRE-VILLE Restaurant de La Tour Hassan
Tour Hassan, 26 rue Chellah **Tél.** *0537 23 90 00*   **Carte routière** *C2*

Logé comme quelques-uns de ses confrères dans la superbe tour Hassan *(p. 303)*, ce restaurant au décor opulent
et raffiné a su saisir l'essence même du Maroc. Aux côtés d'une grande variété de plats internationaux, les viandes,
poissons en sauce et salades proposés à la carte s'accompagnent d'un bon choix de vins.

CENTRE-VILLE Le Ziryab
Rue des Consuls **Tél.** *0537 73 36 36*   **Carte routière** *C2*

Voici une adresse qui ne manque pas de charme. Une fois passée la lourde porte et l'entrée aux lumières tamisées,
on pénètre dans une salle somptueuse aux tables dressées avec raffinement, découvrant un décor qui promet un
moment inoubliable. Si la gastronomie marocaine est à l'honneur, les fruits proposés sont la spécialité du lieu.

Légende des symboles *voir le rabat arrière de couverture*

KASBAH DES OUDAÏA Restaurant de la Plage

Kasbah des Oudaïa Plage **Tél.** *0537 72 31 48*   **Carte routière** *C2*

Ce petit restaurant plein de caractère est une institution dans la Kasbah des Oudaïa. Sa situation, prés de la plage, qui se double de jolies vues, explique en partie sa popularité. Les habitants de Rabat et les touristes y reviennent souvent. On y mange surtout du poisson et des fruits de mer, réputés pour leur qualité et leur fraîcheur.

MEDINA Dinarjat

6, rue Belgnaoui **Tél.** *0537 70 42 39*   **Carte routière** *C2*

Situé dans la medina, près des principales attractions touristiques de Rabat, le Dinarjat est logé dans une demeure traditionnelle du XVIIe siècle. Le décor, somptueux, est à la hauteur de la succulente cuisine marocaine servie ici, en particulier les tajines, une spécialité marocaine à base de viandes, d'olives et de fruits cuits à l'étouffée.

SOUSSI La Villa Mandarine

19, rue Ouled Bousbaa **Tél.** *0537 75 20 77*   **Carte routière** *C2*

Entouré d'une superbe orangeraie et de plantes aux parfums envoûtants, ce petit hôtel-restaurant, installé au cœur d'un quartier résidentiel un peu en dehors du centre, est un véritable havre de paix loin de l'animation de la ville. Le cadre marocain s'orne de nombreux objets de famille. La carte mêle des plats internationaux et traditionnels.

VILLE NOUVELLE Zerda

7, rue Patrice Lumumba **Tél.** *0537 73 09 12*   **Carte routière** *C2*

Ce petit bijou, à la gestion familiale, se tient à l'écart des bruits de la ville, dans un quartier tranquille. L'intérieur offre un décor opulent que complètent des photos de famille sur les murs. On y vient pour ses délicieuses spécialités juives et marocaines, et pour les concerts de musique traditionnelle qui se prolongent tard dans la soirée.

VILLE NOUVELLE La Mamma

6, rue Tanta **Tél.** *0537 70 73 29*   **Carte routière** *C2*

Comptant parmi les adresses les plus connues de Rabat, La Mamma s'est forgé une clientèle fidèle au fil des ans. Vous serez accueilli par les membres de la famille qui tient le restaurant, dans un décor italien à l'atmosphère décontractée. On y sert des pâtes et des plats de viandes réputés être parmi les meilleurs de la ville.

VILLE NOUVELLE Le Goéland

9, rue Moulay Ali-Cherif **Tél.** *0537 76 88 85*   **Carte routière** *C2*

Voici un restaurant qui respire le chic parisien. Si presque tous les pays d'Europe sont représentés à la carte, celle-ci est surtout axée sur la cuisine française. Le Goéland propose aussi des poissons et fruits de mer d'une grande fraîcheur. À la belle saison, les convives pourront se régaler attablés dans un joli patio.

CÔTE NORD-ATLANTIQUE

ASILAH Miramar

Remparts d'Asilah   **Carte routière** *D1*

Si vous aimez les jus de fruits fraîchement pressés et les fruits de mer grillés, vous serez impressionné par le Miramar. Sa carte qui n'en finit pas est étonnamment bon marché. Poulet, steaks et burgers ne sont que quelques-uns des classiques internationaux servis ici aux côtés des poissons. Le Miramar est installé au pied des remparts.

ASILAH Sevilla

18, avenue Iman al-Assili **Tél.** *0539 41 85 05*   **Carte routière** *D1*

Le Sevilla est un petit restaurant animé au joli décor marocain mâtiné d'une touche de design français. Il propose un grand choix de plats aussi bon marché les uns que les autres, mais c'est surtout le poisson à la marocaine qui est à l'honneur et qui varie selon la pêche du jour. Le Sevilla est apprécié des locaux comme des touristes.

KENITRA Restaurant de l'Hôtel Mamora

Hôtel Mamora, avenue Hassan-II **Tél.** *0537 37 17 75*   **Carte routière** *C2*

Logé dans l'hôtel contemporain Mamora (p. 304), ce restaurant donne sur de luxuriants jardins exotiques. On y sert des petits déjeuners buffet, des classiques de la petite restauration et de vrais repas le soir. La carte internationale séduit autant la clientèle touristique que la population locale.

LARACHE Cara Bonifa

Place de la Libération   **Carte routière** *D1*

Au fil des ans, Cara Bonifa s'est forgée une solide réputation. Et pour cause, l'adresse est conviviale, la nourriture est saine et les prix sont plus que raisonnables. Le poisson frais cuisiné aux herbes est la spécialité de la maison. Situé près de la medina, c'est l'étape idéale lorsque l'on visite Larache.

LARACHE Estrella del Mar

68, rue Zerktouni   **Carte routière** *D1*

Estrella del Mar occupe une belle demeure d'architecture arabo-andalouse. On y propose un merveilleux choix au petit déjeuner, au déjeuner et au dîner, avec des plats inspirés de la cuisine internationale. Après une viande grillée, un steak ou un poisson, ne manquez surtout pas l'un de ses délicieux desserts.

CASABLANCA

ANFA Ryad Zitoun

31, boulevard Rachidi **Tél.** *0522 22 39 27*

Carte routière C2

Logé dans une superbe demeure traditionnelle à la décoration cossue, dans le centre d'Anfa, Ryad Zitoun est une étape idéale lors de la visite de ce quartier très résidentiel. Goûtez l'une de ses spécialités marocaines traditionnelles, comme ses viandes servies en couscous ou en tajine, à accompagner d'un délicieux thé à la menthe.

ANFA L'Aéropostale

6, rue Molière **Tél.** *0522 36 02 52*

Carte routière C2

À l'angle de la rue Molière et du boulevard d'Anfa, ce restaurant qui rappelle les brasseries parisiennes arbore des murs tapissés de photos et des tables habillées de nappes blanches dressées dans un cadre convivial. Viandes et poissons sont à l'honneur sur une carte inspirée de la cuisine française, où l'on trouve même de la choucroute.

CENTRE-VILLE Au Petit Poucet

86, boulevard Mohammed-V **Tél.** *0522 27 54 20*

Carte routière C2

Inauguré dans les années 1920, Au Petit Poucet est une adresse sans prétention appréciée à Casablanca pour sa cuisine française particulièrement goûteuse. Ce restaurant contemporain de l'Aéropostale est ouvert pratiquement 24 h/24, du petit déjeuner jusque tard dans la soirée.

CENTRE-VILLE El-Mounia

95, rue du Prince Moulay Abdellah **Tél.** *0522 22 26 69*

Carte routière C2

Doté d'un superbe jardin et d'un patio, voici un restaurant qui ravira tous ceux qui aiment manger en plein air, bien que la salle au décor marocain ne manque pas de charme. El Mounia propose des plats traditionnels et des mets d'une grande finesse, ainsi qu'un excellent choix de spécialités autour des légumes.

CENTRE-VILLE Taverne du Dauphin

115, boulevard Houphouët Boigny **Tél.** *0522 22 12 00*

Carte routière C2

Située dans l'un des quartiers les plus animés de Casablanca, près de plusieurs sites touristiques, voici une adresse pour se reposer et reprendre des forces avant de poursuivre sa promenade. Spécialisée dans les poissons et fruits de mer préparés à la française, la Taverne sert aussi une excellente cuisine internationale. Bonne carte des vins.

CENTRE-VILLE La Bodéga de Casablanca

129, rue Allal Ben Abdellah **Tél.** *0522 54 18 42*

Carte routière C2

Proche du marché du centre-ville, ce restaurant espagnol est l'un des plus animés de Casablanca. On s'y arrête pour déguster quelques tapas et se détendre devant un cocktail ou un bon verre de vin. La piste de danse au sous-sol reçoit régulièrement des soirées dansantes qui séduiront les amateurs de salsa, reggae, rock et autre samba.

CENTRE-VILLE La Brasserie Bavaroise

129 Rue Allal Ben Abdellah **Tél.** *0522 31 17 60*

Carte routière C2

Idéalement situé près des principaux sites touristiques de Casablanca, ce restaurant superbement décoré propose une carte avec de nombreuses entrées marocaines, françaises ou internationales, suivies de multiples plats et desserts. La Brasserie Bavaroise est particulièrement réputée pour sa viande et ses recettes à base de légumes.

CENTRE-VILLE La Sqala

Avenue des Almohades **Tél.** *0522 26 09 60*

Carte routière C2

Dans l'enceinte des remparts de l'ancienne medina, ce restaurant chargé d'histoire a été rénové avec goût. Les clients ont le choix parmi une variété de plats méditerranéens, orientaux et marocains à déguster en appréciant la fraîcheur de son patio à la végétation luxuriante. On n'y sert pas d'alcool mais du thé et de délicieux jus de fruits.

CENTRE-VILLE Café M à l'hôtel Hyatt Regency

Hôtel Hyatt Regency, places des Nations-Unies **Tél.** *0522 43 12 78*

Carte routière C2

Le restaurant de l'hôtel Hyatt Regency *(p. 305)* propose une cuisine bistro à la parisienne et un excellent carte des vins qu'apprécient les connaisseurs. Bien qu'il soit ouvert à tous, il est vivement conseillé de réserver. Les convives pourront manger ou prendre un verre à l'intérieur, dans un cadre contemporain, ou sur la terrasse.

CENTRE-VILLE Quai du Jazz

25, rue Ahmed El Mokri **Tél.** *0522 94 25 37*

Carte routière C2

Quai du Jazz est une brasserie haut de gamme réputée pour sa gastronomie française et ses vins fins. Parmi les grands classiques, goûtez le foie gras, la soupe de poisson ou le steak au gratin dauphinois, et terminez par une crème brûlée. Comme son nom l'indique, un orchestre jazz anime les soirées du jeudi au samedi.

CENTRE-VILLE Rick's Café

248, boulevard Sour Jdid, place du Jardin Public **Tél.** *0522 27 42 07/ 08*

Carte routière C2

Logé dans une maison construite dans les murs de la medina, ce restaurant piano-bar n'est pas sans rappeler l'ambiance du légendaire café Rick du film Casablanca. Le pianiste, qui se produit du mardi au dimanche, pourra jouer pour vous le célèbre *As time goes by*. En plus d'une carte internationale, la spécialité du lieu est le poisson frais.

Légende des prix *voir p. 328 ;* **légende des symboles** *voir le rabat arrière de couverture*

CENTRE-VILLE La Table du Rétro

22, rue Abou Al Mahassin Rouyani **Tél.** *0522 94 05 55*   *Carte routière C2*

La Table du Rétro est l'adresse préférée des habitants du quartier lorsqu'il s'agit de fêter un événement familial ou de sortir de l'ordinaire dans un cadre particulièrement élégant. On y sert, dans une ambiance courtoise, une cuisine française très raffinée, que l'on pourra accompagner de l'un des bons vins de la carte.

CENTRE-VILLE La Maison du Gourmet

159, rue Taha Houcine **Tél.** *0522 48 48 46*   *Carte routière C2*

Alliant discrétion et distinction, ce restaurant gastronomique est aujourd'hui l'un des plus fréquentés par la clientèle d'affaires de la capitale. Le chef Meryem Cherkaoui agrémente de saveurs marocaines les classiques français présentés et préparés à merveille, tandis que Philippe Pesneau veille sur la salle. La carte des vins est excellente.

CORNICHE Le Relais de Paris

Hôtel Villa Blanca, boulevard de la Corniche **Tél.** *0522 39 25 10*   *Carte routière C2*

Idéalement situé près des plages privées de Casablanca et du Royal Golf Course, Le Relais de Paris arbore le décor élégant d'une brasserie parisienne. Les spécialités françaises et internationales se partagent la carte. Ne manquez pas l'entrecôte émincée et sa sauce mystérieuse. La terrasse chauffée offre de superbes vues sur l'Atlantique.

CORNICHE Restaurant Le Poisson

15, boulevard de la Corniche **Tél.** *0522 79 80 70*   *Carte routière C2*

Parmi les meilleurs restaurants du quartier de la Corniche et de Casablanca, ce restaurant fidèle à son nom propose des poissons d'une grande fraîcheur. Goûtez le filet de sole à l'oseille, la salade de homard, ou les sardines farcies à l'ail et aux fines herbes. Pour finir, vous aurez le choix entre les pâtisseries et les desserts français ou marocains.

CORNICHE Riad Salam

Boulevard de la Corniche **Tél.** *0522 39 13 13*   *Carte routière C2*

Logé dans l'immense complexe Riad Salam, au cœur du quartier de la Corniche, ce charmant restaurant conjugue les saveurs marocaines et les classiques de la cuisine internationale. Le Riad Salam accueille les locaux et les groupes touristiques dans un cadre au décor contemporain qui respecte cependant l'architecture traditionnelle.

CORNICHE La Mer

Phare d'El-Hank, boulevard de la Corniche **Tél.** *0522 36 33 15*   *Carte routière C2*

Situé près du phare El-Hank, ce restaurant français a choisi un thème marin pour décor. Les nappes immaculées et la porcelaine fine vont cependant de paire avec la cuisine raffinée de cette adresse réputée de longue date pour ses fruits de mer et ses spécialités de poisson. De la terrasse, les convives profiteront d'une vue magnifique sur l'Atlantique.

CORNICHE À ma Bretagne

Boulevard de la Corniche **Tél.** *0522 36 21 12*   *Carte routière C2*

Nous vous conseillons vivement de réserver si vous souhaitez dîner dans cet établissement élégant du quartier de la Corniche, dont la réputation n'est plus à faire. La carte aux accents français affiche des spécialités de viandes et de poissons, ainsi qu'un bon choix de plats autour des légumes. La carte des vins est aussi longue qu'impressionnante.

CORNICHE Basmane

Angle bd de l'Océan et bd de la Corniche **Tél.** *0522 79 70 70*   *Carte routière C2*

Dans la pure tradition des restaurants marocains, avec ses gros coussins et ses murs habillés de mosaïques colorées, Basmane propose une cuisine exquise. Goûtez les brochettes d'agneau aux herbes de l'Atlas, le tajine ou la pastilla, sans oublier les pâtisseries, à accompagner d'un vin marocain. Le Basmane a sans nul doute un petit plus.

CORNICHE Le Pilotis

Tahiti Beach Club, boulevard de la Corniche **Tél.** *0522 79 84 27*   *Carte routière C2*

Cet élégant restaurant de bord de mer, au sein du Tahiti Beach Club, propose une cuisine méditerannéenne gorgée de soleil, dont un grand choix de fruits de mer, de poissons grillés et de paellas. Que ce soit à l'intérieur, dans un décor très chic, ou sur la terrasse en bord de plage, tous les convives profiteront de la vue sur l'océan.

MOHAMMEDIA La Frégate

Rue Oued Zem **Tél.** *0523 32 44 47*   *Carte routière C2*

Située dans le centre de Mohammedia, La Frégate est un charmant restaurant de fruits de mer avec ses tentures contemporaines et ses murs blanchis à la chaux décorés de cadres de style bistro. C'est une bonne adresse où l'on pourra se détendre en savourant un poisson frais, une paella ou une viande grillée.

MOHAMMEDIA Restaurant du Port

1, rue de Port **Tél.** *0523 32 24 66 ou/ 0523 32 58 95*   *Carte routière C2*

Tous les habitants de la ville connaissent l'adresse de ce restaurant dont la réputation n'est plus à faire. Son intérieur design, qui rappelle celui d'un bateau, est très agréable pour se relaxer et déguster un bon repas. Saumon, sardines et daurade sont à l'honneur sur la carte axée, comme on peut s'y attendre, sur le poisson frais.

QUARTIER DU PORT Restaurant du Port de Pêche

Port de Pêche **Tél.** *0522 31 85 61*   *Carte routière C2*

Installé près des quais, dans le quartier animé du port de Casablanca, à quelques minutes à pied du centre-ville, le Restaurant du Port de Pêche offre de jolies vues de sa terrasse à l'étage. On y sert une cuisine marocaine traditionnelle, en particulier de délicieux tajines de viandes ou de volaille aux herbes et aux épices.

QUARTIER DU PORT Ostrea

Port de Pêche **Tél.** *0522 44 13 90*

Carte routière C2

La salle climatisée de ce restaurant apporte un peu de fraîcheur quand le soleil est au zénith. On y vient pour passer un moment agréable autour d'un repas de fruits de mer. Les huîtres, qui proviennent de l'un des parcs les plus modernes du Maroc, sont la spécialité du lieu, aux côtés d'un beau choix de fruits de mer et de crustacés.

RACINE Restaurant Toscana

Rue Ibnou Yaasa El Ifrani **Tél.** *0522 36 95 92*

Carte routière C2

Avec son intérieur riche en couleurs et ses concerts de musique *live*, le Toscana attire la clientèle jeune et branchée de Casablanca à laquelle viennent se mêler des touristes du monde entier. La carte propose un vaste choix de spécialités italiennes à déguster avec un bon vin, une bière ou une boisson sans alcool.

CÔTE SUD-ATLANTIQUE

EL-JADIDA Ali Baba

Route RP8 **Tél.** *0523 34 16 22*

Carte routière B2

Dans un cadre coloré typiquement marocain, orné de lanternes et autres objets traditionnels qui contribuent à son ambiance chaleureuse, ce restaurant familial propose de succulentes spécialités marocaines, en particulier des tajines de viandes ou de légumes aux herbes et aux épices, enrichis de raisins secs et autres fruits.

EL-JADIDA Restaurant de l'Hôtel de Provence

Hôtel de Provence, 42, avenue Fquih Mohammed Errafii **Tél.** *0523 34 41 12*

Carte routière B2

Installé dans l'Hôtel de Provence, ce restaurant élégant à l'atmosphère paisible passe pour l'un des meilleurs d'El-Jadida. On y sert une cuisine internationale, dont un choix de plats à base de légumes particulièrement bons, à déguster sur la terrasse quand le temps est clément. La carte des vins est à la hauteur de sa réputation.

EL-JADIDA Restaurant du Royal Golf Sofitel

Royal Golf Sofitel, route de Casablanca **Tél.** *0523 354141*

Carte routière B2

Ce restaurant très chic logé dans le Royal Golf Sofitel *(p. 306)* donne sur les pelouses d'un parcours de 18 trous bien connu des amateurs de golf. L'opulence du cadre et une carte d'exception qui affiche des merveilles du monde entier attirent une clientèle variée qui profitera d'une animation presque tous les soirs.

ESSAOUIRA Dar Loubnane

24, rue du Rif **Tél.** *0524 47 62 96*

Carte routière B4

Au cœur de la medina, Dar Loubnane est installé dans un riad traditionnel typique du XVIIIe siècle, au décor somptueux, qui promet un moment inoubliable. On y sert des mets marocains et français d'une grande finesse à la lueur des chandelles. Malgré tout ce raffinement, Dar Loubnane offre un excellent rapport qualité/prix.

ESSAOUIRA Poissons grillés sur le port

Port d'Essaouira

Carte routière B4

Les petites échoppes installées sur le port d'Essaouira ont deux avantages. On a le plaisir de manger dehors en regardant les bateaux rentrer à la nuit tombée et les pêcheurs décharger la prise du jour, mais on a aussi la garantie de produits d'une extrême fraîcheur. Bref, une soirée qui sort de l'ordinaire, mais dont vous vous souviendrez.

ESSAOUIRA La Licorne

26, rue Scala **Tél.** *0524 47 36 26*

Carte routière B4

Ce restaurant propose des plats marocains traditionnels, parmi lesquels de nombreux poissons et fruits de mer, ainsi qu'un bon choix de plats autour des légumes. Les vins à la carte ont été sélectionnés avec soin pour s'accorder à votre repas. La Licorne accueille régulièrement des danseurs et des musiciens en soirée.

ESSAOUIRA Les Alizés

26, rue de la Sqala **Tél.** *0524 47 68 19*

Carte routière B4

Considéré comme l'un des meilleurs restaurants d'Essaouira, cet établissement ne manque pas de charme avec son cadre élégant et ses tables éclairées aux chandelles, sans parler des délicieuses spécialités marocaines proposées à des prix plus que raisonnables. Les Alizés occupe en outre une charmante demeure du XIXe siècle, ce qui ne gâte rien.

ESSAOUIRA Chalet de la Plage

Boulevard Mohammed-V **Tél.** *0524 47 59 72*

Carte routière B4

Un dîner en terrasse dans cet élégant restaurant installé au bord de la plage vous laissera un très bon souvenir, à commencer par la vue reposante sur la mer et le littoral alentour. La carte variée affiche des plats à base de légumes, et un beau choix de poissons, fruits de mer et crustacés, tous aussi délicieux les uns que les autres.

ESSAOUIRA Chez Sam

Port d'Essaouira **Tél.** *0524 47 65 13*

Carte routière B4

Situé tout au bout du port de pêche d'Essaouira, Chez Sam garantit une belle vue sur le port et les bateaux dansant sur l'eau. On y sert une cuisine saine et simple dans un décor quelque peu suranné. Principalement axée sur le poisson, la carte affiche aussi quelques classiques marocains à base de viande et des plats de légumes cuisinés.

Légende des prix *voir p. 328 ;* **légende des symboles** *voir le rabat arrière de couverture*

ESSAOUIRA Thalassa

MGallery Thalassa, Avenue Mohammed-V **Tél.** *0524 47 90 00*   **Carte routière** *B4*

Parmi les différents restaurants du MGallery Thalassa *(p. 307)*, cet établissement, qui donne sur les jardins de l'hôtel, offre une cuisine internationale de haut rang. La carte mêle de délicieuses spécialités marocaines et des classiques français, ainsi que d'excellents poissons et fruits de mer. Le Thalassa propose aussi un bon choix de vins.

ESSAOUIRA Taros Café

2, rue de la Sqala **Tél.** *0524 47 64 07*   **Carte routière** *B4*

Ce café-restaurant situé dans le centre d'Essaouira ne manque pas de caractère. La bibliothèque de livres d'art et la musique classique diffusée en fond sonore reflètent les goûts de ses propriétaires. Les clients apprécieront aussi les spécialités marocaines et françaises qui se partagent la carte, ainsi que les concerts classiques donnés le soir.

ESSAOUIRA Villa Maroc

10, rue Abdellah Ben Yacine **Tél.** *0524 47 61 47*   **Carte routière** *B4*

La Villa Maroc *(p. 306)* est un charmant riad du XVIIe siècle situé dans l'enceinte des remparts de la ville, au cœur des ruelles animées de la medina. Réputé de longue date pour ses mets gastronomiques, ce restaurant propose une délicieuse cuisine marocaine qui n'est pas exclusivement réservée aux hôtes du riad.

ESSAOUIRA Heure Bleue Palais

Rue Bouchentouf **Tél.** *0524 47 60 66*   **Carte routière** *B4*

À l'image du luxueux palais traditionnel qu'il occupe au cœur de la medina, l'Heure Bleue Palais incarne l'essence du Maroc. On y déguste une cuisine marocaine et européenne de grande qualité dans un cadre luxuriant que viennent éclairer les lanternes le soir. La présentation des plats merveilleusement préparés ajoutent encore à leur saveur.

OUALIDIA L'Araignée Gourmande

Oualidia Beach **Tél.** *0523 36 64 47*   **Carte routière** *B3*

Un repas à L'Araignée Gourmande, surtout si vous avez réussi à réserver une table sur la jolie terrasse qui donne sur la plage et la magnifique lagune d'Oualidia, vous offrira un moment de paix et de détente inoubliable. On y sert une cuisine internationale, en particulier des fruits de mer, ainsi qu'une belle sélection de spécialités à base de légumes.

OUALIDIA Ostrea II

Parc à huîtres, Oualidia **Tél.** *0523 36 64 51*   **Carte routière** *B3*

Petit frère du restaurant du même nom à Casablanca *(p. 332)*, Ostrea II est situé dans le célèbre parc à huîtres qui approvisionne aussi d'autres restaurants de la ville. On peut y déguster d'excellentes et parfois surprenantes spécialités d'huîtres. Véritable paradis des amateurs, il bénéficie en outre d'un emplacement privilégié sur la lagune.

OUALIDIA Restaurant de La Sultana

La Sultana Hôtel et Spa, route du Palais **Tél.** *0523 36 65 90*   **Carte routière** *B3*

Voici un superbe établissement au sein de La Sultana Hôtel et Spa *(p. 307)*, à l'atmosphère intime et raffinée qui promet un moment inoubliable. Les convives ont le choix entre le toit-terrasse, qui ménage de somptueuses vues sur la lagune, les salons ou les patios. La carte se compose de spécialités raffinées, de fruits de mer et de légumes cuisinés.

TANGER

CENTRE-VILLE The Pub

4, rue Sorolla   **Carte routière** *D1*

Comme son nom l'indique, ce restaurant souvent bondé se double d'un bar, ce qui n'est pas pour déplaire à la clientèle jeune et branchée de Tanger, ni aux touristes qui y viennent aussi pour les concerts *live*. On y mange des grillades et des classiques de la cuisine internationale, de bonne qualité. The Pub est ouvert tard le soir.

CENTRE-VILLE Le Cœur de Tanger et Café de Paris

1, rue Annoual **Tél.** *0539 94 84 50 (Le Cœur de Tanger) ; 0539 93 84 44 (Café de Paris)*   **Carte routière** *D1*

Le Café de Paris est une étape incontournable à Tanger bien que, de nos jours, les touristes y viennent plus pour se faire prendre en photo que pour se restaurer. À l'étage, Le Cœur de Tanger propose une carte marocaine classique, avec des plats à base de viandes, de poissons ou de légumes. Tous deux se logent dans un grand immeuble blanc.

CENTRE-VILLE L'Eldorado

21, avenue Allal Ben Abdellah **Tél.** *0539 94 33 53*   **Carte routière** *D1*

Idéalement situé au cœur de la ville, L'Eldorado draîne une clientèle d'affaires et d'habitués séduits par ses prix bon marché à l'heure du déjeuner comme au dîner. On y mange des spécialités marocaines, en particulier du poisson grillé souvent servi en brochettes. Le personnel souriant contribue à la convivialité du lieu.

CENTRE-VILLE El Korsan

Hôtel El-Minzah, 85 rue de la Liberté **Tél.** *0539 93 58 85*   **Carte routière** *D1*

Ce restaurant raffiné au cadre luxueux est situé dans l'Hôtel El-Minzah *(p. 308)*, une magnifique demeure hispano-mauresque que visitent de nombreux touristes. El-Korsan propose une carte traditionnelle s'inspirant de toutes les régions du Maroc, aux côtés de quelques plats plus légers, à accompagner de vins du cru ou de jus de fruits.

CENTRE-VILLE Riad Tanja
Riad Tanja, rue du Portugal **Tél.** *0539 33 35 38*   **Carte routière** *D1*

Non loin de Bab el Baha et de Petit Socco, au cœur de Tanger, Riad Tanja est logé dans un riad traditionnel arborant une jolie cour intérieure. Ce décor de charme est idéal pour déguster les spécialités marocaines servies ici, dont de délicieux tajines. Toutes les régions du pays sont représentées sur la carte des vins.

CENTRE-VILLE San Remo
15, rue Ahmed Chaouki **Tél.** *0539 93 84 51*   **Carte routière** *D1*

Voici un élégant restaurant où les recettes italiennes traditionnelles sont préparées avec des ingrédients frais venus d'Italie. Goûtez l'un des nombreux plats de pâtes à arroser d'un bon vin. Situé près des principaux sites touristiques de Tanger, San Remo est une bonne adresse pour déjeuner ou pour dîner.

CENTRE-VILLE Le Relais de Paris
Complexe Dawliz, 42, rue de Hollande **Tél.** *0539 33 18 19*   **Carte routière** *D1*

On vient ici pour savourer une bonne cuisine française servie dans une atmosphère conviviale qui évoque les brasseries parisiennes, et profiter de la vue sur le port. Les plats du jour, qui varient selon les produits du marché, viennent compléter la carte. Le Relais de Paris se double d'un *lounge* où boire un verre et grignoter au son de la musique *live*.

CENTRE-VILLE Rif et Spa
Hôtel Rif et Spa, 152, avenue Mohammed-VI **Tél.** *0539 34 93 00*   **Carte routière** *D1*

Logé dans l'hôtel du même nom *(p. 308)* près de la medina, Rif et Spa est un bar-salon qui séduit les adeptes de la remise en forme et les vacanciers désireux de manger sainement. On y sert des plats internationaux, des salades et des jus de fruits gorgés de vitamines dans un décor contemporain. L'hôtel possède également un restaurant.

RIF ET CÔTE MÉDITERRANÉENNE

AL-HOCEIMA Café-Restaurant Paris
21, avenue Mohammed-V   **Carte routière** *E1*

Voici un restaurant agréable situé sur dans l'une des rues principales du centre-ville, près du littoral méditerranéen. Installé au premier étage d'une maison traditionnelle, il peut s'avérer difficile d'accès pour les personnes à mobilité réduite. On y mange des plats traditionnels marocains et français.

CAP SPARTEL Le Mirage
Le Mirage, rue Cap Spartel **Tél.** *0539 33 33 32*   **Carte routière** *D1*

Surplombant une colline, Le Mirage offre de magnifiques panoramas sur l'Atlantique et la Méditerranée, sans parler des jardins luxuriants de l'hôtel Le Mirage *(p. 308)* qui l'accueille. Sa situation en fait l'adresse idéal pour une occasion spéciale. La carte, internationale et française, met l'accent sur le poisson et les fruits de mer. Excellent choix de vins.

CHEFCHAOUEN Aladin
17, rue Targui   **Carte routière** *D1*

Situé près de la medina, Aladin est un petit bijou dans la ville animée de Chefchaouen. C'est un établissement sans prétention, mais le cadre est agréable et la carte séduit autant par sa bonne cuisine marocaine que par ses prix très bon marché. Le personnel est absolument adorable.

CHEFCHAOUEN Zouar
Rue Tarik El-Wahda **Tél.** *0539 98 66 70*   **Carte routière** *D1*

Avis aux amateurs de tapas et de paella ! Ce petit restaurant conviviale vous comblera au déjeuner comme au dîner sans vous ruiner. Tenu par un couple hispano-marocain, Zouar draîne une clientèle d'habitués et de touristes. Fidèles à leurs origines, les plats sont préparés avec des produits locaux ou importés d'Espagne.

OUJDA Comme Chez Soi
Rue Sijilmassa **Tél.** *0536 68 60 79*   **Carte routière** *F2*

Son emplacement en centre-ville, près de la medina, et l'atmosphère chaleureuse qui y règne font de ce restaurant une adresse appréciée le midi et le soir, où le service est assuré tard. On y mange de bons plats marocains et européens. C'est aussi l'un des rares établissements de la ville où l'on sert de l'alcool.

OUJDA Le Dauphin
38, rue Berkane **Tél.** *0536)68 61 45*   **Carte routière** *F2*

Comme beaucoup de restaurants d'Oujda, Le Dauphin propose des plats marocains simples et délicieux dans une salle agréable. Goûtez le tajine du chef à l'agneau, au poulet ou au poisson, agrémenté d'herbes, d'épices et de fruits. Les habitants de la ville s'y attablent volontiers, ce qui est toujours un gage de qualité.

OUJDA Restaurant de l'Ibis Moussafir Oujda
Ibis Moussafir Oujda, boulevard Abdellah Chefchaouni **Tél.** *0536 68 82 02*   **Carte routière** *F2*

Fort d'une équipe en cuisine qui excelle aussi bien dans la préparation de plats simples que de spécialités françaises et marocaines plus élaborées, ce restaurant au sein de l'Ibis Moussafir Oujda *(p. 309)* accueille ses clients au déjeuner et au dîner, sans parler du petit déjeuner buffet servi dès 4 h du matin. Sa table est ouverte à tous.

Légende des prix *voir p. 328 ;* **légende des symboles** *voir le rabat arrière de couverture*

TÉTOUAN La Restinga 🍽️ 🍸 ⓓⓓ

21, rue Mohammed-V **Tél.** *0539 96 35 76* **Carte routière** *D1*

La Restinga est l'un des secrets les mieux gardés de Tétouan, car toutes les personnalités qui passent ici y viennent un jour ou l'autre. Il n'est pas vraiment luxueux, mais le personnel est sympathique et l'ambiance chaleureuse et accueillante. On y sert pour un prix plus que raisonnable de bons plats marocains qui ne démentent pas sa réputation.

TÉTOUAN Saïgon 🍽️ ⓓⓓ

Boulevard Mohammed ben-Larbi Torres **Carte routière** *D1*

On vous pardonnera si vous pensez qu'il s'agit ici d'un restaurant asiatique, mais vous aurez tort. Saïgon est en réalité spécialisé dans la cuisine espagnole, et l'on y savoure des tapas et des paellas aussi alléchantes que les prix pratiqués. Bien situé en centre-ville, il offre en prime un cadre agréable.

TÉTOUAN Barcelo Marina Smir 📋 🍴 🎵 🍽️ 🍸 ⓓⓓⓓ

Route de Sebta **Tél.** *0539 97 12 34* **Carte routière** *D1*

Voici un restaurant traditonnel qui doit sa réputation à la qualité des plats proposés à la carte, mais surtout au fait qu'il est logé dans le Barcelo Marina Smir *(p. 309)*. La salle décorée avec goût offre une jolie vue sur les jardins. Cet établissement n'est pas exclusivement réservé aux clients de l'hôtel.

FÈS

CENTRE-VILLE Al Ambra 🍽️ 📋 🍴 ⓓ

47, route d'Immouzer **Carte routière** *D2*

Sa situation près des principaux site touristiques et des rues commerçantes du centre fait de cet établissement une étape idéale pour une pause détente entre deux visites. Al Ambra propose une cuisine marocaine typique et des plats plus européens servis dans une ambiance chaleureuse en salle ou en terrasse, pour un bon rapport qualité/prix.

CENTRE-VILLE Wong 📋 ⓓ

Jnan Moulay Kamel **Tél.** *0535 65 27 60* **Carte routière** *D2*

Situé à quelques pas du musée Dar el-Batha, Wong n'est pas difficile à trouver. Les habitués et les touristes y viennent pour la qualité de sa cuisine vietnamienne, servie dans un décor typique qui vous transporte en plein Asie. La carte interminable affiche de nombreuses spécialités de poulet, de bœuf et de poisson.

CENTRE-VILLE Vittorio 📋 ⓓⓓ

21, rue Brahim Roudani **Tél.** *0535 62 47 30* **Carte routière** *D2*

Les membres de la famille italienne qui tient ce restaurant sont tous passionnés de cuisine. Situé en plein cœur de la ville, Vittorio est réputé pour ses pâtes fraîches, sa longue liste de pizzas et ses glaces servis dans une ambiance chaleureuse. Non seulement on est sûr de ne pas avoir faim en sortant, mais on y passe un bon moment.

CENTRE-VILLE Scoozi 📋 🍸 ⓓⓓⓓ

12, rue du Train **Tél.** *0535 64 29 58* **Carte routière** *D2*

Ce restaurant animé est décoré en vert et rouge, ce qui rappelle ses racines italiennes et donne le ton de la carte. Toutes les régions de l'Italie y sont représentées. Les pizzas et les pâtes qui s'accompagnent de délicieuses sauces sont préparées avec des ingrédients importés d'Italie. On y trouve aussi quelques spécialités marocaines.

MEDINA El Firdaouss 🍽️ ⓓ

10, rue Gengfour **Tél.** *0535 63 43 43* **Carte routière** *D2*

La visite de Fès ne serait pas complète sans un passage dans l'un de ses restaurants les plus enchanteurs. El Firdaouss a en effet bâti sa réputation sur son authentique cuisine marocaine. Situé dans la medina, c'est l'adresse idéale pour un repas léger sur la place à l'heure du déjeuner, ou pour s'attarder devant un bon dîner.

MEDINA Palais Tariana 🍽️ ⓓ

Talaa Kbira **Tél.** *0535 63 66 04* **Carte routière** *D2*

Palais Tariana est un restaurant traditionnel au cœur de la medina, à quelques minutes à pied du Palais royal. La variété des plats typiquement marocains qu'il propose et ses prix très raisonnables lui ont valu une excellente réputation. Tajines de poulet, légumes farcis et pâtisseries se partagent la carte avec bien d'autres délices.

MEDINA Le Palais de Fès 📋 🍴 🎵 🍽️ 🍸 ⓓⓓⓓ

15, rue Makhfia **Tél.** *0535 76 15 90* **Carte routière** *D2*

Un touriste qui se respecte ne devrait pas quitter Fès sans un détour dans ce restaurant, ne serait-ce que pour admirer la vue époustouflante qu'il offre sur la medina. Sa cuisine est tout aussi remarquable. Le Palais de Fès propose un beau choix de plats marocains à savourer sur une jolie terrase ou dans la grande salle, idéale pour les groupes.

MEDINA Al-Fassia 📋 🍴 🎵 🍽️ 🍸 ⓓⓓⓓⓓ

21, rue Salaj **Tél.** *0535 63 73 14* **Carte routière** *D2*

Il serait difficile de surpasser la qualité de ce restaurant réputé du quartier de Batha. Logé dans le mythique hôtel du même nom, Al-Fassia promet un moment particulièrement agréable, agrémenté de musique traditionnelle et de spectacles de danse. La carte typiquement marocaine n'a rien à envier au cadre.

MEDINA Al Jounaina

Sofitel Palais Jamaï, Bab El Guissa **Tél.** 0535 63 43 31 **Carte routière** D2

Le restaurant de l'hôtel Sofitel Palais Jamaï *(p. 310)* propose une carte alléchante de mets français servies sur des tables aux nappes immaculées. Deux autres restaurants partagent le cadre somptueux et luxuriant de l'hôtel : L'Oliveraie, pour le plaisir de manger en terrasse, et Al-Fassia, pour savourer des spécialités marocaines.

MEDINA Dar El Ghalia

15, Ross Rhi **Tél.** 0535)63 41 67 **Carte routière** D2

Logé dans un palais d'architecture traditionnelle du XVIIIe siècle dans le quartier andalou, Dar El GhaLia allie le charme et la tranquillité d'un riad. La carte met l'accent sur les spécialités de Fès, parmi lesquelles tajines et couscous que l'on pourra déguster dans le patio ou sur la terrasse en admirant la vue sur la medina.

MEDINA Palais de la Medina

8, Derb Chami **Tél.** 0535 71 14 37 **Carte routière** D2

Véritable monument historique de ce quartier, le Palais de la Medina occupe une ancienne demeure dans l'enceinte des vieux remparts. Décoré avec force draperies et coussins, il se voile aussi d'une lumière tamisée qui crée une atmosphère confortable et intimiste. On y sert une authentique cuisine marocaine, vraiment délicieuse.

MEDINA Le Palais des Mérinides

36, Chrablyne **Tél.** 0535 63 40 28 **Carte routière** D2

Dominant le Palais Royal, en plein cœur de la medina, Le Palais des Mérinides occupe un somptueux palais du XIVe siècle. Ce charmant petit restaurant bénéficie d'une cour intérieure où l'on aura plaisir à se détendre en appréciant des mets raffinés, à choisir entre l'une des nombreuses spécialités marocaines ou italiennes de la carte.

MEDINA La Maison Bleue

2, place de Batha **Tél.** 0535 74 18 43 **Carte routière** D2

Logée dans une maison de ville traditionnelle construite par un professeur d'université en 1915, cette pension de famille doublée d'un restaurant a conservé une partie de son mobilier d'origine. Après l'apéritif pris dans le patio, les convives s'installeront sur de gros coussins pour déguster un plat marocain, tajine ou pastilla. Ouvert le soir seul.

VILLE NOUVELLE Chamonix

5, rue Mokhtar Soussi **Tél.** 0535 62 66 38 **Carte routière** D2

Au cœur de la ville nouvelle, près des centres commerciaux, Chamonix draîne une nombreuse clientèle d'affaires, qui témoigne de la qualité de sa cuisine. Pour un prix raisonnable, on y sert des menus légers (tajines et salades), des sandwiches et des pâtisseries marocaines, en salle ou sur la très agréable terrasse.

VILLE NOUVELLE Vesuvio

9, rue Abi Hayane Taouhidi **Tél.** 0535 93 07 47 **Carte routière** D2

Voici une bonne adresse, bon marché et confortable, pour faire une pause dans la ville nouvelle. Les convives pourront se détendre et apprécier la musique d'un joueur de luth, et se réchauffer devant la cheminée en hiver. Vesuvio propose un grand choix de pizzas et de pâtes fraîches faites maison.

VILLE NOUVELLE La Cheminée

Avenue Lalla Asmaa **Tél.** 0535 62 49 02 **Carte routière** D2

Parmi les meilleurs restaurants de la ville nouvelle, La Cheminée offre un cadre intimiste et confortable. Il propose plusieurs menus à prix fixe le midi et le soir composés de plats marocains ou français qui varient régulièrement. C'est une bonne table pour déjeuner sur le pouce ou pour un dîner plus guindé. Bonne carte des vins.

VILLE NOUVELLE L'Herbier de L'Atlas

Jnan Palace, avenue Ahmed Chaouki **Tél.** 0535 65 22 30 **Carte routière** D2

Au sein de l'hôtel Jnan Palace *(p. 311)*, cet établissement qui allie luxe et tradition reçoit ses hôtes dans un cadre somptueux. Les entrées et spécialités marocaines à la carte sont magnifiquement présentées, sans parler des desserts aussi superbes qu'alléchants, préparés par une équipe de chefs pâtissiers.

MEKNÈS ET VOLUBILIS

MEDINA Zitouna

44, rue Jamaa Zitouna **Tél.** 0535 53 02 81 **Carte routière** D2

Près de la Grande Mosquée et des souks, ce restaurant vaut les tours et les détours que vous risquez de faire pour le trouver. En effet, logé dans une vieille maison traditionnelle, Zitouna ne manque pas de caractère. Les classiques de la cuisine marocaine servis à la carte sont joliment présentés et le menu est d'un bon rapport qualité/prix.

MEDINA L'Arabesque

20 Derb el-Miter **Tél.** 0535 63 53 21 **Carte routière** D2

L'Arabesque bénéficie du cadre historique du joli riad dans lequel il est installé, non loin du palais Jamaï, dans le quartier Zenifour. Cette ambiance typiquement marocaine est idéale pour apprécier une cuisine simple et saine, s'inspirant de recettes que les familles marocaines se transmettent de génération en génération.

Légende des prix *voir p. 328 ;* **légende des symboles** *voir le rabat arrière de couverture*

MOULAY IDRISS Al Baraka

22, Ain Smen **Tél.** *0535 54 41 84* — **Carte routière** *D2*

À une dizaine de kilomètres au nord de Meknès, Moulay Idriss ne compte que quelques restaurants parmi lesquels Al Baraka est de loin le meilleur. Situé dans la rue principale qui traverse le quartier de Khiber, cet établissement propose un bon choix de plats marocains. Selon la saison, on peut s'attabler en salle ou en terrasse.

VILLE NOUVELLE Annexe du Métropole

11, rue Cherif Idrissi **Tél.** *0535 51 35 11* — **Carte routière** *D2*

Passez la porte de ce restaurant et vous découvrirez un lieu qui ne manque pas de personnalité. Ses hauts plafonds et ses murs joliment décorés donnent un sentiment d'espace et de grandeur. L'Annexe du Métropole propose deux menus, composés de plats marocains, à déguster dans son cadre élégant ou dehors, sur la terrasse.

VILLE NOUVELLE Le Dauphin

5, avenue Mohammed-V **Tél.** *0535 52 34 23* — **Carte routière** *D2*

Situé dans l'une des rues les plus animées de Meknès, Le Dauphin est bien connu des amateurs de poisson frais. La carte aligne un beau choix de poissons et fruits de mer qui va du homard aux sardines aux herbes en passant par la sole. Idéal pour les groupes, on peut aussi le réserver pour une réception privée.

VILLE NOUVELLE Gambrinus

Avenue Omar Ibn el-Has **Tél.** *0535 52 02 58* — **Carte routière** *D2*

La longue carte de ce restaurant a largement de quoi combler les touristes, en particulier les adeptes de la cuisine végétarienne. Outre les plats à base de légumes, Gambrinus propose un beau choix de viandes grillées ou en sauce, et de bons desserts. Les convives apprécieront aussi le cadre baroque qui ne manque pas de caractère.

VILLE NOUVELLE Marhaba

23, avenue Mohammed-V **Tél.** *0535 52 16 32* — **Carte routière** *D2*

Marhaba n'est peut-être pas le plus glamour des restaurants marocains, mais il a le charme de l'authenticité et ne désemplit jamais, assailli par une clientèle d'habitués. Si vous passez par Meknès, c'est une bonne adresse pour vous restaurer dans une ambiance typiquement marocaine. Tajines et grillades composent l'essentiel de la carte.

VILLE NOUVELLE Le Collier de la Colombe

67, rue Driba **Tél.** *0535 55 50 41* — **Carte routière** *D2*

Avec sa grande salle de restaurant et les terrasses qui offrent une vue panoramique sur la superbe vallée de l'oued Boufekrane, Le Collier de la Colombe dispose d'un atout de taille. Les touristes et les familles qui y viennent déjeuner le dimanche auront le choix entre de nombreux plats marocains ou une cuisine plus internationale.

VOLUBILIS La Corbeille Fleurie

Ruines de Volubilis — **Carte routière** *D2*

Tajines, sandwiches et en-cas : ici, la cuisine est simple et sans chichis. Pour autant, la Corbeille Fleurie est un établissement prospère qui ne désemplit pas, notamment parce qu'il est situé juste à l'entrée des ruines de Volubilis. Du haut de ses terrasses, le spectacle sur la vallée est tout bonnement à couper le souffle.

MOYEN ATLAS

BENI MELLAL SAT Agadir

155, boulevard el-Hansali **Tél.** *0535 48 14 48* — **Carte routière** *D3*

Cet établissement ne prétend pas offrir un cadre luxueux ni des mets d'un grand raffinement, mais tout simplement une bonne cuisine marocaine à des prix particulièrement bon marché, ce qui lui vaut d'être presque tout le temps bondé. Cette ambiance conviviale et le spectacle des habitués resteront à coup sûr gravés dans votre mémoire.

IFRANE La Paix

Avenue de la Marche Verte **Tél.** *0535 56 66 75* — **Carte routière** *D3*

Voici un petit restaurant plein de charme au décor marocain, si l'on excepte quelques concessions à l'Europe. Quelque peu minimaliste, la carte propose néanmoins de bonnes spécialités de la région. Situé en centre-ville, La Paix est une bonne adresse pour manger sur le pouce ou s'attarder le soir, si l'on séjourne dans cette petite ville du Moyen Atlas.

IFRANE Restaurant de l'Hôtel des Perce-Neige

Hôtel des Perce-Neige, rue des Asphodèles Hay Riad **Tél.** *0535 56 62 10* — **Carte routière** *D2*

Tout comme l'hôtel des Perce-Neige (p. 313) auquel il est affilié, ce charmant restaurant doit sa réputation à la qualité de son service et de sa cuisine. Regorgeant de classiques français, la carte interminable séduit une clientèle d'habitués et de touristes. Cet établissement est considéré comme l'une des meilleures tables d'Ifrane.

KHENIFRA Restaurant de France

Quartier des Forces Armées Royales **Tél.** *0535 58 61 14* — **Carte routière** *D3*

Accueillant et chaleureux, ce restaurant est celui d'un petit hôtel situé sur la route qui relie Fès à Marrakech. La terrasse offre de superbes points de vue sur la ville de Khenifra. Avec un tel spectacle, c'est bien entendu l'endroit que préfèrent les convives pour apprécier la cuisine marocaine et internationale qu'on y sert.

OUZOUD Riad Cascades d'Ouzoud

Ouzoud **Tél.** *0523 42 91 73 ou 0662 14 38 04*   *Carte routière D3*

Les deux établissements de ce riad comptent parmi les rares restaurants de la ville. Le premier est de style marocain traditionnel, le second, installé sur le toit-terrasse, offre une vue panoramique. On y sert des spécialités régionales et des classiques français préparés avec les fruits et les légumes cultivés dans les petites exploitations alentour.

OUZOUD Restaurant de l'hôtel Les Cascades

Hôtel Les Cascades, Ouzoud **Tél.** *0523 48 37 52*   *Carte routière D3*

Installé dans l'hôtel Les Cascades, ce restaurant ne manque pas d'élégance avec ses nappes immaculées et sa vaisselle en porcelaine. Il doit sa bonne réputation à l'extrême fraîcheur de ses plats. La carte varie chaque jour selon les ingrédients disponibles et l'humeur des propriétaires français qui sont aussi aux fourneaux.

MARRAKECH

GUÉLIZ Les Ambassadeurs

Avenue Mohammed-V **Tél.** *0524 44 87 93*   *Carte routière C3*

Ce restaurant est situé en plein centre-ville, sur l'une des principales artères de Marrakech, ce qui lui vaut une clientèle d'habitués et d'hommes d'affaires, gage de la qualité de sa cuisine. La carte affiche un large choix de classiques internationaux, dont de bons plats de pâtes et des grillades, servis dans un cadre contemporain.

GUÉLIZ La Bagatelle

103, rue de Yougoslavie **Tél.** *0524 43 02 74*   *Carte routière C3*

Ce petit restaurant traditionnel doté d'un superbe jardin doit sa réputation à la qualité de ses tajines. En effet, il s'est fait une spécialité de ce plat de viande ou de poisson mijoté lentement dans un mélange d'herbes et de fruits, dont il propose plusieurs variantes originales aux saveurs insolites, dont une très épicée.

GUÉLIZ El-Fassia

55, boulevard Zerktouni **Tél.** *0524 43 40 60*   *Carte routière C3*

Voici un établissement sans prétention qui sert de la bonne cuisine. Salades variées, tajines et agneau rôti aux amandes sont au menu. C'est l'adresse idéale pour faire une pause dans le quartier du Guéliz. Les convives attablés en terrasse profiteront en prime du spectacle de la rue.

GUÉLIZ Le Catanzaro

42, rue Tarik Ben Ziad **Tél.** *0524 43 37 31*   *Carte routière C3*

Pour les amateurs de cuisine italienne, la visite de Marrrakech ne serait pas complète sans un bon repas dans l'un de ses meilleurs restaurants. Le Catanzero est en effet une institution réputée pour la finesse de ses plats et la fraîcheur des ingrédients, sans parler de ses pâtes maison et de ses délicieuses pizzas.

GUÉLIZ Le Jardin des Arts

67, rue Sakia el Hamra **Tél.** *0524 44 66 34*   *Carte routière C3*

Logé dans une demeure de caractère, dans la partie nord du Guéliz, Le Jardin des Arts draîne une clientèle éclectique d'habitués, d'hommes d'affaires et de touristes. De jolis tableaux et une palette de couleurs subtiles mis en valeur par une lumière douce composent ici un cadre élégant. La carte est internationale.

GUÉLIZ La Trattoria

179, rue Mohammed el-Beqal **Tél.** *0524 43 26 41*   *Carte routière C3*

Comme son nom l'indique, La Trattoria est un restaurant italien, fier de ses recettes traditionnelles. Occupant une demeure de style colonial, c'est un établissement haut de gamme décoré avec goût par ses propriétaires, où l'on vient volontiers fêter une occasion spéciale. Le chariot des desserts est particulièrement alléchant.

HIVERNAGE Le Comptoir Paris-Marrakech

Avenue Echouada **Tél.** *0524 43 77 02*   *Carte routière C3*

Le Comptoir Paris-Marrakech est l'une des adresses les plus fréquentées du quartier chic de l'Hivernage. Si sa carte internationale évoque celle des brasseries parisiennes, le décor est en revanche contemporain. Lieu d'échanges culturels, ce restaurant doublé d'un bar diffuse des musiques du monde entier en fond sonore.

HIVERNAGE Pickalbatros Garden Club

Avenue de la Menara **Tél.** *0524 35 10 00*   *Carte routière C3*

À quelques pas de la medina, ce restaurant gastronomique au cadre luxueux bénéficie, à n'en pas douter, des plus belles vues sur les montagnes de l'Atlas ; de quoi créer des envieux parmi ses confrères. Affilié à l'hôtel du même nom *(p. 314)*, il propose une carte aux saveurs internationales à la hauteur de son environnement.

HIVERNAGE La Table du Marché

Hivernage Premier Hôtel et Spa, angle av. Echouada et rue des Temples **Tél.** *0524 42 41 00*   *Carte routière C3*

Le chef vous propose un cuisine qui mélange les saveurs internationales et marocaines à base de produits du terroir : la variété est au rendez-vous de cet établissement installé dans l'Hivernage Premier Hôtel et Spa. La Table du Marché propose une cuisine saine dans un cadre contemporain et luxueux proprice à la détente.

Légende des prix *voir p. 328* ; **légende des symboles** *voir le rabat arrière de couverture*

LA PALMERAIE Octogone

Circuit de la Palmeraie **Tél.** *0524 33 40 60*

Carte routière C3

Comme beaucoup de ses confrères dans la Palmeraie, l'Octogone sert une cuisine de haut rang inspirée du monde entier. La vue sur les piscines et les jardins bordés de palmiers du luxueux hôtel-Spa Octogone Terre auquel il est affilié promet un moment très agréable à l'heure du déjeuner comme au dîner.

LA PALMERAIE La Palmeraie Golf Palace

Hôtel Palmeraie Golf Palace, Circuit de la Palmeraie **Tél.** *0524 30 10 10*

Carte routière C3

La Palmeraie Golf Palace n'est que l'un des nombreux restaurants du complexe hôtelier du même nom et sans doute l'un des plus huppés. On y vient pour le spectacle unique du golf 18 trous sur lequel il donne, et pour la qualité de sa carte internationale. Luxe et raffinement sont les maîtres mots de cet établissement.

MEDINA Pizzeria Venezia

279, avenue Mohammed-V **Tél.** *0524 44 00 81*

Carte routière C3

Parfait pour un déjeuner sur le pouce et pour reprendre des forces après la visite de la mosquée Koutoubia ou d'un autre site historique de Marrakech, la Pizzeria Venezia arbore un décor contemporain assez élégant. On y mange évidemment des pizzas et des pâtes fraîches, mais aussi de bonnes salades. Le personnel est très accueillant.

MEDINA Echoppes place Jamaa el-Fna

Place Jamaa el-Fna

Carte routière C3

Ne quittez pas Marrakech sans aller au moins une fois vous mêler à la foule qui se presse autour des petites échoppes de la medina ouvertes à la nuit tombée. La bonne odeur de brochettes, de poisson grillé et autres spécialités comme la tête de mouton ou les escargots ne manquera pas de vous ouvrir l'appétit et de vous mettre dans l'ambiance.

MEDINA Les Terrasses de l'Alhambra

Place Jamaa el-Fna **Tél.** *0665 04 74 11*

Carte routière C3

Ce restaurant italien au personnel accueillant vous laissera un bon souvenir. Dans un décor moderne, plein de fraîcheur, on y sert des classiques de la cuisine italienne et de bonnes pizzas, aux garnitures parfois insolites, sorties tout droit de l'imagination des serveurs. Les pâtes fraîches sont un régal.

MEDINA Al Anbar

47, rue Jbei Lakhadar

Carte routière C3

Situé à deux pas de la place Jaama el-Fna, l'Al Anbar est un café restaurant qui propose une cuisine variée internationale et marocaine. C'est une adresse qui ne manque pas d'ambiance et d'originalité. Vous serez séduit par sa décoration, son agréable patio, son bar, le tout très chic et cosy. Bonne carte des vins et soirées musicales.

MEDINA L'Mimouna

47, place des Ferblantiers **Tél.** *0524 38 68 68*

Carte routière C3

Installé dans un ancien palais, L'Mimouna est un établissement luxueux orné de bois précieux et de mobilier traditionnel. On peut dîner sur l'immense terrasse qui domine les lumières de la ville, ou dans l'intimité des petits salon aux murs en tadelakt aux teintes profondes. La carte s'accorde à merveille à ce cadre empreint d'authenticité.

MEDINA Le Foundouk

55, rue du Souk des Fassis **Tél.** *0524 37 81 90*

Carte routière C3

Abrité dans un ancien caravansérail, le Foundouk court sur deux niveaux autour d'une cour centrale. La carte affiche des spécialités marocaines et méditerranéennes à la hauteur de ce décor de rêve qui s'éclaire de bougies multicolores et de lumières tamisées. Pour autant, le raffinement ne signifie pas que l'atmosphère est guindée.

MEDINA Dar El-Yacout

79 Sidi Ahmed Soussi Arset Ihiri **Tél.** *0524 38 29 29*

Carte routière C3

L'un des meilleurs, sinon le meilleur restaurant de cuisine marocaine à Marrakech, Dar El-Yacout occupe un palais rénové au cœur de la medina. C'est une belle adresse pour faire un bon repas ou boire un verre sur la terrasse, en appréciant le spectacle de la ville. La carte propose un très grand choix de plats marocains de qualité.

MEDINA La Mamounia

La Mamounia, avenue Bab el-Jedid **Tél.** *0524 38 86 60*

Carte routière C3

En franchisssant le seul de cet hôtel prestigieux (p. 234) aux jardins enchanteurs, vous aurez le choix entre quatre restaurants d'égal standing quant à la qualité des mets, qu'il s'agisse du restaurant français, italien ou marocain (tenue habillée exigée) ou du Pavillon de la Piscine, moins formel, qui propose des spécialités méditerranéennes.

MEDINA Le Marrakchi

Place Jaama el-Fna **Tél.** *0524 44 33 77*

Carte routière C3

Situé dans la medina, sur la place Jaama el-Fna, ce restaurant est essentiellement fréquenté par une clientèle d'affaires le midi qui laissent la place aux touristes le soir. On y sert de bons petits plats italiens joliment présentés, à savourer sur la terrasse quand le temps est suffisamment clément.

MEDINA Le Pavillon

47 Derb Zaouia **Tél.** *0524 38 70 40*

Carte routière C3

Ce restaurant français niché dans un superbe riad, en face de la mosquée Bab Doukkala, attire une clientèle d'affaires et de touristes perspicaces qui y viennent et reviennent. La carte alléchante tient ses promesses dans l'assiette. Très professionnel, le personnel assure un service raffiné dans une atmosphère paisible et reposante.

MEDINA Le Tobsil

🔲🎵 🐞🐞🐞

22, Derb Moulay Abdellah ben Hessaien Bab Ksour **Tél.** *0524 44 40 52*

Carte routière *C3*

Il est indispensable de réserver dans ce restaurant haut de gamme qui ne désemplit pas. Niché au cœur de la medina, Le Tobsil s'est en effet forgé une réputation loin d'être usurpée. La carte se compose de mets marocains et français d'une grande finesse, tous préparés et présentés avec art par une équipe très professionnelle.

MEDINA Dar Marjana

🔲♿🎵🔳 🐞🐞🐞🐞🐞

15, Derb Sidi Ali Tair Bab Doukkala **Tél.** *0524 38 51 10*

Carte routière *C3*

Draperies et lanternes participent au décor cossu de ce restaurant, digne de l'ancien palais qu'il occupe dans la medina. Dar Marjana propose une cuisine marocaine très raffinée à accompagner d'un vin de la région. Les spectacles de danse et les concerts de musique traditionnelle qui animent la soirée promettent de jolis souvenirs.

MEDINA Dar Moha

🎵🔳 🐞🐞🐞🐞

81, rue Dar El Bacha **Tél.** *0524 38 64 00*

Carte routière *C3*

Logé dans un superbe riad, ce restaurant peut être fier de son cadre élégant décoré avec goût. Chose plutôt rare dans la medina, Dar Moha est ouvert le midi et le soir, ce qui constitue sans nul doute un avantage sur ses confrères. On y sert des plats marocains comme les tajines, préparés selon les recettes traditionnelles.

HAUT ATLAS

OUIRGANE Le Sanglier Qui Fume

🔳🍸 🐞🐞🐞

Ouirgane **Tél.** *0524 48 57 07*

Carte routière *C4*

Ce petit restaurant familial aux allures d'auberge est situé dans la campagne verdoyante de la vallée d'Ouirgane. On y sert une cuisine marocaine traditionnelle et internationale de haut rang en salle ou dans le jardin. Bien connu des tours-opérateurs, Le Sanglier qui fume reçoit très souvent des groupes.

OUKAÏMEDEN L'Angour (« Chez Juju »)

🔳🍸 🐞

Indications fléchées depuis le village **Tél.** *0524 31 90 05*

Carte routière *C4*

Au pied des pistes de cette station populaire qui accueille les skieurs en hiver et les randonneurs en été, ce restaurant ressemble à un petit chalet français. Dans un cadre agréable, rehaussé de cheminées, L'Angour propose une délicieuse cuisine européenne qui mise sur la simplicité et la fraîcheur des ingrédients.

VALLÉE DE L'OURIKA Le Maquis

🔳🍸 🐞

Auberge Le Maquis, 45, Aghbalou Ourika **Tél.** *0524 48 45 31*

Carte routière *C4*

Logé dans l'auberge du même nom (p. 317), ce restaurant propose des plats marocains traditionnels comme la *harira* et les tajines, servis dans un cadre très agréable. Les danseurs et musiciens qui s'y produisent certains soirs ajoutent encore à la convivialité du lieu. Des tables sont aussi dressées sur la terrasse au bord de la piscine.

VALLÉE DE L'OURIKA Dar Piano

🌿🔲🔳🍸 🐞🐞🐞

Ighref, vallée de l'Ourika **Tél.** *0524 48 48 42*

Carte routière *C4*

Avec son jardin en terrasse qui donne sur les contreforts de l'Atlas, Dar Piano est l'endroit idéal pour se détendre loin de l'agitation de la ville. Cette agréable auberge est exclusivement réservée à ses clients. On y sert en effet une bonne cuisine marocaine qui lui vaut une clientèle locale fidèle.

VALLÉE DE L'OURIKA Ramuntcho

🔲🎵🔳🍸 🐞🐞🐞

Auberge de Ramuntcho, centre de l'Ourika **Tél.** *0524)48 45 21*

Carte routière *C4*

Le Ramuntcho est un petit restaurant qui ne manque pas de caractère. Véritable institution dans la vallée de l'Ourika, il est installé dans l'Auberge de Ramuntcho (p. 317). On y sert une cuisine marocaine préparée dans la pure tradition, ainsi que des spécialités internationales, à déguster au coin du feu ou sur la terrasse qui surplombe les jardins.

VALLÉE DE L'OURIKA Kasbah Bab Ourika

🔳 🐞🐞🐞🐞

Tnine Ourika **Tél.** *0661 63 42 34*

Carte routière *C4*

Perché sur une colline, au point le plus élevé de la vallée de l'Ourika, Kasbah Bab Ourika est un petit hôtel-restaurant qui propose des spécialités internationales et une cuisine berbère traditionnelle préparées avec les produits des villages voisins. Les convives pourront s'attabler dans les jardins ou dans la salle à colonnade.

TELOUET Auberge de Telouet

🌿🎵🔳 🐞

Centre de Telouet **Tél.** *0524 89 07 17*

Carte routière *C4*

Le superbe spectacle de la vallée de Telouet que ménage la salle à manger de cette auberge est un atout de taille sur ses confrères de la région. Outre la beauté du paysage, elle a aussi l'avantage d'être située près de la Kasbah du Glaoui. Bref, l'Auberge de Telouet a tout pour séduire, sans parler de ses délicieux tajines.

ROUTE TIZI-N-TEST La Belle Vue

🌿🎵🔳 🐞

Indications fléchées depuis le col

Carte routière *C4*

Vous serez heureux de trouver La Belle Vue sur votre route lors de votre visite dans la région du col du Tizi-n-Test. Les établissements où se restaurer ou prendre un rafraîchissement sont en effet peu nombreux aux alentours. Le plaisir de la cuisine simple et saine qu'on y sert se double de jolies vues sur la vallée du haut de la terrasse.

Légende des prix *voir p. 328 ;* **légende des symboles** *voir le rabat arrière de couverture*

OUARZAZATE ET OASIS DU SUD

ERFOUD Dunes

142, avenue Moulay Ismaïl **Tél.** *0535 57 67 93*   *Carte routière E4*

Situé à l'étage d'un bâtiment de style mauresque doté d'une terrasse qui donne sur la ville, Dunes n'est pas facile d'accès pour les personnes à mobilité réduite. Spécialités marocaines, et internationales, viandes et poissons : la carte affiche une grande variété, sans parler d'un beau choix de desserts.

ERFOUD Kasbah Tizimi

Route de Jorf **Tél.** *0535 57 61 79*   *Carte routière E4*

L'hôtel-restaurant de la Kasbah Tizimi occupe une belle demeure historique magnifiquement rénovée arborant une cour intérieure à la végétation luxuriante. On y sert un grand nombre de spécialités marocaines dont de délicieux tajines de viande ou de poisson préparés avec soin. Les desserts sont la spécialité du lieu.

ERFOUD Douira

142, avenue Moulay Ismaïl **Tél.** *0535 57 73 73*   *Carte routière E4*

La palette de tons jaune, orange et rouge qui réchauffe le décor participe à l'atmosphère typiquement marocaine de ce restaurant. Installé dans l'hôtel El Ati entouré de palmiers et de jardins, Le Douira s'est fait une spécialité des plats régionaux préparés selon la tradition avec des ingrédients frais des environs.

ERFOUD Restaurants de l'Hôtel Bélère

Hôtel Bélère, Route de Rissani **Tél.** *0535 57 81 90*   *Carte routière E4*

L'hôtel Belère abrite quatre restaurants. Les trois premiers sont spécialisés respectivement dans la cuisine italienne, asiatique et internationale, le quatrième dans les poissons et fruits de mer. Les chefs qui varient régulièrement leur carte s'attachent aussi à la présentation des plats préparés avec des ingrédients locaux. Le pain est cuit sur place.

ERFOUD Restaurant de l'Hôtel Xaluca

Hôtel Xaluca, avant Erfoud **Tél.** *0535 57 84 50*   *Carte routière E4*

Avec son décor marocain rustique, le restaurant de l'hôtel Xaluca *(p. 318)* ne manque pas de caractère : une grande cheminée et des antiquités ornent la salle climatisée. Les classiques de la cuisine marocaine et internationale servis chaque jour laissent la place à un festin accompagné de musique traditionnelle lors des occasions spéciales.

ERFOUD Palm's

Route de Rissani **Tél.** *0535 57 61 44*   *Carte routière E4*

Au sein d'une palmeraie à laquelle il doit son nom, ce restaurant bénéficie d'un superbe emplacement. À l'intérieur, le Palm's a su saisir l'essence du Maroc. Il propose un vaste choix de plats régionaux très raffinés, parmi lesquels des tajines de viande et de poulet cuisinés aux herbes, aux olives et aux légumes. Les pâtisseries sont un régal.

OUARZAZATE Restaurant Er-Raha

11, avenue al-Mouahidine **Tél.** *0524 88 40 41*   *Carte routière C4*

Depuis son inauguration il y a quelques années, le restaurant Er-Raha s'est forgé une solide réputation. C'est en effet l'un des rares établissements de Ouarzazate où se produisent des musiciens, offrant ainsi aux touristes l'occasion de se mêler à la population locale. On y sert une cuisine marocaine simple mais bonne.

OUARZAZATE Restaurant Es-Salam

Avenue du Prince Héritier Sidi Mohammed   *Carte routière C4*

Si une foule d'habitués se presse dans ce petit restaurant marocain du centre de Ouarzazate, c'est bien parce que le service et la cuisine sont de bonne qualité. Es-Salam propose plusieurs menus à prix fixe avec entrée, plat et desserts, ainsi qu'une bonne carte des vins. Les pâtisseries marocaines sont faites maison.

OUARZAZATE Restaurant de l'Hôtel La Gazelle

Hôtel La Gazelle, avenue Mohammed-V **Tél.** *0524 88 21 51*   *Carte routière C4*

Parmi les plus anciens restaurants de la ville, ce petit établissement à l'atmosphère chaleureuse et intimiste installé dans l'hôtel La Gazelle est bien connu de la population locale, mais aussi des tours-opérateurs. On y sert des classiques marocains à base de viande, des tajines de poisson, des salades, ainsi que des plats internationaux.

OUARZAZATE Complexe de Ouarzazate

Route de Tineghir **Tél.** *0524 88 31 10*   *Carte routière C4*

À première vue, ce grand complexe touristique en dehors de la ville pourrait repousser les voyageurs en quête de tranquillité. Son restaurant, qui arbore un cadre élégant et une terrasse verdoyante, propose pourtant une excellente cuisine marocaine qui vaut que l'on s'y arrête. Les menus à prix fixe n'empêchent pas un vaste choix.

OUARZAZATE Restaurant Chez Dimitri

22, avenue Mohammed-V **Tél.** *0524 88 76 76*   *Carte routière C4*

Demandez aux habitants de la ville s'ils connaissent Chez Dimitri, il y a de fortes chances qu'ils y soient allés au moins une fois, car c'est l'un des plus anciens restaurants de qualité de Ouarzazate. On y vient pour une occasion spéciale ou un événement familial. La cuisine internationale s'accompagne d'un bon choix de vins, d'alcools et de jus de fruit.

OUARZAZATE Restaurant de l'Hôtel Ibis Moussafir

Hôtel Ibis Moussafir, boulevard Moulay Rachid **Tél.** 0524 89 91 10   *Carte routière C4*

L'hôtel Ibis Moussafir *(p. 318)* est un établissement élégant à l'intérieur design qui a su garder l'esprit du Maroc. Le restaurant, qui n'est pas exclusivement réservé aux clients de l'hôtel, propose une cuisine internationale. Les vins ont été soigneusement choisis pour s'accorder à la perfection avec les plats.

ZAGORA Restaurant de l'Hôtel Ksar Tinsouline

Indications fléchées depuis Zagora **Tél.** 0524 84 72 52   *Carte routière D4*

Niché dans la palmeraie de Zagora, entre l'avenue Hassan-II et l'oued Draa, ce restaurant est un petit bijou qui reste relativement confidentiel. On y sert d'excellents plats marocains traditionnels parmi lesquels des tajines préparés selon les recettes de ses chefs, ainsi qu'un bon choix de légumes cuisinés.

ZAGORA Restaurant de l'Hôtel Riad Salam

Hôtel Riad Salam, Boulevard Mohammed-V **Tél.** 0524 84 74 00   *Carte routière D4*

Les fenêtres de ce restaurant élégant et confortable donnent sur la piscine, les patios et les jardins du superbe hôtel Riad Salam. La carte, qui met l'accent sur les spécialités marocaines, affiche aussi des plats internationaux. Les corbeilles de fruits et le chariot des desserts sont un régal pour les yeux comme pour le palais.

SUD ET SAHARA OCCIDENTAL

AGADIR Poissons grillés sur le port d'Agadir

Port d'Agadir   *Carte routière B4*

Difficile de résister à l'odeur alléchante des petites échoppes qui s'alignent sur le port. Brochettes, poissons grillés et autres délices sont préparés et cuits sur place dans une atmosphère bon enfant. Délaissant les restaurants, la foule de touristes qui se mêle à la population locale découvre ainsi une tradition populaire, le temps d'un soir.

AGADIR Mimi la Brochette

Promenade de la Plage **Tél.** 0528 84 03 87   *Carte routière B4*

Situé sur la promenade, face à l'océan Atlantique, ce charmant restaurant attire une clientèle de touristes et de locaux, habitués du lieu. Mimi la Brochette offre en effet un cadre agréable pour tuer le temps à l'heure du déjeuner ou du dîner. La carte mêle des classiques marocains et internationaux, ainsi que quelques plats de légumes cuisinés.

AGADIR Jour et Nuit

Promenade de la Plage **Tél.** 0528 84 06 10   *Carte routière B4*

La salle climatisée de cet établissement en front de mer offre une bouffée d'air frais quand le soleil est au zénith. On y vient volontiers s'y rafraîchir et déjeuner sur le pouce ou bien, le soir, pour s'attarder devant un bon petit plat choisi sur la longue liste de spécialités marocaines proposées à la carte.

AGADIR Le Miramar

Boulevard Mohammed-V **Tél.** 0528 84 07 70   *Carte routière B4*

Géré par une famille, ce restaurant italien et international, au personnel accueillant, est idéal pour un dîner un peu chic. Le chef propose une vaste sélection de spécialités italiennes et de pizzas aux garnitures insolites sorties tout droit de l'imagination des serveurs, ainsi qu'une bonne carte des vins. La plupart sont d'ailleurs importés d'Italie.

AGADIR Pizzeria di Napoli

Promenade de la Plage **Tél.** 0528 84 22 70   *Carte routière B4*

Le décor contemporain de cette pizzeria ne nuit en rien à son atmosphère animée. Située à quelques minutes à pied de la mer, elle est réputée pour sa cuisine italienne, en particulier ses pâtes fraîches aux sauces variées, ses pizzas et son pain à l'ail. Bref, une adresse alléchante pour un repas décontracté. Longue carte de vins et de boissons.

AGADIR Restaurant du casino Shems

Boulevard Mohammed-V **Tél.** 0528 82 11 11   *Carte routière B4*

Installé au sein du casino Shems, à côté des salles de jeux, ce restaurant se distingue par son ambiance originale. Il propose une carte inventive qui varie au fil des jours mais reste axée sur la cuisine européenne. Salades, tapas, *mezzés*, burgers, steaks grillés et autres classiques : rien n'y manque.

AGADIR Via Veneto

Avenue Hassan-II **Tél.** 0528 84 14 67   *Carte routière B4*

Via Veneto est l'un des grands restaurants que choisissent les marocains pour venir fêter un événement familial ou pour s'offrir un vrai dîner à l'italienne. Situé au cœur d'Agadir, près de la Vallée des Oiseaux, on y savoure une cuisine authentique préparée avec soin par une équipe de chefs italiens.

AGADIR Jazz Restaurant

Boulevard du 20-Août **Tél.** 0528 84 02 08   *Carte routière B4*

Ce restaurant peut être fier de son nom. C'est désormais un établissement à la mode réputé pour la qualité des groupes et musiciens de jazz qu'il reçoit. Bien situé, dans le complexe Igoudar, à quelques minutes à pied du bord de mer, il propose un vaste choix de plats européens, de vins, cocktails et autres boissons.

Légende des prix *voir p. 328 ;* **légende des symboles** *voir le rabat arrière de couverture*

DAKHLA Le Samarkand

Dakhla Plage **Carte routière** *B5*

Le Samarkand est l'endroit idéal si vous êtes un amateur de poisson et que vous aimez manger dehors. Situé sur la plage, à quelques minutes à pied du centre de Dakhla, il s'est fait une spécialité du poisson grillé aux herbes et aux épices, préparé sous vos yeux. De quoi vous mettre en appétit !

GOULIMINE Restaurant du complexe touristique

Route d'Assa **Carte routière** *B5*

À la sortie de la ville, dans le camping le plus populaire de la région, ce restaurant accueillant, simple mais propre, propose de délicieuses spécialités marocaines, comme les tajines ou la soupe *harira* à un prix défiant toute concurrence. Sans doute l'une des meilleures adresses de Goulimine.

SIDI IFNI Restaurant de l'hôtel Bellevue

Hôtel Bellevue, place Hassan-II **Tél.** *0528 87 50 72* **Carte routière** *B5*

Les fruits de mer et les poissons préparés à la marocaine avec de délicieuses sauces parfumées d'herbes aux saveurs subtiles sont la spécialité du restaurant de l'hôtel Bellevue, de loin le meilleur hôtel de la ville. Situé tout en haut de la colline, cet établissement offre depuis sa salle à manger une vue à couper le souffle sur l'océan Atlantique.

TAFRAOUTE L'Étoile d'Agadir

Place de la Marche Verte **Tél.** *0528 80 02 68* **Carte routière** *B4*

Très apprécié des habitants de Trafraoute, ce restaurant confortable sert d'excellents tajines aux amandes et couscous aux côtés d'autres spécialités marocaines dans une ambiance chaleureuse. Avec de la musique marocaine en fond sonore pour agrémenter votre repas, L'Étoile d'Agadir vous laissera un agréable souvenir.

TAFRAOUTE Le Safran

Rue Principale **Tél.** *0528 53 40 46* **Carte routière** *B5*

Bien qu'il s'adresse à une clientèle essentiellement touristique, le Safran reflète à merveille le mode de vie de cette région désertique. Servi sous des tentes berbères, vous vivrez ici une expérience originale qui restera gravée dans votre mémoire. Préparés et présentés à merveille, les plats sont en parfaite harmonie avec le désert alentour.

TAN TAN L'Équinoxe

Tan Tan Plage **Carte routière** *A5*

Tenu par un Français, l'Équinoxe se trouve sur la plage. Depuis les tables dressées en terrasse, vous pourrez apprécier le somptueux spectacle de l'océan. On y sert des classiques de la cuisine française et marocaine, parmi lesquels des tajines et des grillades. Le lieu est agréable, même si la cuisine pourrait s'améliorer.

TAROUDANNT Jnane Soussia

Route de Marrakech **Tél.** *0528 85 49 80* **Carte routière** *B4*

En dehors de la ville, Jnane Soussia est un restaurant où l'on est servi sous les tentes berbères, dans une ambiance 100 % marocaine. Il accueille essentiellement des groupes, mais les individuels seront les bienvenus et invités eux-aussi à se joindre aux chants et aux danses. Difficile de faire plus authentique.

TAROUDANNT Restaurant du Palais Salam

Hôtel Palais Salam, remparts de Taroudannt **Tél.** *0528 85 25 01* **Carte routière** *B4*

L'âme du Maroc vit dans ces murs. Surplombant les remparts et la medina, le restaurant de l'hôtel Palais Salam bénéficie non seulement d'un emplacement exceptionnel, mais aussi d'un cadre superbe. On y sert une excellente cuisine marocaine et internationale sur des tables habillées de nappes blanches.

TAROUDANNT Restaurant de l'Hôtel Saadien

Hôtel Saadien, Borj Oumansour **Tél.** *0528 85 25 89* **Carte routière** *B4*

Voici un établissement confortable à l'atmosphère intimiste réputé pour sa délicieuse cuisine servie généreusement. La carte qui affiche des spécialités marocaines et des plats français, ainsi que des desserts traditionnels, séduit une clientèle de connaisseurs. La vue sur la ville ne gâche rien.

TAROUDANNT Restaurant de l'hôtel La Gazelle d'Or

Hôtel La Gazelle d'Or, centre de Taroudannt **Tél.** *0528 85 20 39* **Carte routière** *B4*

L'hôtel La Gazelle d'Or est un établissement mythique où vous devez absolument séjourner si vous visitez Taroudannt. Ce sera l'occasion de dîner dans son prestigieux restaurant, marchant ainsi sur les pas des célébrités. On y sert une cuisine internationale raffinée préparée avec des aliments bios cultivés dans les jardins du restaurant.

TIZNIT Restaurant de l'Hôtel de Paris

Hôtel de Paris, avenue Hassan-II **Tél.** *0528 86 28 65* **Carte routière** *B5*

Situé en centre-ville, le restaurant de l'Hôtel de Paris accueille généralement une foule de connaisseurs séduits par sa cuisine de haut-rang et la variété des plats proposés. On y trouve des spécialités marocaines ainsi qu'un bon choix de plats de légumes cuisinés à merveille qui vous laisseront à coup sûr un excellent souvenir.

TIZNIT Restaurant de l'hôtel Kerdous

Hôtel Kerdous, col de Kerdous, Tiznit **Tél.** *0528 86 20 63* **Carte routière** *B5*

Ce restaurant est l'adresse idéale pour se mêler à la population locale et mieux la connaître. Bâti en plein désert sur un promontoire, dans une maison rappelant l'architecture d'une kasbah, il propose une bonne cuisine marocaine et internationale. La vue panoramique est à couper le souffle.

BOUTIQUES ET MARCHÉS

Tous les villages marocains proposent un souk hebdomadaire. Dressé bien souvent pour quelques heures à peine, il regroupe les productions agricoles et artisanales des paysans de la région, ainsi que les produits de première nécessité pour les habitants. Les grandes villes sont dotées de plusieurs souks,

Boîte en céramique

installés dans les medinas et organisés par activités. Les commerçants marocains sont chaleureux et toujours enclins à satisfaire le client. Très riche et diversifié, l'artisanat local se trouve dans les souks, sur les marchés, dans les coopératives artisanales ou les boutiques spécialisées, mais aussi au bord des routes touristiques.

Vendeur de babouches à Tafraoute

HEURES D'OUVERTURE

Les souks ruraux se tiennent le matin seulement. Les supermarchés de quartier, les épiceries et les boucheries sont ouverts tous les jours de la semaine, de 8 h à 21 h, avec une interruption variable de deux heures au milieu de la journée. Ils peuvent être ouverts le dimanche, avec des heures d'ouverture différentes. Le vendredi, jour théoriquement férié pour les musulmans, est partout

travaillé, mais certains magasins ferment au milieu de la journée. En période de ramadan, les épiceries ouvrent tard le matin, ferment une partie de la journée pour rouvrir le soir jusque fort tard. Les boutiques appartiennent à des commerçants juifs ferment le samedi (shabbat). Dans les grandes villes, les boutiques de mode ou de décoration ouvrent de 9 h à 12 h et de 15 h à 19 h, et ferment le dimanche. Les hypermarchés implantés dans quelques grandes villes sont ouverts 7 jours sur 7, de 9 h à 21 h.

MODES DE PAIEMENT

Encore rares, les cartes bancaires ne sont utilisables que dans les grandes villes ou les boutiques modernes. Certains commerçants n'hésitent pas à rajouter une taxe sur votre prix d'achat si vous utilisez ce mode de paiement. De plus, avec le système archaïque du « fer à repasser », les facturettes peuvent être antidatées ou imprimées deux fois à votre

Souk des dattes, gorges du Ziz

insu. Il est donc préférable de toujours avoir de l'argent liquide sur soi.

MAGASINS D'ALIMENTATION

Les épiceries sont très nombreuses dans toutes les villes et constituent le seul commerce dans les villages, en dehors du souk hebdomadaire. Ces échoppes de la taille d'un grand placard, aménagées d'étagères qui courent jusqu'au plafond, proposent toutes sortes de produits alimentaires ou ménagers. Évitez les produits frais (yaourts ou lait), car leur fraîcheur est rarement assurée. Les étals des boucheries ne portent pas d'indication de nom de viande ou de prix.
Les magasins de fruits et légumes, les crémeries et les boulangeries n'existent que dans les grandes villes. La baguette de pain à la française date du protectorat, mais les Marocains lui préfèrent la *kesra*, pain rond confectionné à la maison ou cuit dans le four du quartier.
Même si le porc est interdit par la religion musulmane, quelques charcuteries ont pignon sur rue à Casablanca, Rabat ou Marrakech pour

Étal de pierres au bord de la route dans le Moyen Atlas

satisfaire une clientèle exclusivement occidentale. Les supermarchés de quartier permettent au client de vérifier – si elles existent – les dates de péremption des produits frais et de se procurer des produits importés. Depuis quelques années, des chaînes d'hypermarchés ont vu le jour. Makro est réservé aux commerçants marocains et aux détenteurs d'une carte Makro, qui peuvent y faire des achats en gros. Marjane existe à Casablanca, Rabat, Marrakech et Agadir.

MARCHÉS

Dans toutes les grandes villes, plusieurs marchés alimentent la population en fruits et légumes frais tous les jours de l'année. Tous les marchés ont un étal réservé aux herbes fraîches et un autre réservé aux épices en vrac et aux olives. On y trouve également ustensiles ménagers, vannerie et artisanat. Sur les ports de l'Atlantique, en particulier à Oualidia, Safi, Essaouira ou Agadir, on peut déguster sur place des produits de la pêche du jour : soles, sardines, bars, crevettes, calamars ou huîtres.

SOUKS

Authentique et animé, le souk rural est, un jour par semaine, le centre de la vie sociale, économique et administrative des campagnes. Les paysans viennent des environs pour se ravitailler ou échanger leurs productions agricoles – fruits, légumes, œufs, beurre, céréales – ou bien artisanales – poterie, tapis – contre du thé, de l'huile, du

Étal de fruits et de légumes sur le marché Tahar el-Alaoui à Casablanca

Dinanderie du quartier des Habbous à Casablanca

sucre et des épices. On y trouve aussi des ustensiles en plastique, des vêtements synthétiques, des poulets, des moutons et même quelques fois aussi des mulets.

Dans les medinas de Marrakech, Rabat, Fès ou Taroudannt, les souks quasi quotidiens sont organisés par quartiers et par activités. Plus touristiques, ils offrent un vaste choix d'artisanat de toutes les régions du Maroc. La poterie vernissée n'est pas la même à Fès, à Salé ou à Safi, et se différencie de la poterie berbère du Rif ou de celle de Tamegroute. La racine de thuya est une spécialité d'Essaouira, les tapis ouaouzguites sont réputés à Tazenakht, les poignards à El-Kelaa M'Gouna, etc.

MARCHANDAGE

Plus qu'une tradition, le marchandage est un devoir. Tout Marocain qui se respecte utilise cette pratique, même pour acheter des légumes au souk ou louer une chambre d'hôtel. Dans les boutiques d'artisanat, aucun prix n'est affiché, et le vendeur considère le marchandage comme naturel. De ce fait, il annonce toujours un prix initial qui n'a souvent aucun rapport avec le prix réel de l'objet, mais qui teste la capacité de l'acheteur à réagir et à marchander. Pour marchander, il est important de connaître la valeur de ce que l'on souhaite acheter

ou du moins se fixer un prix au-delà duquel l'objet ne nous intéresse plus (au moins la moitié voire le tiers du prix annoncé). Mais attention, si on est en dessous du seuil de rentabilité, le vendeur abandonnera la transaction. Pour bien marchander, il faut feindre l'indifférence et ne jamais se départir de son sourire. Le marchandage ne se pratique donc pas dans l'urgence et doit rester un jeu subtil entre le commerçant et l'acheteur.

Vendeur de soufflets au souk de Marrakech

CONTREFAÇONS

Les souks des medinas et les grands centres touristiques proposent des produits dits « de marque », bien imités mais d'origine et de qualité douteuses, à des prix défiant toute concurrence. Cette contrefaçon est évidemment illégale et vous risquez une grosse amende si vous vous faite prendre par la douane.

Qu'acheter au Maroc

Les souks, qui proposent une profusion de bijoux, cuir, ferronnerie, poterie, cuivre, tapis, vannerie ou tissus, donnent au voyageur l'embarras du choix. Mais la quantité, les couleurs et la diversité des objets rassemblés rendent parfois difficile le tri entre les produits de qualité et les autres.

Panier en vannerie

Le mieux est de prendre le temps de comparer d'une boutique à l'autre, avant de se décider à acheter. L'artisanat rural proposé sur les marchés est authentique et conserve son aspect utilitaire : couffins portés par les ânes, peignes à carder la laine, poterie en terre pour conserver le lait ou la viande séchée…

Pouf
Les poufs et les autres objets en cuir sont réalisés dans un cuir de qualité, à base de peaux de chèvres ou de moutons tannées, teintes puis brodées.

CÉRAMIQUES

Les couleurs et les styles permettent d'identifier l'origine des céramiques. Celle de Fès est la plus raffinée, celle de Salé est vernissée de tons pâles, la poterie de Safi utilise des tons polychromes et des motifs berbères. Depuis quelques années, des créateurs renouvellent les dessins, comme ceux du vase ci-contre.

Vase de Safi

Vase à motifs modernes

Cendrier en bleu de Fès
L'industrie de la faïence de Fès remonte au Xe ou XIe siècle.

Plat à tajine décoré

Assiette à motifs modernes

PIERRE ET BOIS

Fès, Tétouan et Azrou sont réputées pour leur artisanat de cèdre. À Essaouira, les artisans travaillent le bois de thuya : boîtes de toutes formes, statues, plateaux, cadres… À Taroudannt, on sculpte des objets en roche tendre. À Erfoud, le marbre noir est vendu sous forme de bibelots et de petits objets.

Boîtes en thuya
Les objets en thuya sont incrustés de citronnier jaune, d'ébène ou de cèdre et, autrefois, d'os de dromadaires.

Canard sculpté en pierre

Dromadaire en thuya
Les petites pièces en thuya sont plus faciles à travailler que les grandes pièces, car le thuya a tendance à éclater en séchant.

DINANDERIE

Le fer forgé, le cuivre rouge brun, le laiton jaune brillant (cuivre mêlé au zinc) et le maillechort (cuivre, zinc et nickel) sont les principaux matériaux utilisés. Les plus belles pièces sont ciselées ou damasquinées.

Plateau en cuivre

Lanterne

Théière
La théière ventrue à chapeau pointu, en inox ou en argent, est indispensable pour préparer le thé à la menthe.

TERRE CUITE

La poterie berbère allie des formes rustiques et sobres, des tons ocre et brun, et des motifs géométriques.

Kasbah en terre cuite

Poterie berbère

ARGENT

Il est l'apanage des bijoux berbères, vendus au poids dans les villes. Le bijou le plus répandu est la fibule, portée par paire, retenant au niveau des épaules les voiles dont se drapent les femmes. Leur forme et leur décor diffèrent selon leur région d'origine.

Collier en argent et corail
Très appréciés des femmes berbères, les bijoux sont de plus en plus composés de résine synthétique imitant la couleur du corail.

Main de Fatma porte-bonheur

Bracelet de cheville

Poignard Koumiya

VÊTEMENTS

Les djellabas, amples vêtements à capuchon et à manches longues, et les gandouras, tuniques à manches courtes, s'achètent dans les souks. Dans les campagnes, on trouve des burnous, manteaux de laine à capuchon. Très prisées, les ceintures en soie brodées de Fès sont de plus en plus rares.

Broderie
Chaque ville possède son école de broderie pour décorer nappes, serviettes, coussins… Au point de croix, au point de pique, au feston de couleur pastel…

Gandoura pour enfant

Babouches

Tapis marocains

Il existe autant de variétés de tapis au Maroc que de traditions tribales. On peut tout de même les classer en deux grandes familles : les tapis berbères et les tapis citadins. Les premiers, à points noués ou tissés, sont rustiques et naturellement originaux. Leur laine, tissée par les femmes de motifs simples ou complexes, leurs couleurs harmonieuses, leur dimension et la composition des dessins varient selon la région. Les tapis citadins, plus somptueux, s'inspirent des tapis orientaux. Symboles de luxe, ils ornent les salons des riches maisons.

Nœud de tapis

Les **franges** arrêtent le tissage du tapis à une seule extrémité.

TAPIS RURAUX

À Tazenaght ou à Taliouine, les tapis du Haut Atlas sont l'apanage de la tribu des Ouaouzguite. Ils sont caractérisés par leur longueur, leur étroitesse et leur souplesse, s'adaptant ainsi aux pièces des kasbahs de l'Atlas.

TISSAGE

Tondue au printemps par les hommes, la laine des moutons est lavée, triée mèche par mèche par les femmes et cardée à l'aide de deux planchettes pour la débarrasser des dernières impuretés. Un petit fuseau la transforme en fil. La laine est tissée à l'état naturel ou teinte. Les femmes berbères tissent des tapis à points noués sur des métiers à tisser de haute lisse rudimentaires, composés de deux montants verticaux en bois et de deux poutres horizontales. La préparation des fils de chaîne – l'ourdissage – se fait en tendant successivement des fils à la verticale. Ils détermineront la longueur, la finesse ou l'épaisseur du tapis. La tisseuse passe les fils de trame à la main, rang après rang, entre les fils de chaîne, en les tassant à petits coups de peigne en fer.

Cardage à Abachkou

Tissage à Abachkou

Tapis du Haut Atlas, *dont les bandes tissées alternent avec des bandes à points noués. Les motifs géométriques très ordonnés sont à base de losanges, de triangles et de lignes brisées.*

Les tapis zaïane du Moyen Atlas *allient rigueur géométrique et motifs libres. Ils s'adaptent au sol de la tente ou à la terre battue des maisons.*

TAPIS CITADINS

Tissés à Rabat, Salé ou Casablanca, ces tapis offrent une symétrie parfaite. Des bordures de largeur inégale encadrent le tapis où s'alignent des motifs floraux et géométriques.

Vendeur de tapis dans la rue des Consuls à Rabat

ACHETER UN TAPIS

La couleur et les motifs sont les premiers critères d'appréciation d'un tapis. Viennent ensuite la matière, la souplesse, le serrage ou la distension des points et l'usure. Un tapis de qualité se reconnaît à la netteté des motifs et au tracé parfait de ses bords. Sa valeur s'estime au nombre de nœuds de fils de chaîne et de trame qui forment le tissu de fond. Certains tapis comptent jusqu'à 380 000 nœuds par m^2. Des prix officiels sont fixés au mètre carré et les tapis contrôlés par le ministère de l'Artisanat sont estampillés : date du contrôle, provenance et qualité. Une étiquette orange garantit un tapis de qualité extra supérieure, une étiquette bleue, une qualité supérieure, une étiquette jaune, une qualité moyenne, et une étiquette verte, une qualité courante. Après avoir fait déplier les tapis devant vous, commencez à marchander.

Le tapis de Mediouna (*Casablanca*), *rouge brique ou vieux rose, est toujours frappé d'un motif central en losange ou en forme d'étoile.*

Boutique dans un ensemble artisanal

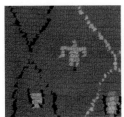

Les tapis haouz de Marrakech, *en laine nouée, se distinguent par leur fond parsemé de signes naïfs.*

Les tapis du Moyen Atlas *sont en haute laine. La composition du décor n'apparaît que sur la face rase.*

Les teintes *à base de produits végétaux sont aujourd'hui enrichies de colorants synthétiques.*

SE DISTRAIRE AU MAROC

La plupart des activités nocturnes au Maroc sont regroupées dans les principales villes. Le tourisme international et le désir de modernité des nouvelles générations ont contribué au développement des lieux de distractions, qui restent souvent le meilleur moyen d'entrer en contact avec la jeunesse locale.

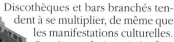

Le Rialto, un cinéma de Casablanca

Discothèques et bars branchés tendent à se multiplier, de même que les manifestations culturelles. Certaines galeries privées font découvrir aux amateurs d'art les tendances créatives du pays. Quant aux fêtes locales et aux *moussems*, ils offrent l'occasion d'assister à des spectacles plus authentiques que ceux spécialement dédiés aux touristes.

L'Institut français de Casablanca est une bonne source d'informations

INFORMATION

Les rubriques « spectacles » des différents journaux sont un bon moyen de s'informer. Les plus grands quotidiens sont *El-Bayane*, *Le Matin du Sahara*, *L'Opinion* et *Libération*. Entre autres hebdomadaires, on trouve *Le Magazine* et *Tel Quel*. Les mensuels comme *Femmes du Maroc* et *Citadine* ou le bimestriel *Medina* proposent des rubriques culturelles. Tous ces journaux sont en vente dans les kiosques et la plupart des bureaux de tabac.

L'**Institut français de Casablanca** est également une bonne source d'informations et l'on peut y trouver, notamment, des renseignements utiles sur les manifestations culturelles.

CINÉMAS

Renouant avec son passé et la culture cinématographique des années 1950 – le Maroc avait alors le privilège de visionner en exclusivité un grand nombre de productions américaines –, les cinémas marocains font peau neuve. Malgré leur nombre insuffisant, leur qualité semble s'améliorer tant par le confort que par la programmation. Des salles datant des années 1940, restaurées à l'identique, ont rouvert leurs portes, notamment à Casablanca.

Les principaux cinémas sont **le Renaissance** et la **Salle du 7e Art** à Rabat ; le **Rialto**, le **Lynx** et le **Megarama**, un multiplexe, à Casablanca ; l'**Empire** et le **Rex** à Fès ; le **Colisée** et le récent **Megarama** à Marrakech. À Tanger, les salles les plus connues sont **Le Paris** et

le Rif, ainsi que la nouvelle **Cinémathèque de Tanger**.

Il est possible d'obtenir le programme sur simple coup de fil directement auprès des salles. Les films sont systématiquement présentés en **version française**. Les petits cinémas de quartier ne projettent bien souvent que des films indiens ou de kung-fu.

THÉÂTRES

Le Maroc est assez pauvre en théâtres. Seules les principales villes en sont dotées – en particulier Rabat avec le **Théâtre national Mohammed-V** –, mais les programmes sont plutôt minces et irréguliers. Toutefois, à côté de l'accueil de troupes étrangères, des efforts sont faits pour lancer une production nationale encore balbutiante.

Les programmes sont en général publiés dans la presse, mais le mieux est de se renseigner directement auprès des théâtres ou des instituts culturels.

La fête du Trône est un spectacle haut en couleurs

FÊTES ET FESTIVALS

Parmi les nombreuses fêtes *(p. 38-41)* qui ponctuent l'année, les *moussems* sont de grands rassemblements populaires organisés en général autour du tombeau d'un saint *(p. 198-199)*, avec des spectacles de danses traditionnelles. Certains festivals, comme le Festival folklorique de Marrakech, qui réunit début juin des danseurs et musiciens de toutes les régions du Maroc, ou encore le Festival de musique gnaoua, qui se déroule à Essaouira en juin, proposent des spectacles de grande qualité. Les fantasias *(p. 34-35)* sont des spectacles typiques du Maroc. On peut y assister notamment lors du *moussem* de Moulay Abdallah en août, près d'El-Jadida.

Les danses varient selon les différentes tribus berbères et rurales. Les plus répandues sont l'*ahouach* du Haut Atlas et de Ouarzazate et l'*ahidou* du Moyen Atlas, auxquelles participent des dizaines d'hommes et de femmes. Enfin, la *guedra*, originaire de la région de Guelmin et du Sahara, est une danse où une femme évolue au milieu d'un cercle de musiciens.

Festival de musique andalouse à Fès

SPECTACLES ET CONCERTS

La plupart des grands hôtels organisent des soirées marocaines. Certains restaurants proposent aussi des spectacles de danses folkloriques pendant le dîner. À Marrakech par exemple, au restaurant **Chez Ali**, on peut certains soirs savourer son repas sous la tente tout en assistant à une fantasia. Pour ceux qui souhaitent se familiariser à la musique marocaine, qu'il s'agisse du raï – dont la star marocaine est Cheb Amrou –, de la musique gnaoua – qui s'impose jusque dans les festivals de jazz européens avec Mustapha Baqbou –, ou encore des mélopées nostalgiques de la musique andalouse, des concerts sont organisés partout, notamment par des instituts culturels et les salles spécialisées.

ADRESSES

Institut français
121-123, bd Zerktouni,
20100 Casablanca.
Tél. 0522 77 98 70.
www.institut-francais-casablanca.ma

CINÉMAS

AGADIR
Rialto
Av. des F.A.R.
Tél. 0528 84 10 12.

CASABLANCA
Lynx
150, avenue Mers Sultan.
Tél. 0522 22 02 29.

Megarama
Boulevard de la Corniche.
Tél. 0890 10 20 20.

Rialto
35, rue Med Qorri.
Tél. 0522 26 26 32.

FÈS
Empire
60, avenue Hassan-II.
Tél. 0535 62 66 07.

Rex
Angle av. Mohammed Es-Slaoui et bd Mohammed-V.
Tél. 0535 62 24 96.

MARRAKECH
Colisée
Boulevard M. Zerktouni.
Tél. 0524 44 88 93.

Megarama
Jardins de L'Aguedal.
Tél. 0890 10 20 20.

RABAT
Renaissance
266, av. Mohammed-V.
Tél. 0537 72 21 68.

Salle du 7e Art
Avenue Allal Ben Abdellah.
Tél. 0537 73 38 87.

TANGER
Le Paris
11, rue de Fès.
Tél. 0539 32 43 30.
www.leparis-tanger.com

Rif et Cinéma-thèque de Tanger
Place du 9-Avril-1947.
Tél. 0539 93 46 83.
www.cinematheque
detanger.com

THÉÂTRES

AGADIR
Théâtre municipal de Plein Air
Avenue Mohammed-V.

CASABLANCA
Complexe culturel Moulay-Rachid
Avenue Akid Allam.
Tél. 0522 70 47 48.

Complexe culturel de Sidi-Belyout
28, rue Léon l'Africain.
Tél. 0522 22 12 16.

RABAT
Théâtre national Mohammed-V
Charia al Mansour Eddahbi.
Tél. 0537 70 61 77.
www.tnmv.ma

Salle Haj Mohammed Bahnini
1, rue Gandhi.
Tél. 0537 70 80 37.

SPECTACLES ET CONCERTS

Chez Ali
Après le pont de Tensift,
Marrakech.
Tél. 0524 30 77 30.

La Villa des Arts, Casablanca

CENTRES CULTURELS FRANÇAIS

Présents dans les grandes villes du Maroc, les **instituts culturels français** sont particulièrement dynamiques et proposent souvent une programmation très riche : expositions, rétrospectives cinématographiques, concerts de musique, pièces de théâtre, etc. Remarquablement aménagé, l'**Institut français de Marrakech** dispose même d'un amphithéâtre pour les représentations en plein air. Ces instituts, comme ceux appartenant à l'Espagne, l'Italie, l'Allemagne ou le Royaume-Uni, contribuent à la diffusion et au rayonnement des multiples cultures qui coexistent au Maroc. Ce sont des lieux idéaux pour rencontrer des Marocains ouverts sur l'Europe. Les programmes, sous forme de petit livret bimestriel, sont disponibles sur place.

GALERIES D'ART

Dans le sillage du Danois **Frédéric Damgaard** *(p. 124)*, qui a ouvert une remarquable galerie d'art à Essaouira en 1988, un regain de dynamisme anime aujourd'hui les milieux artistiques marocains. Les galeries exposent des peintres venus d'horizons très divers, comme par exemple les fameux « artistes libres d'Essaouira » *(p. 125)*.
   À Casablanca, ne manquez pas de visiter la **Villa des Arts**, véritable musée de la création marocaine des cinquante dernières années.

À Marrakech, faites un tour dans les galeries **Matisse Arts Gallery** et **Dar Bellarj**.

Tableau de Mohammed Tabal, un « artiste libre » d'Essaouira

PIANOS-BARS

Si les lieux où l'on peut écouter de la musique marocaine traditionnelle sont somme toute peu répandus, les pianos-bars des grands hôtels et autres clubs de jazz permettent d'entendre des groupes venus d'Europe ou d'Amérique du Nord. Parmi ceux-ci, l'**Armstrong Jazz Bar** et la **Villa Fandango** à Casablanca sont très en vogue. Marrakech compte plusieurs endroits à la mode, comme l'immense **Al Anbar**, dont le restaurant de plusieurs centaines de couverts reçoit des orchestres *live*, ou

le **Montecristo**, plus intime, installé dans une villa du Guéliz. À Essaouira, Fès, Ouarzazate, Rabat et Tanger, c'est dans les bars des hôtels que l'on peut écouter de la musique. Le mieux est de se renseigner auprès des différents établissements pour connaître leur programmation.

DISCOTHÈQUES

Exception faite de Casablanca et de Rabat, la plupart des boîtes de nuit sont celles des hôtels. À Rabat, une des discothèques le plus à la mode est **L'Amnesia**. À Casablanca, les boîtes se concentrent autour d'Aïn-Diab, comme **La Bodega**, le **Carré Rouge**. Le **Theatro** à l'hôtel Essaadi de Marrakech a bonne réputation, de même que **Le Flamingo** à Agadir. Peu fréquentées durant la semaine, toutes ces discothèques sont bondées le week-end ou pendant les vacances scolaires. Certaines ferment leurs portes vers 3 h ou 4 h du matin ; d'autres restent ouvertes jusqu'à l'aube, en particulier dans les villes très touristiques comme Marrakech ou Agadir.

CASINOS

Les jeux d'argent étant condamnés par l'islam, il existe très peu de casinos au Maroc. Celui de l'hôtel **La Mamounia**, à Marrakech, reste le plus prestigieux. Si vous voulez y passer une soirée, portez une tenue élégante avec veste obligatoire. Jeans, tennis et survêtements restent interdits.

Boîte de nuit à Agadir

ADRESSES

CENTRES CULTURELS FRANÇAIS

AGADIR
Institut français
Rue Cheinguit,
Nouveau Talborjt.
Tél. *0528 84 13 13
ou 0528 84 20 01.*
www.ifagadir.org

CASABLANCA
Institut français
121, boulevard Zerktouni.
Tél. *0522 77 98 70.*
www.institut-francais-
casablanca.ma

EL-JADIDA
**Alliance
franco-marocaine**
22, avenue de la
Marche Verte.
Tél. *0523 34 21 06.*

ESSAOUIRA
**Alliance
franco-marocaine**
Ancien Consulat de
France, Derb Laâlouj
9, rue Mohammed Diouri.
Tél. *0524 47 61 97.*

FÈS
Institut français
33, rue Loukili.
Tél. *0535 62 39 21.*
www.institut
francaisfes.com

MARRAKECH
Institut français
Route de Targa,
Jbel Guéliz.
Tél. *0524 44 69 30.*
www.ifm.ma

MEKNÈS
Institut français
Rue Ferhat Hachad.
Tél. *0535 51 65 00.*

OUJDA
**Institut français
de l'Oriental**
3, rue Berkane.
Tél. *0536 68 44 04
ou 0536 68 49 21.*
www.institutfrancais
oujda.ma

RABAT
Institut français
1, rue Abou Inane.
Tél. *0537 68 96 50.*
www.ifrabat.org

SAFI
**Alliance
franco-marocaine**
Boulevard Zerkhouni.
Tél. *0524 62 79 46.*

TANGER
Institut français
2, rue Hassan Ibn
Wazzane.
Tél. *0539 94 10 54
ou 0539 94 25 89.*

GALERIES D'ART

AGADIR
Artomania
El-Faïs Brahim estate
(à côté de l'école Pigier),
quartier industriel.

Galerie d'Alice
Avenue des Forces
Armées Royales,
résidence Tiguemi II n°58.
Tél. *0528 84 30 91.*
www.alice-galerie.com

CASABLANCA
Al Manar
Rue 204, 19, boulevard
de la Corniche.

Venise Cadre
25, avenue Moulay
Rachid.
Tél. *0522 36 60 76.*

Villa des Arts
30, boulevard Roudani.
Tél. *0522 29 50 87.*
www.fondationona.ma/
vdacasa.htm

ESSAOUIRA
**Galerie Frederic
Damgaard**
Avenue Oqba Ibn Nafiaa.
Tél. *0524 78 44 46.*
www.galerie
damgaard.com

MARRAKECH
Dar Bellarj
9, Toualate Zaouite Lahdar.
Tél. *0524 44 45 55.*

Matisse Arts Gallery
61, rue de Yougoslavie.
Tél. *0524 44 83 26.*
www.matisse
artgallery.com

RABAT
Villa des Arts
10, rue Beni Mellal Hassan.
Tél. *0537 66 85 79.*
www.fondationona.ma/
vdarabat.htm

TANGER
**Lawrence Arnott
Art Gallery**
68, rue Amr Ibn Ass.
Tél. *0539 33 34 82.*
www.lawrence-
arnott.com/artfr.html

PIANOS-BARS

CASABLANCA
**Armstrong
Jazz Bar**
16, rue de la Mer Noire,
boulevard de la Corniche.
Tél. *0522 79 77 59.*

Villa Fandango
Rue de la Mer Egée,
boulevard de la Corniche.
Tél. *0522 79 74 77
ou 0656 38 03 80.*

FÈS
Le Birdy
Hôtel Jnan Palace,
avenue Ahmed Chaouki.
Tél. *0535 65 22 30.*

Oasis Bar
Hôtel Royal Mirage,
avenue des Forces
Armées Royales.
Tél. *0535 94 10 11.*

MARRAKECH
Al Anbar
47, rue Jbel Lakhadar.
Tél. *0524 38 07 63.*

Le Churchill
Hôtel La Mamounia,
Bab el-Jedid.
Tél. *0524 38 86 00.*

Le Montecristo
20, rue Ibn Aïcha.
Tél. *(0524) 43 90 31.*

OUARZAZATE
Le Bar Fint
Hôtel Kenzi Azghor.
Tél. *0524 88 65 01.*

Zagora Bar
Hôtel Karam Palace,
Tél. *0524 88 22 25.*

RABAT
Amber Bar
Sofitel Rabat
Jardin des Roses,
quartier Souissi.
Tél. *0537 67 56 56.*

Barrio Latino
61, rue Oulad Sbou,
Agdal.
Tél. *0537 68 33 50.*

Le Puzzle
79, avenue Ibn Sina,
Agdal.
Tél. *0537 67 00 30.*

TANGER
El Carabo
Chellah Beach Club.
Tél. *0539 32 50 68.*

Le Caïd's
Hôtel El-Minzah,
85, rue de la Liberté.
Tél. *0539 93 58 85.*

Le Palace
Hôtel Tanjah-Flandria1,
boulevard Mohammed-V.
Tél. *0672 85 40 18.*

DISCOTHÈQUES

AGADIR
Le Flamingo
Hôtel Beach Club.
Tél. *0528 84 43 43.*

CASABLANCA
La Bodega
129-131, rue Allal
Ben Abdellah.
Tél. *0522 54 18 42.*

Carré Rouge
Avenue Assa.
Tél. *0522 39 25 10.*

MARRAKECH
Theatro
Hôtel Essaadi,
avenue el Qadissa.
Tél. *0524 44 88 11.*

RABAT
L'Amnesia
18, rue Monastir.
Tél. *0537 73 52 03.*

CASINOS

CASABLANCA
**Mazagan Beach
Resort**
El-Jadida.
Tél. *0523 38 80 80.*

MARRAKECH
La Mamounia
Bab el-Jedid.
Tél. *0524 44 45 70.*

SPORTS ET ACTIVITÉS
DE PLEIN AIR

Par son climat et sa diversité, le Maroc est un pays particulièrement favorable à la pratique de différents sports et loisirs de plein air. Un cadre naturel souvent grandiose a permis de développer de multiples activités telles que la randonnée équestre, le trekking, l'ornithologie et, selon la saison, le ski. Moyennant quelques aménagements, les paysages marocains sont devenus des paradis pour golfeurs. Le littoral atlantique est réputé pour la pratique du surf et de la planche à voile. La thalassothérapie s'est également développée, et le nombre d'établissements équipés ne cesse de croître dans les grands centres touristiques.

À Agadir, on peut se promener à cheval sur la plage

ÉQUITATION

Sous l'impulsion du roi Hassan II, l'équitation est devenue un sport très populaire au Maroc. De nombreux clubs équestres ont été créés et une Semaine internationale du Cheval se tient tous les ans à Dar es-Salam, près de Rabat, où siège la **Fédération royale marocaine des sports équestres**. De nombreux clubs ainsi que les grands hôtels, principalement à Agadir, Marrakech et Ouarzazate, organisent des randonnées. Vous trouverez des moniteurs diplômés d'État dans tous les clubs.

SKI

Si le Maroc n'est pas a priori une destination de sports d'hiver, le pays possède néanmoins plusieurs stations de haute montagne, dont Ifrane, près de Fès, et surtout l'Oukaïmeden, à 60 km de Marrakech. Des grands taxis vous conduiront à ce massif pour environ 400 Dh (aller simple). La station est petite, mais on y trouve cependant tous les services nécessaires, des remonte-pentes à la location d'équipement. Dans l'Oukaïmeden, la location du matériel pour une journée revient à environ 250 Dh. On peut dormir dans un des gîtes à l'architecture élégante, mélange des styles marocain et européen. Le domaine skiable est toutefois peu étendu, et le ski reste une activité marginale au Maroc. Les stations diversifie leurs activités et on y pratique le parapente, la randonnée pédestre ou le trekking. La **Fédération royale marocaine de ski et montagne** peut fournir d'autres renseignements.

GOLF

Beaucoup d'agences de voyages en Europe proposent des forfaits axés sur ce sport. Il est vrai que le Maroc possède un parc de plus de 20 golfs, souvent très agréables et appréciés des amateurs. En plus des golfs royaux (accessibles au public), de nombreux golfs privés se sont créés, intégrés à des complexes hôteliers, notamment à Agadir ou à Marrakech. Durant la très haute saison, en avril, il est conseillé de réserver à l'avance afin d'éviter l'attente. Un handicap (classement) est théoriquement nécessaire

Le massif de l'Oukaïmeden *(p. 248)* est réputé pour ses pistes de ski

On trouve de nombreux golfs au Maroc, royaux ou privés

pour jouer sur les golfs marocains, mais dans la pratique, il y a toujours moyen de s'arranger. Il existe d'excellents professeurs au Maroc et leur coût est bien moins élevé qu'en Europe, ce qui autorise une première découverte à moindre frais, dans un environnement souvent exceptionnel. La **Fédération royale marocaine de Golf** vous donnera d'autres informations.

TENNIS

Quasiment tous les grands hôtels possèdent des courts de tennis. Dans les grandes villes, on trouve également de nombreux clubs, le plus souvent en terre battue et plus ou moins bien entretenus. Aux abords des courts, on rencontre toujours de jeunes Marocains prêts à assurer, pour un prix à négocier, le rôle de ramasseurs de balles ou de partenaires, parfois de bon niveau.

ORNITHOLOGIE

L'observation des oiseaux est très en vogue au Maroc, et certains voyagistes proposent des circuits sur ce thème. Il existe quelques réserves naturelles – Massa, au sud d'Agadir, ou à Moulay-Bousselham, au nord de Rabat – où se concentre une grande variété d'oiseaux migrateurs avec des espèces rares. Mais ces zones sont menacées par l'urbanisation du littoral, même s'il existe de nombreuses associations de défense des oiseaux.

CONDUITE HORS ROUTE

Rouler en 4x4 et à moto est agréable au Maroc ; le réseau exceptionnel de pistes, même près des grandes villes, permet de se dépayser. Il est cependant recommandé de bien repérer son parcours et de partir de préférence à plusieurs véhicules, une panne en un lieu isolé pouvant s'avérer très vite problématique. Certaines zones – au sud, vers la Mauritanie – sont soumises à autorisation et peuvent être minées. Il est fortement déconseillé de s'y aventurer sans l'aide d'un bon guide.

Il est possible, par exemple à Marrakech ou à Ouarzazate, de faire des excursions en quad, en kart tout-terrain, motos et 4x4, et des agences telles que **Sahara Quad, Mhamid Travel** ou **Ev'Azur** *(p. 357)* organisent des excursions tout compris dans les montagnes du Haut Atlas et dans le désert.

SPORTS NAUTIQUES

Le littoral atlantique abrite quelques « spots » parmi les plus réputés du monde dans le milieu des surfeurs et des véliplanchistes.

Essaouira et ses alentours sont les plus connus, et c'est là que se concentrent, l'été,

La voile se pratique sur l'Atlantique et sur la Méditerranée

ADRESSES

GOLF

Fédération royale marocaine de golf
Tél. 0537 75 59 60 (Rabat).

SKI

Fédération royale marocaine de ski et montagne
Tél. 0522 47 49 79 (Casablanca).

SPORTS ÉQUESTRES

Fédération royale marocaine des sports équestres
Tél. 0537 75 44 24 (Rabat).

SPORTS NAUTIQUES

Club Mistral
www.club-mistral.com
(Essaouira).

Fédération royale marocaine de jet ski et ski nautique
Tél. 0537 77 08 93 (Rabat).

les centres de pratique de ces activités comme le **club Mistral**. Soyez prudent, ces endroits sont destinés à des surfeurs expérimentés, les vents violents associés aux courants et aux vagues de l'Atlantique n'étant pas adaptés aux débutants.

Les meilleures plages pour le surf se situent aussi sur la côte atlantique. Les plages entre Agadir et Essaouira, notamment la Madrague près de Taghazout (20 km au nord d'Agadir), sont envahies l'été par des surfeurs du monde entier.

On trouve, par ailleurs, de très belles plages tout le long des littoraux atlantique et méditerranéen pour des activités plus classiques. Sur la côte méditerranéenne, il est possible de louer des voiliers, des jet-skis ou de pratiquer le ski nautique (vous pouvez vous informer auprès de la **Fédération royale marocaine de jet ski et ski nautique**).

Randonnées et trekkings

Chapeau en toile

Le Maroc est devenu en quelques années un paradis pour les randonneurs. Des paysages naturels exceptionnels et d'une grande diversité offrent toutes sortes d'excursions accessibles à des participants de tous niveaux. Toutefois, une randonnée ou un trekking se prépare en choisissant judicieusement son équipement et en respectant les précautions élémentaires de sécurité. Reste alors à choisir le mode d'approche que l'on va privilégier – voyage organisé ou non, avec ou sans portage – et surtout son itinéraire parmi les nombreuses et très diverses régions du Maroc.

Le VTT se pratique de plus en plus fréquemment au Maroc

PRÉCAUTIONS ÉLÉMENTAIRES

Assurez-vous tout d'abord que vous possédez la condition physique requise pour le périple que vous allez entreprendre. Prenez soin également, dès lors que vous sortez un peu des sentiers battus, de vous assurer les services d'un bon guide ou d'un encadrement de qualité. Ne partez jamais seul et, si vous partez en dehors de toute structure organisée, prévenez un proche ou votre ambassade de la date à laquelle vous comptez revenir afin que des secours soient dépêchés en cas de besoin. Le coût des secours d'urgence en haute montagne étant très élevé, lisez bien votre assurance personnelle afin de vérifier si elle couvre ce genre de risque.

Le mieux est de confier l'organisation à des **agences spécialisées**, soit des tours-opérateurs occidentaux, soit des agences locales spécialisées, vous bénéficierez alors de leurs infrastructures et de leur logistique afin de réaliser vos expéditions en toute tranquillité.

ÉQUIPEMENT

Élément majeur : les chaussures. Si de simples baskets suffisent pour une courte randonnée sur piste régulière, il faut absolument des chaussures de randonnée dès que la difficulté des pistes et la durée augmentent.

Pour les vêtements, des tissus résistants et légers sont à privilégier. Même s'il pleut rarement au Maroc, mieux vaut toujours prévoir un vêtement imperméable, ainsi que des vêtements chauds (la température tombe vite en haute montagne). Enfin, même pour une courte balade, prévoyez toujours de l'eau en quantité suffisante, ainsi que des vivres.

Une trousse à pharmacie complète est également nécessaire. Elle doit contenir au minimum de quoi soigner de petites blessures et les ampoules. Un aspi-venin et tout produit pouvant être utile, si vous êtes allergique par exemple, pourront compléter votre pharmacie.

Pour les nuits en bivouac, un bon sac de couchage de type sarcophage

Lors des randonnées dans le Sud, les dromadaires portent le matériel

est recommandé. Vérifiez bien sa capacité isolante, mais n'oubliez pas que, malgré ses qualités, il n'est pas grand-chose sans un matelas léger qui vous isolera du sol.

Enfin, de petits objets peuvent vous être précieux. C'est le cas notamment des lampes frontales, qui permettent d'avoir un éclairage en ayant les deux mains libres. Prévoyez d'emporter des pastilles qui purifient l'eau, permettant de boire celle des torrents ou des sources que vous rencontrerez en chemin.

TYPES DE RANDONNÉES

À côté de la randonnée classique, il est possible d'être assisté par des animaux pour le portage. On peut ainsi effectuer des randonnées muletières dans l'Atlas, région où cet animal est particulièrement à son aise. Plus au sud, ce sont les dromadaires qui se chargeront des bagages et des vivres, et on en trouve énormément,

Participants au Marathon des sables

Seuls les véhicules 4x4 permettent d'accéder aux pistes difficiles

notamment au sud de Zagora. Vous pouvez également combiner des randonnées mêlant marche et VTT, mais aussi canoë-kayak ou rafting. Les randonnées avec assistance de véhicules permettent de parcourir de plus grandes distances, ainsi que d'emmener plus de bagages pour un bivouac plus confortable.

PRINCIPAUX ITINÉRAIRES

Au Maroc, les principales zones de randonnées et treks sont le Moyen Atlas, le littoral atlantique, le Haut Atlas, l'Atlas atlantique, le *jbel* Sirwa, le *jbel* Sarhro, les oueds Draa, Dadès et Tafilalt et le Grand Sud (les provinces sahariennes et le Sahara occidental).

Dans le Haut Atlas, le *jbel* Toubkal (4 167 m), point culminant d'Afrique du Nord, offre de nombreuses possibilités de randonnées. Son ascension est réalisable en deux jours et ne nécessite pas d'être un grimpeur chevronné. Un seul point noir, c'est là que se concentre la majorité des randonneurs et, en haute saison, vous ne serez pas seul. Le **Club alpin français** gère cinq refuges dans le massif du Toubkal.

Dans le Haut Atlas central, la vallée des Aït Bouguemez (*p. 254-257*) offre un très bel itinéraire assez facile qui traverse une étonnante variété de paysages. Cette immersion en pays berbère se fait en 5 à 6 jours au départ de Demnate, à 4 heures de route de Marrakech.

De l'autre côté de l'Atlas, il est possible de combiner le *jbel* Sarhro aux reliefs présahariens et les sublimes gorges du Dadès (*p. 273*), site incontournable du Sud marocain.

Beaucoup de randonnées chamelières ou de méharées ont lieu au sud-ouest de Zagora, vers Mhamid et Iriki, où se forment les premières dunes de l'immense Sahara. Plus à l'est, vers Erfoud (*p. 280*), les spectaculaires dunes de Merzouga (*p. 281*) offrent de nombreuses possibilités de randonnées.

MARATHON DES SABLES

Cette course de randonnée qui se déroule dans la région de Ouarzazate tous les ans est réputée comme étant la plus difficile de ce genre de compétition au monde. 700 concurrents venant des six continents y participent chaque année pendant sept jours, parcourant 230 km de désert en portant leurs propres vivres et équipement.

Le *jbel* Toubkal attire de très nombreux randonneurs

ADRESSES

AGENCES SPÉCIALISÉES

Atalante
Tél. 01 55 42 81 00 (Paris) / 026 270 797 (Bruxelles).
www.atalante.fr

Club Aventure
18, rue Séguier, 75006 Paris.
Tél. 0826 88 20 80.
www.clubaventure.fr

Comptoir du Maroc
2-18, rue Saint-Victor, 75005 Paris. **Tél.** 0892 237 237.

Déserts
75, rue Richelieu, 75002 Paris.
Tél. 01 55 42 78 42.
www.deserts.fr

Directours
Tél. 01 45 62 62 62.
www.directours.com

Explorator
1, rue Gabriel Laumain, 75010 Paris. **Tél.** 01 53 45 85 85.
www.explo.com

Nomade Aventure
Tél. 0 825 701 702.
www.nomade-aventure.com.com

Terres d'Aventure
30, rue Saint Augustin, 75002 Paris. **Tél.** 01 43 25 69 37.
www.terdav.com

AGENCES AU MAROC

Atlas Sahara Trek
6 bis, rue HoudHoud, quartier Majorelle, Marrakech.
Tél. 0524 31 39 01/ 03.

Club alpin français
BP 6178, Casablanca.
Tél. 0522 99 01 41.
www.caf-maroc.com

Mhamid Travel
100, av. Mohammed-V, Ouarzazate.
www. mhamid-travel.com

Maroc Horizon d'Aventures
Tél. 0528 21 34 26 (Agadir).
www.trekking-au-maroc.com

Sahara Quad
Essaouira. **Tél.** 06 73 44 95 41 ou 06 85 58 73 97.
www.saharaquad.net

Sport Travel
154, boulevard Mohammed-V, Guéliz, Marrakech.
Tél. 0524 43 63 69.
www.sporttravel-maroc.com

RENSEIGNEMENTS PRATIQUES

LE MAROC MODE D'EMPLOI 360-369

ALLER ET CIRCULER AU MAROC 370-377

LE MAROC MODE D'EMPLOI

Le Maroc, pays aux multiples attraits, reçoit un nombre élevé de visiteurs. Le pays mise une grande partie de sa réussite économique sur le tourisme et s'est doté d'une infrastructure solide et d'un office de tourisme bien implanté localement et à l'étranger. Les hôtels ont également fait l'objet d'une importante restructuration et de nombreuses

Berbère du Sahara

régions ont notablement augmenté leur capacité d'accueil. Dans le même esprit, les principaux monuments et musées ont été aménagés pour être vus dans les meilleures conditions par le plus grand nombre de visiteurs. Les formalités douanières réduites et le fait que le français soit parlé par de nombreux Marocains participent au confort du visiteur.

La plage de Casablanca est très fréquentée en été

QUAND PARTIR ?

Le Maroc est un pays relativement étendu qui offre une grande variété de climats, du climat désertique aride au sud au climat méditerranéen au nord.
La haute saison touristique, dans le Sud ou dans le Grand Sud du pays, se situe au printemps, de mars à mi-mai et, dans une moindre mesure, au début de l'automne, en septembre et octobre.
Les visiteurs bénéficient alors d'un ensoleillement généreux et d'une quasi absence de précipitations. L'été est la meilleure période pour profiter du littoral méditerranéen et atlantique, alors que le Sud et le Centre du pays, soumis à une intense chaleur, sont à éviter. L'hiver, même s'il est clément, reste froid et les chutes de neige en altitude, qui entraînent la fermeture des cols, peuvent perturber votre itinéraire.

RÉSERVATIONS

Le Maroc est une destination à la mode en Europe et bénéficie d'intenses

campagnes de publicité entraînant une augmentation sensible de sa fréquentation. Environ 3 millions de visiteurs s'y rendent chaque année. Certaines périodes de l'année, comme le mois d'avril et les fêtes de fin d'année sont très demandées. Aussi est-il préférable de réserver son séjour plusieurs mois à l'avance, ce qui permet de bénéficier des vols les plus directs et des meilleurs horaires, ainsi que des petites structures hôtelières de charme, rapidement remplies.

INFORMATIONS TOURISTIQUES

Tous les grands centres touristiques marocains abritent une représentation de l'**Office national marocain de tourisme (ONMT)**, souvent appelée « délégation générale du tourisme ». Les petites villes disposent d'un syndicat d'initiative. Vous y trouverez des renseignements sur

les principaux points d'intérêt de la ville, des adresses d'hôtels et de restaurants. Une permanence de guides officiels s'y tient en général. Les délégations et syndicats d'initiative sont ouverts de 8 h 30 à 12 h et de 14 h 30 à 18 h 30. Pendant le ramadan et en été, dans les villes les plus chaudes, ils sont ouverts sans interruption de 9 h à 15 h. Avant votre départ, vous pouvez contacter l'Office national marocain de tourisme de votre pays.

BILLETS D'ENTRÉES ET HORAIRES

L'accès aux musées et aux monuments est payant (compter environ 10 à 20 Dh). Lorsque l'accès est libre, la règle est de laisser au gardien un pourboire équivalent au

Brochure touristique

prix courant d'un billet d'entrée. Les heures d'ouverture sont parfois irrégulières. En général, les sites touristiques sont ouverts de 9 h à 12 h et de 15 h à 18 h, mais ces horaires peuvent être aménagés à l'occasion du ramadan ou lorsque la chaleur est trop intense. L'ouverture des petits sites dépend parfois du bon vouloir du gardien.

VISAS ET PASSEPORTS

Les ressortissants de l'Union européenne ou de la Confédération helvétique ont besoin d'un passeport en cours de validité qui donne

◁ **Calèches de la place El-Hedime à Meknès**

L'accès au musée du Dar Si Saïd, à Marrakech, est payant

droit à un permis de séjour de trois mois. Les participants à certains voyages organisés n'ont parfois besoin que d'une carte nationale d'identité. En cas de dépassement du séjour autorisé, les autorités se montrent très fermes et la sanction est au minimum une reconduite à la frontière. Si vous envisagez de séjourner plus de trois mois, renseignez-vous avant votre départ au consulat du Maroc de votre pays de résidence. La frontière avec l'Algérie est fermée et, pour aller en Mauritanie, vous pourrez obtenir un visa à Casablanca.

DOUANES

Un formulaire de douane à remplir et à remettre lors du contrôle des passeports vous sera confié pendant le vol ou à l'arrivée à la frontière. La législation autorise l'importation de 200 cigarettes, de 75 cl d'alcool et de matériel photographique et vidéo en petite quantité. Drogue, armes à feu ou matériel pornographique sont strictement prohibés. Les armes de chasse sont soumises à autorisation.

L'importation temporaire d'un véhicule est possible, mais les formalités sont très longues. Si le véhicule n'est pas à vos noms et prénoms exacts, munissez-vous d'une procuration du propriétaire.

LANGUES PARLÉES

La langue officielle est l'arabe, qui est parlé par presque toute la population.

Le français, héritage du protectorat, est utilisé dans la vie quotidienne : panneaux routiers, différents services officiels et administratifs, etc. S'il est compris et bien parlé dans les grandes villes, il est toutefois moins parlé dans les zones rurales, sauf chez les personnes âgées.

Dans le Sud, le berbère est largement utilisé, notamment en zone rurale.

L'espagnol remplace souvent le français sur la côte méditerranéenne pour des raisons historiques et géographiques. Il est de ce fait largement compris à Tanger et, bien sûr, dans les enclaves espagnoles.

L'allemand est plus courant à Agadir, ville très fréquentée par les Allemands, et l'anglais dans certains grands hôtels.

Le Maroc est une destination appréciée des randonneurs

Conventions et politesse

Les Marocains sont très accueillants et vous aurez de nombreuses occasions de dialoguer avec eux, voire d'être invités dans leur maison. Mais le Maroc est un pays musulman et certaines conventions doivent y être observées sous peine de choquer, bien malgré soi, les habitants. Il faut se vêtir décemment, ne pas photographier les Marocains sans leur autorisation ou ne pas aborder certains sujets trop sensibles. Il est utile de connaître les usages à respecter si vous êtes invité dans une famille marocaine. Le respect de ces règles simples attirera la sympathie et vos hôtes pourront se laisser aller à leur hospitalité naturelle.

Une invitation à boire le thé est très délicate à refuser

HOSPITALITÉ

Plus qu'une tradition, l'hospitalité est l'honneur des Marocains. Marchands des souks ou paysans des confins de l'Atlas vous inviteront chez eux, après quelques minutes de conversation, à partager un thé ou un repas. Refuser ces invitations est difficile et peut être considéré comme une offense par votre interlocuteur. En entrant dans une maison, vous devez vous déchausser si vous voyez des chaussures près de la porte, afin de marquer du respect envers votre hôte. Ce sont souvent les hommes qui vous inviteront, mais vous apercevrez certainement les femmes de la maison, soyez alors discret. Accepter l'invitation d'un marchand d'un souk ne vous oblige pas à lui acheter quoi que ce soit. Enfin, même si vous êtes invité chez des Marocains très modestes, ne proposez jamais de payer votre repas,

un cadeau utile sera une manière plus élégante et mieux acceptée de remercier vos hôtes.

À TABLE

Si vous êtes invité à partager le repas d'une famille marocaine, préparez-vous à savourer une cuisine très

Le Marocain mange avec sa main droite

copieuse. Comme pour les invitations, il est difficile de refuser de se faire servir et resservir. On mange généralement avec les doigts en s'aidant d'un morceau de pain. Si vous n'y arrivez pas, on vous fournira des couverts. Vous devez vous servir de la main droite pour manger car la main gauche, utilisée pour la toilette, est traditionnellement considérée comme impure. Enfin, un repas marocain se termine invariablement par du thé à la menthe. Il n'est pas rare de consommer trois ou quatre verres de cette boisson très sucrée et, là encore, il est difficile de refuser.

PHOTOGRAPHIE

Vous pourrez photographier à peu près partout au Maroc. Dans certains musées, un droit supplémentaire est demandé pour prendre des photos, dans d'autres, les photographies sont interdites. Évitez de photographier les bâtiments militaires ou officiels, on pourrait vous confisquer votre pellicule et vous questionner longuement sur ce que vous cherchiez à photographier. Avant de photographier quelqu'un, demandez-lui toujours son autorisation, les Marocains ont en effet un rapport difficile à l'image. Sachez que ceux qui acceptent d'être photographiés risquent de vous réclamer un peu d'argent, surtout dans les hauts lieux touristiques.

COUTUMES MUSULMANES

L'islam est une religion d'État et le roi du Maroc est le commandeur des croyants. Il est donc très mal considéré de critiquer la religion. Il est peu élégant de déranger quelqu'un pendant sa prière, que ce soit en lui parlant ou en le prenant en photo. Mais c'est surtout pendant la période du ramadan que certaines règles doivent être observées. Le jeûne du ramadan est une obligation pour les Marocains. Si les non-musulmans sont libres

La Grande Mosquée de Casablanca est ouverte aux non-musulmans

de manger, boire et fumer quand ils veulent, ils doivent éviter de le faire en public. Enfin, les couples dans la rue doivent rester discrets et ne pas s'embrasser en public, par exemple.

VISITE DES MOSQUÉES

Toutes les mosquées sont interdites aux non-musulmans, à l'exception de la Grande Mosquée de Casablanca et de l'antique mosquée de Tin Mal. Pour visiter ces dernières, déchaussez-vous et observez une attitude respectueuse, en rapport avec le caractère sacré du lieu. N'insistez pas pour visiter une mosquée et n'essayez pas d'apercevoir l'intérieur par la porte,

ces comportements seraient considérés comme sacrilèges.

VÊTEMENTS

Les habitudes vestimentaires ont beaucoup évolué au Maroc et vous verrez dans les grandes villes un grand nombre de femmes marocaines vêtues à l'occidentale. Mais les tenues trop légères sont à éviter dans les quartiers traditionnels et à la campagne. Les jupes trop courtes, les shorts ou les vêtements qui dénudent les épaules ou la poitrine risquent de choquer les Marocains. À la plage ou à la piscine, avoir les seins nus est très mal vu et comme vous le constaterez, extrêmement rare.

Le naturisme est interdit au Maroc et ses adeptes risquent d'être arrêtés.

MONARCHIE

Depuis l'avènement du roi Mohammed VI, le rapport à la monarchie est beaucoup moins tendu qu'auparavant et vous entendrez peut-être des Marocains critiquer ouvertement le roi. Cependant, la monarchie reste de loin le sujet le plus tabou du Maroc. En règle générale, ne formulez pas d'opinion trop tranchée sur celle-ci et ne manquez

pas de respect à l'image du roi (elle est accrochée dans tous les commerces et lieux publics). Enfin, il faut savoir que les Marocains sont très patriotes et que les discussions sur leur pays peuvent rapidement s'enflammer.

MARCHANDAGE

Il fait partie des traditions marocaines et vous risquez de décevoir beaucoup un commerçant si vous ne vous prêtez pas à ce jeu. L'intérêt du marchandage réside dans l'écart considérable entre les prix annoncés par les deux parties puis le lent cheminement vers un juste milieu. Il est d'usage de ne pas se départir de son sourire, car le marchandage est considéré comme un jeu.

Les femmes marocaines restent très habillées sur la plage

FUMEURS, NON-FUMEURS

Il est très rare que les lieux publics possèdent des zones non-fumeurs. Fumer est désormais interdit dans la majorité des bus et les cinémas modernes mais reste autorisé dans certains bus ou dans les cinémas populaires. À l'exception des grandes villes où les mentalités ont beaucoup évolué, les femmes qui fument en public peuvent encore choquer.

Le marchandage fait partie des traditions marocaines

Santé et sécurité

La criminalité au Maroc n'est pas plus importante qu'ailleurs et la plupart des visiteurs ne rencontreront aucun problème majeur lors de leur séjour. La présence appuyée des forces de police contribue à cette sécurité. Bien entendu, comme partout, il faut prendre quelques précautions élémentaires afin d'éviter les pickpockets et les vols à la tire. Enfin, il faut savoir que la drogue, notamment dans le Nord du pays, constitue un des premiers facteurs d'insécurité. La meilleure protection est de n'avoir aucun rapport de près ou de loin avec ces activités. Les hôpitaux publics marocains sont de qualité inégale et les cliniques privées très onéreuses, aussi vaut-il mieux souscrire une bonne assurance avant le départ.

Crème anti-moustiques

Service médical d'urgence

VACCINATIONS ET RISQUES MINEURS

Aucun vaccin n'est exigé pour entrer sur le territoire marocain, sauf pour les voyageurs venant d'un pays où sévit la fièvre jaune. Les vaccins contre les hépatites A et B et la typhoïde sont conseillés. Certaines régions du Maroc présentent un léger risque de paludisme mais aucune prévention anti-paludéenne n'est nécessaire. Pour tout séjour au Maroc, munissez-vous d'une trousse de soins d'urgences, comprenant gazes, pansements, antiseptiques et seringues, surtout si vous comptez séjourner dans des zones rurales et peu habitées. Afin d'éviter l'insolation, buvez beaucoup d'eau, couvrez-vous la tête et utilisez une crème solaire avec un indice de protection élevé.

SOINS MÉDICAUX

Les hôpitaux publics marocains, même s'ils bénéficient en général d'excellents spécialistes, manquent de moyens et d'équipements, et l'hygiène y est souvent défectueuse. Si vous avez le choix, préférez les cliniques privées, parfois onéreuses mais plus proches des critères européens. Votre ambassade ou votre consulat peuvent vous fournir une liste de médecins et d'hôpitaux agréés.

URGENCES

Au Maroc, en cas d'incident domestique ou d'accident sur la voie publique, ce sont les véhicules des sapeurs-pompiers qui se rendent les premiers sur les lieux. Leurs ambulances sont gérées en général par le Croissant Rouge marocain et portent l'inscription « ambulance ». En ville, en cas d'urgence d'ordre médical, ce sont les véhicules du SAMU qui se chargent du transport jusqu'à l'hôpital. Précisez au chauffeur de l'ambulance ou du taxi à quel hôpital ou clinique vous souhaitez être déposé, sinon vous serez conduit à l'hôpital public le plus proche. Toutefois, dans les régions éloignées, vous serez parfois obligé d'avoir recours aux services d'un taxi pour vous rendre à l'hôpital.

PHARMACIES

Les pharmacies sont signalées dans tout le pays par le même croissant de couleur verte. Il existe des pharmacies de garde le dimanche, dont l'adresse est inscrite sur la devanture des pharmacies fermées. Les grandes villes abritent des pharmacies de garde ouvertes 24 h/24. Elles vous demanderont le plus souvent une ordonnance, même si certains médicaments interdits en Europe sont vendus ici sans ordonnance.

PRÉCAUTIONS ALIMENTAIRES

De nombreux visiteurs souffrent de problèmes digestifs, souvent causés par le changement de régime alimentaire. Évitez de boire l'eau du robinet, surtout dans les zones reculées, et préférez l'eau minérale (p. 327). Assurez-vous seulement que la bouteille ait bien été débouchée devant vous et ne consommez ni glaçon ni jus d'oranges allongés. Lors de randonnées et trekkings, munissez-vous de pastilles type « Micropur » afin de purifier l'eau des sources ou à défaut, faites bouillir l'eau pendant 20 minutes.

Sigle de phamarcie

Véhicule de sapeurs-pompiers

Devanture de pharmacie, Essaouira

ADRESSES

HÔPITAUX ET CLINIQUES

Rabat
Hôpital Ibn Sina
Tél. 0537 77 57 76.

Marrakech
Polyclinique du Sud
Tél. 0524 44 79 99
ou 0524 44 76 19.

Casablanca
Hôpital Ibn Rochd
Tél. 0522 22 41 09
ou 0522 48 20 20.

URGENCES

SAMU Casablanca
Tél. 0522 25 25 25.

SOS Médecins Rabat
Tél. 0537 20 20 20.

SOS Médecins Marrakech
Tél. 0524 40 40 40
ou 0670 41 95 57.

Police
Tél. 190 (police urbaine).
Tél. 177 (gendarmerie
en zone rurale).

Pompiers
Tél. 150.

Méfiez-vous des crudités et salades, et plus généralement des fruits et légumes non pelés. Ils doivent être lavés soigneusement. Soyez également vigilant avec les plats proposés par les cuisines populaires dans la rue. Ils sont en général excellents, mais déconseillés aux estomacs fragiles. Les Marocains font heureusement beaucoup cuire la viande, ce qui détruit les parasites, comme le ténia, assez courant au Maroc.

INSECTES

Le Maroc ne compte pas d'insectes particulièrement dangereux. Mais scorpions, serpents, cafards et autres araignées sont courants à la campagne. Vérifiez vos vêtements et chaussures avant de les enfiler, notamment si vous êtes en bivouac dans les régions rurales. En cas de piqûre, utilisez une pompe aspirant le venin, vendue dans toutes les pharmacies du pays. L'achat d'un bon répulsif anti-moustiques, notamment l'été, est indispensable.

MALADIES GRAVES

Les précautions alimentaires vous protègeront contre le choléra. En cas de diarrhée aiguë, persistant après la prise de médicaments classiques, consultez d'urgence un médecin. Les animaux errants, et notamment les chiens, très nombreux la nuit dans les grandes villes, peuvent être porteurs de la rage. Sachez que si vous vous faites mordre, le délai pour administrer les premiers soins est très court. Même si les autorités s'en défendent, les maladies sexuellement transmissibles comme le sida commencent à faire des ravages ; l'usage du préservatif (que l'on trouve dans toutes les pharmacies) est vivement conseillé.

SÉCURITÉ DES PERSONNES

Il y a globalement peu d'agressions au Maroc, et l'on peut se promener partout sans risque majeur. Les vols importants ou cambriolages sont assez peu répandus, car il existe de nombreux gardiens qui complètent le travail de la police et jouent un rôle dissuasif efficace. Toutefois, les souks peuvent abriter des pickpockets aux techniques très bien rodées. En cas de vol, allez déposer une plainte au poste de police le plus proche et exigez qu'une copie en français du procès-verbal vous soit remise, car elle seule sera valable pour votre assurance.

POLICE

Elle est omniprésente en ville comme sur les routes et son pouvoir est considérable. Policiers en uniforme, gendarmes sur les routes et nombreux policiers en civil sont présents sur tout le territoire. Les forces de police, qui étaient réputées pour être corrompues, sont devenues courtoises avec les touristes. En cas de problèmes plus graves, prévenez vite votre consulat afin d'avoir un soutien pour affronter les arcanes de la justice marocaine.

Entrée de l'hôpital Ibn Rochd, Casablanca

Banques et monnaie

Logo de la Banque centrale populaire

Vous ne pourrez pas vous procurer de devises marocaines avant votre départ. Mais, à votre arrivée, de très nombreux bureaux de change vous permettront d'en obtenir facilement. Le personnel de ces bureaux parle en général parfaitement le français. Une carte bancaire internationale vous permettra de retirer de l'argent aux distributeurs de billets ainsi qu'aux guichets des banques ne possédant pas de distributeurs. À la campagne, il est parfois difficile de changer de l'argent et les commerçants ont rarement la monnaie d'un gros billet, aussi est-il utile de se munir d'argent local en petites coupures.

Une succursale de banque étrangère

BANQUES

Les principales banques au Maroc sont la **Banque Marocaine du Commerce Extérieur (BMCE)**, la **Banque Marocaine du Commerce et de l'Industrie (BMCI)**, la **Banque Attijariwafa** et le **Crédit du Maroc**. La plupart ont un accord avec de grandes banques internationales, comme la **Citybank** ou la **Société générale**, ou sont une filiale de celles-ci. Elles ont des succursales dans tout le pays. Les petites villes n'ont en général qu'une seule banque et il n'y en a pas du tout dans les zones rurales. Les banques sont ouvertes sans interruption du lundi au vendredi de 8 h à 16 h, y compris pendant le ramadan.

Distributeur de billets

DISTRIBUTEURS DE BILLETS

Dans les grandes villes, les distributeurs de billets se généralisent. La plupart affichent des instructions en plusieurs langues. Un panneau ou un autocollant signalent l'acceptation des cartes Visa, Eurocard ou Mastercard. Prenez garde, certains distributeurs ne fonctionnent qu'avec des cartes de retrait locales et risquent de garder votre carte internationale si vous l'y introduisez par mégarde.

Les distributeurs permettent de retirer des dirhams, mais les retraits sont souvent plafonnés. Les machines présentent de nombreux dysfonctionnements, aussi vaut-il mieux retirer de l'argent lorsque la banque est ouverte afin de pouvoir récupérer sa carte rapidement en cas de problème.

Au Maroc, chaque banque prend une commission sur les retraits à l'étranger, en général de l'ordre de 4,50 à 7 dirhams quel que soit le montant du retrait. Renseignez-vous auprès de votre banque et évitez les petits retraits répétitifs. Si un distributeur ne fonctionne pas, sachez que la plupart des banques vous autoriseront à effectuer un retrait d'argent au guichet avec votre carte bancaire et bien sûr une pièce d'identité.

CHANGE

Des bureaux de change existent dans presque toutes les banques, dans les hôtels (à partir de trois étoiles), ainsi que dans les aéroports. Le taux pratiqué y est identique et les différences de commissions ne sont pas habituelles. Privilégiez les hôtels où il y a souvent moins d'attente. Les bureaux de change des hôtels et des aéroports sont ouverts quasiment en permanence, tandis que ceux des banques suivent les horaires d'ouverture de la banque.

Le passeport est en général demandé pour les opérations de change. Toutes les devises étrangères sont acceptées, mais les euros gardent la préférence des changeurs. Les billets usagés ou déchirés sont systématiquement refusés. Dans les grands centres touristiques, on vous proposera peut-être de changer de l'argent dans la rue à un taux préférentiel, il vaut mieux décliner l'offre. Vous pourrez changer les dirhams qui vous restent à la fin de votre séjour, mais la conversion se fera à un taux de change souvent désavantageux.

CARTES DE PAIEMENT

La plupart des hôtels à partir d'un certain niveau de confort (en général trois ou quatre étoiles), tout comme les restaurants huppés des grandes villes, ainsi que certains magasins modernes ou haut de gamme acceptent le paiement par carte bancaire.

CHÈQUES DE VOYAGE

Les chèques de voyage restent un moyen sûr de transporter de l'argent et sont acceptés par les bureaux de change et les grands hôtels.

MONNAIE

L'unité monétaire marocaine est le dirham (Dh en abrégé), divisé en 100 centimes. Sur les billets comme sur les pièces, la valeur est indiquée à la fois en français et en arabe. Il est particulièrement difficile de faire la monnaie de grosses coupures en zone rurale et dans les souks. Emportez toujours de la petite monnaie pour vos achats ou pour les restaurants.

Les billets comme les pièces sont à l'effigie du roi Mohammed VI et plus rarement de son père Hassan II. C'est donc un sacrilège de les déchirer ou de les abîmer. Si le visage du souverain figurant sur votre pièce a été endommagé ou martelé, elle pourra même vous être refusée.

Le rial, vieille unité monétaire valant 5 centimes, reste encore utilisé en zone rurale. Les prix vous seront parfois donnés en rials ou en centimes (suivant le principe des francs français et des euros).

Taux de change : en août 2011, 10 € valait 113 Dh, et 100 Dh valaient donc 8,9 euros.

Pièces
Les pièces en circulation sont : 5, 10, 20 et 50 centimes, 1, 2, 5 et 10 dirhams. Les centimes sont peu utilisés. En revanche, la pièce d'un dirham est indispensable, notamment pour les pourboires.

10 dirhams

5 dirhams

2 dirhams

1 dirham

50 centimes

20 centimes

10 centimes

5 centimes

Billets
Les billets ont la valeur suivante : 20 dirhams, 50 dirhams, 100 dirhams et 200 dirhams.

Billet de 20 dirhams

Billet de 50 dirhams

Billet de 100 dirhams

Billet de 200 dirhams

Communications et médias

Logo d'une
chaîne
de télévision

Le réseau téléphonique marocain est géré par trois opérateurs : Maroc Telecom, Meditel et Wana. Ce réseau, qui s'est considérablement développé, est de bonne qualité malgré quelques dysfonctionnements. L'usage du téléphone portable est largement répandu. Les services postaux sont généralement fiables, bien qu'il y ait souvent des retards dans l'acheminement du courrier. La télévision marocaine mène un combat perdu d'avance contre les bouquets satellite et les programmes étrangers. Les journaux, français pour la plupart, couvre les affaires domestiques et l'actualité internationale.

Téléboutique permettant de téléphoner et d'envoyer des télécopies

Les boîtes aux lettres marocaines sont de couleur jaune

UTILISER UN PUBLIPHONE

Les cabines publiques, assez rares, sont principalement situées devant les postes, les marchés ou les gares routières.
Les publiphones à pièces sont encore relativement fréquents et acceptent les pièces jusqu'à 5 Dh, mais sont toutefois peu adaptés à des communications internationales. Pour ces dernières, préférez les publiphones à carte.
Les cartes sont disponibles dans les postes ou dans les bureaux de tabac, signalés par un panneau blanc et bleu représentant trois anneaux entremêlés. Certaines cabines fonctionnent avec des loueurs de cartes téléphoniques. Ces derniers introduisent la carte dans l'appareil,

Carte téléphonique marocaine

vous constatez le nombre d'unités restantes et payez, à l'issue de la communication, la différence entre les unités affichées avant et après l'appel. Ce système, illégal, revient plus cher mais évite l'achat d'une carte complète.

BOUTIQUES ET KIOSQUES TÉLÉPHONIQUES

Les petites boutiques intégrant des cabines ou des kiosques en plastique (le plus souvent couleur sable) ont poussé au Maroc comme des champignons. Elles sont gérées soit par des opérateurs privés, soit par l'un des trois opérateurs nationaux.
Elles abritent des téléphones à cartes, à pièces ou à compteur. Les cartes qui y sont vendues ne fonctionnent souvent que chez l'opérateur en question, quand ce n'est pas uniquement dans la boutique où vous les avez achetées. Les kiosques et boutiques permettent généralement d'envoyer ou de recevoir des télécopies.

TÉLÉPHONES MOBILES

Le téléphone mobile est présent partout et presque tout le monde en a un. Les trois réseaux en concurrence, Méditel, Wana et Maroc Télécom, se livrent une guerre des prix acharnée. Le réseau est excellent et les téléphones peuvent être utilisés dans des endroits vraiment reculés. La plupart des opérateurs européens ont passés des accords avec l'un des opérateurs marocains, ce qui permet aux possesseurs de téléphone mobile d'utiliser leur appareil au Maroc (attention toutefois au prix des communications). Vous pourrez aussi acheter une carte prépayée auprès d'un des trois opérateurs. Pour une somme modique (environ 200 Dh), donnant droit au même montant de communications, vous disposerez d'un numéro marocain permettant de passer des appels locaux et internationaux à un coût nettement plus avantageux.

OBTENIR LE BON NUMÉRO

- La numérotation est à 10 chiffres, le pays est découpé en deux zones (052 ou 053).
  – Zone Casablanca : 0522 + 6 chiffres
  – Zone Rabat : 0537 + 6 chiffres
  – Zone Marrakech : 0524 + 6 chiffres
  – Zone Fès : 0535 + 6 chiffres.
- Il faut toujours composer les 10 chiffres, que l'on appelle d'une zone à l'autre ou à l'intérieur d'une même zone.
- Pour appeler le Maroc de l'étranger : 00 212 + 9 chiffres (numéro à 10 chiffres sans le 0 initial).
- Pour appeler l'étranger depuis le Maroc : 00 + indicatif du pays.

Les cybercafés sont de plus en plus répandus dans les grandes villes

CYBERCAFÉS

Les grandes villes abritent de plus en plus de cybercafés. Vous y consulterez ou enverrez vos courriers électroniques ou chercherez une information sur Internet. Les tarifs varient beaucoup d'un lieu à l'autre et sont facturés au temps passé.

SERVICES POSTAUX

La poste au Maroc a la réputation d'être très lente, ce qui se vérifie souvent, surtout pour le courrier international. On trouve des bureaux de poste dans toutes les villes d'une certaine importance. Vous pourrez y acheter des timbres, envoyer lettres et

Timbres marocains

colis et y retirer ou envoyer des mandats postaux.
Les timbres sont disponibles dans les bureaux de tabac ou à la réception des grands hôtels. Les postes centrales sont ouvertes de 8 h 30 à 16 h, les bureaux annexes ferment pour le déjeuner à

des horaires variant selon les lieux. Vous y trouverez également un service de courrier express. Pour un envoi urgent, préférez cependant les sociétés privées comme **DHL Worldwide Express** ou **Globex (Federal Express)**. Envoyez vos lettres des postes centrales plutôt que des boîtes aux lettres de rue de couleur jaune, dont la levée peut être aléatoire.

POSTE RESTANTE

La plupart des postes proposent ce service qui fonctionne relativement bien au Maroc. Le courrier doit comporter les nom et prénom du destinataire, ainsi que la ville. Pensez à prendre une pièce d'identité pour retirer votre courrier. Ce service est gratuit.

JOURNAUX

Le Maroc compte de nombreux quotidiens en arabe et en français. Les journaux francophones les plus importants sont *Le Matin du Sahara*, *L'Opinion* ou encore *Libération* et *El-Bayane*. Plusieurs magazines hebdomadaires, comme *Le Journal*, *Tel Quel* et *Demain*, ou trimestriels comme *Medina*, *Femmes du Maroc*, *Citadine* ou *Ousra*, ont vu le jour ces dernières années. Ils apportent un nouveau ton à la presse marocaine, souvent assez conventionnelle. Les journaux français comme *Le Monde* ou *Le Figaro* sont imprimés à Casablanca en même temps qu'en France. Soyez attentif, il n'est pas rare, en dehors des grandes villes, que l'on vende des quotidiens datant de plusieurs jours.

TÉLÉVISION ET RADIO

Le Maroc possède deux chaînes de télévision.

Présentoir à journaux

ADRESSES

DHL Worldwide Express
114, lotissement La Colline, Sidi Maarouf, Casablanca.
Tél. 0522 23 15 23.

Globex (Federal Express)
La Colline Casablanca Business Centre, Sidi Maarouf.
Tél. 0802 00 47 47..

Cafés Internet
Fès el-Jedidi : Cyber Internet, 42, rue des États-Unis.
Marrakech : Cyber Behja, 27, rue Bani-Marine (dans la medina) ;
Cybercafé Hivernage, 106, rue de Yougoslavie (Guéliz).
Rabat : Student Cyber, 83, rue Hassan-II.
Tanger : Futurescope, 8, rue Youssoufia.

Téléphones utiles
Renseignements
Tél. 160.

Télégrammes
Tél. 140.

La Radio Télévision marocaine (RTM), chaîne nationale publique qui propose des émissions en arabe et en français, et 2M, chaîne privée à péage également bilingue, même si le français y tient une place plus importante. On peut également capter les programmes, exclusivement en arabe, de NBC, chaîne à capitaux saoudiens qui émet depuis Londres. Mais les deux chaînes marocaines sont sévèrement concurrencées par la généralisation des antennes paraboliques qui donnent accès à de très nombreuses chaînes internationales. La plupart des ménages en sont équipés, ainsi que les hôtels internationaux.
La libéralisation des ondes en 2004 a permis à une douzaine de stations de se faire une place aux côtés de celles qui existaient déjà : les trois radios RTM, Radio 2M et Médi 1 par exemple ; leurs programmes sont bilingues ou francophones.

Medina est un trimestriel marocain

ALLER ET CIRCULER AU MAROC

L'avion est le moyen le plus pratique de se rendre au Maroc. Il existe de nombreuses liaisons aériennes régulières depuis la majorité des grandes villes européennes. Les vols intérieurs desservent les principales villes du Maroc. Pendant la haute saison touristique, de nombreux

Logo de la Royal Air Maroc

vols charters sont également assurés. Le train et l'autocar sont meilleur marché que l'avion, mais le trajet est extrêmement long et fatiguant. On peut aussi se rendre au Maroc en voiture et en bateau, ce qui permet d'économiser le coût d'une location de voiture assez élevé au Maroc.

Un avion de la RAM décolle à l'aéroport de Ouarzazate

AVION

Le Maroc compte douze aéroports internationaux ; les plus fréquentés sont ceux de Casablanca, Fès, Agadir, Marrakech, Ouarzazate et Rabat.

Royal Air Maroc (RAM) assure de nombreuses liaisons entre le Maroc et la France (y compris au départ de villes de province). Bruxelles, Genève, Zurich et Montréal sont également desservies depuis Casablanca. Depuis Paris, RAM assure six à sept vols quotidiens pour Casablanca, trois à quatre pour Marrakech, et un à deux pour Agadir. La compagnie dessert Fès sept fois par semaine, trois fois pour Tanger et Ouarzazate, et assure des vols réguliers pour Casablanca depuis Lyon, Marseille, Nice, Strasbourg, Lille, Toulouse, Bordeaux et Nantes.

Depuis Paris, Air France propose quatre vols quotidiens vers Casablanca et deux vers vers Rabat. Pendant la haute saison, un grand nombre de vols charters s'ajoute aux vols réguliers. La plupart

desservent Marrakech, Agadir et Ouarzazate. Suite à l'accord Open Sky, les compagnies low-cost **Jet4you**, **Transavia**, **Ryanair** et **EasyJet** peuvent désormais assurer la liaison avec Marrakech.

De nombreux tours-opérateurs proposent des forfaits économiques comprenant le vol plus l'hébergement en hôtel, villa ou hôtel-club, et dans certains cas des visites guidées, des circuits dans le désert, des activités sportives et des randonnées. La plupart des tours opérateurs spécialisés organisent des séjours à la carte.

Voyages-sncf.com propose ses meilleurs prix sur les billets d'avion, hôtels, location de voitures, séjours clé en main par Alacarte®. Vous avez également accès à des services exclusifs : l'envoi gratuit des billets à domicile, Alerte Résa qui signale l'ouverture des réservations, le calendrier des meilleurs prix, les offres de dernière

minute et promotion.
www.voyages-sncf.com

AÉROPORT DE CASABLANCA

L'aéroport Mohammed-V à Casablanca est le plus grand aéroport du Maroc par la taille et le trafic. La majorité des vols internationaux arrivent et repartent de Casablanca, et de nombreux vols desservant d'autres villes du Maroc y font escale. Les vols intérieurs vers les aéroports de moindre importance – Fès, Ouarzazate, Essaouira, Laayoune, Tanger, Nador, Oujda ou Er-Rachidia – partent également de Mohammed-V.

L'aéroport est situé à une vingtaine de kilomètres du centre-ville, mais il est très bien desservi par le bus ou le train.

AÉROPORT DE MARRAKECH

En partie rénové et considérablement agrandi, l'aéroport Marrakech-Ménara a considérablement accru sa capacité. Situé à quelques kilomètres au sud-ouest du centre-ville, il est facile d'accès en bus ou en taxi. Hormis quelques liaisons régulières, les vols charters

Ferry dans le détroit de Gibraltar

constituent désormais l'essentiel du traffic.

Panneau indiquant l'aéroport Mohammed-V

LIAISONS VERS LES AÉROPORTS

L'aéroport Mohammed-V à Casablanca est desservi par le bus et le train (un train toutes les heures). En revanche, au départ des autres aéroports, les taxis sont souvent l'unique moyen de rallier le centre-ville. Seuls les « grands taxis » sont autorisés à attendre les voyageurs à l'aéroport. Leur position de monopole leur permet de demander des tarifs assez élevés, que l'on peut difficilement négocier.

Les loueurs de voitures sont nombreux dans les aéroports. Si vous envisagez de circuler en voiture pendant votre séjour, vous ferez en outre l'économie d'un taxi pour rejoindre le centre-ville.

Vous pourrez aussi prendre un « grand taxi » pour vous rendre du centre à l'aéroport.

VOITURE ET BATEAU

Pour se rendre au Maroc par bateau, plusieurs liaisons sont possibles. Au départ des ports français de Sète et Port-Vendres, on peut naviguer vers Tanger ou Nador. De multiples liaisons rallient l'Espagne au Maroc depuis Barcelone, Almería et Malaga. De Gênes, en Italie, on peut également effectuer une traversée vers Tanger. Toutes ces liaisons se font avec ou sans voiture.

Le billet de bateau peut s'acheter à l'avance ou sur place ; dans les deux cas, l'attente est la même. Il faut compter environ 40 € par adulte et de 90 à 180 € pour un véhicule selon ses dimensions. La plupart des voyageurs prennent le bateau à Algésiras en raison de la fréquence des rotations.

TRAIN

Au départ de Paris, on peut relier Algésiras en train en effectuant deux changements, un à Irún (à la frontière espagnole) et l'autre à Madrid. Le trajet dure 18 à 21 heures et coûte environ 200 €. Les détenteurs de la carte Inter Rail, qui permet de circuler dans 29 pays d'Europe dont l'Espagne, peuvent s'arrêter librement au cours de leur voyage. Renseignez-vous auprès de la **SNCF**. D'Algésiras, vous devrez prendre le ferry.

AUTOCAR

La compagnie **Eurolines**, leader européen des voyages en lignes régulières internationales par autocar, propose des liaisons régulières vers le Maroc au départ de nombreuses villes françaises. Ce moyen de transport est peu onéreux, mais plutôt long (au moins 50 heures) et surtout extrêmement inconfortable.

ADRESSES

COMPAGNIES AÉRIENNES

Air France
Tél. 0820 820 820.
www.airfrance.fr

Royal Air Maroc
Tél. 0820 821 821 (Paris).
Tél. 022 731 77 53 à 55
(Genève).
Tél. 02 219 12 63 (Bruxelles).
www.royalairmaroc.comr

Jet4you
www.jet4you.com

EasyJet
www.eurolines.fr

Ryanair
www.ryanair.com

Transavia
www.transavia.com

COMPAGNIES MARITIMES

Comanav
Tél. 0522 30 30 12 (Casablanca),
0800 73 31 31 (n° vert en
France). www.comanav.ma

Comarit
Tél. 04 66 26 49 37 (Nîmes),
0800 73 31 31 (n° vert en
France). www.comarit.com

Trasmediterranea
Tél. 01 40 82 63 63 (Paris),
0539 94 26 12 (Tanger).
www.trasmediterranea.es

FRS
www.frs.es

COMPAGNIE D'AUTOCAR

Eurolines
Tél. 0892 89 90 91.
www.eurolines.fr

Intérieur de l'aéroport d'Agadir

Circuler en voiture

Attention, dromadaires

La voiture reste le meilleur moyen de parcourir le Maroc et de découvrir des sites naturels ou historiques à l'écart des lignes de transports locaux. Le réseau routier, bien que perfectible, est en constante amélioration. Grâce à la densité du réseau goudronné, les véhicules tout-terrain ne sont pas indispensables, même dans le Sud. La véritable difficulté est la conduite des Marocains à laquelle on s'adapte néanmoins rapidement. Les loueurs de voitures sont très nombreux au Maroc, mais il faut être vigilant car ils n'offrent pas tous le même service.

La conduite en ville est limitée à 40 ou 60 km/h

CODE DE LA ROUTE

Le code de la route marocain est inspiré du code de la route français. La priorité est à droite et les véhicules qui s'engagent sur un rond-point sont prioritaires sur les véhicules déjà engagés. Les feux tricolores sont globalement bien respectés, peut-être grâce à la présence d'un gendarme ou d'un policier à la majorité des intersections. La vitesse est limitée à 40 km/h ou à 60 km/h en agglomération, à 100 km/h sur route et à 120 km/h sur autoroute. À l'entrée des villes, les panneaux indiquant des limitations différentes se succèdent parfois ; en cas de doute, roulez à 40 km/h, les radars étant très fréquents aux entrées des villes. Les amendes pour infractions au code de la route et excès de vitesse ont été revues à la hausse et se situent entre 300 et 600 Dh.

PANNEAUX DE SIGNALISATION

Ils sont en conformité avec la signalisation routière internationale et le plus souvent en arabe et français. Les grandes villes comptent peu de panneaux indicateurs de direction et mieux vaut être muni d'un plan ou de solides indications avant de se déplacer. Sur les routes nationales et les autoroutes, la signalisation est en général bonne, mais l'éclairage est le plus souvent inexistant, sauf aux abords des grandes villes.

Panneau routier bilingue

الحزام : السلامة
CEINTURE : SÉCURITÉ

CONDUITE LOCALE

Sa difficulté est due à la grande variété de véhicules qui circulent. En règle générale, évitez de conduire la nuit, les charrettes et vélos sans éclairage présentant un véritable danger. En ville, la nuit, le code de la route est peu respecté. Prêtez une attention particulière aux piétons pouvant traverser les routes ou même les autoroutes. Le clignotant est peu utilisé, aussi faut-il anticiper au maximum les possibles changements de direction des véhicules qui vous entourent. Les routes nationales sont le plus souvent à deux voies et les dépassements peuvent être hasardeux. Sur les routes de montagne, taxis et bus adoptent souvent une conduite dangereuse. N'hésitez pas à faire usage de votre klaxon à l'entrée d'un virage sans visibilité.

RÉSEAU ROUTIER

Assez dense au Maroc, le réseau routier est en constante évolution. Munissez-vous d'une carte routière la plus récente possible ou bien d'un GPS afin que les derniers tronçons construits soient indiqués.

Dans le Nord, le réseau routier, bien développé, se double peu à peu d'autoroutes très agréables car peu empruntées par les camions. Dans le Sud du Maroc, le réseau est moins dense et les routes secondaires, rares, sont souvent en mauvais état. Dans le Grand Sud et dans l'Atlas, les routes goudronnées desservent la majorité des lieux intéressants et sont complétées par un assez bon réseau de pistes. Toutefois, un véhicule tout-terrain est indispensable si l'on doit faire de longs trajets.

CIRCULER EN VILLE

Dans les grandes villes, la circulation peut être très dense ; le nombre croissant des véhicules entraîne de multiples embouteillages, accentués par la présence de nombreux vélos et mobylettes

Gardien de voiture

qui ralentissent le trafic. La medina (vieille ville) de la plupart des villes est accessible en voiture mais il est plus agréable d'y circuler à pied, tant les ruelles peuvent être étroites et les voies sans issue nombreuses.

CIRCULER À LA CAMPAGNE

Sur les routes secondaires, il faut faire attention aux animaux sans surveillance (troupeaux de moutons et de chèvres) qui surgissent parfois brutalement.

De nombreux camions et bus peuvent considérablement vous ralentir et les dépassements, notamment en montagne, sont difficiles. Les croisements sur les routes très étroites sont souvent délicats, ralentissez et mettez-vous sur le bas-côté afin d'éviter toute confrontation inutile.

Panneau « Stop » en arabe

CARBURANT

Les stations-service sont assez fréquentes au Maroc, même dans les endroits les plus reculés. Si le super et le gasoil sont courants, l'essence sans plomb est rarement disponible en dehors des grandes villes. Dans les campagnes, les stations-service peuvent ne pas être approvisionnées, aussi faut-il toujours faire le plein avant un long trajet. Le libre-service est très rare, il faut attendre le pompiste et lui régler le prix du carburant exclusivement en espèces.

SE GARER

Dans les grandes villes, chaque trottoir est attribué à un gardien porteur d'une plaque officielle en cuivre. Il vous aidera à vous garer et à vous extraire de votre place. Sa rémunération varie selon la durée du stationnement mais n'est pas réglementée : comptez 1 à 2 Dh pour un arrêt de courte durée (même quelques minutes), 5 Dh si vous restez plusieurs heures. En cas d'arrêt prolongé (une nuit, par exemple), nous vous conseillons de négocier au préalable avec le gardien le montant de son indemnité. Ce système a l'avantage de rendre quasi inexistants les vols de voiture ou d'objets se trouvant à l'intérieur.

Sahez aussi qu'il y a des parcmètres dans toutes les grandes villes du pays.

LOCATION DE VOITURES

Dans les grandes villes et les aéroports, les loueurs de voitures sont très nombreux. Tous n'offrent pas le même service.

Pour une location de longue durée, mieux vaut s'adresser a une compagnie internationale (**Hertz**, **Avis**, **Europcar**, **Thrifty**) ou locale (**First-Car**) qui disposent d'un réseau étendu et de bons services d'assurance et d'assistance. Moyennant un supplément, le véhicule peut être rendu dans un lieu différent de celui où on l'a pris. Vérifiez votre contrat, notamment les clauses concernant les assurances et la franchise en cas d'accident ou de vol. Assurez-vous de l'état du véhicule loué et faites noter les défauts constatés au moment où vous le prenez. La location d'une voiture est assez onéreuse : comptez 600 Dh par jour pour un véhicule de catégorie

ADRESSES

LOCATION DE VOITURES

Avis
www.avis.com
Agadir : Avenue Mohammed-V. *Tél. 0528 82 14 14.*
Casablanca : 19, av. de l'Armée Royale. *Tél. 0522 31 24 24.*
Marrakech : 137, av. Mohammed-V. *Tél. 0524 43 37 27 ou 0524 43 25 25.*

Hertz
www.hertz.com
Agadir : av. Mohammed-V. *Tél. 0528 84 09 39.*
Casablanca : 25, rue Al-Oraibi-Jilali. *Tél. 0522 48 47 10.*
Marrakech : 154, av. Mohammed-V. *Tél. 0524 43 99 84.*

Europcar
www.europcar.ma

Thrifty
www.thrifty.com

First-Car
Tél. 522 300 007.
www.firstcar.ma

A (Renaut Logan) et 1900 Dh pour un véhicule tout-terrain. La gamme de véhicules proposés est souvent étendue.

EN CAS D'ACCIDENT

En cas d'accident de voiture, il faut attendre l'arrivée de la police qui ne tarde jamais. Ce sont les autorités qui tranchent en cas de désaccord. Des constats à l'amiable sur le modèle européen sont disponibles dans les bureaux de tabac.

Un véhicule 4x4 est indispensable pour les trajets dans le désert

Transports urbains

Au Maroc, les sites historiques et les monuments les plus importants sont souvent situés dans les medinas aux ruelles étroites et aux nombreuses voies sans issue, où on se déplace surtout à pied. Toutefois, les hôtels étant fréquemment localisés dans les quartiers modernes, il est généralement nécessaire d'avoir recours aux bus ou aux taxis. Si les bus sont très peu onéreux, leur fonctionnement et leurs itinéraires ne sont pas d'une grande clarté pour les visiteurs. Les « petits taxis » offrent une plus grande souplesse pour un coût relativement modique. Dans certaines villes, un guide est presque indispensable pour éviter de perdre trop de temps à chercher un itinéraire, dans d'autres, la découverte est plus facile.

Plaque de rue bilingue

Petit taxi marocain, idéal pour les courts trajets en ville

BUS

Dans toutes les grandes villes marocaines, de nombreuses lignes de bus relient les différents quartiers, mais il est parfois difficile de choisir la bonne car la destination n'est souvent écrite qu'en arabe. Les lignes qui vous seront le plus utiles sont généralement celles qui relient la ville nouvelle à la medina.

Le ticket de bus, peu onéreux (3 à 4 Dh), s'achète à bord du bus auprès du préposé. Munissez-vous de monnaie.

GRANDS TAXIS

Souvent de marque Mercedes, les « grands taxis » sont essentiellement utilisés pour les trajets entre les villes. Ils peuvent également être nécessaires si vous êtes très nombreux, très chargés ou si vous désirez sortir un peu de la ville. Ils ne possèdent pas de compteur et le prix de la course doit être marchandé selon le kilométrage et le temps d'utilisation. Comptez environ 500 Dh pour une journée complète. Attention, ces taxis se postent souvent devant les grands hôtels et il ne faut pas les confondre avec les petits taxis, moins chers et réservés aux petits trajets.

PETITS TAXIS

Ils sont reconnaissables à leur couleur, différente dans chaque ville, et à leur galerie portant l'inscription « petits taxis ». Selon la loi, ils n'ont pas le droit de sortir des agglomérations et ne peuvent être empruntés que pour les courtes distances. L'usage du compteur se généralise peu à peu, et il ne faut pas hésiter à exiger sa mise en marche, quitte à arrondir un peu la somme souvent modique qu'il affichera à la fin de la course. Comptez entre 10 et 20 Dh pour une petite course, en sachant que les prix sont majorés de 50 % la nuit par rapport au tarif affiché au compteur. Les taxis se payent en liquide, munissez-vous de petites coupures car les chauffeurs ont rarement la monnaie de 100 ou 200 Dh.

Les « petits taxis » acceptent généralement jusqu'à trois personnes (deux à l'arrière et une à l'avant). Ils s'arrêtent souvent en route pour embarquer d'autres passagers allant dans la même direction, le coût de la course étant alors normalement réduit. Si les chauffeurs connaissent généralement bien leur ville, mieux vaut indiquer le nom d'un restaurant, d'un hôtel ou d'un monument, repères plus fréquents que les noms de rues. Les stations de taxis sont signalées par un panneau rectangulaire blanc marqué « taxi ». On peut également héler un taxi dans la rue d'un signe de la main. Il est rare d'attendre longtemps une voiture, car un nombre important

Bus marocain, bon marché mais souvent compliqué à utiliser

Le centre d'Oujda, comme beaucoup de medinas, se découvre aisément à pied

de taxis circulent dans les villes. Il n'existe pas de compagnies de taxis, mais certains chauffeurs possèdent des téléphones mobiles et vous donneront leurs cartes.

Parfois, les taxis peuvent avoir à emprunter une piste, ce qui majore de façon automatique le tarif d'un montant à négocier avec le chauffeur avant le départ.

À PIED

Les villes marocaines, et particulièrement les medinas, se caractérisent par leur très faible signalisation pour les piétons. Munissez-vous d'un plan et n'hésitez pas à demander votre chemin, quelques mots de français ou quelques dirhams suffiront. Le centre des villes marocaines se découvre facilement à pied.

Les visiteurs peu pressés sauront en profiter à loisir : n'hésitez pas à vous perdre au hasard des ruelles. Les voitures et les deux-roues ne font que peu de cas des piétons, aussi soyez vigilant pour traverser. Les rues au Maroc sont globalement très sûres. Il existe bien évidemment certains quartiers peu recommandables, mais ils sont rarement fréquentés par les touristes.

Dans les lieux touristiques, la surveillance policière soutenue, alliée au grand nombre de personnes

(Marocains et visiteurs), est le meilleur gage de sécurité. Prenez garde à vos effets personnels dans les ruelles bondées où peuvent agir des pickpockets.

DEUX-ROUES

Dans les grands centres touristiques, en particulier à Marrakech ou à Agadir, il est possible de louer des vélos, des scooters et autres deux-roues. Le peu de relief de ces deux villes permet en effet de se déplacer à vélo sans peine. Le deux-roues est idéal pour circuler dans les vieux quartiers aux ruelles étroites. Toutefois, soyez prudent, car les automobilistes font peu de cas des deux-roues. Il existe des gardiens de vélos, repérables à la concentration considérable de vélos et scooters garés en un même point. Les tarifs vont de 1 à 2 Dh pour quelques heures à 10 Dh pour la nuit entière. Attachez votre deux-roues même si vous le confiez à un gardien.

CALÈCHE

On trouve des calèches, principalement à Marrakech. Bien qu'un peu plus chères, elles constituent une alternative folklorique

Arrêt de bus urbain

aux petits taxis. À Marrakech, la plus grande « station » est située au pied de la Koutoubia.

GUIDES

Les « faux guides » qui ont longtemps pullulé dans les lieux touristiques sont devenus plus discrets depuis que des mesures répriment fortement quiconque accompagne des visiteurs étrangers sans carte de guide officiel.

Certaines villes restent très mystérieuses, même pour le visiteur muni d'un plan. L'aide d'un guide peut s'avérer nécessaire le premier jour du séjour, notamment dans les grandes medinas comme à Fès. Les guides officiels sont reconnaissables à leurs cartes presque toujours épinglées sur leurs vêtements. Elles sont délivrées par le ministère du Tourisme et portent la photo d'identité de leurs propriétaires.

Les concierges d'hôtel ou les offices de tourisme peuvent vous trouver des guides officiels. Ces derniers sont souvent postés près des hôtels et des grands monuments. Si vous avez recours à leurs services, il faut commencer par déterminer les différents monuments que vous voulez visiter, préciser si vous voulez voir des boutiques ou non et fixer leur rémunération avant de partir vous promener.

Une calèche peut transporter jusqu'à cinq personnes

Se déplacer au Maroc

Panneau indiquant la gare ferroviaire

Les chemins de fers marocains (ONCF) relient les villes du Nord du Maroc, la ville desservie le plus au sud étant Marrakech. Les trains sont propres et sûrs, leur vitesse dépend du nombre d'arrêts de la ligne. Le réseau de chemin de fer est complété par de grandes lignes de bus, nationales ou privées, au coût souvent inférieur. Quel que soit le moyen de transport retenu, il est nécessaire, avant de partir, de connaître les différents horaires et les étapes qui peuvent rallonger considérablement le trajet. Les « grands taxis » permettent de relier rapidement deux villes, mais leurs tarifs ne sont pas fixes et le marchandage est de rigueur. Enfin, à partir de Casablanca, il peut être intéressant d'emprunter les vols intérieurs.

La compagnie Regional Air Lines dessert les lignes intérieures

Un avion de ligne intérieure arrive à Ouarzazate

RÉSEAU FERROVIAIRE

Géré par l'**Office national des chemins de fer (ONCF)**, le réseau est assez peu étendu (1700 km) et couvre principalement le Nord du Maroc, reliant Tanger, Oujda, Rabat, Casablanca, Fès, Marrakech et El-Jadida. Des projets d'extension plus au sud, notamment vers Agadir, sont à l'étude, mais l'Atlas reste une barrière infranchissable. Les trains sont nombreux, car le chemin de fer est un moyen de transport populaire au Maroc. Il joue aussi un rôle économique important en transportant les phosphates, dont le Maroc

est le premier producteur mondial. Casablanca et Rabat comptent plusieurs gares, situées dans différents quartiers, desservies par la même ligne.

TRAIN

Les trains marocains sont relativement modernes malgré quelques exceptions. Les Trains Navettes Rapides (TNR), baptisés « Aouita », du nom d'un célèbre coureur de fond marocain, relient Casablanca à Rabat en 50 minutes, l'aéroport Mohammed-V à Casablanca en 40 minutes et Rabat à Kenitra en 30 minutes. Ils sont fréquents pendant les heures de pointe. Les Trains Rapides Climatisés assurent les liaisons grandes lignes (Casablanca-

Grand taxi marocain

Fès-Oujda-Tanger-Marrakech) et sont identifiés par des noms propres comme Koutoubia ou Hassan. Ils sont climatisés, insonorisés et disposent de sanitaires corrects. Il existe au moins un départ toutes les deux heures pour les liaisons les plus demandées (Casablanca-Marrakech-Fès-Tanger) et il est possible de faire l'aller retour dans la même journée.

Sur les longs parcours, les compartiments des trains de nuit se transforment en couchettes. La seconde classe, climatisée, est très confortable. Les toilettes se trouvent en queue de wagon et sont relativement bien entretenues. Le service de restauration à bord est assez restreint : des vendeurs circulent parmi les wagons, proposant gâteaux, sucreries, boissons et parfois sandwiches.

BILLETS DE TRAINS ET TARIFS

Les billets achetés dans les gares sont les moins chers. Les voyageurs doivent être munis d'un billet valide pour la classe et la catégorie de train empruntée (la date et le parcours y sont indiqués). Si vous réservez une couchette ou une voiture-lit, vous devez posséder le supplément correspondant. Vous pouvez vous procurer des billets sans réservation six jours à l'avance, des billets combinés train + autocar un mois à l'avance et des billets avec réservation de voitures-lits ou de couchettes deux mois à l'avance. Il est possible de s'arrêter en route à condition de prendre un bulletin d'arrêt auprès de la gare où le voyage a été interrompu. Le bulletin d'arrêt prolonge la validité du billet de cinq jours.

Si vous n'avez pas pu vous procurer votre billet au guichet, demandez un ticket d'accès délivré gratuitement à l'entrée du quai de la gare ou avisez le contrôleur avant d'emprunter le train. Dans tous les cas, votre billet acheté dans le train vous coûtera plus cher qu'en gare.

Le train est relativement économique : un voyage en deuxième classe en train rapide entre Casablanca et Marrakech ou Fès coûte environ 125 Dh, un trajet entre Marrakech et Tanger, environ 250 Dh. Il existe une gamme de réductions pour les familles, les jeunes ou les groupes, ainsi que des systèmes d'abonnement (rentables seulement en cas d'utilisation très régulière d'une ligne).

AUTOCARS

Le Maroc compte de nombreuses compagnies d'autocars. La plus connue est la **CTM**, compagnie nationale qui assure toutes les liaisons entre les différentes villes du Maroc, ainsi que vers l'étranger. Deux compagnies privées, **SATCOMA SATAS** et **Supratours**, desservent également les grandes lignes. Confortables et climatisés, les autocars sont pratiques, surtout dans le Sud. Ils partent de la gare routière, généralement bien indiquée. Une formule train + autocar assure désormais le trajet entre Casablanca et Dakhla, à l'extrême sud du pays. Pensez à y acheter et réserver vos places au moins 24 heures à l'avance, car les cars sont souvent complets. Les bagages s'enregistrent à l'avance et sont ensuite transportés dans les coffres du bus, vérifiez donc qu'ils vous suivent bien.

Il existe de nombreuses petites compagnies locales mais le confort de leurs autocars est souvent sommaire et leur lenteur rend les voyages éprouvants.

GRANDS TAXIS

C'est le moyen le plus souple pour se rendre d'une ville à une autre. Les « grands taxis », souvent de marque Mercedes, se trouvent surtout à la gare routière où ils se rangent selon leur lieu de destination. Ils n'ont pas de compteur, aussi faut-il marchander le prix du trajet. Les tarifs dépendent essentiellement de la distance et du remplissage du taxi : si le taxi est complet (7 voire 8 personnes), le prix du trajet doit être légèrement supérieur au prix demandé pour le même trajet en autocar. Si on ne désire pas partager son taxi, il faut acquitter la somme correspondant à un remplissage maximum. Cette dernière solution permet d'adapter l'itinéraire à ses envies. Les arrêts, pour faire quelques visites, doivent être négociés à l'avance, car ils rallongent d'autant la durée du trajet et alourdissent la note.

VOLS INTÉRIEURS

À partir de Casablanca, il peut être intéressant d'emprunter les lignes intérieures de **Royal Air Maroc**, notamment pour rallier Agadir ou Ouarzazate, villes non desservies par

le train. Comptez environ 700 Dh pour un aller simple, les prix pouvant varier selon les saisons. La compagnie aérienne **Air Arabia Maroc** dessert également les lignes intérieures.

ADRESSES

COMPAGNIE FERROVIAIRE

ONCF
8 bis, rue Abderrahmane El-Ghafiki, Agdal, Rabat.
Tél. 0890 20 30 40.
www.oncf.org.ma

COMPAGNIES DE BUS

CTM
Tél. 0522 54 10 10
ou 0522 54 24 24.

SATCOMA SATAS
Tél. 0528 29 23 50 (Agadir).

Supratours
12, rue Abderrahmane El-Ghafiki, Agdal, Rabat.
Tél. 0537 77 65 20.

COMPAGNIES AÉRIENNES

Air Arabia Maroc
Aéroport Mohammed-V, Casablanca.
Tél. 0522 53 64 00.

Royal Air Maroc
44, av. des F.-A.-R., Casablanca.
Tél. 0522 48 97 02
ou 0890 00 08 00.
www.royalairmaroc.com

Train entrant en gare de Mohammedia, près de Casablanca

Index

Remerciements

L'éditeur remercie chaleureusement les organismes, institutions et personnes suivantes pour leur contribution à la préparation de cet ouvrage. Nous souhaitons faire une mention particulière à l'Institut du monde arabe à Paris pour sa précieuse collaboration.

Auteurs

Rachida Alaoui
Rachida Alaoui est née au Maroc. Elle vit et travaille à Paris. Après des études d'histoire de l'art en France, elle se spécialise dans la mode marocaine et arabe en général.

Jean Brignon
Agrégé d'histoire, Jean Brignon a enseigné l'histoire musulmane pendant douze ans à l'université de Rabat. Il a dirigé une *Histoire du Maroc* chez Hatier, ainsi que de nombreuses publications scolaires. Président de l'association Rives Sud, il organise des séjours culturels et thématiques au Maroc.

Nathalie Campodonico
Traductrice littéraire et journaliste, Nathalie Campodonico a vécu à Casablanca pendant une dizaine d'années et a sillonné le Maroc de part en part. Elle écrit des articles pour diverses publications.

Fabien Cazenave
Après avoir longtemps vécu au Maroc, Fabien Cazenave est aujourd'hui responsable de la zone « Monde Arabe » chez *Voyageurs dans le Monde Arabe*. Il a donc une grande connaissance du terrain et des infrastructures d'accueil au Maroc.

Gaëtan du Chatenet
Entomologiste, ornithologue, membre correspondant du Muséum national d'histoire naturelle de Paris, dessinateur et peintre de vélins, Gaëtan du Chatenet est l'auteur de nombreux ouvrages parus chez Delachaux et Niestlé et chez Gallimard.

Alain Chenal
Spécialiste des relations internationales et particulièrement de l'étude du monde arabe, Alain Chenal enseigne le droit public et les sciences politiques à l'université de Paris-X-Nanterre. Il est également administrateur de l'Institut du monde arabe à Paris.

Emmanuelle Honorin
Journaliste indépendante, notamment pour *Géo* et *Le Monde de la musique*) et ethnologue, Emmanuelle Honorin connaît particulièrement bien le Maroc où elle a effectué de nombreux reportages.

Maati Kabbal
Maati Kabbal est professeur de philosophie à la faculté des lettres de Marrakech, traducteur et journaliste. Il est également chargé d'actions culturelles à l'Institut du monde arabe.

Mohamed Métalsi
Spécialiste d'urbanisme et de musique, Mohamed Métalsi dirige les affaires culturelles à l'Institut du monde arabe à Paris. Il a écrit de nombreux articles et un ouvrage consacré aux villes impériales du Maroc (Terrail).

Marie-Pascale Rauzier
Historienne et journaliste, Marie-Pascale Rauzier a vécu neuf ans au Maroc au cours desquels elle n'a cessé de parcourir les pistes de l'Atlas et du désert. Outre des reportages, elle a participé à la conception et à la réalisation du premier hebdomadaire généraliste marocain. Elle est également l'auteur de trois ouvrages et d'un CD-Rom sur le Maroc.

Autres collaborateurs
Sophie Berger, Carole French, Delphine Pont, Sonia Rocton, Sarah Thurin, Sébastien Tomasi, Richard Williams.

Pour Dorling Kindersley
Jane Ewart (direction éditoriale), Anna Streiffert (édition), Douglas Amrine (direction de la publication), Dave Pugh (cartographie), Jason Little (informatique), Christine Osborne (consultant).

Reportage Photographique
Ian O'Leary, Cécile Tréal, Jean-Michel Ruiz.

Photographies en Studio
Anne Chopin, Cécile Tréal, Jean-Michel Ruiz.

Iconographie
Marie-Christine Petit, Ellen Root.

Cartographie
Fabrice Le Goff.

Collaboration cartographique
Quadrature Créations.

Illustrations
François Brosse
Perspectives architecturales, plan pas à pas et dessin p. 68-69, 74-75, 102-103, 114, 172-173, 176-177, 194-195, 202-203, 204, 236-237, 266-267 et 276-277.

Gaëtan du Chatenet
Dessin p. 218-219.

Éric Geoffroy
Illustrations sur les cartes « À la découverte », « D'un coup d'œil », sur les petits plans de ville et les cartes d'excursion p. 62-63, 84-85, 110-111, 121, 126-127, 144-145, 151, 160-161, 181, 208-209, 213, 246-247, 249, 262-263, 284-285 et 287.

Emmanuel Guillon
Façades et perspective p. 24-25, 26-27, 48-49 et 101.

Documentation et renseignements divers

Taoufiq Agoumy, Babette et François Aillot, A. Akouad (délégué au tourisme, Ifrane), Jamal Atbir (hôtel des Cascades, Imouzzer), Amina Bouabid (Office national marocain du tourisme à Paris), Ahmed Derouch (délégué au tourime, Beni Mellal), Soraya Eyles, Kadiri Fakir (ministère des Affaires culturelles à Rabat), M. Hassani, hôtel Tombouctou (Tinerhir), Ali Lemnaouar (Boulmane du Dadès), Sisi Mohamed (hôtel Asmaa, Zagora), M. Mokthari (Fujifilm Maroc), Natasha, Georges Philippe (Académie d'architecture de Paris), Joël Poitevin (Météo France), Marie-José Taube (ministère des Affaires étrangères à Paris), Mohammed Temsamani, Abdelaziz Touri (ministère des Affaires culturelles à Rabat), Adolfo de Velasco, Eric Vo Toan (architecte du mausolée de Mohammed-V), Oulya Zwitten.

Autorisations de photographier

Atelier de tissage des sœurs franciscaines (Midelt), auberge Askaoum (Taliouine), auberge Kahina (Imessouane), André Azoulay (cabinet royal), Banque d'État du Maroc, M. Belghazi (musée Belghazi), M. Bennani, Pierre Berger (jardin de la villa Majorelle), M. Binbin (bibliothèque du Palais royal), M. Bruno (usine de distillation de roses, El-Kelaa M'Gouna), camping Amastou (Tazarine), CTM, Frédéric Damgaard (galerie Damgaard, Essaouira), 2M Télévision, Fibule du Draa (Zagora), M. Gérard et Françoise (Ksar Sania, Merzouga), Mahmoud Guinea, M. Hamid (haras royal de Bouznika), hôtel Salam (Taroudannt), M. Jeannot (restaurant Chalet de la Plage, Essaouira), M. Lahcen, M. Larossi (ministère de la Communication à Rabat), Marrakech Médina, M'Barek Bouguemoun (Kasba Dadès), M. Michel (auberge-casbah Derkaoua, Merzouga), ministère des Affaires étrangères à Rabat, ministère des Eaux et Forêts à Rabat, ministère des Habbous, M. Ibrahimi (Office national de pêche), ministère de l'Intérieur à Rabat, M. Laforêt (haras royal des Sablons), ministère des Postes et Télécommunications à Rabat, ministère de la Santé à Rabat, ministère du Tourisme à Rabat, ministère des Transports à Rabat, M. Lahcen, Office national des aéroports au Maroc, Office national des chemins de fer au Maroc, Office national d'exploitation des ports au Maroc, M. Oulhaj (mosquée Hassan-II), M. Painclou (parc à huîtres n° 7, Oualidia), Liliane Phan (Gallimard), Madame Michel Pinseau et ses enfants, Coco Polizzi (medina d'Agadir), Radio Télévision Marocaine, M. Ribi (parc Sous-Massa), Royal Air Maroc, M. Saf (ministère de l'Information à Rabat),

Commandant Skali (mausolée Mohammed-V), M. Tarik (hôtel Anezi, Agadir), M. Tazi (restaurant Palais de Fès, Fès), Baudouin de Witte (Élan-Sud, association de sauvegarde du patrimoine architectural de l'Atlas et du Sud marocain).

Lecture et correction

Élisabeth Guillon, revue par Dorica Lucati.

Index

Lene Lasry.

Crédit photographique

Le numéro de la page figure en premier en gras, suivi de la position dans la page si nécessaire (h = en haut ; b = en bas ; c = au centre ; g = à gauche ; d = à droite ; hg = en haut à gauche ; hc = en haut au centre ; hd = en haut à droite ; bg = en bas à gauche ; bc = en bas au centre ; bd = en bas à droite) ; cgh = au centre à gauche en haut ; cdh = au centre à droite en haut ; cgb = au centre à gauche en bas ; cdb = au centre à droite en bas.

8-9 : Réunion des Musées Nationaux (RMN)/ Arnaudet ; *Fête marocaine* par André Suréda (1872-1930), musée des Arts d'Afrique et d'Océanie, Paris. **9c** : photothèque Hachette ; *Le Tour du Monde* (1879). **10cg** et **10hc** : Hémisphères Images/John Frumm. **10b** : Hémisphères Images/Stefano Torrione. **11hg** : Alamy Images/Alfonso Pérez. **11c** : Corbis/Kurt-Michael Westermann. **11bd** : Hémisphères Images/René Mattès. **12bg** et **12cdb** : Hémisphères Images/Paule Seux. **12hg** : Hémisphères Images/Emilio Suetone. **13hc** : Hémisphères Images/Stéphane Frances. **13bd** : Hémisphères Images/Bertrand Gardel. **14h** : Explorer/CNES/Spot Image. **20c** : Corbis Sygma/J. Langevin. **22hg** : Jacana/ J.-L. Dubois. **22bg** : Jacana/PHR/D. Nigel. **22bc** : Jacana/PHR/Mc. T. Hugh. **22bcg** : Jacana/C. Pissavini. **22bd** : Jacana/ M. Willemeit. **22bcd** et **23cbg** : Jacana/ J.-L. Dubois. **23cd** : Jacana/Th. Dressler. **23bg** : Jacana/P. Jaunet. **23bc** : Jacana/ C. Nardin. **23bd** : Jacana/A. Brosset. **30hd** : Corbius Sygma/M. Attar. **30-31c** : AKG/ J.-L. Nou. **30bg** : Arthephot/ronoz/J.-C. Varga, musée des Arts d'Afrique et d'Océanie, Paris. **30bd** : Réunion des Musées Nationaux (RMN)/ Arnaudet, musée des Arts d'Afrique et d'Océanie, Paris. **36-37c** : Paris Musées/ K. Maucotel, musée des Oudaïas, Rabat. **44** : J.-L. Josse ; *Mulay Abd Ar-Rahman, sultan du Maroc, sortant de son palais de Meknès* (1845), musée des Augustins, Toulouse. **45bd** : G. Dagli Orti, musée Leone, Vercelli (Italie). **46hg** : Philippe Maillard. **47b** : Réunion des Musées Nationaux (RMN)/ Arnaudet, musée des Arts d'Afrique et d'Océanie, Paris. **48hg** : J.-L. Charmet. **48hd** : G. Dagli Orti, bibliothèque Marciana,

Venise. **48cg** : Arthephot/Oronoz, Bibliothèque
apostolique, Vatican. **48bg** : G. Dagli Orti ;
Le Triomphe de Saint Thomas d'Aquin par
Gozzoli (v. 1420/2-1497), musée du Louvre,
Paris. **49hd** : Réunion des Musées Nationaux
(RMN)/J. G. Berizzi, Th. Le Mage, musée
des Arts d'Afrique et d'Océanie, Paris.
49cd : Raph/R. S. Michaud, Escurial, Madrid.
49bd : Réunion des Musées Nationaux
(RMN)/G. Blot ; *L'Adieu du roi Boabdil à
Grenade* par Alfred Dehodencq (1822-1882),
musée d'Orsay, Paris. **50cd** : Réunion des
Musées Nationaux (RMN)/ Arnaudet, musée
des Arts d'Afrique et d'Océanie, Paris.
50b : Arthephot/Oronoz, Monastère de
las Huelgas, Burgos. **50bg** : Arthephot/
Oronoz, Disputacion Foral, Pampelune.
51hd : Bibliothèque nationale, Paris,
carte d'Eldressi. **51c** : G. Dagli Orti. Azulero
Portimao (Portugal). **51bd** : photothèque
Hachette, Musée militaire, Lisbonne.
52bd : Roger-Viollet. **52h** : Philippe Maillard,
musée numismatique de la Banque du Maroc,
Marrakech. **52c** : Arthephot/Oronoz, Descalzas
Reales, Madrid. **53h** : J.-L. Charmet, Archives
du ministère des Affaires étrangères.
53b : J.-L. Josse ; *Bataille d'Isly* (1844)
par Horace Vernet (1789-1867), musée du
Château, Versailles. **53bd** : Photothèque
Hachette/Meurisse. **54-55c** : Réunion des
Musées Nationaux (RMN)/G. Blot ; *Audience
donnée à Meknès par le sultan du Maroc
Moulay Ismaïl à François Pidou, chevalier
de Saint-Olon, ambassadeur extraordinaire
de Louis XIV, le 11 juin 1693*, par Martin
Pierre Denis (1663-1742), châteaux de
Versailles (Trianon). **54hd** : Photothèque
Hachette, Bibliothèque nationale, Paris.
54cg : J.-L. Josse ; *Mohammed Temin,
ambassadeur du Maroc, à la comédie
italienne à Paris* (1682), par Antoine Coypel
(1661-1722), musée du Château, Versailles.
54b : Réunion des Musées Nationaux
(RMN)/F. Raux ; *Les Ambassadeurs de
l'Empereur du Maroc*, châteaux de Versailles
(Trianon). **55h** : Bridgeman Art Library/
Giraudon ; *Portrait d'Anne Marie de Bourbon,
Mademoiselle de Blois* (1666-1739), collection
Lobkowicz, château de Nelahozeves
(République tchèque). **56h** : Roger-Viollet/
collection Viollet. **56bg** : Photothèque
Hachette. **56bd** : Photothèque Hachette/
Meurisse. **56c** : Photothèque Hachette.
57b : Roger-Viollet. **58h** : Magnum/B. Barbey.
58bc : Roger-Viollet/collection Viollet.
58bg : Corbis Sygma/M. Attar. **59hg** : Corbis
Sygma/A. Nogues. **59cd** : Corbis Sygma/J.
Langevin. **59bg** : Corbis Sygma/P. Robert.
65b : Hémisphères Images/Stéphane Frances.
93cgh : Réunion des Musées Nationaux
(RMN)/Popovitch, musée du Louvre, Paris.
93ch : Réunion des Musées Nationaux (RMN)/

H. Lewandowski, musée du Louvre, Paris.
113b : Réunion des Musées Nationaux
(RMN), musée des Arts d'Afrique et d'Océanie,
Paris. **122bd** : orizon Features/A. Lehalle.
129b : Gamma. **135h** : Photothèque
Hachette ; *Arabe assis* par Eugène Delacroix
(1798-1863), musée du Louvre, Paris.
135ch : Réunion des Musées Nationaux
(RMN)/C. Jean ; *Odalisque à la culotte
grise* par Henri Matisse (1869-1954),
musée de l'Orangerie, Paris (© Succession
Matisse). **135cb** : Magnum/D. Stock.
135bg : G. Rondeau. **135bd** : © Flammarion ;
Hécate et ses chiens de Paul Morand,
Gallimard collection « Folio », 1974
(couverture illustrée par H. P. G. Berthier).
136-137 : Hémisphères/C. Heeb.
149bd : Réunion des Musées Nationaux
(RMN)/J. G. Berizzi ; *Fête juive à Tétouan*
(v. 1848) par Alfred Dehodencq (1822-1882),
musée du Judaïsme, Paris. **168b** : Arthephot/
Oronoz, musée Dar-Batha, Fès.
170b : Philippe Maillard. **181cg** : © Actes Sud/
Droits réservés. **189bd** : Gamma/Hadjih.
191bg et **191bd** : Réunion des Musées
Nationaux (RMN), musée des Arts d'Afrique
et d'Océanie, Paris. **198c** : ACR Éditions ;
Les Aïssaouas par Georges Clairin (1843-1919),
collection particulière. **213hd** : Jacana/S.
Cordier. **216bd** : Réunion des Musées
Nationaux (RMN)/R. G. Ojeda ; *Lion couché
avec une proie entre ses pattes* par Eugène
Delacroix (1798-1863), musée Bonnat,
Bayonne. **218hg** : Jacana/S. Cordier.
219bcg : Jacana/M. Bahr. **219bcd** : Jacana/S.
Cordier. **219bd** : Jacana/J. et P. Wegner.
231hd : G. Dagli Orti ; Musée islamique
(Le Caire), village pharaonique.
276hg : Jacana/Yoff. **277bg** : Jacana/
J.-L. Dubois. **277bc** : Jacana/PHR/
S. J. Collins. **277bd** : Jacana/Frédéric.
287hg : Photothèque Hachette ; *L'Illustration*
(11/09/1911). **293hd** : Jacana/J. Trotignon.
295bg : Photothèque Hachette. **324cg** : Alamy
Images/Danita Delimont collection/John and
Lisa Merrill. **325hg** : Alamy Images/Kevin Foy;
325c : PunchStock/PhotoAlto/Jean-Blaise Hall.
349bg : Réunion des Musées Nationaux
(RMN)/Arnaudet, musée des Arts d'Afrique
et d'Océanie, Paris.

Couverture
Première de couverture :
© Robert Harding Images/Masterfile
(visuel principal et dos) ; © Daleen Loest/
Shutterstock (détourage).

Quatrième de couverture :
© Megastocker/Shutterstock (hg) ; Maurizio
Bachis/Tips/Photononstop (cg) ; Mauritius/
Photononstop (bg).

Autres photographies : © Dorling Kindersley.
Plus d'informations sur : **www.dkimages.com**

Bibliographie

Les ouvrages sont classés par ordre
alphabétique des noms de famille.

Histoire, Société et religion

L'ABCdaire du Maroc (Flammarion, coll.
« L'ABCdaire » ; 1999).

Brignon J. : *Histoire du Maroc* (Hatier,
Librairie nationale Casablanca).

Dalle I. : *Le Règne de Hassan II, 1961-1999 :
une espérance brisée* (Maisonneuve
et Larose, Tarik éditions, 2001).

Daoud Z. : *Féminisme et politique au
Maghreb : sept décennies de lutte*
(Éddif, 1997).

Haddadou M. A. : *Le Guide de la culture
berbère* (Paris-Méditerranée, 2000).

Musée Sans Frontières : *Le Maroc andalou,
à la découverte d'un art de vivre*
(Édisud, 2000).

Rauzier M.-P., Tréal C. et Ruiz J.-M. : *Moussems
et fêtes traditionnelles au Maroc* (ACR, 1997).

Rivet D. : *Le Maroc de Lyautey à
Mohammed V : le double visage
du protectorat* (Denoël, 1999).

Smith S. : *Oufkir, un destin marocain*
(Calmann-Lévy, 1999).

Tozy M. : *Monarchie et islam politique
au Maroc* (Presses de Sciences
Politiques, 1999).

Vermeren P. : *Le Maroc en transition*
(La Découverte, coll. « Cahiers libres », 2001).

Zafrani H. : *Deux mille ans de vie juive au
Maroc : histoire et culture, religion et magie*
(Maisonneuve et Larose, 1998).

Paysages, villes et campagnes

Arthus-Bertrand A. et Y. : *Le Maroc vu d'en
haut* (La Martinière, 1998).

Barbey B. : *Essaouira* (Le Chêne,
coll. « Errances », 2001).

Barbey B., Ben Jelloun T. et Bennouna M. :
Fès, immobile, immortelle (Imprimerie
nationale, 1996).

Ben Jelloun T. et Tingaud J.-M. : *Médinas*
(Assouline, 1998).

Cohen J.-L. et Eleb M. : *Casablanca, mythes
et figures d'une aventure urbaine*
(Hazan, 1998).

Miège J.-L. : *Tanger : porte entre deux mondes*
(ACR, 1992).

Miège J.-L. : *Tétouan : ville andalouse
du Maroc* (CNRS Éditions, 1996).

Rauzier M.-P. : *Couleurs du Maroc*
(Flammarion, 2000).

Rauzier M.-P., Tréal C. et Ruiz J.-M. : *Tableaux
du Haut Atlas marocain* (Arthaud, 1998).

Arts, artisanat et cuisine

Besancenot J. : *Costumes du Maroc*
(Édisud, 2000).

Institut du monde arabe : *Le Maroc de Matisse*
(Gallimard, catalogue de l'exposition ; 1999).

Limane H. : *Volubilis : de mosaïque
à mosaïque* (Édisud, 1998).

Mourad K., Ramirez F., Rolot C., Tréal C.
et Ruiz J.-M. : *Arts et traditions au Maroc*
(ACR, 1998).

Rouach D. et Adda J. : *Les bijoux berbères
au Maroc dans la tradition judéo-arabe*
(ACR, 1989).

Seguin-Tsouli M., Rauzier M.-P., Mouton L. et
Amiard H. : *Saveurs marocaines* (Le Chêne,
coll. « Saveurs du monde », 2001).

Sérullaz A. et M. et Johnson Lee : *Delacroix :
le voyage au Maroc* (Flammarion, 1999).

Sijelmassi M. : *L'Art contemporain au Maroc*
(ACR, 1989).

Triki H. et Dovofat A. : *Médersa de Marrakech*
(Édisud, 1999).

Récits de voyage,
mémoires et fictions

Bowles P. : *Un Thé au Sahara* (Gallimard,
coll. « L'imaginaire », 1987).

Canetti E., traduit par Ponthier F. : *Les voix de
Marrakech* (Albin Michel, coll. « Grandes
traductions », 1996, et LGF, coll. « Le Livre
de poche Biblio », 1986).

Kessel J. : *Au Grand Socco* (Gallimard,
coll. « Blanche », 1952).

Lahjomri A. : *Le Maroc des heures françaises*
(Marsam, 2000).

Le Clézio J.-M. G. : *Désert* (Gallimard,
coll. « Folio », 1985).

Le Clézio J.-M. G et J. : *Gens des nuages*
(Gallimard, coll. « Folio », 1999).

Loti P. : *Au Maroc* (C. Pirot,
coll. « Autour de 1900 », 2000).

Institut du monde arabe *L'Appel du Maroc*
(IMA-Flammarion, catalogue de
l'exposition, 1999).

Rondeau D. : *Tanger* (Quai Voltaire, 1987).

Wharton E., traduit par Monneyron F. :
Voyage au Maroc (Gallimard,
coll. « L'imaginaire », 1998).

Glossaire

Adrar : désigne la montagne.

Agadir : grenier collectif de l'Atlas occidental.

Agdal : grand jardin, verger.

Aguelmane : lac naturel permanent.

Ahidous : danses collectives des tribus berbères du Moyen Atlas et du Haut Atlas oriental.

Ahwach : danses collectives des villages du Haut Atlas occidental et de l'Anti-Atlas.

Aïd : fête.

Aït : « fils de ». Désigne une tribu ou la région occupée par cette tribu.

Ammeln : tribu berbère de l'Anti-Atlas parlant le chleuh.

Assif : désigne une rivière, un cours d'eau.

Bab : porte.

Baraka : bénédiction divine, qui se transmet héréditairement. Elle s'obtient aussi en se rendant en pèlerinage dans un lieu saint.

Bendir : tambour sur cadre, tendu d'une peau de chèvre.

Bled : la campagne, le village.

Borj : bastion ou tours situées aux extrémités des murs d'enceinte de maisons fortifiées.

Burnous : grande cape de laine masculine à capuchon.

Cadi : juge religieux, autrefois chargé d'appliquer la charia.

Caftan : long vêtement féminin, boutonné sur le devant, agrémenté de passementeries et de broderies.

Caïd : chef d'une circonscription territoriale, subordonné au gouverneur de province.

Calife : titre porté par le chef du monde islamique, qui désignait le successeur de Mohammed.

Charia : loi religieuse fondée sur le Coran qui établit notamment les règles du culte.

Cheikh : chef d'une fraction de tribu ou d'une confrérie religieuse.

Chergui : vent de sud-est chaud et sec.

Chérif (pl. *chorfa*) **:** descendant du Prophète.

Chikhate : danseuse originaire du Moyen Atlas.

Chleuh : tribu berbère de l'Atlas et de l'Anti-Atlas. Nom donné à la langue parlée par ces tribus.

Chorfa : voir chérif.

Dahir : décret ayant force de loi au Maroc.

Dar : maison.

Dayet : lac naturel formé par les eaux de la nappe phréatique.

Diffa : repas de fête.

Dirham : monnaie du Maroc.

Djebel (ou *jbel*) **:** montagne.

Djellaba : vêtement pour hommes et femmes, à capuchon et amples manches.

Djemaa : assemblée villageoise des chefs de famille des tribus berbères.

Douar : hameau.

Émir : titre qui signifie « celui qui commande ».

Erg : étendue de sable ou cordon de dunes.

Fassi : habitants de Fès.

Fiqh : droit musulman.

Fondouk : ancienne hôtellerie pour les marchands, leurs montures et leurs marchandises.

Gebs : plâtre à sculpter appelé aussi stuc.

Gourbi : maison de semi-nomades, faite de boue et de branches.

Gnaoua : confrérie religieuse populaire originaire d'Afrique noire. Les fidèles se considèrent fils spirituels de Bilal, esclave éthiopien, que le Prophète affranchit avant d'en faire son muezzin.

Guedra : danse originaire de la région de Goulimine, exécutée à genoux par les femmes. Désigne aussi le gros tambour qui accompagne les danseuses.

Hadith : recueil de légendes concernant la vie du Prophète, ses actes et ses paroles.

Hadj (f. *hadja*) **:** mot se plaçant avant le prénom, désignant celui ou celle qui a fait le pèlerinage à La Mecque.

Haïk : long voile sans couture drapé autour du corps féminin.

Hamada : plateau désertique et caillouteux du Sahara.

Hammam : bain maure.

Hanbel : tapis ou couverture tissé par les Berbères.

Hégire : date du début du calendrier musulman, le 16 juillet 622.

Henné : arbuste cultivé pour ses feuilles qui entrent, entre autres, dans la fabrication du maquillage.

Igherm : grenier fortifié communal du Haut Atlas central.

Imam : religieux qui dirige les prières collectives.

Jbel : la montagne.

Kasba : maison fortifiée comportant une à quatre tours crénelées à chacun de ses angles.

Kesra : pain rond confectionné à la maison.

Khaïma : tente tissée en poil de chèvre ou de chameau, utilisée par les nomades des confins du Sahara ou les semi-nomades de l'Atlas.

Khettara : canalisations souterraines permettant à l'eau de circuler, entrecoupées de puits. Synonyme de *foggara*.

Koubba : édifice cubique surmonté d'une coupole, abritant la tombe d'un personnage vénéré.

Ksar (pl. *ksour*) : village fortifié, fermé par une enceinte continue et aveugle, encadrée de tours d'angle.

Lalla : titre respectueux qu'on donne aux femmes.

Maalem : maître d'œuvre et artisan.

Makhzen : pouvoir central, autorité royale.

Marabout : chef de confrérie religieuse au prestige considérable. Désigne par extension le tombeau de ce saint personnage.

Mechouar : esplanade ou grande cour à l'entrée d'un palais royal.

Medersa : collège coranique où sont logés les étudiants.

Medina : ville arabe traditionnelle, fermée de remparts, en référence à Médine qui accueillit le Prophète.

Mellah : quartier juif d'une medina.

Menzah : pavillon situé dans le jardin d'un palais.

Mihrab : niche indiquant dans chaque mosquée la direction de La Mecque.

Minaret : tour de la mosquée d'où le muezzin lance l'appel à la prière.

Minbar : chaire du haut de laquelle l'imam prononce la prière du vendredi à la mosquée.

Moqqadem : chef d'un village, d'une confrérie religieuse.

Moucharabieh : panneau de bois à claire-voie placé aux balcons ou aux fenêtres, dont les entrelacs protègent des regards extérieurs.

Mouloud : anniversaire de la naissance du Prophète.

Moussem : grande fête saisonnière annuelle, à la fois pèlerinage au tombeau d'un saint, foire commerciale et lieu de divertissement.

Muezzin : celui qui lance l'appel à la prière du haut du minaret.

Muqarnas : stalactites en stuc ou en bois, disposées en encorbellement.

Oued : fleuve ou rivière.

Pisé : mélange de terre humide, de graviers et parfois de paille, utilisé comme matériau de construction en milieu rural.

Qibla : direction de La Mecque, matérialisée dans les mosquées par un mur au centre duquel se trouve le mihrab.

Ramadan : neuvième mois de l'année musulmane, durant lequel le musulman jeûne du lever au coucher du soleil.

Reg : désert de cailloux.

Riad : demeure traditionnelle organisée autour d'un patio planté d'arbres et de fleurs.

Ribat : monastère fortifié d'où les moines guerriers musulmans partaient répandre la foi de l'islam.

Seguia : canal d'irrigation pour les cultures.

Serdal : foulard aux couleurs vives des femmes berbères, orné de pièces de monnaies.

Seroual : pantalon bouffant serré à la taille et aux genoux, et s'arrêtant aux mollets, porté sous la djellaba.

Souk : marché qui, en ville, est subdivisé en fonction des différentes spécialités.

Sourate : chapitre du Coran.

Tchamir : longue chemise masculine à larges manches portée sous un autre vêtement.

Tighremt : nom berbère de la kasbah. Maison fortifiée patriarcale à tours d'angle et à plusieurs étages.

Tizi : col de montagne.

Zakat : aumône obligatoire. Une des cinq obligations de l'islam.

Zaouïa : siège d'une confrérie religieuse qui dispense un enseignement, et sanctuaire où est enterré un marabout.

Zelliges : morceaux de céramiques de formes géométriques variées fixés par un mortier.

Lexique

L'arabe marocain n'est parlé qu'au Maroc. Il n'est pas compris dans les autres pays arabes. Les Marocains parlent vite et ont tendance à avaler les mots. Ce petit guide vous aidera à vous faire comprendre.

En cas d'urgence

Au secours !!	aawenooni
Stop ! (ou) Arrêtez !!	owkof!
Pourriez-vous appeler un médecin ?	momkin **kell**em el ta**beeb**?
Appelez une ambulance !	aaye**to aal**a el is**aaf**
Pouvez-vous appeler la police ?	**momk**in **kell**em el po**lees**?
Appelez les pompiers !	aaye**to aal**a el ma**taf**ie
Où se trouve l'hôpital plus proche ?	fin **kayn** akra**b** mos**tashf**a le

Expressions de base

Oui	**na**-am
Non	laa
S'il vous plaît	min **fadl**ak
Merci	se**'hha** / **shukr**an
Je vous prie de m'excuser	is**mahl**ee
Salut / Que la paix soit avec vous	se**laam**
Au revoir	ma'eel sa**laama**
Bonsoir	ma**saal** kheer
Bonjour	es**be'h** el**kheer**
Hier	el **baar**eh
Aujourd'hui	el **yoom**
Demain	**ghad**an
Ici	h**ina**
Là	h**inak**
Quoi ?	**shnoo**?
Quand ?	**imt**a?
Pourquoi ?	a**lash**?
Où ?	**fayn**?

Quelques expressions utiles

Comment allez-vous ?	wash**raak**?
Je vais bien.	**laab**as
Ravi de vous rencontrer.	metshar-fin
Où est ? / Où sont ?	**fayn**…?
Quelle est la direction de … ?	ina te**rik**… ?
Parlez-vous français ?	**wa**ch kateh**der** bel franssa**wiyya**?
Je ne comprends pas.	ana mafhim**taksh**
Je suis désolé.	esme**'hl**ee

Quelques mots utiles

Gros	k**beer**
Petit	s**geer**
Chaud	so**khoon**
Froid	**baar**ed
Bon	m**lee'h**a
Mauvais	mashem**lee**'ha
Ouvert	maf**too**'h
Fermé	mag**hlook**
Gauche	li**seer**
Droite	li**meen**
Tout droit	**neesh**an
Près	qu**rayab**
Loin	ba**eed**
Entrée	do**khool**
Sorties	k**hrooj**
Toilettes	towa**lett**
Ce soir	fel**leel**
Jour	ne**haar**
Heure	**sa**'aa
Semaine	se**maana**
Lundi	el e**tneen**
Mardi	el t**laata**
Mercredi	el ar**be'aa**
Jeudi	el kha**mees**

Faire ses courses

Combien ça coûte ?	kam else**'er**?
Je voudrais…	ana 'hab**bayt** …
Avez-vous ?	an**dak**…?
Celui-ci	haazi
Cher	**ghaal**ya
Bon marché	re**khee**sa

Tourisme

Galerie d'art	ga**liree** daar
Arrêt de bus	sta**syon** do boos
Jardin	el**jon**ayna
Mosquée	mas**jid**
Musée	**moozi**
Office de tourisme	mek**tab** so**yaa'h**
Gare	ma**hatt**at el tren
Plage	b**har**
Guide	geed
Plan	kaart
Parc	baark
Billet	te**kee**

À l'hôtel

Avez-vous une chambre ?	en**ta 'and**ak **ghorf**a?
Une chambre double	**ghorf**a le shakh**sayn**
Un lit double	joj bioot
Une chambre simple	**ghorf**a le shakhs **waa**'hid
Avec salle de bains	ma'al '**ham-maam** / **doosh**
J'ai une réservation.	ana me**rese**rve hna

Au restaurant

Avez-vous une table…?	en**ta 'and**ak **tow**la le…?
J'aimerais réserver une table.	b**rit** re**serve** wahd tabla
L'addition, s'il vous plaît.	te'e**teeni** elfa**toor**a min **fadl**ak?
Je suis végétarien.	ana na**bati** wa la a**kulu** lehoum **wala** hout
Petit déjeuner	if**tar**
Déjeuner	reda
Dîner	**aash**a
Tajine	ta**jeen**
Légumes avec de la viande, etc.	
Couscous	**kus**kus
Feuilleté aux légumes et à la viande, etc.	elbas**teela**
Soupe	'**hreer**a
Boulettes	**kef**ta
Poisson	el'**hoot**
Poulet	d**jaaj**
Viande	l'**hem**
Légumes	le**goom**/**khodr**a
Eau	**maa**'a

Les chiffres

1	**waa**'hid
2	zooj
3	t**laata**
4	ara**ba'aa**
5	**kham**sa
6	**set**-ta
7	**se**ba'a
8	t**maan**ya
9	**tes**'aa
10	'**ashra**
20	e**shreen**
50	**kham**seen
100	me**ya**

Vendredi / Samedi / Dimanche

Vendredi	el **jo**mo'aa
Samedi	el sa**bet**
Dimanche	el a'**had**

N 96

YSTE-EN-BOULE